▲ 热心读者鼓励刘心武把研红坚持到底（2005 年）

坚持自己的观点（2007 年）▼

▲ 为考证曹雪芹《红楼梦》后 28 回中会写到的狱神庙，刘心武特意赴河南内乡县考察，此为内乡古县衙狱神庙中供奉的狱神皋陶

刘心武 著

红楼梦

八十回后真故事

【 文本细读，小心求证 】
【 揣摩原意，推演得真 】
只要存善意，不怕大争论
央视《百家讲坛》再度携手刘心武
解开《红楼梦》八十回后全部谜底

▲《〈红楼梦〉八十回后真故事》封面

刘心武文存22

[1958—2010]

红楼梦研究　第四卷

《红楼梦》
八十回后真故事

刘心武◎著

江苏人民出版社

图书在版编目(CIP)数据

《红楼梦》八十回后真故事／刘心武著．—南京：
江苏人民出版社,2012.11
  (刘心武文存；22.红楼梦研究．第4卷)
  ISBN 978-7-214-08390-6

  I.①红 … Ⅱ.①刘… Ⅲ.①《红楼梦》研究-文集
Ⅳ.①I207.411-53

中国版本图书馆CIP数据核字(2012)第126758号

书　　　名	《红楼梦》八十回后真故事
著　　　者	刘心武
责 任 编 辑	刘　焱
统 筹 编 辑	李　丹
特 约 编 辑	朱　鸿
文 字 校 对	陈晓丹　郭慧红
装 帧 设 计	门乃婷工作室
出 版 发 行	凤凰出版传媒股份有限公司
	江苏人民出版社
出版社地址	南京湖南路1号A楼　邮编：210009
出版社网址	http://www.book-wind.com
经　　　销	凤凰出版传媒股份有限公司
印　　　刷	三河市金元印装有限公司
开　　　本	700毫米×1000毫米　1/16
印　　　张	26
字　　　数	384千字
彩　　　插	4
版　　　次	2012年11月第1版　2012年11月第1次印刷
标 准 书 号	ISBN 978-7-214-08390-6
定　　　价	60.00元

(江苏人民出版社图书凡印装错误可向本社调换)

《刘心武文存》出版说明

　　《刘心武文存》收录刘心武自 1958 年 16 岁至 2010 年 68 岁公开发表的文字约 900 万字。《文存》共 40 卷，按文章门类收录，计有长篇小说 5 卷、中篇小说 4 卷、短篇小说 5 卷、小小说 1 卷、儿童文学 1 卷、建筑评论 2 卷、《红楼梦》研究 4 卷、散文随笔 11 卷、杂文 1 卷、海外游记 1 卷、多品种（图文交融文本、报告文学、诗歌、剧本、足球评论、译述）1 卷、创作谈 1 卷、理论批评 1 卷、早期（1958 年至 1976 年）作品 1 卷、自述 1 卷。因跨越时间达半个世纪以上，收录定有遗漏，但其此期间的主要作品，相信均已收入。

　　《刘心武文存》各卷均附有《刘心武文学活动大事记》及《刘心武著作书目》，可备检索。

　　编辑出版《刘心武文存》的目的，意在供各方面人士阅读欣赏、分析研究、批评批判、收藏保存。

红楼细处

刘心武文存

22

《红楼梦》八十回后真故事

全本《红楼梦》之谜

　　来听一首诗："莫问金姻与玉缘，聚如春梦散如烟。石归山下无灵气，纵使能言亦枉然。"很显然，这是跟《红楼梦》有关系的诗。这位诗人看的是一部有头有尾的《红楼梦》。《红楼梦》里包含着"金玉姻缘"的故事。他看到故事里面"金玉姻缘""聚如春梦"的情景，也看到了"散如烟"的结局。《红楼梦》一开始就讲，在天界有一块大石头，后来被一僧一道带到了人间，随着贾宝玉在人间经历了一番离合悲欢、兴衰际遇，最后又回到了天界，回到了大荒山无稽崖青埂峰下。有个空空道人看到回归山下的石头，上面出现好多文字，这个文本就是《石头记》。空空道人把它改名为《情僧录》，带到人间，这个文本又有了其他的名字，其中一个名字就是《红楼梦》。写上面那首诗的人读过全本的《红楼梦》，他用诗歌来陈述他的印象，发出他的感慨。

　　有人会说，这个人读了《红楼梦》，有头有尾，写了首诗，这有什么稀奇啊？我就读过《红楼梦》，我读的一百二十回《红楼梦》就有头有尾。但你要知道写这首诗的人，可不是当今的人，是清朝乾隆时代的人。这个人叫富察明义，字我斋。他是乾隆朝初期的一个不太得意的贵族后裔，他祖上曾经风光，但是到他这一代，他只当上一个小官，在清宫的上驷院，就是养马的地方，俗称御马园，当"执鞭"的一个小官。御马园就是为皇帝养马，给皇帝备马，皇帝要用马的时候，派人跟着，这样一个机构。这个人官运不济，但是喜欢读书，喜欢写诗，他把自己写的诗，编成一个集子，叫做《绿烟琐窗集》。他的诗水平不高，没有很多人欣赏，估计是自个儿抄出来，自我欣赏，或者在亲友之间，小范围流传一番。但是这个《绿烟琐窗集》，是研究《红楼梦》的重要资料。这本《绿烟琐窗集》穿越沧桑的岁月保存下来了，就在北京图书馆里，可以去借阅、研究。《绿烟琐窗集》里面有关于《红楼梦》的诗，不止一首，是一组，有二十首，刚才我念的就是这二十首之一。可见富察明义他当时在乾隆朝读过一个有头有尾的《红楼梦》。

为什么我说它不是你现在所熟悉的一百二十回《红楼梦》呢？这个《绿烟琐窗集》，它里面那些诗的写作年代，是可以推敲出来的，写得最晚的诗，据专家考证，不会晚于乾隆四十六年，也就是公元1781年。这本诗集里的诗大体上是根据年代来排列，《题〈红楼梦〉》这二十首诗，排在诗集的当中，可见比刚才我说的专家考据出来的最晚的诗，时间还要早一些。可是我们大家现在所熟悉的一百二十回的本子，是什么时候产生的呢？它是在明义的《绿烟琐窗集》编成了之后很久。现在大家所看到的一百二十回通行本《红楼梦》，是程伟元和高鹗——程伟元是个书商，高鹗是个文人——他们两个合作，把大体上是曹雪芹的八十回《红楼梦》，和高鹗续的四十回，合在一起，用活字摆印的方式印刷流布的。那么这件事发生在哪一年呢？他们第一次印刷，是在乾隆五十六年，也就是公元1791年。刚才我告诉你了，明义的《绿烟琐窗集》最后一首诗它不晚于乾隆四十六年，也就是公元1781年，而程伟元、高鹗他们传下来的一百二十回本子，是出现在乾隆五十六年，也就是公元1791年，跟《绿烟琐窗集》里面诗的时间上至少差了十年。那么排在《绿烟琐窗集》当中的这二十首《题〈红楼梦〉》诗，还早于乾隆四十六年。所以明义所看到的完整的有头有尾的《红楼梦》，不可能是现在大家所看到的一百二十回的本子，他不可能看到高鹗的续书，因为高鹗那个时候还没续书呢！他看到的应该是另外一个有头有尾的《红楼梦》。

那么有人就会问了，一直听人说，曹雪芹的《红楼梦》只有八十回，不完整，是残缺的。你现在抛出这么一个材料，让我吃了一惊，原来早在程、高本一百二十回出现之前，就有一个完整的《红楼梦》了，而且这个《红楼梦》还有人读过，比如说富察明义他就读过，读完以后，他还用二十首诗表述了自己的感想。这是怎么回事？你光举出上面那首诗，还不足以说服我，他看到的是有头有尾的全本《红楼梦》，你能不能再举一首？那我就再举一首。刚才那一首是这组诗的第十九首。现在我们就来看看他第二十首是怎么写的。

第二十首他是这样写的："馔玉炊金未几春，王孙瘦损骨嶙峋。青娥红粉归何处，惭愧当年石季伦。"什么意思呢？曹雪芹书里面写的贾氏宗族的生活，是馔玉炊金，他们吃的饭可以比喻成玉，他们做饭的动力，可以比喻成金，他们馔玉炊金，过的是豪华不堪的生活，但是这样的生活没有持续很久，未几春，没有经过几个春天。我们立刻就回忆到，我们所读过的《红楼梦》的前八十回，里面说得很清楚，"三春去后诸芳尽"，"勘破三春景不长"，书里面写荣华富贵的生活也就是三年时间，显然富察明义他既看到了前八十回里面三个春天锦衣玉食的生活，他还看到了八十回之后，看到了小说里面的主人公——王孙公子贾宝玉，最后是什么形象呢？"瘦损骨嶙峋"，最后瘦得不成样子了。"嶙峋"本是形容石头带棱带角，拿来形容人瘦，就是没有一点脂肪了，肌肉都已经耗尽了，整个就是皮包骨头了。他看到了完整《红楼梦》后半部分故事里面的贾宝玉，这个王孙——贾宝玉当然是属于王孙公子范畴的人物，他是荣国公的后代——就瘦成了一个怪样子，潦倒不堪。

大家想一想，如果他只看到了八十回，贾宝玉会是这样的形象吗？在前八十回的后面，比如说七十八回，曹雪芹还写到了贾宝玉的形象，大家回忆一下，有没有这样一个细节？贾宝玉在大观园里面行走，跟着两个丫头，一个麝月，一个秋纹。当时大观园已经被抄检过了，贾宝玉最心爱的丫头晴雯，已经被撵出去，而且死掉了。贾宝玉当时身心受到了很沉痛的打击，但是在曹雪芹的笔下贾宝玉是什么形象呢？是"瘦损骨嶙峋"了吗？不是。他写在大观园里行走的时候，贾宝玉觉得热，就把外头的大衣服脱了，脱了之后，露出底下穿的大红裤子，这个大红裤子是谁给他做的呢？是晴雯的针线活。人亡物在，秋纹和麝月也很感慨，这时秋纹就有一句话，形容贾宝玉，她说这个大红的裤子，配你那个松花色袄儿，就越发显得你是靛青的头，雪白的脸。靛青的头，就是头发是非常健康的青黑色；雪白的脸，说明脸是很丰润、白皙的。哪里是瘦骨嶙峋呢？可以肯定，富察明义看到了全本《红楼梦》后面，贾宝玉"瘦损骨嶙峋"的形象。在高鹗的四十回续书里面，贾宝玉也没有"瘦损骨嶙峋"啊，虽然后来出家了，大雪天里面，他到码头上，跪在他的父亲贾政所坐的船前，披着大红猩猩毡的斗篷，没有说他瘦成皮包骨头。很显然，富察明义所看到的全本《红楼梦》，跟你现在看到的一百二十回《红楼梦》不一样，他也不是仅仅看到了曹雪芹的前八十回的《红楼梦》，他看到了全书后面贾宝玉的形象，是潦倒不堪的。

现在我们看古本《红楼梦》，虽然八十回以后看不到了，但可以看到脂砚斋的一些批语，脂砚斋提及贾宝玉在八十回以后的沦落，引用了八十回后的曹雪芹的原文，叫做"寒冬噎酸齑，雪夜围破毡"。酸齑，就是酸菜渣子。过去北京腌制的酸菜，腌完以后，把菜捞出来，剩下的那些烂渣子。他穷困到了抓那个渣子吃的地步；到了下雪的寒夜，没有办法御寒，不知哪儿捡的一个破毡子，就围在身上，是那么一种不堪的景象。这样的内容，跟"瘦损骨嶙峋"是对榫的。

富察明义看到过全本《红楼梦》。因此我可以得出结论，不是曹雪芹没有把《红楼梦》写完，不是曹雪芹他写到八十回，他就写不下去了，就停笔了，或者他想写，可是力不从心，或者没写到最后一回，他就死掉了，不是的。曹雪芹虽然死得比较早，四十岁的样子就死了，但是他是把《红楼梦》大体上写完了。他有一个有头有尾的稿本。可能还没有统稿，有些地方还缺少一些部件，比如说第七十五回，他缺几首中秋诗，还有一些地方前后有点儿矛盾，还没有来得及剔除那些前后矛盾的毛刺，没有把整部文稿完全修订好，但是就人物的命运发展来说，故事情节的流动来说，他已经完成了这部书稿。有这样一个原本的《红楼梦》，完整的《红楼梦》。

当然有人还是不服，说你光这么说，我觉得还是挺玄虚的。这个富察明义，他看到的这个《红楼梦》，也许不是曹雪芹的《红楼梦》吧？他看到的这个稿本哪儿来的？我现在告诉你，富察明义这二十首《题〈红楼梦〉》诗前面，还有一个小序，这个小序不得了，这个小序每一句话都很珍贵。

这小序第一句是什么呢？他就告诉你，他所读到的《红楼梦》的有头有尾的稿本是从哪来的，他说："曹子雪芹出所撰《红楼梦》一部。"首先他告诉你这个书稿是曹雪芹拿出来的。过去古人对人表示尊重，特别是对男子表示尊重，在姓氏后面要加"子"，孔子、孟子、老子、韩非子；到了宋代，朱熹，朱子；到了清代，富察明义他很崇拜曹雪芹，读了曹雪芹的著作以后，他就称曹雪芹为曹子雪芹。出，就是出示、出借，他这个书的来源出处就是曹雪芹本人，他看到的有头有尾的《红楼梦》文本，就是曹雪芹本人提供的。那么这部书是谁写的呢？他告诉你，是曹雪芹"所撰"，撰就是著述，说明这个著作权就归于这个人。作者本身叫曹雪芹，他把自己所写的《红楼梦》出示了，富察明义得到了，明义遣词造句很明确，包括所出示的是半部还是一部？他说明是完整的一部。所以《红楼梦》究竟是不是曹雪芹写的，我觉得已经很清楚了。

富察明义这个人，他出生得比曹雪芹晚，但是他生出来以后，曹雪芹还活着，当然曹雪芹去世以后，他又继续生活了一段，因此他跟曹雪芹应该说是同时代的人，他们两个人的生命有过一段共时空的阶段。就是说有一段曹雪芹活着，他也活着，曹雪芹活动的空间主要是北京，北京城里、北京郊区，富察明义也一直生活在这个空间。还有不少资料可以证明，曹雪芹的朋友，比如敦敏、敦诚两兄弟，也是明义社交圈里的。因此，明义跟曹雪芹，很可能是有来往的。从明义这句话看得出来，即便曹雪芹不是直接把《红楼梦》完整的稿本给了他，也是给了跟他关系非常密切的亲友，所以明义才能读到这个稿本。

富察明义在小序里面还说，他看到的稿本，"备记风月繁华之盛，盖其先人为江宁织府。"他就告诉你，他看到这本书稿，具有家族史的性质。里面所写的风月繁华，跟曹雪芹的家世有关。曹雪芹的祖上，三代四人，沿袭着担任了一个职务，叫江宁织造。

明义还说："其所谓大观园者，即今随园故址。"后来很多红学界的专家，对明义这样一句话是不赞同的。明义认为书里的大观园有原型。他做原型研究比我早多了。他就觉得，故事里写的大观园，这个空间是有实际的园林可以指认的，他说原型就是随园。历代的红学家就讨论，形成不同的观点。有的就指出来，大观园的原型绝不是随园，这是错误的判断。有的专家认为，大观园的原型就是现在在北京的，可以去参观的那个恭王府的花园，认为曹雪芹参考恭王府花园的前身，夸张渲染成了一个大观园。也有人认为，大观园的原型另有所指，既不是随园，也不是恭王府花园，应该是以另外的园林作为它的母本。更有专家指出，大观园是曹雪芹综合了很多中国园林的特点，加以艺术想象虚构出来的这样一个故事空间。但是不管怎么说，富察明义他读了曹雪芹的完整的《红楼梦》之后，得出了一个印象，他认为这部"假语存"的书稿，里面"真事隐"的就是曹雪芹的家史。他这个观点值得参考。

富察明义又说："惜其书未传，世鲜有知者，余见其抄本焉。"他觉得这本书非常好，应该流传，但是很可惜，他看到这个书稿的时候，这个书稿很寂寞，没多少人看见，在人世间很少有人知道这部书稿，这部书稿当时没有印刷流布，只是手抄本。当时中国印刷术已经很发达了，中国老早就有印刷术，清代在乾隆时期，石印是一种印刷方式，木板雕刻是一种方式，木活字摆印又是一种印刷方式。当时中国造纸术也发明很久了，造纸业也很发达，利用纸来印书，装订好以后，拿去售卖流布都很方便，但是富察明义他看到的书稿，没有那么幸运，"世鲜有知者"。他告诉了我们他看见的是手抄本，就是原始的人工用墨笔誊写的抄录本。

这是我们从富察明义的《题〈红楼梦〉》二十首诗的小序里面所获得的一系列的宝贵信息，让我们知道曹雪芹写完了《红楼梦》，存在过一部有头有尾的《红楼梦》，那并不是后来程伟元和高鹗合作产生的那一部一百二十回的《红楼梦》。而且曹雪芹的《红楼梦》八十回以后的内容和高鹗四十回续书的内容是不同的，最起码从"王孙瘦损骨嶙峋"，从贾宝玉最后的形象来说，就完全不同。

刚才我介绍富察明义第二首诗，剩下的两句还没说。有人就提议，说你把这两句再说说，能不能加强你的论点呢？那我就把后两句再说说，看能不能使我这个论点更有立足的依据。明义《题〈红楼梦〉》第二十首最后两句是："青娥红粉归何处，惭愧当年石季伦。""青娥红粉"是对书里面所有的青春女性的一个总括。"青娥"，就是青春女性青黑色的眉毛。"红粉"，指青春女性擦上胭脂后，像玫瑰花瓣一样红润的脸庞。他告诉你，他所看到的《红楼梦》，书中的青春女性后来怎么样呢？"归何处"，说不清她们的去向，整个贾氏宗族最后"家亡人散各奔腾"了。这些女性命运都很悲惨。他想起来心里很沉痛。最后一句用了典故："惭愧当年石季伦。"石季伦，名字叫石崇，字季伦。西晋时期的一个大富豪，在权力分割当中，也获得一定的权力，是一个过着奢靡生活、荒淫无度的人。但是这个人最后的命运很悲惨，在权力的角斗当中，在财富的比拼当中，最后是败北了。他的政治对手，拿着皇帝的命令来杀他。他很富有。他除了有豪华的住宅以外，还有一个很大的园林，叫做金谷园，里面有很多亭台楼阁。当他的政敌追杀进来的时候，他家里面有一个侍妾，叫做绿珠，可能是石崇对她不错，她忠于自己的主子，就采取了行动，表示反抗，表示不服，跑到楼上，一个自由落体，坠楼而亡了，成为历史上有名的事情，叫绿珠坠楼。这个石崇是个挺糟糕的人，没有什么值得同情的，绿珠的行为，用今天的眼光来看，她为石崇殉情、殉葬，也没有什么值得歌颂的。但是富察明义读完整本《红楼梦》以后，有一个对比，他由书里面的贾氏宗族联想到石崇。贾氏宗族有很多问题，有罪恶，有错失，有不光彩的一面，但是不管怎么说，贾氏宗族跟石崇比起来的话，还要好得多。大家回忆一下，八十回的《红楼梦》所描写的，贾氏宗族这些老爷们，太太们，是很糟糕，但是无论是老祖宗贾母也好，还是荣国府的王夫人也好，或者是贾氏宗族的族长贾珍也好，他们也不是一无是处，在某些时空里面，他们还可能体现出来一点同情心、怜悯心，例如贾珍是一个很糟糕的人，但是对于生活比较贫困的一些宗族成员，还是有点儿道义的，每年田庄送来那些贡物，他分成堆，让宗族里那些相对贫困的人士来领取。因此富察明义就觉得，不管怎么说，贾氏宗族比石崇还好一些，可是他看到《红楼梦》的结局悲惨到什么地步呢？就连一个绿珠这样的人物都没出现，青娥红粉，就没有一个人能够站出来，去做出绿珠式的反抗举动。所以他觉得如果石崇地下有知，作一个对比，会觉得，人家比我好，人家覆灭的时候，没有一个类似绿珠的人物表示反抗，我呢？不管怎么糟糕，但我还有一个绿珠，所以我很惭愧。这当然是诗人的想象。一个是真实存在的事情，一个是小说里面的东西。古人诗里用典，有限的字，一句诗，可是解释起来就有很多的层次、很深的意义，明义这句诗，说明他看到的《红楼梦》，是一个大悲剧的结局，贾氏宗族彻底覆灭，比当年石崇还惨，"落了片白茫茫大地真干净"。他看到的应该是曹雪芹原笔原意的《红楼梦》，他真有眼福。

说到这儿，有的红迷朋友就要跟我讨论了，说曹雪芹的《红楼梦》，写完了，有头有尾，富察明义就看见过，那怎么到后来只剩下大体八十回了呢？八十回以后都哪去了呢？这是怎么回事呢？

有一个红迷朋友，他跟我讨论这个问题时，介绍了一个信息，他听到一个说法，就是八十回以后的《红楼梦》之所以没有了，是因为曹雪芹本人对他写作的内容不满意，自己把它销毁了，或者是为了逃避文字狱，害怕，胆小了，就把它销毁了。我说你哪儿听来的？有没有文献资料作根据呢？他说没有，道听途说。这种道听途说信不得。没有任何文献资料证明，是曹雪芹自己由于这样那样的原因，把自己写出来的《红楼梦》的八十回后的文稿销毁了。没有任何材料支撑这样的观点，这是不成立的。

而且恰恰相反，我们都知道在古本《红楼梦》里面有很多批语，有的没有署名，有的有署名，署名不止一种，其中出现最多的是两个署名，一个叫做脂砚斋，一个叫做畸笏叟，那么这个脂砚斋和畸笏叟究竟是谁？是男是女？跟曹雪芹是什么关系？有的说是夫妻，有的说是叔侄，有的说是兄弟，有的说是父子，在红学界存有争议。那么脂砚斋和畸笏叟是一个人，一开头用脂砚斋做署名，后来又用畸笏叟做署名，一个人两个署名，还是根本就是两个人？都有争论。我告诉大家，不管这个脂砚斋和畸笏叟是男是女，究竟跟曹雪芹是什么样的辈分关系，或者是什么样的人际关系，也不管脂砚斋和畸笏叟是一个人还是两个人，但是争论各方都肯定一点，就是写批语的这个人，和曹雪芹关系十分密切。曹雪芹一边来著述，此人一边来编辑，一边来写批语，此人参与《红楼梦》全书的创作，所以脂砚斋的批语是很重要的，是我们研究《红楼梦》的重要资源。

那么，在脂砚斋的批语里面，就有很多关于八十回后的人物命运、人物结局、故事情节发展的一些线索。脂砚斋经常在评八十回前面的时候，不由得提到八十回以后的一些故事情节，人物命运发展的轨迹，以及人物命运最终结局，甚至于会把八十回后的语句加以引用，"寒冬噎酸齑，雪夜围破毡"就是一例。有时干脆就在批语里面，把八十回后的回目完整地告诉我们，八十回后有一回的回目是什么呢？叫做"薛宝钗借词含讽谏，王熙凤知命强英雄"。大家想一想，在现在我们看到的一百二十回的《红楼梦》里面，前八十回有这一回吗？是没有的。在所有古本《红楼梦》前八十回里面也没有。在高鹗的续书的后四十回里面，有这个回目吗？也没有这个回目。但是脂砚斋告诉我们，曹雪芹那个完整的《红楼梦》八十回后有一回就是这个回目。他还提到，书里有一个王孙公子叫卫若兰，这个人有一个行为叫做"射圃"。究竟什么叫"射圃"，现在不展开讨论。他非常肯定地告诉你，后面有卫若兰射圃这样的情节，在这个情节里面，卫若兰身上还戴着一个金麒麟，这个金麒麟恰恰是前八十回写到的，史湘云和翠缕在大观园捡到的金麒麟。他还告诉你八十回后，可能不止一回，写到狱神庙里的故事。在八十回后，会写到王熙凤啊、贾宝玉啊，他们都被捕入狱了。他们在狱神庙里面见到谁了呢？见到了茜雪，见到了小红。脂砚斋提到这样一些内容时，丝毫没有表示曹雪芹本人，或者自己作为合作者，认为八十回后面这些内容写得不好，应该把它销毁，相反，对借阅出去的这些篇章的迷失，脂砚斋连连叹息，痛心疾首。所以曹雪芹大体写好的全本《红楼梦》，是很珍贵的，首先曹雪芹本人和合作者脂砚斋，就都很珍视。

于是就派生出一个问题：能不能把曹雪芹的全本《红楼梦》，八十回后的内容，找到呢？有一个办法，就是想尽办法去找现在还存在于世界上的手抄本。有没有这种可能？我个人到目前为止没有彻底灰心，我觉得还是有可能的。虽然我们经过那么多社会动荡，很多书稿都被销毁了，但是保不定哪一天，在某一个地方就能够发现一部完整的曹雪芹的《红楼梦》手抄本。更何况，从1840年以后，中国饱受西方列强的欺凌，很多外国人劫走中国文物的时候，也劫走了很多中国的书籍，包括手抄本，包括印刷的。据我所知，在一些西方国家，一些图书馆里面，它有东方部，就存有这样一些书，因为那边懂中文的很少，只进行了简单的检索和编目，没有仔细地翻阅。那么在他们所保存的这些书稿里面，也有可能挖掘出来曹雪芹八十回后的《红楼梦》文稿。

在曹雪芹八十回《红楼梦》后面的文稿没有浮出水面的时候，我们是不是完全没有事情可做呢？我们是不是只能是频频地哀叹呢？我想不是的，在红学里面，很早就有一个分支叫做探佚。把丢掉的东西找回来叫探佚。《红楼梦》探佚学，就是要把存在过的曹雪芹的完整的《红楼梦》八十回后的内容找回来。找回来我们是有资源的，起码拿我来说，做这项研究，我有四个资源。

第一个资源就是前八十回。进行探佚，首先要熟读前八十回。因为曹雪芹的《红楼梦》文本特点就是设置很多的伏笔，有大伏笔有小伏笔，有总伏笔，有分伏笔。所以仔细钻研前八十回的话，你就可以梳理出来，八十回后他的思路是什么，他笔下人物的命运发展轨迹是什么，人物最终的结局是什么，包括情节发展总的运行的轨迹是什么，会有什么样的新的高潮产生，情节会有什么样的交错，会有什么样的收束。这些在前八十回里面都是有伏笔的，有线索的。因此探佚本身也是精读《红楼梦》的过程，细读《红楼梦》的过程，是很有意思的，也是很有意义的。我所说的八十回，包括通行本里面的八十回，当然更包括各种古手抄本的前八十回的内容，那些文本都是我们探佚的重要资源。

第二个资源就是刚才我提到的，脂砚斋、畸笏叟，他们在古抄本上的批语。这些批语量很大，牵扯到八十回后的内容也挺多，是很宝贵的资源。像刚才我提到的卫若兰射圃，八十回后会写到；狱神庙，会有茜雪和小红出现，等等。乃至于八十回后会有什么样的场面，什么样的场景，什么样的细节，人物之间会有什么样的对话，作者描写这个环境的时候，会有哪些语言，"脂批"都有提示。"脂批"是一个很丰富的宝库，提供了很多线索。这也是我们对八十回后进行探佚的一个重要资源。

还有一个资源就是跟曹雪芹大体上同时代一些人的诗、文章等等，像刚才我介绍给大家的富察明义的《绿烟琐窗集》，这里面二十首《题〈红楼梦〉》诗，包括诗前的小序，都是我们对八十回后《红楼梦》真故事探佚的宝贵资源。

红楼探佚，过去有很多的研究者，积累了很多这方面的学术成果，也可供我们参考。那么现在也不是我一个人对"红楼探佚"感兴趣，有一些专家，他的研究重点就是进行"红楼探佚"，有专门的著述，有一些相关的研究成果可以借鉴。所以你看，我们对曹雪芹八十回后真故事的探佚，是有资源的，不是我们完全没有办法去进行的。我们可以很认真、很细致、很执著地去进行。

当然有人会有这样的疑问，说你现在讲这个，我总觉得，你对一百二十回的通行本《红楼梦》，有点儿挑战的意味，我就喜欢一百二十回的《红楼梦》，已经有头有尾了嘛，又流传了那么久，而且现在我们所能方便地接触到的本子，基本上都是一百二十回的《红楼梦》，我看惯了，包括现在北京电视台通过《红楼梦》选秀，录制了一个大型的连续剧，据报道这个《红楼梦》连续剧就是完全根据一百二十回来录制的，这是很主流的一个认知，一个做法。你现在再讲这个这合适吗？我觉得你喜欢一百二十回《红楼梦》你就继续喜欢它。我这个讲座有可能促进你更喜欢它，因为我通过探佚以后会给你提供一个参照，我告诉你，根据我的探佚心得，曹雪芹在八十回后他是会这样去写的，那你对比现在高鹗的后四十回，可能对比的结果，你的结论是你讲这个，只是供我参考而已，我觉得不可信，或者虽然可信，可是我还是不喜欢，我觉得还是高鹗的后四十回好，那不是促进你去阅读一百二十回的通行本了吗？我觉得没有坏处。

所以我想，在红学研究这个公众共享的学术空间里，多一种声音，多一种观点，多一种想法，应该能体现出百花齐放、百家争鸣这样一个繁荣文艺、繁荣学术研究的方针。更何况我在前面的《红楼梦》讲座里面，一再跟大家强调，我之所以敢于发表自己研究《红楼梦》的见解，因为我心中有两个人讲的两句话，一个就是先贤蔡元培先生，他所说的"多歧为贵，不取苟同"。另外两句，实际上是两句诗，清朝诗人袁枚写的，叫做"苔花如米小，也学牡丹开"。现在是一个中华文化大复兴的时代，对传统文化的研习，我们要有参与意识。传承中华优秀的民族文化，不是少数专家学者的事儿，他们起很重要的作用，但一般人士也可以参与，公众的参与是促进中华民族文化复兴的重要推动力。

那么，话说到这儿，问题又来了，你可能又逼问我了，说行了行了，说了归齐，你就是觉得高鹗的后四十回续得不好，觉得曹雪芹本来就有了一个八十回后的内容，你进行探佚了，那咱们先别多说，你先说说那八十一回吧，高鹗的八十一回叫做"占旺相四美钓游鱼，奉严词两番入家塾"，你就说说，怎么不符合曹雪芹的原意？你觉得他不对，那么曹雪芹的八十一回应该是什么内容呢？那么就请您听我下一讲。

第二讲
第八十一回之谜[1]

《红楼梦》结构之谜

要讨论曹雪芹全本《红楼梦》第八十一回，跟高鹗续书的第八十一回有什么重大差异，首先必须把曹雪芹全本《红楼梦》的文本结构规律搞清楚。

细心的红迷朋友，会发现我上一讲里面，造句时有一个特点，我老说"八十回后《红楼梦》"，怎么不说"后四十回《红楼梦》"呢？难道八十回后不是四十回吗？现在就要跟大家从这讲起。

曹雪芹的全本《红楼梦》不是一百二十回，这在古本《红楼梦》的脂砚斋批语里，表述得非常清楚。四十二回前面有条批语说"今书至三十八回时已过三分之一有余"。如果全本《红楼梦》是一百二十回，只能说书至三十八回时不足三分之一。曹雪芹的全本《红楼梦》的三分之一应该是三十六回，总共一百零八回。

据周汝昌先生的研究考据，曹雪芹的全本《红楼梦》的文本结构，有一个9×12的规律。也就是说，大体上是每九回构成一个情节单元，全书是十二个九回，加起来就是一百零八回。

那么，能不能稍微地展开讨论一下，曹雪芹的《红楼梦》的文本结构，真的存在9×12这样的内在规律吗？我们首先看一看前八十回。它很多地方显示出来，其文本结构是9×12这样一个方式。从第一回到第九回是一个单元，这还不太明显。但是从第一回到第十八回，二九一十八，作为一个大情节单元来看，就太明显了。十七回、十八回写的什么？写的是元妃省亲。根据我前面的讲座，我个人还有一个观点，就是决定贾氏宗族命运的有两个重要的女性，一个是秦可卿，一个是贾元春。在第一回到第十八回当中，正好显示了这两个女性，对贾氏宗族的重要性。秦可卿她在第十三回就死掉了，那么秦可卿的原型，我在前面讲座里面，跟大家汇报过个人心得，指出她应该是"义忠亲王老千岁"原型，也就是康熙朝废太子，他的一个没有到宗人府去登记注册的女儿，藏匿在了曹家——书里化为了宁国府。她的真实身份并不是什么养生堂的弃孤。讲过的我不再重复。那么由于贾氏宗族藏匿了一个在皇权斗争当中失利者的骨血，所以最后招致惨重的打击，埋伏下大悲剧的总根源。但是贾氏宗族，两条腿走路，两个翅膀飞行，他们既藏匿了"义忠亲王老千岁"的骨血，他们又把自己的一个女性贾元春送到宫里面去，获得了皇帝的宠爱，第十六回我们就看到，秦可卿死了不久，贾元春的地位突然提升，她"才选凤藻宫，加封贤德妃"，皇帝就恩准她回家省亲了！因此贾氏宗族就一度达到烈火烹油、鲜花着锦那样一个状态了。秦可卿之死和贾元春升腾，构成了第一回到第十八回这"二九"的情节中轴。

从第十九回起，进入了另外的情节单元。作者开始放手写闺友闺情，展现贾宝玉的情感生活，当然也辐射开去描写到贾氏宗族的各个方面。那么三九二十七，四九三十六，第十九回到第三十六回，这两个情节单元虽然写得花团锦簇，脉络还是很清楚的。特别是写到宝玉和姐妹们，还有李纨和贾兰，都住进了大观园，写到宝玉和黛玉的爱情，和宝钗之间的微妙关系，又来了个史湘云，天真烂漫，宝玉和她相处非常开心，却也发生了思想上的冲突。但是到第三十六回，他做了一个收束，叫做贾宝玉"识分定情悟梨香院"。贾宝玉原来觉得，所有的青春女性，从小姐到丫头，都爱他，府里养的演戏的小姑娘，想必也都爱自己。没想到，在梨香院，龄官，戏班子里戏唱得最好的小旦，却对他异常冷淡。他让龄官唱曲，他原以为龄官应该高兴死了。他是荣国府的公子，先不说地位，相貌风度没得挑，连赵姨娘都说，宝玉不管别的怎么样，长的是可人意。但是龄官对他爱答不理，躲开他，说嗓子哑了，唱不了。他目睹了一个什么场面呢？龄官对所有人都无所谓，却对贾蔷情有独钟。于是宝玉醒悟：原来人能享受到的感情，是冥冥中自有天定的，属于你的你能享受到，不属于你的，你强求不得。全本《红楼梦》的第四个情节单元就结束在宝玉的这个人生感悟上。那么再往下写，虽然也还写宝玉的闺友闺情，但旋转到情节中心的，则是贾府的由盛而衰了。

最明显的是到第五十四回，六九五十四，第六个情节单元结束，实际上也是全书的前半扇——如果把全书比喻成一把折扇，那么到五十四回展开了半扇，基本上是写"兴盛",所谓"繁华到不堪的地步"。五十三回前半部写的是贾氏祭宗祠,下半部就写庆元宵,大摆宴席,在家里唱戏,贾母就高兴得不得了,到最后戏唱完怎么着?一声"赏"字怎么描写的?我不引原文,大家可以闭眼睛,先听声,什么声?仆妇拿大簸箩往台上泼钱,赏那些唱戏的人。第五十四回更把这番热闹推到极致,显示这个家族荣华富贵到了极点。但是乐极生悲。登高必跌重。月满则亏,水满则溢。所以从第五十五回开始,全书的下半扇,就逐步去写"衰亡",写贾氏宗族所遇到的各种各样的内部和外部的困境。

到第八十一回,应该是第九个情节单元的结束。在这个情节单元里,贾府的内乱先造成了晴雯的死亡,然后外患频仍,香菱和迎春也相继死去。

曹雪芹在文本结构上非常讲究。为什么说每一段情节是以九回为一个单位,而他又以十二为一个常数呢?你细读第五回就明白了。第五回贾宝玉神游太虚境。警幻仙姑领着他,他到薄命司里面,偷看了橱柜里面的册页,这些册页记载着原籍是金陵的众女子的命运。那么这些册页是怎么分配的?书上写到贾宝玉翻看了《金陵十二钗》又副册、副册和正册。他把正册里面的十一幅画,十一首判词全看了,第一幅画和第一首判词是黛、钗合一,那么正册里面就是十二钗。副册、又副册,也都是以十二位为一组。警幻仙姑招待贾宝玉,让仙女们唱曲,是《红楼梦》十二支曲,当然加上开头结尾一共是十四支,可是当中正式来咏叹这些青春女性命运的是十二支,作者分明以十二作为书中贯穿的常数。包括我刚才说的龄官,龄官属于在梨香院养的一个戏班子,这个戏班子是派贾蔷到姑苏地带采买来的一些小姑娘,一共多少个?十二个。这些小姑娘唱戏取艺名,两个字,最后一个字都是"官"。那么也是以十二个为一组,可以叫做"红楼十二官"。

前面五十四回写贾氏宗族的繁华富贵到了极盛状态,后五十四回就逐步写到衰落,到最后是陨灭的大悲剧结局。我们应该把握住曹雪芹全本《红楼梦》的这种文本结构,这是一把总钥匙。我们对曹雪芹的八十回后的探佚,有这把总钥匙就好办了。现在我们可以知道,他八十回后面不是四十回,而是二十八回。

有人就会提出问题了,说以九为单位,那么九九八十一,对不对?也就是说,八十回不应该是一个故事情节单元的结束,八十一回才应该是那个单元的结束。这个想法我非常赞同。是这样的。所以从这一点你来看高鹗的八十一回,就会觉得不对头。也可能你读着还觉得挺舒服。反正我觉得很别扭。为什么呢?因为高鹗从八十回后另起炉灶了，八十回往前的情节他全不管。

从七十三回到八十一回应该是一个情节单元，那是一个很恐怖的情节单元。七十三回到八十一回是些什么内容？不细说了，你猛一想，有没有抄检大观园？有没有死晴雯逐芳官？有没有尤氏要到上房去，底下说你别去，为什么？那儿正在帮助江南被抄家的甄家藏匿财物呢！这是冒犯皇上的大罪，一旦被皇帝追究，不得了啊！哎呀，很恐怖！

可是高鹗的八十一回没按这样的情节走势往下写，他来个大转折，叫做"占旺相四美钓游鱼"，悠哉悠哉！平安无事呦，美女们在大观园里面钓鱼，哪有什么抄检之事，哪有什么死人之事？似乎一切悲剧性的事情都没有发生，前面一切灾难的征兆都不算数，而且写得很荒唐，他把宝玉写得很迷信，贾宝玉给小姐们出主意，说你们干脆通过钓鱼算命好了。贾宝玉是一个最反对封建迷信的人，多的例子不举，大家记不记得他和他母亲之间的一次对话，讨论一味药的名字，王夫人左想不起来，右想不起来，最后宝玉就说，太太是被金刚菩萨给支使糊涂了。他对母亲还是尊重的，但对迷信神佛很不以为然。在高鹗笔下，贾宝玉却和四个美人一起钓鱼算命。这个是说不通的。更荒唐的是，在前面情节发展可以说是暴风雨将至，闪电扯动得非常强烈，雷声滚滚的时候，他逆转从七十三回往下发展的情节，他写贾宝玉不仅迷信，而且忽然变成一个乖孩子，"奉严词两番入家塾"了。那是不是很奇怪？当然他也说，贾宝玉不愿意读书，但是经过私塾老师贾代儒的教导，经过贾政的指点，贾宝玉不但读圣贤书，还学会做八股文了。他以很多篇幅写这个八股文的做法，怎么破题，一股一股往下做。这还是前八十回里面的贾宝玉吗？贾宝玉他反对仕途经济，前八十回里那是明文写出来的。他甚至不惜在价值判断上、价值观念上去跟和他很友好的——人家喜爱他，他平常其实也不讨厌人家——那些青春女性发生激烈冲突。他唯独尊重林黛玉，为什么呀？因为林黛玉打小从来不鼓励他去热衷仕途经济、科举考试、立身扬名，因此他深敬林黛玉。可是在高鹗的笔下，贾宝玉完全变了一个样子，乖乖地去私塾，很认真地学做八股文，从不喜欢到比较喜欢。更古怪的是林黛玉也变味儿了。在高鹗笔下林黛玉怎么说？林黛玉对宝玉学做八股文很支持，说八股文"内中也有近情近理的，也有清微淡远的，不可一概抹倒。况且你要取功名，这个也清贵些"。这会是林黛玉说的话吗？所以我实在不是对高鹗有先天的偏见，我是读了他的文字以后，万万不能接受。这不应该是曹雪芹的第八十一回的文字。

八十一回以后，他写得更荒唐了。宝玉跟巧姐讲封建道德那一回，有印象没有？吓人不吓人？有人说，我草草翻过去了，我没有仔细看。你得仔细看，那里面的贾宝玉很吓人。巧姐，是宝玉的堂侄女。据高鹗的描写，这时候她已经长大了，读书识字了，读《列女传》。《列女传》从头到尾充满糟粕，宣扬封建道德，鼓吹妇女应该坚守封建"妇道"。宝玉不但不反对巧姐读这个书，作为长辈，还跟她温习书的内容，宝玉就列举了书里面一些所谓模范妇女的事迹，其中有一个叫做"曹氏割鼻"。宝玉就给巧姐讲，你要记住"曹氏割鼻"。这位曹氏是一个节妇。什么叫节妇？封建社会要求妇女必须从一而终，死了丈夫不许改嫁，必须守节。从很小的年纪终身守节，守到很老，你就可以得到表彰，可以立贞节牌坊。这是很不人道的。大家知道上个世纪"五四运动"，当时激昂地要求中国变革的文化人，比如像鲁迅先生，他们反对封建道德，首先就向封建节烈观开火，鲁迅先生写了著名的文章《我之节烈观》，你现在读都还是很激动人心的。可是这个《列女传》就宣扬一些"节烈"的事迹，其中最骇人听闻的就是"曹氏割鼻"。三国时期魏国有一个女人，嫁给姓曹的了，所以叫曹氏。那么丈夫死了，她要守节。你守节就守吧！她却要"明志"，怎么明志呢？先把自己的头发剪了，把头发剪了之后，"我变得很难看，就可能没有男人喜欢我，就说明我坚决不嫁人了"。剪了头发是不是也就够了？不介，这个女人很奇怪，她还拿刀把自己耳朵给割了，血淋淋的。她说这样能体现我忠于封建道德。她说我是个节妇，我是个烈女，我誓不再嫁。割了耳朵就够吓人了，你是不是到此为止了？她觉得不行，"我还得更坚定地表示我要守节"，她就拿刀把自己的鼻子给削掉了。这叫"曹氏割鼻"。我看下面听讲的有人闭上眼睛了，闭眼睛是对的。拿刀子把眼下隆起的鼻子给割掉了，剩俩大血窟窿，是没有男人喜欢你了，你是嫁不出去了。可你守节守到这种程度，吓人不吓人啊！可是古代就有这种书《列女传》，就把这位曹氏的事迹记载下来，当做一个楷模。那么高鹗笔下的贾宝玉，就很感动，就向他的侄女儿巧姐宣扬"曹氏割鼻"。我不知道您读高鹗这些文字都是什么感觉？我读到这以后，毛骨悚然，太可怕了。这还是曹雪芹笔下的贾宝玉吗？这样的文字还是曹雪芹八十回里面体现的思想情绪吗？

高鹗的续书也不是说一无是处。在清代有人对高鹗的攻击还超过我。比如有一个叫裕瑞的人，他是最早的红学家，他对高鹗的续书彻底否定。当时还没有资料显示后四十回的书是高鹗续的，裕瑞还不知道续书的人是谁。但是他看到后四十回的续书深恶痛绝，说："诚所谓一善俱无、诸恶俱备之物"，我还是平心论高续。高鹗的书为什么能依附着曹雪芹前八十回流传到今天？说明它还是有一些优点。它在表现贾宝玉和林黛玉的爱情悲剧，表现贾宝玉和薛宝钗的婚姻悲剧，在这部分上，还是延续了前八十回里面的基调。虽然它的情节设计不符合曹雪芹的原笔原意，但是应该说这部分文本，还是比较像样子的。有的篇章，有的段落还是可以的，人物心理刻画、一些氛围渲染还是不错的。但是高鹗仅仅把一个爱情悲剧维系下来，却歪曲了小说主人公贾宝玉的形象，他把八十回后应该有的一些政治性的内容、社会性的内容、哲理性的内容，冲淡了抹煞了，使得《红楼梦》变成一部单纯的爱情小说。这对于曹雪芹来说是冤枉的，曹雪芹的《红楼梦》不是单纯的爱情小说。

所以根据我的探佚，我觉得曹雪芹八十一回，应该是从七十三回开始的，全书第九个单元结束的一回。从八十二回则开始另外一个情节单元。

从七十三回开始的这个情节单元，它紧锣密鼓地写贾府的内部矛盾、外部矛盾，交织在一起爆发。都不能说是山雨欲来风满楼，不是"欲来"，是"山雨已来风满楼"了。是一个大厦，已经嘎啦嘎啦响，就要倾倒的景象。由于傻大姐捡了一个绣春囊，导致了抄检大观园。抄检大观园本来是荣国府本身的事儿，结果邢夫人一个陪房叫王善保家的掺和到里面，搞得沸反盈天、不像样子。抄到探春那儿以后，探春是什么表现？探春很悲愤，她说今天你们不是议论江南甄家的事儿吗？甄家让皇帝抄了。甄家为什么让皇帝给抄了？甄家自己先抄家，最后导致了皇帝抄家。现在咱们这儿也抄起来了。可见这样大户之家，光是外部来杀是杀不死的，"百足之虫死而不僵"，先要内部来杀。探春是一个有眼光的人，对家族的命运，看得比较远。王善保家的不懂事，就去摸探春的身上，说我连你身上也搜了。探春就打了王善保家的一耳光，这一耳光不光是打奴才，她也是给家族一个警告，不可以这样子先内乱起来。可是内乱的趋势无法遏制，最后王夫人在盛怒之下，驱逐丫头，有一些丫头要出家，就允许她们出家了。其中最惨的就是晴雯，死掉了。晴雯是在"金陵十二钗又副册"里面的重要的一钗。前面八十回里，在第十三回死了一个"正册"里的秦可卿。故事发展到这个情节单元，又开始死人了。

因此家族的不幸就一步步地发展下去，一步步往下滑落。

那么到了第七十八回、七十九回，到了八十回，这个家族有的女性就到了死亡的关头。迎春误嫁给中山狼了，狼是要吃人的啊。薛蟠娶来夏金桂，香菱就很快要命丧黄泉了。根据曹雪芹整部悲剧的写作计划，到这个情节单元，正册里面又要死人了，前面死了秦可卿，到现在贾迎春就要死了。副册里面也要死人了。香菱是副册里面的。所以，曹雪芹的第八十一回，应该是沿着七十三回轨迹发展下去的一个大悲剧的收束，就是继又副册里面死了人以后，在正册和副册里面也要死人，所死掉的，就应该是贾迎春跟香菱。

因此根据曹雪芹的文本结构，我认为八十一回，应该是类似于这样一个回目："中山狼吞噬艳质女，河东狮吼断无运魂"。第五回里明点贾迎春是"金闺花柳质"、"侯门艳质"。第一回香菱刚出场——那时候她叫甄英莲，香菱是拐子拐走卖到薛家得到的称呼——就点出她"有命无运"。

即便曹雪芹的第八十一回不是这样一个回目，也不一定像我说的这么凿实地来写贾迎春和香菱的死亡，但是它绝对是一个悲剧的情节，它不会是一个闲适的，闲散的，什么钓游鱼、入私塾，不会是这样的情节。

我们把八十一回的内容基本上探佚出来以后，底下我们就该考虑到，如果曹雪芹的《红楼梦》是一百零八回，那还剩多少回呢？还剩二十七回。是几个情节单元呢？三个情节单元，三九二十七。那么在三个情节单元里面，曹雪芹将要完成什么任务呢？当然他也会写到贾宝玉和林黛玉爱情悲剧的故事，会写到贾宝玉和薛宝钗虽然结合了，但是貌合神离，最后也是一个悲惨的结局。这方面高鹗也写了，而且他的写法读起来还是不错的，但是曹雪芹的写法跟他不一样。这部分内容在后面会出现，但是绝不会仅仅是这样一些内容。曹雪芹他一定会根据前面埋伏下的线索，写到由于贾氏宗族藏匿了秦可卿所招致的最终的来自皇帝方面的毁灭性打击，他会写到这个，可能不直接写，可能会隔一层去写，或者含蓄地写，但是他不会回避。他会写到"义忠亲王老千岁"那一派，也就是"月"派，跟忠顺王为代表的"日"派之间激烈的"虎兕之争"。同时，前八十回里面很多人物的归宿都要在后面的三个情节单元里面来交代，包括醉金刚、茜雪、二丫头、卍儿、傅秋芳这样一些角色。曹雪芹会在他的后面的三个情节单元里面，展现丰富的内容。曹雪芹的《红楼梦》绝不能够简单概括为一部爱情小说，它是一个内容非常丰富，具有政治性、社会性内容的文本，在这个文本中，曹雪芹有终极思考、终极叩问，"人生着甚苦奔忙？"最后升华到一个很高的精神境界。

到这儿，有人可能就要说了：你说八十一回应该是写贾迎春和香菱的悲惨结局，这个我听了以后大体上同意你的推测，那你是不是就赶紧给我往八十二回后头讲呢？他觉得尤其像贾迎春，这个角色很单纯，很清楚，对她还有什么好分析的呢？可是我，说老实话，我不能够就此把贾迎春舍弃，我觉得贾迎春长期以来被很多读者忽略，人们的注意力全在贾宝玉、林黛玉、薛宝钗、史湘云、王熙凤这些"抢戏"的角色身上，对贾迎春这样一个生命，缺少关注。曹雪芹是怀着很深的感情来写贾迎春的，贾迎春其实很值得探究。

我是本着文本细读和原型研究的原则，来开展我的红楼研究的。那有人就会问我了，难道贾迎春也有原型吗？我认为是有的。我的根据在哪？我的根据就在古本《红楼梦》里面，也包括通行本的《红楼梦》，我进行文本细读，就发现关于贾迎春的父母是谁，特别是她是谁生的，充满不同的写法。现在大家常看的《红楼梦》，应该是中国艺术研究院红楼梦研究所他们校注的《红楼梦》，这个《红楼梦》是1982年由人民文学出版社开始排印出版的，是现在流传最广泛的《红楼梦》读本。这种《红楼梦》它是一百二十回的，它前八十回没有用程高本做底本，它用古本，这个古本在红学史上，在红学研究领域里面，被叫做庚辰本。庚辰本在各种古本当中它保存得比较完整，回目最多。那么这个庚辰本在第二回冷子兴演说荣国府的时候，他怎么介绍贾迎春的呢？庚辰本的白纸黑字是这样写的，说二小姐——二小姐就是贾迎春——"乃政老爹前妻所出"，听明白了吗？大家现在所常看的红学所校注的，用庚辰本做底本的这个本子，在庚辰本的原文上，他说二小姐是贾政的前妻生的。大家想想，如果贾迎春是贾政前妻生的，那王夫人就成了续弦的了，就不是原配了。那书里的人物关系不就全紊乱了吗？这个文本现象究竟是怎么回事啊？值得探究。好！请期待我的下一讲。

第三讲
第八十一回之谜[2]
贾迎春之谜

上一讲最后我告诉你，有一个古本关于贾迎春的出身，说"二小姐乃政老爹前妻所出"。迎春怎么会是政老爹前妻所生呢？她竟然不是贾赦的女儿，而是贾政的女儿了！贾政既然有前妻，那么王夫人就是续弦，贾迎春就该比王夫人生的贾元春还大，贾府元、迎、探、惜四位小姐名字谐音"原应叹息"也不成立了，因为如果贾迎春年龄最大，这四位小姐按齿序排列就得是迎、元、探、惜嘛。很显然，"二小姐乃政老爹前妻所出"这个句子是不对的。

出现这个句子的古本，在红学领域里被称作庚辰本，有专家著书立说，认为庚辰本是古本里最好的一种。但是庚辰本里却出现了这样的问题。有人可能会说了，你这个人太较真，当时古本都是来回来去地抄录形成的本子，抄录过程当中有可能抄错了，这句大概也是如此。那个时代抄书，如果是抄下来自己看，可能会从容一些、认真一些。如果是想一次抄出几个副本来，给更多的人看，甚至是拿到庙会上去售卖，因为功利性太强，就会比较毛糙，抄手有时会为赶速度，不去顾及上下文，机械地往下抄；或者会由一个人拿着一个母本念，其余的抄手一齐听写，那么，抄的人、念的人和听的人都可能出错。

比如说第七十六回里面，写林黛玉和史湘云两个人在湖边吟诗，其中林黛玉吟出了一句"冷月葬花魂"，有的本子这一句就不是"花魂"而是"诗魂"。究竟应该是"葬花魂"还是"葬诗魂"？红学界至今争论不休。有的专家就指出来，应该是"冷月葬花魂"，"花魂"是林黛玉《葬花词》里反复出现的一个语汇："昨宵庭外悲歌发，知是花魂与鸟魂？花魂鸟魂总难留，鸟自无言花自羞。"曹雪芹在叙述文字里也使用过："花魂默默无情绪，鸟梦痴痴何处惊。"可能是当年抄书人手里的母本上的"花"没写清楚或者被磨损了，于是看成了"死"，不动脑筋地抄成了"死"，再拿这个本子负责念的人，读出"死"，听写的觉得是"诗"，于是就形成了"葬诗魂"的写法，流传至今。大家知道，南方人 zh、ch、sh、z、c、s 不分，发音为"死"，听写时为"诗"，是可能的。

说到这个情况以后，有的红迷朋友就要跟我讨论了，说庚辰本关于迎春出身的那句话无非也就是念错了抄错了，指出来也就可以了，又有什么好往深里探究的呢？但是，我把各种现在能找到的古本全看了，在第二回冷子兴演说荣国府的时候，关于贾迎春的出身的文本现象，却不像"葬花魂"还是"葬诗魂"那么简单，呈现出很奇怪的状态。现在我就把各种古本里面，关于贾迎春出身的写法一一介绍给大家，大家听了以后一起来琢磨，这是怎么一回事。

有一个古本，是目前我们所发现的母本年代最早的，叫甲戌本。关于这些古本的名称我就不一一解释了，在红学界都是把它当做一个符号来使用，红学的一大分支就是版本学，其中争论也很多，这里不枝蔓。在甲戌本第二回，它是这么说的："二小姐乃赦老爹前妻所出。"交代贾迎春是贾赦前妻生的。有一个俄藏本，就是在俄罗斯的圣彼得堡，有一个机构藏有一个古本《红楼梦》，它说："二小姐乃赦老爹之妻所出。"就是说，迎春是贾赦正妻生的。还有就是前面我跟大家提到的庚辰本，它说"二小姐乃政老爹前妻所出"。这些句子字数还差不多。到了己卯本里面，这个句子就颇长了，不可能是抄录时听写的人听差了，写的是："二小姐乃赦老爹之女，政老爷养为己女。"就是说贾迎春原来是贾赦的一个女儿，后来被贾政抱养了。还有一个戚序本，它跟其他本子都不一样，说"二小姐乃赦老爹之妾所出"。迎春不是嫡出而是庶出了。

这样的文本现象，不像都是抄录中的技术性错误造成的。我个人以为，这恰恰说明，贾迎春这个角色，作者不是任意虚构的，她是有生活原型的，她应该是曹雪芹家族里面的人物，这个女性的出身情况比较复杂，身份定位不那么简单，所以曹雪芹在写这个角色的时候，就来回来去地斟酌，在不同时期的文稿中有不同的造句。如果不是生活中真有这么一个人，情况这么复杂，他不至于这样去写。纯虚构，一句话就可以把她的出身确切定位。

那么贾迎春究竟是怎么回事呢？这是可以探佚出来的。大家都记得到了第七十三回,写邢夫人到了贾迎春住处,跟贾迎春说了一番话。邢夫人这番话很重要,话里把贾迎春的出身情况,做了一个很具体的、很细致的交代。一般的读者读到这儿,往往不细读。应该进行文本细读。邢夫人怎么说的?她说"况且你又不是我养的",当然在家庭伦理定位上,邢夫人是迎春的母亲,但是从血缘关系上来说,迎春不是邢夫人生的。那么贾琏是不是邢夫人生的呢?也不是。书里面还有一个贾琮,也不是邢夫人生的。邢夫人自己说了,"倒是我一生无儿无女的,一生干净"。邢夫人没有生育。邢夫人跟迎春说话的时候,抨击贾琏和王熙凤,以贾琏为本位,邢夫人说出这样的话:"你虽然不是同他一娘所生,到底是同出一父。"这说明贾琏和迎春各有自己的生母,也说明邢夫人并非贾赦原配,是续弦。贾迎春既不是邢夫人生的,也不是贾琏的生母生的,那么她是谁生的呢?邢夫人说了:"你是大老爷跟前人生的。"所谓"跟前人"就是妾,就是姨娘,就是小老婆。那么有人听到这儿以后,就皱眉头了,什么?那迎春的出身,不就是跟探春一样了吗?书里面写的给人印象很鲜明的,探春因为自己是姨娘生的,自尊心受挫,处在一种非常敏感的状态当中,随时随地会发作出来。探春是一个性格很坚强的女性,尚且会为自己由小老婆所生如此自卑。那么迎春呢?如果她跟探春一样,也是一个小老婆生的,那她也应该自卑啊!难道她性格懦弱,就连自己是嫡出还是庶出都觉得无所谓吗?再说,又何必非写两位庶出的小姐呢?但你要细读曹雪芹在第七十三回里所写的,邢夫人说的那些话。邢夫人那次的话很多,不光说到刚才那个程度,她还继续往下说,她说:"你是大老爷跟前人养的,这里探丫头也是二老爷跟前人养的,出身一样。如今你的娘死了,从前看来,你两个的娘,只有你娘比如今赵姨娘强十倍的。你该比探丫头强才是,怎么反不及他一半!"如果是纯虚构的小说,犯不上这么曲折地来表达迎春的出身情况。

　　但《红楼梦》的文本原则是虽然"真事隐",却又"假语存"。曹雪芹就在这个地方,把贾迎春原型的具体情况,不惮烦地记载了下来。迎春的母亲生下她的时候虽然是小老婆,但邢夫人为什么要说比赵姨娘强十倍呢?怎么叫强十倍?为什么邢夫人认为迎春也该比探春强才是,怪讶她怎么反不及探春一半儿呢?邢夫人的意思,就是你们两个开始都是小老婆生的,起点一样,但是,你迎春的生母后来地位大提升了。邢夫人认为迎春在家族中应该比探春更强悍才是,但那非迎春所愿、所能。迎春的生母死了以后,贾赦才又将邢夫人娶为正妻。邢夫人显然也是有原型的，如果不是想把原型的某些复杂情况以"假语"来"存真"，作者大可不必这样去写。第七十三回邢夫人这一番话，我个人觉得，不像是虚构出来的，应该是作者直接听到过这样一番话，当然不可能是在邢夫人的原型和贾迎春的原型两个人说话的时候听到的，他可能在其他的场合，不止一次听到这样的说法，他觉得有必要记录下来。

把上面邢夫人的那番话梳理一下，就会感觉到，各种古本上第二回里冷子兴口中关于贾迎春出身的交代，所出现的差异，是曹雪芹在不同时期的不同写法，除了庚辰本的表述是不对的，其余的，都有一定道理。就是说曹雪芹他写了这样一部小说，他写了一个贾迎春，贾迎春的原型应该就是贾赦原型的女儿。我们用小说里面的称呼再来梳理一番，应该是这么回事：贾赦原来他有一个正妻，这个正妻给他生了儿子。生了一个儿子还是两个儿子呢？这个值得推敲。因为在小说里面，贾琏被称作琏二爷。有人说称他琏二爷是因为贾氏宗族大排行，贾珍比他大，所以贾珍是大爷，贾琏是二爷。实际上从书里面的写法来看，贾氏宗族没有对男性进行大排行，如果贾珍是大爷，贾琏是二爷的话，那么宝玉应该是几爷？算上死去的贾珠，他是四爷，不算，他是三爷，可是书里却一再称宝玉为二爷。显然在荣国府里面，男性是单独排行，贾珠是大爷，宝玉是二爷，三爷是谁？是贾环。因此贾琏被称为二爷，就说明贾赦的原配妻子，应该是生过两个儿子，其中第一个，也就是大爷，是否后来死掉了？小说里没有交代。后来贾赦原配死掉了，死掉了以后，没有马上把邢夫人娶来填房，当时有一个什么过程呢？他的一个小老婆，生下了贾迎春，这个小老婆，他很喜欢。虽然贾迎春原来和探春开始的出身是一样的，但是后来强十倍了。因为后来贾赦把小老婆扶正了，迎春就是嫡出的了，跟探春的出身就不一样了，就强得多了。所以小说里面迎春虽然很懦弱，但她没有因为自己是偏房生的而自卑这样一个情况。但是生她的女子又死掉了，贾赦就把迎春送到弟弟家里去代养，后来他又娶进了邢夫人，而邢夫人没有生育，小说里出现了一个年纪比较小的贾赦的儿子贾琮，"黑眉乌嘴"，常和贾环一起活动，那应该是贾赦另外的小老婆生的。

迎春的原型，我们搞清楚了。生活中确有其人。这个人在贾氏宗族里面，属于强势社会阶层里面的弱势个体。她属于贾氏宗族里面的正牌小姐，当然跟小说里面的丫头和婆子地位不一样。就是所处的阶级阶层而言，她在社会当中是一个强势社会阶层的成员，但是在她自己所处的阶层里面，她是软弱、懦弱的，甚至被强悍的仆人辖制。

小说里面关于迎春的细节不是很多，但是我觉得有两处特别值得注意。哪两处？第一处，就是大观园的公子小姐，由探春发起，组织了一个"海棠诗社"。迎春会不会作诗？会的。贾元春归省荣国府，她让姐妹们作诗，贾迎春作了一首诗，还题了匾额。她题的匾额叫"旷性怡情"。她作的诗是这样的："园成景备特精奇，奉命羞题额旷怡；谁信世间有此境，游来宁不畅神思？"迎春诗写得不是很好，从她的诗里面，我们可以看出，她的生活理想十分单纯，她只要求踏踏实实、安安静静地过日子，能"畅神思"就非常满足了。结诗社的时候，其他的人，包括林黛玉、贾宝玉都知道她不大会作诗，可是都不表现出来，就恭维她，说迎春姐姐真不错，咱们结诗社，推举你为副社长吧。给她一顶高帽子。她作为副社长，负责什么呢？负责限韵。贾迎春用什么办法限韵呢？她表示："依我说，也不必随一人出题限韵，竟是拈阄公道。"她用抓阄的方式来完成限韵的任务。她从书架上随手抽出一本书，一翻，是七律，那么就做七律。然后她看到一个丫头站在门边，她就说，你给说出一个字来，丫头正倚着门，就随口说出一个"门"字。于是她就说好，咱们就用"门"字韵，然后又让丫头把诗韵匣子抽出来——过去有那种作诗的工具——拿出了四块韵牌："盆""魂""门""昏"。她就这样完成了限韵的任务。曹雪芹这样写，就是要突出贾迎春的性格特点，那就是她懦弱到把一切交付给"抓阄"式的偶然性、或然率，碰上什么算什么，完全不能把握自己的人生命运。贾迎春在书里还作过灯谜诗。第二十二回，大家都作，她也作了一首。贾政就去看这些灯谜诗，看了以后觉得尽是些"谶语"，全是些不祥的预言，心里就很烦闷悲戚。贾政当时看了迎春的灯谜诗，迎春吟的是算盘，贾政觉得把算盘写成"打动乱如麻"也很不祥。

第二处，我觉得是一个非常重要的文本现象，是在三十八回。第三十八回写秋天到了，菊花开了，于是荣国府的人们就在大观园里吃螃蟹、赏菊花。诗社也就开展新的活动，咏菊花诗。在大家准备作菊花诗的时候，就有一段文字描写，描写不同的人，不同的肢体语言，不同的身心状态。这段文字很重要。说林黛玉怎么样呢？"令人掇了一个绣墩倚栏杆坐着，拿着钓竿钓鱼。""掇"就是搬过来的意思，"绣墩"是中国的一种古典坐凳，像是一个圆鼓形的墩子，往往是用陶瓷烧制，秋天了，绣墩上面一定套上了制作精美的，能够坐上去不凉的绣垫。那么薛宝钗在干什么呢？"手里拿着一枝桂花玩了一回，俯在窗槛上掐了桂蕊掷向水面，引的游鱼浮上来唼喋。""唼喋"是指鱼的嘴一张一合。湘云呢？因为当时那个螃蟹宴算是湘云做东，她需要尽东家之责，所以写得很简单，说湘云出一回神，然后就去张罗了。有几个人是合在一起写，就是惜春、探春和李纨。迎春往往和探春合在一起写，小说里往往是只给林黛玉、薛宝钗和史湘云大特写，其余的人往往给一个远景就算了。这一次探春给了一个中景，和惜春李纨合起来的镜头，说她们"立在垂柳阴中看鸥鹭"。下面，曹雪芹为他笔下的贾迎春奉献了一个大特写，叫做"迎春又独在花阴下拿着花针穿茉莉花"。

在宇宙天地间，在那个秋日，在那样一个空间里面，有一个柔弱的女子，她与世无争，她对生活没有更多的要求，她没有竞争力，在大观园诗社里面迎春哪儿有什么竞争力啊？才女如云啊，就好比现在很多职场的白领一样，有的白领就说，我在我们那个 office 楼里边大空间里面分成一格一格的格子里面生存，我每次上班觉得心里怦怦乱跳，没有竞争力啊，一个个都比我强悍。迎春就是这样的一个社会上相对强势的阶层当中的一个弱势成员。但是呢，在那一刻，在那个秋日，她在花阴下，她拿一根花针，默默地穿茉莉花。花针，过去贵族家庭有一种专门穿花的针，用骨头或者用象牙做的，也有针鼻儿，可以连着线，把花穿起来，穿好以后可以做成一个手链戴在手上，或者做成一个项链戴在脖颈上。那么迎春呢，在那一刻她就独在花阴下用花针穿茉莉花。这是一幅格外优美的仕女图。

我们读《红楼梦》往往只记得宝钗扑蝶，黛玉葬花，湘云醉卧，那么现在我建议你，要补充上这样一个很重要的画面，叫做迎春穿花。迎春独在花阴下，用花针穿茉莉花，体现出一个小小的脆弱的生命，在宇宙天地间，在那个短暂的时间段，她的全部的生存的尊严，她生命的快乐。所以曹雪芹的《红楼梦》要精读，我为什么主张文本细读呢，读到有的地方你眼里浮出泪水，那应该是一种最好的阅读状态。

有一个白领丽人，她来跟我讨论《红楼梦》，经过点拨，她就说你把这一句告诉我太重要了，原来我读来读去对这一句总是囫囵一过，忽略不计。现在我就想到，在这样一个竞争性这么强的社会里面，我们还是应该保持一颗柔弱的心，我们应该同来为那些竞争力差，在社会上生存相对比较艰难的弱者，为他们同来一哭，说着说着她眼泪就流下来了，我也很感动。我说你读《红楼梦》读到这份儿上，算是读出境界了；其实，你们白领，相对来说，应该算是社会中较强势的族群了，那些蓝领，农民工，难道不更值得大家尊重与善待吗？所以，你看，读《红楼梦》，也能令我们联系到自己生命所置身的时空，浮想联翩，心灵升华。

迎春的结局是很悲惨的，大家都知道她嫁给了外号叫中山狼的一个恶棍。所以在《红楼梦》的八十一回，作为从七十三回开始的情节单元的一个收束，会写到迎春的悲剧，会写到香菱的悲剧。那么读到第七十九回、八十回，写到了迎春出嫁，写到薛蟠娶进夏金桂，但是仔细读就会发现，在文本上有一些跟前面不够协调的地方。

关于迎春的出嫁，第七十九回、八十回写的，跟前面第五回里关于迎春命运的预言，不大对榫。第五回贾宝玉在太虚幻境翻看《金陵十二钗正册》，关于迎春画了一幅画，是一个恶狼，追扑一个美女，要吞吃她。判词里说"子系中山狼，得志便猖狂"，指出她的丈夫是中山狼。

中山狼是古代寓言里面的一个角色，这个寓言故事，现在一般叫做《东郭先生》，说有一个东郭先生在中山国路上走，突然发现有人在追狼，被追的狼哀求东郭先生，说求您把我藏起来吧，东郭先生就把它藏在了一个大布口袋里面。追狼的武士叫赵简子，跑过来问看见狼没有？东郭先生说没有啊！赵简子就接着往前追。追狼的走了，东郭先生就把狼放出来，没想到，狼说我正好饿了，我要吃你；东郭先生就说，我救了你，你还吃我？但是世上就有这样的忘恩负义的家伙。这个寓言故事给我们的教训是很深刻的。

根据曹雪芹前面的总体设计，贾迎春就嫁给了这样一个忘恩负义的中山狼。不仅判词里这样预言，在太虚幻境里，警幻仙姑请贾宝玉听曲，当中有一支曲，曲名是反讽的，叫做《喜冤家》："中山狼，无情兽，全不念当日根由。"也强调迎春嫁给了一个忘恩负义的坏蛋，这个人在他最困难的时候，应该是贾府帮助过他，救他一命，但是他一旦渡过这个难关以后，不但不念当日根由，不报恩，还反咬贾家，把娶过去的贾迎春蹂躏致死。

但是你现在看到第八十回里面的交代，你会发现并不对榫。第七十九回说娶贾迎春的孙绍祖，祖上跟贾家算是世交，人品家当也都还相称，没有写这个人自己或者他的家族在遭遇危难时，被贾家搭救过，当然有一笔，说贾政觉得孙家跟贾家之间的关系，当时不过是"彼祖希慕宁荣之势，有不能了结之事才拜在门下的"，而且孙绍祖并非"诗礼名门之裔"，他很讨厌，劝谏过贾赦不要允诺这门婚事，但迎春毕竟是哥哥的女儿，贾赦非要那么嫁女儿，他也只得罢休。这个交代充其量只能说明孙家是攀附利用贾家，还不能说是忘恩负义。

说到这里，就必须指出《红楼梦》的一个版本现象。我说出来以后，有人可能会觉得扫兴。怎么回事呢？就是据不少专家考证，曹雪芹的原笔原意的《红楼梦》，现在我们所能看到的，精确地表述，实际不足八十回，只有七十六回。第六十四回、六十七回，不是他的原笔。六十四回和六十七回写的是与尤二姐、尤三姐相关的故事。这两回有问题。然后就是七十九回和八十回，也不像是曹雪芹的原笔。那会不会是高鹗给补上的呢？也不像。应该是脂砚斋这样的跟他的关系很亲密的人，知道他的整体构思，由于种种原因原稿遗失了，补上的。所以我们老说"曹雪芹的八十回"，是一个概括的说法。严格来说的话，他留下的原笔原意的文稿不足八十回。由于是别人所补，所以只能做到跟曹雪芹整体构思接近，而不能完全对榫。

按照曹雪芹原来的写法，应该是把孙绍祖写得比现在的还要凶恶，应该是在他自己或家族处在危难中时，贾家搭救过，可是一旦渡过了难关，就忘恩负义，非常猖狂。估计在曹雪芹自己的第七十九回、八十回里，应该有这样的情节，或至少有与第五回预言对榫的交代。现在我们所看到的《红楼梦》第八十回里，却另有一个交代，说孙绍祖是一个色情狂，府里面，凡是年轻一点的女性，基本上都被他玩弄遍，迎春怎么劝也没有用，并且还居然跟贾迎春说：为什么你父亲把你嫁给我，因为你父亲曾经从我这儿拿走五千两银子还没还呢！那就等于是把贾迎春折变成银子，变卖给孙绍祖了。这一笔对刻画贾赦这个人物好像有点儿作用，但实际上不会是曹雪芹的原意。那这样的话，孙绍祖就没必要用中山狼来比喻了，人家等于在经济上还接济过你，帮助过你，而不是说你帮助过他，他忘恩负义。

曹雪芹会在第八十一回里，写到迎春的死亡。迎春是怎么死的呢？她应该是不堪孙绍祖蹂躏辱骂，自杀了。古本《红楼梦》第五回里，关于贾迎春那支曲。有一句说"叹芳魂艳魄，一载荡悠悠"。她死时魂魄是一种荡悠悠的状态。那么她应该是上吊死的。

你再想一想前面的判词，说她是"金闺花柳质，一载赴黄粱"。有的古本写成"黄粱"（后一字下面是"木"），有的写成"黄粱"（后一字下面是"米"）。字句上都说得通。有一个典故叫做"黄粱一梦"，出自唐代沈既济写的一个故事——那时候那种文体叫"传奇"——讲姓卢的书生在邯郸一个客店投宿，有一个道士给他枕了一个神奇的枕头，道士自己则用黄粱（就是小米）煮饭，卢生于是就做了一个梦，先享尽了荣华富贵，后来又经历了坎坷，经历了苦难，梦醒的时候，他觉得已经度过了漫长的人生，可是，道士煮的黄粱饭却还没有熟呢。大家现在所看到的红学所出的版本，采用的就是"黄粱一梦"的"黄粱"。但是我个人觉得"一载赴黄粱"，搁到迎春身上不太说得通，因为"黄粱梦"是会醒的，醒来可能会觉得荣华富贵也不过是那么回事儿，会变得虚无，可生命还在啊。迎春却不会是这么个结果。她是悲惨地死去了。我认为"一载赴黄粱"的写法才符合曹雪芹的原笔原意，"黄粱"就是"黄色的梁木"，"一载赴黄粱"就是迎春有一天实在无法再忍受了，她就到黄色的梁木上悬梁自尽，永不会醒来了。

贾迎春是一个非常值得我们哀悼的女性。曹雪芹在十八世纪中叶，就通过一个曾在花阴下用花针穿茉莉花的女性的悲惨命运，来表现一种悲天悯人的情怀，希望人们理解、容纳、同情、哀悼这种懦弱的脆弱的生命。所以说曹雪芹是超时代、超地域的文学大师，很了不起。这种情怀，在欧洲是直到十九世纪，如在英国作家狄更斯笔下，法国作家雨果笔下，俄罗斯作家列夫·托尔斯泰笔下，才凸现出来的。

在第八十一回，曹雪芹除了写到迎春的悲惨结局，还会写到香菱的悲惨结局。香菱大家都知道，她原来是甄士隐的女儿，小说一开始就写到在姑苏有一个中产阶级的人士，他有一个女儿，这个女儿当时叫什么名字？想起来了吗？有人会立即回答：甄英莲。谐音表达的是：真应该可怜啊！但是我现在要告诉你，在有的古本里面，绝对不是错抄，甄士隐的女儿不叫甄英莲，而且也有谐音含义。那么香菱她原来在甄家究竟叫什么名字呢？如果说有的古本上不叫甄英莲，那是怎么一个称呼呢？下一讲我们一起再来研究。

第四讲
第八十一回之谜[3]

香菱之谜

上一讲最后我跟大家说曹雪芹的第八十一回会写到两个女子的悲剧结局，一个是《金陵十二钗正册》当中的贾迎春，一个是《金陵十二钗副册》里面的香菱。

我在讲到末尾的时候提出一个问题，让大家共同讨论。就是说在古本《红楼梦》里面，开头写到香菱是甄士隐的女儿，是有名字的，叫甄英莲，这个大家非常熟悉，通行本里是这样写的。而且它是有谐音寓意的，甄英莲，就是"真应该可怜"。你仔细想想这个女子的命运，确实太可怜了。如果说贾迎春是最后才可怜的话，那么甄英莲，她还不懂事儿的时候就被人拐走，被拐子养到能够卖掉的时候就被卖掉，被卖的过程里还惹出人命官司，最后落到了呆霸王薛蟠的手里，实实在在是"有命无运"，而且"累及爹娘"，可怜透顶。

但是我又告诉你，在不同的古本里面，对于甄士隐女儿名字的写法是不一样的，我个人觉得那并不是笔误造成的，是有道理的。说明曹雪芹在构思甄士隐女儿名字的时候，他在如何设计谐音寓意上，这么叫好，还是那么叫好，是来回斟酌的。那么另外一种她的名字是怎么写的呢？叫甄英菊，菊花的菊。

菊和莲两个字差别很大，不可能是抄书的看错了、抄错了，何况也不止一个古本上是甄英菊的写法。那么有人就会跟我讨论了，说甄英莲谐音含义是很明确的——"真应该可怜"！甄英菊有什么谐音含义呢？是有的。脂砚斋告诉我们是有的。什么意思呢？就是"真可以用这个角色来照应全局"。

在第一回，写到甄士隐抱着这个小女儿在街上看热闹，这个时候就来了一僧一道，这一僧一道一看甄士隐抱着小女孩，和尚就说了："施主，你把这有命无运、累及爹娘之物，抱在怀内作甚？"一个父亲抱着心爱的女儿，听到这话，当然觉得是疯话。但实际上这是一个谶语，是宣布一个不祥的预言。在这个地方脂砚斋就有批语，而且一批就情绪激动，就一句接一句。他先说"八字屈死多少英雄"，哪八个字？就是"有命无运、累及爹娘"。有一种生命是悲剧型的，虽然有了这个命，但是一点运气都没有，甚至从根上就没运，而且运势还不是慢慢地变坏，是很快地就没有好运，就落入苦运、厄运。还不光这个生命自己受苦，还要累及爹娘。书里后来写到，甄士隐夫妇丢掉女儿以后，遇上一场火灾，他们小康生活也就结束，走向没落，甄士隐后来渐渐露出了下世——就是离开世界死掉——的景象。因此脂砚斋他就大发感慨，他就说："八个字屈死多少英雄，屈死多少忠臣孝子，屈死多少仁人志士，屈死多少词客骚人！今又被作者将一把眼泪洒于闺阁之中，见得裙钗尚遭逢此数，况天下之男子乎？"就是说他看见作者，把这八个字赋予了一个闺阁中的女性，就不由得联想到男子，他前面所列举的那些忠臣孝子、仁人志士、词客骚人，一般都是男性充当，当然也偶有女性，但那时是一个男权社会，重要角色一般都由男性担任。男性里会"屈死多少"，令人感叹。但《红楼梦》这部书是献给女性的，一开始的"楔子"里就宣称："忽念及当日所有之女子……闺阁中本历历有人"，那么这些闺阁女子们怎么样呢？都"遭逢此数"，作者就用开卷所写的这个女子，来照应全局。

　　脂砚斋更明确地指出："看他开卷所写之第一个女子，使用此二语以订终生，则知托言寓意之旨，谁谓独寄兴于一情字耶？"这句话太重要了。它就告诉我们，《红楼梦》这部书不是一部单纯的爱情小说，它是全方位来展现探究人的命运的。书里所写到的"金陵十二钗"，第一个出场的女子，她就"有命无运、累及爹娘"，那也是书中其他青春女性的共同的不祥之兆。作者是以此托言寓意，甄英菊这个命名方式，就意味着曹雪芹是一度打算强调，后来被叫做香菱的这个角色，她具有照应全局的特性。

　　尽管后来大量版本里都是甄英莲的写法，但至少有两个古本里是甄英菊的写法，以及脂砚斋相关的批语，对于我们理解《红楼梦》整部书的悲剧性内涵，是极其重要的。曹雪芹一度决定把这个角色定名为甄英菊，就是要用她笼罩全局，她不仅照应《金陵十二钗》册页里面所有的女子，她也照应那个社会被屈死的男士。在那样一个时代，那样一个社会，无论是忠臣孝子，无论是仁人志士，也无论是词客骚人，凡是具有正面价值的人，几乎都没有好的结局，是一个悲剧的时代，产生悲剧的人物。所以《红楼梦》他写的是时代，是社会，是有价值的生命的生存与毁灭，不是只表现一个爱情和婚姻的局部悲剧。这是我们读《红楼梦》第一回，读到甄英菊或甄英莲出场的时候，我们应该能够从中体会到的。如果过去没有体会到，应该通过重读、细读，从这个角度来体味、来思索。

那么现在来探究曹雪芹的第八十一回，他是怎么来写香菱的。一百二十回的《红楼梦》——咱们又说到高鹗的续书——我一再声明，我是愿意平心论高鹗的，高鹗的续书在表现宝、黛、钗的爱情婚姻悲剧方面来说，是过得去的，有些段落，甚至可以说写得很不错。但是高鹗完全没有能够理解曹雪芹第一回的立意，无论他看到前八十回的早期版本，第一回里的名字叫甄英莲，还是叫甄英菊，他都没有理解，对开篇第一个人间女子这么来写，深刻的含义是什么。

当然他不得不保留前面曹雪芹写出的故事，甄士隐的爱女被拐，拐子把她养大了拿去卖，最后落到了一个呆霸王手里，这位呆霸王薛蟠娶了一个"河东狮"的恶妻。"河东狮吼"是一个典故，大意说那女性做媳妇了以后，很暴躁，很张狂，一喊叫起来就跟狮子吼一样，唯我独尊，不要说别人，丈夫就先吓坏了，娶来一个悍妇。

前面的这些内容高鹗他没有改变，也很难改变，但是他从八十回后往下续，却竭力想把香菱的命运再弯回来。在他笔下虽然"河东狮"夏金桂折磨香菱，迫害她，甚至还想在汤里下毒把她毒死——夏金桂下毒的那碗汤，被丫头宝蟾给调换了，宝蟾并不知道金桂下了毒，她调换，是因为她给香菱的那碗里故意多放了盐，原来不过是想恶搞一下香菱，没想到金桂支使她出去一会儿，再回来，盐多的一碗放在了金桂面前，她就给调换了，结果金桂把下毒的汤喝了，她死了，香菱就没死成——高鹗这样设计，可能是他同情香菱，他觉得这么好一个女子，死了怪可惜的，河东狮，一个泼妇妒妇悍妇，让她死了算了。高鹗他有续书的自由，他这样来编故事，还算是巧妙，但实在是不符合曹雪芹的原笔原意，不符合曹雪芹的整体构思。而且到全书最后，也很奇怪，他写香菱命运好到什么程度呢？就是随着贾府沐皇恩、延世泽，本已成了死囚犯的薛蟠，也被皇帝赦免，放出来了，回家以后，薛姨妈做主，就把香菱扶正了，也就是成为了薛蟠的正妻，香菱最后就成为一个皇商的夫人了，真是苦尽甘来，命运两济了！当然，高鹗毕竟还是知道，曹雪芹预言了香菱的死亡，于是他就在全书最后面，交代说香菱给薛蟠生下了一个儿子，完成了给薛家传宗接代的任务，她自己难产而死。难产而死，当然不太好，但她总算是当过正牌夫人，算不上是什么人间悲剧了。高鹗他就把香菱的悲剧命运，不但是大事化小，小事化了，而且还把她的坏事化好。

高鹗这样续书，不仅不符合曹雪芹的原笔原意，而且完全是歪曲、背叛了曹雪芹的思路思想。当然你还是可以认为高鹗写的就是好，你同情香菱，你觉得如果把那个因难产死亡的结局改掉，会更好。那么你有你的思路，我也很尊重。但是我要强调的是，应该尊重曹雪芹，且不说第一回，关于她的名字，曹雪芹就有甄英菊这样的写法，试图用这样一个女性，来照应《红楼梦》的全局。如果说对甄英菊这样一个命名还有争议，因为曹雪芹虽然写完了全书，却还没有最后定稿，究竟是应该把香菱原来的名字确定为甄英菊，还是甄英莲呢？他还没有最后拍板，所以我们先不纠缠这个。就算你不认为香菱是统领悲剧全局的一个女性角色，咱们只把她作为个案，就她论她，那么在第五回里面，关于她命运发展最后的结局，是有很明确的交代的，高鹗、程伟元他们攒出的一百二十回的通行本里，也没改掉那个交代。

曹雪芹写得很清楚，贾宝玉在太虚幻境偷看册页，他看了全本《金陵十二钗正册》。预言正册十二钗的图画和判词他全看了。曹雪芹写得很有意思，他写贾宝玉到了太虚幻境里面，看到薄命司的橱柜里面有册页，当时他完全不懂得，这些册页有多重要，他就很随意地开橱翻册，他先翻的是正册吗？不是。他先翻的是又副册，然后他翻了一个副册，最后翻的才是正册。那么他所翻的副册只展示了一幅画，画的是一枝桂花，下面有一个池沼，池沼里面怎么样呢？水涸泥干，莲枯藕败。这幅画意境很明显了，桂花就是夏金桂的象征，香菱，能散发出香气的菱花菱角，是要依附在水域里面生长的，现在水涸泥干、莲枯藕败，菱角也就没有办法生存了。这幅画就告诉我们，香菱最后就是被池沼上的桂花给害死了。

跟这幅画相配的文字，表达得就更清楚了，这些册页里面的文字叫判词，香菱的判词写得非常清楚，第一句叫做"根并荷花一茎香"。菱角是一种水生植物，它跟荷花往往是共生，但是人们一般都认为菱角与藕，与荷花相比，似乎要低档一些，他这样写也是有道理的，因为荣国府里的故事正式开场，香菱再次出现是在什么时候？咱们不说葫芦僧乱判葫芦案，就说林黛玉进府以后，香菱再次出现是在第七回。周瑞家的，王夫人的陪房，看见王夫人和薛姨妈姐俩在那儿闲聊，那么这个时候薛姨妈就吩咐周瑞家的，说我这儿有一些宫花，你把这些宫花分送给小姐们，同时也给凤丫头。周瑞家的拿着花匣子，走出屋子去送宫花，这个时候她就看到在薛姨妈住处门外，走来一个小姑娘，这个小姑娘就是香菱，周瑞家的见到她，就有一番感叹，而且还有一句惊心动魄的话，说我看她的模样品格像谁啊？像东府的蓉大奶奶，也就是说像秦可卿。这就叫做"根并荷花一茎香"。就是说她在荣国府出现的时候，地位非常低下，是薛家买来的一个忘记自己来历的小丫头。按说周瑞家的见识多，对一般的小丫头绝对不会乱比喻，但作者通过周瑞家的一句话点出来，虽然看到的这个小丫头菱角般渺小，却有着荷花般的高贵相。咱们先不说我那关于秦可卿探秘的结果，不说那一层，那么你想一想，宁国府贾蓉的正妻，那是地位很尊贵的，是不能随便拿个小丫头的模样品格来跟她画等号的，这实际就是告诉读者，香菱她的美丽度，她的高贵度，她内在的气质，并不比宁、荣两府中的主子小姐、年轻夫人差。所以香菱没有和晴雯、袭人那样，编录在又副册，她比她们高一级，她在副册里面。

　　但是，她"平生遭际实堪伤"。再回忆一下那八个字："有命无运、累及爹娘"。特别要记住前四个字，叫做"有命无运"。那么她后来命运怎么样呢？判词里说得非常地清楚，叫做"自从两地生孤木，致使香魂返故乡"。这叫做拆字法。读《红楼梦》你不懂谐音寓意或者拆字法可不行。什么叫拆字法？就是把一个字拆开了来写。什么叫做"自从两地生孤木"？"两地"是什么意思？地是土地，两个土垒起来，再加一个孤木，不是林，不是双木，是孤木。一个孤木，加上两个土什么字？桂。他就明白告诉你，自从夏金桂进了门，香菱的悲惨结局马上就来临了，就"香魂返故乡"了。这还用讨论吗？当然是指她死了。她的故乡是哪里？离京城很遥远，姑苏，小说一开始提到的。她曾经有一个温馨的家庭，一对慈爱的父母，但是她被拐走以后，就永远不能再回到父母家跟父母团聚了，只有死了以后，她的魂魄，才得以返回故乡，可是大家想想，她的魂魄甚至也找不到原来的家，找不到父母了，她的悲惨结局，实在是令人喟叹不已。这是曹雪芹的构思。曹雪芹在八十回后，很可能就在八十一回里，要写出这样一个结局。因此，高鹗写成是夏金桂自己死掉了，香菱反倒扶正了，而且还给薛蟠生了一个后代，这完全违背了曹雪芹的原笔原意，是不对的。

那么一定会有人问，你告诉我们曹雪芹的《红楼梦》，他的文本结构是9×12，大体上是每九回构成一个情节板块，第八十一回应该是从七十三回开始，家族内部矛盾所酿造的大悲剧的最后部分，你觉得在这一回里面，应该会死去贾迎春和香菱。那你究竟能不能够再进一步地解释一下，你为什么认为，这两个人物的死去会在八十一回里面交代呢？在高鹗笔下，贾迎春到一百零九回才死，香菱难产而死更安排在一百二十回最后面交代，八十一回叫做"占旺相四美钓游鱼，奉严词两番入家塾"，节奏放慢，情调闲适，怎么高鹗就写得不对呢？

我们应该努力把握曹雪芹文笔的节奏感。他每九回是一个情节单元，那么到了第八十一回，也就是第九个单元的最后一回。全书一共十二个情节单元，按一百零八回计算，还有三个单元，也就是还剩二十七回。在这二十七回里面，他要表达的内容，会非常之多。首先应该有贾宝玉、林黛玉的爱情悲剧，以及贾宝玉和薛宝钗不幸的婚姻，这两个结局。我一再告诉你，曹雪芹的《红楼梦》，不能单纯地理解成一部爱情小说，不是只写爱情、婚姻方面的事。高鹗的后四十回，虽然篇幅很长，但是你可以发现，他有时候很空虚，就用一些贾宝玉学做八股文、贾宝玉跟巧姐讲《列女传》、宝玉去夸赞贾兰，甚至大观园闹鬼、贾府做法事等等文字去填充。他这样做，可能有他的道理，但是这不符合曹雪芹的文本节奏。

曹雪芹在后二十七回，他除了写到宝、黛、钗的爱情婚姻悲剧，一定要照应前面所写到的一些重要的政治性社会性的情节。政治性内容，就是跟义忠亲王老千岁有牵扯的这一派，和以忠顺王府为代表的另一派，他们之间的权力争夺，甚至直接涉及到皇帝的皇位。也就是在关于贾元春的判词里面提到的，叫做"虎兕相逢大梦归"。虎兕之争，就是把一派比喻成猛虎，另一派比喻成兕，兕就是进攻性非常强悍的犀牛。别的证据不多说，我一再提到，在前八十回里面，当曹雪芹写到金麒麟的时候，脂砚斋就有批语，说这牵扯到以后有一个射圃的情节。前面第七十五回里面，已经写到了射箭，还记得吗？贾珍召集一些贵族公子，在天香楼下设一个箭道，在那儿习武。那么在八十回后，会有一些武戏，会写虎兕恶斗，这场恶斗会造成贾元春悲惨地死去。

除了这些政治性内容，曹雪芹还会把笔触更广更深地延伸到社会生活的其他方面，就故事展开的空间而言，就会更多地超出荣、宁两府，出现若干前八十回里没有的舞台，比如狱神庙。而那些前八十回里出现的在两府以外居住的人物，包括像醉金刚那样的市井人物，会有更活跃的表现。因此在后三个情节板块里面，它不可能拖沓、冗长、沉闷，节奏会加快，情调绝不会是闲适的，更不可能转悲为喜，它会氤氲出越来越浓烈的悲剧气氛。

有人就会说了，你这样讲，你是不是自己想续《红楼梦》，你是不是在讲续《红楼梦》啊？那么现在我正面回应一下这个质疑，我当然有续《红楼梦》的自由，任何一个热爱《红楼梦》，想去续的人，都有续它的自由。当代也有人续了《红楼梦》，出了好几种，你可以找来看。但是我现在讲的，确实并不是讲我自己续《红楼梦》的一个文本，我讲的是对八十回以后曹雪芹笔下真故事的探佚，力图通过探佚，首先跟大家一起重温前八十回里面的一些内容，一起进行文本细读，我把我文本细读的心得告诉大家以后，起码有一部分对你还是应该有所触动的，可能你以前就从来没有那么细读过。所以我的讲座，并不是说我离开《红楼梦》，去单讲我个人对八十回后的想象。续书是允许续作者他去想象的，他当然要根据前面已经有的内容去发挥想象。但是探佚就要受到严格的限制，还是应该在已有的那些文本的前提下，在已有资料的支撑下，去探索曹雪芹的原笔原意，续写和探佚是有区别的。任何人续书，如果你没有找到曹雪芹当年留下来的八十回后的文稿，都不可能达到完全的复原。因为曹雪芹写作上有一绝，就是他所写到的人物情节，并不完全通过回目体现概括，也不一定在前面埋下伏笔，在很多回里面，你可以看到很多回目所概括的内容以外的，自然生发出来的故事。他笔下会出现很多你意想不到的小角色和你意想不到的过场戏。

现在只举一个例子。你比如说他有几回写大观园里面的内部矛盾，下层的纠纷，写到内厨房控制权的争夺战。大观园里面后来设了一个厨房，专给住在大观园里面的贾宝玉和一些小姐们，当然也包括李纨贾兰母子，以及他们的丫头们来做饭。这个厨房的主管是柳家的。这是个肥缺，不仅掌握厨房还可以从中谋取自己的利益。其他的小姐丫头，如果这个掌管厨房的跟我好，那提供给我的餐饮就会比较好，除了定时以外，还可以获得很多的方便。所以就发生了一场大观园的内厨房的争夺战。有一个丫头大家一提就知道，司棋，迎春的首席大丫头，迎春是一个很懦弱的小姐，司棋却很强悍。有人说我知道，司棋就是跟她的表弟，月夜在大观园偷情的那位。咱们不说那段。要知道司棋不但爱情上很勇敢，争斗厨房控制权上也很厉害，她带领一群小丫头，冲到厨房里去打、砸、抢。她要掀翻柳家的厨头的地位，她有一个婶娘叫秦显家的，她想方设法要让秦显家的去当厨房的头。这些情节流动，在那几回有的回目上，有的体现出来了，有的就没有体现，而且前面也并没有明显的伏笔。

其中有一个分支的情节，它分布在第六十回和第六十一回之间，写到一个什么角色呢？叫做留杩子盖头的小厮。什么叫杩子？就是马桶。在清朝有一种未成年的小男孩，会把头顶周围的头发剃干净，留下一个马桶盖形状的发型，叫杩子盖。这个留杩子盖的小厮，是看守大观园后头一处角门的。柳家的从她哥哥嫂子家里面出来，回到大观园，到厨房去管事儿，在角门那里碰到了留杩子盖头的小厮。这个留杩子盖的小厮是很小的一个角色，前八十回里就出场这么一次，但是写得非常生动。他跟柳嫂，就贫嘴滑舌，意思就是说：你现在从哪来？不像从你家来啊！因为柳家的确实不是从自己家回来，是从她哥哥嫂子那里回来。小厮意思就是说，你行踪可疑啊，是不是找野老儿去啦？这个柳家的也挺强悍，说我找野老儿怎么了？我找野老儿你岂不多得一个叔叔吗？两个人就油嘴滑舌斗嘴。然后小厮就提出要求，说你是不是把里面园子里面的杏子摘些来给我吃？那么读者立刻就会想起来，在前几回里，写到贾探春、宝钗，在大观园里面实行了责任承包制，果树都是分给具体的婆子来管理，因为这些人获得责任岗位以后，能得到很多利益，所以她们就特别尽心，就不许别人偷李子偷杏，柳家的就说：你没看那一个个的，眼睛都跟鹩鸡似的，那天我从树下一过，招手撵蜜蜂，好家伙，那边就叫唤起来了……她不答应小厮的要求，小厮就开始揭柳家的隐私，说你以为我不知道你家的事儿？你的闺女柳五儿不就想到怡红院去吗？柳家的因为是贾府的世奴，她女儿到了一定年龄以后，就要分房，分到一定的空间里面去伺候主子。柳五儿因为身体弱，有病，该分配的时候没有分配，现在病养得差不多了，待分配。分配就需要谋求一个好的空间，你要分到赵姨娘那个屋，就糟糕了。哪儿最好呢？怡红院最好。怡红院不光是待遇最好，怡红院主人贾宝玉特别好，贾宝玉放了话，说我这儿的丫头年龄大了，不交给府里的总管分配嫁人，而是由她们的父母领去，自由选择前途，虽然出去的丫头会面临媒妁之言、父母之命的包办婚姻，可是能有这样的前景，总比随便地"拉出去配小子"好，她们的父母，也因此有希望找到比较好的女婿。柳家的觉得把自己的女儿送到怡红院去是最好的，确实在谋划这个事情，希望达到目的。留杩子盖头的小厮揭她的隐私，柳家的就恼羞成怒。揭露隐私人人都怕，这个是说不出来的，是不能公开的，只能私下去谋取。留枵子盖头的小厮就说：别看我在这里听哈，我里头也有两个体面的姊妹，什么事儿瞒得了我们！他就写出了一个很森严的贵族府第里面，最下层人的生存状态和心理状态，这种最下层小人物，也有他们的利益追求，也有他们的消息来源，也有他们互相辖制的因素。

像这样一段分在两回里写出的分支情节，前面没有伏笔，回目里面也绝对没有概括，不读到曹雪芹的原文，凭想象，那是无论如何想象不出来的。但是曹雪芹写出这样一个留枵子盖头的小厮，写出这样一段生动活泼的分支情节，绝对不是废文赘笔，是对回目中概括到的那些大情节的必要的补充，起到很大一个作用。什么作用呢？现在有些人读《红楼梦》，他古为今用，说现在我们搞改革，我们搞承包责任制，《红楼梦》里面早有先例，对贾探春、薛宝钗她们的新政，一唱三叹。但是曹雪芹他写贾探春和薛宝钗在大观园里实行责任承包，虽然确有肯定的成分，不过在文本叙述上，他把握平衡，早在前面相关的情节里面，他就通过下面那些仆役发出这样的抱怨：才倒一个"巡海夜叉"，又添了三个"镇山太岁"。王熙凤人家恨她，说她是一个"巡海夜叉"。王熙凤那个时候身体不好，歇病假，最后是由"三驾马车"替她临时地管理荣国府，就是一个庶出的闺女贾探春，一个外姓的亲戚薛宝钗，还有一个寡妇李纨。按说是三个很善良的人，在许多读者心目当中都是很美好的，但下人们私下里就毫不客气地称她们为跟"巡海夜叉"一样可恶的"镇山太岁"。所以说，曹雪芹的写法是很辩证的。他没有完全肯定探春、宝钗推行的那一套。那么他通过这个留枵子盖头的小厮这段情节，就进一步告诉读者，这种责任承包制的新政也有很多弊端，它也使得下层之间的矛盾更加地犬牙交错。

那么像这样一些内容，如果我们不看到曹雪芹的文本本身，我们怎么探佚，也探佚不出来。我这段话不是废话，是想告诉你，虽然对八十回后丧失的内容我们可以探佚，但是我们现在更应该将精力多多用在阅读前八十回上，精读、细读，以前对前八十回里所忽略的一些细节，比如说留枵子盖头的小厮的相关文字，就应该细读细品。

说到这儿，咱们又该往后说了，既然后面还有三个情节单元——我们探佚只能按单元来探佚，不可能探佚到像留枵子盖头的小厮那样的一些文字——那么很显然，整个贾氏宗族的处境就已经是山雨欲来风满楼了。这种情况下，贾家就会获罪，皇帝就会派人抄家了，而且曹雪芹笔下的抄家，可不会像高鹗笔下的那样，高鹗也写了抄家，那个抄家最后，北静王一来，就跟挠痒痒一样，完全成了一场虚惊。很快地，贾家就沐皇恩、复世职、延世泽了。曹雪芹会写到皇帝治贾家的罪非常狠。如果说在下面一个情节单元里面，将会写到贾家被皇帝治罪，那么应该是一些什么罪？有人说一百二十回里面，高鹗不是已经写出皇帝治贾家罪的原因了吗？高鹗在他的后四十回里面，所写出的是些什么原因呢？你有工夫回去翻一下。那些原因究竟是不是呼应了前八十回的伏笔呢？如果不是的话，那么曹雪芹又会写出什么样的原因来呢？请听下一讲。

第五讲
第八十二回至第九十回之谜[1]

贾家获罪之谜

上一讲最后我跟大家说，曹雪芹的全本《红楼梦》在八十一回以后，他会写到皇帝对荣国府、宁国府的打击。有人说高鹗他不是也写了吗？高鹗写了皇帝下令查抄贾家，正面写了抄荣国府，也交代了宁国府被抄，特别是贾赦住的那个院子被抄。但是高鹗关于宁国府、荣国府和贾赦获罪的那些具体的交代，总体而言，是不符合曹雪芹原笔原意的。

你如果熟悉高鹗的续书的话，你会发现，高鹗把贾赦的罪定得最重。贾赦两宗罪，一个是他私自结交外官，他和平安州的节度私自来往。在清朝，尤其在康雍乾三朝，这是皇帝最不能容忍的。高鹗这样写是有根据的，他是根据曹雪芹在前八十回的伏笔写出来的。前八十回，你记不记得在关于尤二姐、尤三姐的这段故事里面有一笔交代啊？为什么王熙凤能够到花枝巷去把尤二姐骗到荣国府？贾琏当时不在，贾琏到哪儿去了？贾赦派贾琏到平安州去找节度，所谓去办事，去的时间还比较长，有半个月。

这笔交代，既是故事发展的需要，让贾琏出差，好让王熙凤从容地将尤二姐"赚入荣国府"，遭受折磨后"觉大限吞金自逝"，同时也确实是埋伏下一个伏笔，你一个京城贵族，你居然私自派你的儿子到平安州，去跟皇帝外派的官员之间去发生关系，这是触犯王法，早晚会发作招祸的。因此高鹗他写贾赦因为这个事惹得皇帝生气，皇帝就派人来抄家，他这一点应该说写得合理。

那么在高鹗的笔下贾赦还有一宗罪，叫做恃强凌弱，他强占民户手里的财宝。贾赦知道有一个破落户叫做石呆子，这个石呆子虽然家境很贫寒了，但是他收藏了很多古代名画家、名书法家绘制的古扇。贾赦知道这个情况以后就想霸占这些古扇。他借贾雨村的力量，贾雨村"乱判葫芦案"以后，到京城当官，就到贾府去联宗，他虽然也姓贾，跟宁荣二府其实并没有可以查证出来的血缘关系，就因为当时宁荣二府有势力，贾元春在皇帝身边得宠，贾雨村就跑去攀附，跟贾赦、贾政、贾珍打得火热，每次到了荣国府，还一定要见荣国府未来的继承人贾宝玉。贾雨村为了讨好贾赦，就利用手中权力，把石呆子抓起来，说他拖欠官银，因此没收他的财产，将财产归官，石呆子那些珍贵的古扇，就给抄没了，抄没以后，贾雨村就拿去献给贾赦。这当然是一个很恶劣的行为。在清朝虽然这些贵族、富豪经常做这种事情，但是按当时的大清律，起码从法律条文上看，这也是不对的，构成一宗罪。

贾赦侵占石呆子古扇这段情节，是曹雪芹在前八十回里写的。他没有正面去写，这段故事也没概括到回目里。他是侧写的，但是非常重要。是在第四十八回，那一回写到薛蟠想调戏柳湘莲，柳湘莲不干，把他给打了，打伤以后，他就回家疗治。早在更前面，写宝玉挨打，书里面就有一个细节，就是因为薛家是替皇家采买东西，包括采买药品，所以手里有非常好的棒疮药，薛宝钗去探望被打后的宝玉，用了什么样的肢体语言呢？她手里托着一个药丸，就是专治棒疮的。薛蟠被打了，他家里的棒疮药当然就要拿出来用，那么就有另外一个人到他们那去讨要棒疮药，谁呢？是平儿。平儿为什么去薛家要棒疮药呢？一来知道薛家有这种特效药；二来，平儿跟薛宝钗讲了情况，说我们贾琏二爷被打了，为什么被打？就是因为开头贾赦是让贾琏给他把石呆子的古扇弄来，贾琏没弄来，贾雨村通过手中的权力，制造冤狱弄来了，于是贾赦就质问贾琏，说人家怎么就弄来了呢？贾琏虽然也是个很糟糕的人，可是在这件事情上，他多少有点儿良心，就说为这么点事儿，把人家弄得倾家荡产也不算什么能耐。贾赦一听气坏了，不知道当时操起个什么东西，把贾琏给打伤了，需要治棒疮，所以来问薛家索要。平儿还对薛宝钗这样骂贾雨村："半路途中那里来的饿不死的野杂种，认了不到十年，生了多少事出来！"高鹗的续书里面，他交代贾赦的两宗罪最后都被人检举揭发，惹怒了皇帝，所以导致了抄家。

高鹗写宁荣二府被抄，正面写到荣国府，侧面写到宁国府。宁国府被抄以后，尤氏及贾珍的姬妾，包括贾蓉续娶的媳妇，全都没有地方待了，只好哭哭啼啼跑到荣国府来借住。宁国府贾珍为什么被抄呢？高鹗的写法非常可笑。怎么可笑呢？
他说皇帝抄贾珍是有三宗罪。

第一宗，强占良民妻女不从致死。话说得很严重，其实指的是尤二姐之死。
那么大家仔细想，是谁偷娶了尤二姐？不是贾珍，是贾琏，是贾琏包养二奶，包
养的空间是在宁国府里面吗？不是。当然也不是在荣国府里面，是在花枝巷。后
来尤二姐就被王熙凤骗到荣国府去，遭受迫害"吞生金自逝"，就是梗着脖子把
金块吞进去，那种自杀的方式很惨。就算贾珍有责任，贾珍也顶多是个胁从犯，
主犯应该是贾琏，这宗罪应该算到贾赦他们那一房。可是高鹗不知道出于什么心
理，他说贾珍获罪，第一宗罪就是尤二姐的事儿。尤二姐的事儿当然后来闹得很大，
闹得很复杂，因为王熙凤当时觉得自己很有权势，为了让贾琏难堪，让尤二姐的
地位受到彻底的毁灭性的打击，她就唆使她的亲信仆人旺儿，找到当年尤二姐的
未婚夫张华，让他出面去官府告贾琏，说尤二姐原来是跟他订婚的，贾琏强娶是
违法。其实贾琏偷娶尤二姐之前，尤家是跟张家解除了婚约的，张华在字据上画
过押，也拿了退亲的银子。张华开始不敢去告，那时王熙凤气粗，让旺儿跟张华
说，就是告我们家谋反也没关系，那时候她只以为贾元春在皇帝身边得宠，官府
都得听她摆布，只图闹得贾琏没脸、尤二姐无容身之地，她不去考量以后会不会
给自己惹出祸端。权势正旺的人总是根本不把道德法律放在眼里，但是在权力斗
争当中，你的对立面，却会利用所谓王法，来弹劾你，你的权势走下坡路了，那
就更会有许多人以冠冕堂皇的道德、法律的名义，"破鼓万人捶""墙倒众人推"，
这是后话。当时，王熙凤指使旺儿，旺儿再唆使张华，跑到官府去告，闹得沸沸
扬扬。后来张华觉得官司闹大了，害怕，就逃跑了，王熙凤还指使旺儿去追杀灭
口，旺儿由于良心未泯，没有下这个狠手。这个事儿到后来，贾家的对立面，政
敌什么的，就给告发了，皇帝肯定震怒，责令追查，当然是一宗罪。可是这个罪，
大家想一想，应该是贾琏、王熙凤的罪，但是高鹗写得很滑稽，他却把它说成是
宁国府的罪，贾珍的首罪。

还有一宗罪，我不知道高鹗是怎么想的，他凑不出数，乱凑。说尤三姐死了
以后，私自掩埋，没有报官。尤三姐自刎而死。她是自杀，自杀以后就掩埋了。
他就说现在皇帝来追究了，怎么没报官呢？你没到有关部门登记注册，就私自把
她掩埋了，违法。就算当时贾珍做了这么个事情，这算多大的罪？更何况尤三姐

自刎和贾珍真是没多大关系。尤三姐暗恋柳湘莲，贾琏知道以后，就帮着撮合这个婚事，最后柳湘莲反悔，尤三姐就用柳湘莲的鸳鸯剑自刎了。经办掩埋尤三姐的应该是贾琏。硬把这么一条罪名也搁到贾珍头上，更加滑稽。

那么第三宗罪，是引诱世家子弟聚赌。贾珍召集世家子弟赌博，这种情形，在前八十回里是写到过的，在第七十五回，你会看到，他召集一些世家子弟聚赌。但是大家想一想，第七十五回写世家子弟聚到宁国府赌博的缘由是什么？是为赌而赌吗？不是。当时贾珍在天香楼下设了一个箭道，组织世家子弟在那里练习射鹄子。按说这是一个很重要的线索，要说贾珍有罪，这才应该是最严重的一宗。但是高鹗很奇怪，他不提习射，只说聚赌，而且他通过书里面薛蟠的堂弟薛蝌，去向贾政汇报，把皇帝下令查抄宁国府，贾珍犯的罪，召集世家子弟赌博这一宗，放在最后，并且特别说明"这款还轻"。我认为高鹗是成心这么写。他和程伟元攒出的一百二十回通行本，前面的第七十五回，也没有删去曹雪芹写下的贾珍聚众习武的那些文字，在曹雪芹的构思里面，贾珍他聚众赌博是一个掩护，实际上他是聚集政治上的一派势力在他家习射，是要准备实施一些武装行为，这个武装行为是针对他们的政敌的，实际上也是针对皇帝的，是弥天大罪。可是高鹗续书，却把这一条轻轻抹去。他说贾珍有三宗罪，第一宗与尤二姐有关，第二宗与尤三姐有关，第三宗最轻，是聚众赌博。高鹗这样续，公然违背曹雪芹前面的伏笔，是在掩饰什么？实在令我生疑。

那么有的红迷朋友听到这以后可能有点儿不耐烦，说你老说高鹗这也不通，那也不通，就你通。不说别的，就说贾家的罪，贾政他总没罪吧！因为高鹗正面描写了荣国府被抄，贾政正大宴宾客，抄家的就来了，贾政非常狼狈。但是贾政很无辜。抄出的东西，无非是两种，一种是违例的一些用品。当时皇家有规定，你到了什么级别，你才能用什么东西。他们家抄出一些违禁的用品，那么这个不是抄家的原因，这是抄家的一个成果。还有就是从贾琏、王熙凤的住处抄出借券，就是王熙凤她私下放高利贷，违例取利，她违反当时有关放贷的那些"例则"，她放的是超过法定限度的高利贷。但这不是贾政做的事，而且抄出以后，当时贾琏就跪下承认了，说这跟我的叔叔没关系。而且这也是一个抄家的成果，而不是抄家的原因。在高鹗笔下，贾政很清白。所以有的读者，到现在一直有一个印象，就是说这家人都很糟糕，按照当时皇帝的标准来看，只有贾政是很正派的一个人，他应该是无罪的。高鹗顺着这个思路往下写,引导读者顺着这个思维定式往下想,说你看荣国府多冤枉,最后通过北静王的维护,贾政自己表现得也很好,皇帝就不但原谅了他,也原谅了贾赦,原谅了贾珍,贾家最后就不但恢复了原来的状态,还往上提升了。

贾赦的罪最严重,贾珍的罪开列出来算不了什么,可是宁国府被抄得很惨,贾政所在的荣国府是被牵连受一场虚惊,这是高鹗续书对贾家获罪的写法。

那么现在我要很郑重地告诉你,贾政在曹雪芹的总体构思里面,在皇帝面前,他不但有罪,而且罪行越查越严重。有的人会问了,你说贾政的罪很大,根据是什么?那我们就一块儿对前八十回进行文本细读。

在第七十五回,写到尤氏心气不顺,因为她小姑子惜春跟她闹,从惜春住处出来以后,她就想到王夫人那里歇会儿,再说她是王夫人的一个晚辈,应该去问安。这个时候跟随她的老嬷嬷就跟她悄悄地说,说了什么?有的读者看得不仔细,哗啦哗啦一翻全过去了,其实这块儿您应该细读。老嬷嬷就悄悄地汇报,说奶奶别往上房去,这个上房指的是荣国府中轴线建筑群的那个荣禧堂,那个空间叫上房,就是贾政和王夫人住的正房。说那儿有甄家的几个人来,不光有人来,还有东西,不知道是做什么机密事儿,奶奶去了恐不便。江南的甄家,和贾家是老亲,实际上在小说里面,甄家是贾家的影子,大家如果读得更细的话,就会发现,在抄检大观园的时候,抄到贾探春那儿,贾探春当时很生气,说你们今早议论甄家的事儿,甄家先自己抄家,后来你看,甄家就被皇帝抄了,可知这样的大户人家一定是先窝里斗,先自己杀起来,外面再杀进来,最后灭亡。那么尤氏听到这个话以后,是不是非常惊讶呢?不是很惊讶。尤氏就回忆起来了,尤氏就跟她们说,昨日你们爷——尤氏称贾珍为你们爷——说贾珍看了《邸报》,《邸报》是当时官员之间流通的一种类似现在"内参"的东西,皇帝下了什么诏书,有些什么特别的政情,哪些人被告了,哪些人被判了,里面都会写出来。贾珍他作为三等威烈将军,有资格阅读《邸报》。他读完以后,就跟尤氏叨念过,《邸报》上说了,甄家"现今抄没家私",就要调取进京治罪了。尤氏奇怪的是,已经抄了,治罪了,怎么还有人来?正所谓"百足之虫,死而不僵"。前面交代过,甄家来了几个女人来给贾母请安,贾母就提起来,说你们甄家嫁到京里面的大姑娘二姑娘,跟我们走动得很亲密。甄家在京城还有住房,有财产,南边刚被抄,北边赶紧行动,京城一些甄家的成员，就开始往荣国府移动他们家的这些罪产，要求荣国府帮他们藏匿起来。这是非常严重的罪行。

甄家敢于藏匿皇帝下一步会抄到的财物，是罪行。荣国府敢于接纳这样一些罪产，更是严重的罪行。这是曹雪芹明明白白写出来的伏笔，高鹗他视而不见，续书不接这个茬儿，他是有意还是无意，咱们且不忙分析，反正你看在他笔下，贾政没这么个事儿。其实藏匿罪产比高鹗给贾珍所开出的那些罪行都更严重。当然第七十五回写到尤氏和老嬷嬷对话时没提到贾政，只是说上房里面有人做这个事儿。根据书里的交代，当时贾政已经履行完皇帝外派的学差任务，回到荣国府了。那么荣国府藏匿甄家的罪产，不可能是王夫人瞒着贾政做的，也不可能是贾母同意就能做的，更不可能是贾琏、王熙凤这两口子仗着管理府里的事务就敢瞒着长辈做的。这事贾政一定点了头，负有完全责任。所以在曹雪芹笔下，贾政他是有罪的，而且是自觉犯罪。

那么除了这一宗，贾政还有什么罪？有一件事情你可别忘了，曹雪芹的第七十八回，他写到贾政忽然把他的两个儿子，一个孙子，叫到跟前，出了一个题目，让他们写诗，歌颂一位林四娘，这个女子还有一个称号叫"姽婳将军"。贾兰赋了一首七绝，贾环赋了一首五律，宝玉来劲了，宝玉写了一首长歌，好多好多句。写的过程当中，在场的贾政的那些清客幕僚纷纷叫好，贾政最后也多有表扬。

有人可能会说，你这人哪，真是哪壶不开提哪壶。《红楼梦》里这一段，历来评论起来最困难。为什么？因为从字面上看，林四娘是怎么回事？贾政讲这个事情，说有一个地方叫青州，那个地方有一个恒王，养了一群娘子军，领头的就是林四娘，最后黄巾赤眉的贼攻过来了，恒王抵挡不住，战死了，城里面恒王的部属，慌得不行，就打算献城投降，唯独林四娘率领的娘子军，这个时候英勇出击，杀进敌营，当然最后娘子军寡不敌众，被消灭掉了，林四娘壮烈牺牲了。来打青州的，贾政说是黄巾赤眉，黄巾军是东汉末年出现的农民起义军，大家裹黄色的头巾为记号；赤眉是西汉末年出现的农民起义军，则是一律把眉毛染红；把黄巾赤眉并提，似乎是对过去农民起义军的一种笼统的称呼。所以过去有的人评论《红楼梦》，就觉得这是个难点。说贾宝玉这样一个艺术形象，是反封建的，是那个时代里面的一种新人，在那个时代属于先进人物，可就是这么一个人物，在第七十八回，却写姽婳将军词，长篇大套写长诗，歌颂一个跟农民起义军对抗的，

忠于封建统治者的女奴才，这算怎么回事？觉得很难为贾宝玉辩护，觉得他做错
一件事。而且最古怪的是，这个第七十八回，前面写了贾宝玉歌颂姽婳将军，赋
长诗一首，下半回呢，又表现他哀悼晴雯，写了《芙蓉诔》，《芙蓉诔》里面那些
文句又锋芒毕露，对封建的主流意识形态的挑战性十分明显，那这贾宝玉不是人
格分裂吗？怎么回事啊？所以过去讲《红楼梦》，或者讲贾宝玉，都回避这段情节，
能不讲就不讲，就是哪壶不开咱们别去提。更有人认为，曹雪芹笔下关于姽婳将
军的半回文字，是《红楼梦》的污点，是曹雪芹的大败笔。

　　现在我把我的观点告诉你，供你参考。实际上贾政是在做一件很危险的事儿。
贾政忽然不知道怎么的，那天就来了情绪，他就要他的子孙来歌颂一个"姽婳将军"。
说是在青州地区有一个恒王，请注意：在清朝，有一个很大的特点，定都北京以
后，皇帝的儿子，是不兴分封到外地为王的。皇子分封到贵族头衔，包括封为王
以后，王爷府都要建在京城，都在皇帝的眼前，所以在清朝，没有一个漂到外面
的满清王爷，没有什么青州恒王。满清入关以后，它既是民族压迫，也是阶级压
迫，农民起义连绵不断，但是在康、雍、乾三朝，因为清朝进关以后，实行了大
屠杀，推行了严酷的统治政策，大局鼎定以后，又休养生息，对农民有一些让步
政策，所以在康、雍、乾三朝，没有大规模的农民起义发生，没有可以用黄巾赤
眉来比喻的，强大到攻陷城池的农民起义军出现。那么什么时候，存在皇帝把儿
子分封到外地去当王的现象呢？恰恰明朝就是那样的。在明朝，在青州，封没封
过一位恒王呢？是封过的，不过写出来应该是衡王，曹雪芹在写第七十八回的时
候，他通过贾政之口所说的，应该就是暗指明朝的这个王，他声音都没变，只是
把平衡的衡，写成了是永恒的恒，字眼上，故意来点儿小小的变化。那么明朝青
州的衡王，是不是面临过来犯者的攻击呢？是面临过的。谁来侵犯它？南下的清
兵。明朝的覆灭，固然农民起义是个重要因素，但是最后政权的转换，包括各地
皇帝分封的那些王的覆灭，其中很多都是被清兵扫荡的。所以曹雪芹在小说里面
所提到的黄巾赤眉，不过是对来犯者的一种代称而已，这个来犯者指的就是清兵。
因此林四娘是一个什么样的人物呢？是一个在明朝崩溃的时候，在青州危难之时，
男性官员都主张迎降，她却挺身而出，带领娘子军起来抗清的一位巾帼英雄。

　　把这个谜底一揭穿，你可能会吓一跳，哇噻，贾政他在做什么事儿？你让你
的儿孙写诗歌颂什么人呢？所以我们应该注意到，曹雪芹笔下的贾政，也是个复

杂的艺术形象，而且曹雪芹通过他，在关于歌颂姽婳将军这个段落里，也就流露出了一种哀明之亡的情绪。这在清朝是不允许的，会导致很严重的文字狱。

因此，姽婳将军这一回，实际上也是一个伏笔，就说明按皇帝的标准衡量，贾政的问题很严重，他除了帮助甄家藏匿罪产，还公然让自己的子孙写歌颂抵抗清军的娘子军领袖的诗歌，该当何罪？

当然又会有红迷朋友来跟我来讨论：你说曹雪芹笔下设定贾政有罪，还能不能拿出更过硬的根据？其实这根据就在第五回里。第五回里面，关于秦可卿的册页上的判词，和关于秦可卿曲里面的句子，都直截了当给你写出来了。在小说的后面，皇帝为什么要打击贾氏宗族，为什么要抄荣国府和宁国府，他都预言出来了。册页里关于秦可卿的判词，有两句说："漫言不肖皆荣出，造衅开端首在宁"。意思是，最后皇帝打击贾家，首先冲着荣国府来，但是你且不要随便地认定，"不肖之子"全出在荣国府，你别急着说，都是荣国府惹的事儿，告诉你吧，整个贾氏宗族被皇帝摧毁的罪源，也就是最开端的事情，是宁国府做出来的，首罪还是宁国府！

有人可能会说，你对这两句这么解释，我觉得耳生，过去都解释成，秦可卿是淫荡的女性，男女关系上有问题，那么不要说男女之间不雅的事情都出在荣国府，爬灰的爬灰，养小叔子的养小叔子，那些不雅之事，都是从宁国府开始的。原来许多人都是这么去理解，就是这两句讲的是贵族家庭的淫乱，你现在怎么往政治上说？我认为曹雪芹在这两句里面，可能有你所说的这个含义，但那绝对是其次的。因为在当时那个社会，一个贵族家庭，如果只是男女关系上有问题，构不成严重的罪行，不至于导致皇帝的抄家。皇帝后来发现荣国府有严重问题，做了"不肖"之事。不肖就是不像，过去一个人，背叛了自己祖宗的美德，叫做不肖子弟。贾宝玉挨打那一回的回目，就叫做"不肖种种大受笞挞"。那么荣国府的荣国公，帮助皇帝夺取全国政权，是立下汗马功劳的。他们的子弟理应继续像他们的祖上一样，去为皇帝效劳，可是出现了贾政这样的人，他固然也有为皇帝效劳的一面，但是他内心里面，经常有悼明之亡的情绪在骚动，又把跟甄家的感情，置于对皇家的忠诚之上，竟然接纳藏匿甄家罪产，对比于他的父辈、祖辈，他不能百分之百地为皇帝贡献，确实属于"不肖之子"。

那么什么叫做"造衅开端首在宁"呢？这个我就不多说了。你听我前面讲的关于秦可卿的揭秘就明白了。到头来，荣、宁两府最大的罪恶，是藏匿了义忠亲王老千岁的血骨，就是秦可卿。这件事情当然发生在贾政为甄家藏匿罪产和让自己的子孙写歌颂"娧婳将军"的诗之前，所以造衅开端从哪算起呢？要从宁国府把秦可卿当做贾蓉媳妇藏匿算起。我在前面的讲座已经展开得很充分了，就是说由于贾元春的告密，秦可卿的身份暴露。可是皇帝当时还喜欢贾元春，所以就放贾家一马，秦可卿必须死掉，但是可以不公开真实身份，贾家可以表面风光地来举办丧事，这个事儿暂时就算放过去了。但是在八十回后，在我现在所讲到的第八十一回到第九十回，以及九十回以后，在曹雪芹的原本《红楼梦》里面，就会写到皇帝对贾家是旧账、新账一起算，发现贾政的问题，立刻要处置，同时又想起来了，这个贾家还有前科，什么前科？就是宁国府那个事儿。

那么第五回在关于秦可卿的那个曲子里面，还有两句说的是："箕裘颓堕皆从敬，家事消亡首罪宁"。就预言得更清楚了，贾家获罪，不是因为有男女关系方面淫荡的事情，因为贾敬从书里面你看的话，这个人你可以说他有很多毛病，但是这个人不淫荡，这个人很早就到城外的道观里面去炼丹去了。什么叫箕裘颓堕？就是祖宗的家业贾敬他都不管了，箕就是簸箕，裘就是指皮袄，这在古代作为家业的两个最重要的象征，一个箕，一个裘，他都颓堕，就是任其掉到地上也不拾，大撒手。根据我前面分析，贾敬对于家族收养藏匿秦可卿，他是有看法，有意见的。可能是当时宁国公还在，或者是贾母的丈夫荣国公还在，他们两个或其中一个作出了决定。贾敬的态度是，你们既然主张收留，那行，你们负责任，我不管了，我到城外的道观去，在那里长住，后来家里面给他庆寿他都不回去，在那炼丹，最后吞丹而死。所以宁国府的问题，就在于贾敬撒手不管了，他把爵位，整个家业，族长的职务，都交给贾珍了，书里的描写大家印象深刻，贾珍就是把宁国府翻过来，谁也拿他没办法，而且更冒险跟所藏匿的秦可卿产生暧昧关系，所以叫做"家事消亡首罪宁"。

经我这么梳理，可以认定，曹雪芹他的构思，他笔下写贾家获罪，绝不会是高鹗写出的那个局面，按高鹗的意思，成了"家事消亡首罪赦"——这里的"赦"指贾赦，就是他写来写去，罪最大，也最落实的，是贾赦。高鹗全然不顾第五回里上面我所引的那些预言，他乱写，甚至还写了甄家的一个男仆包勇，在甄家被抄家治罪以后，带着一封甄应嘉的信，投奔到贾府，贾政竟然就收留了他，这是完全不可能的。在那个时代，你是一个被抄家调取进京治罪的罪官，给囚禁起来了，你写信给你的亲戚朋友，已经不允许了，你的仆人都收归官家了，或打、或杀、或卖，怎么还容得你自由支配，让他带着你写的信去投靠你指定的人家？高鹗所写的这些内容，都不可能出现在曹雪芹曾经写出的八十回后的故事里，他实在是以假乱真。

那么下面我就要告诉你，在贾府获罪，走向败落的过程当中，有一个人物的命运结局，会在八十二回以后，比较早地呈现出来，那就是贾惜春。有的人会说，贾惜春好像也没有什么可讲的，贾惜春不是出家了吗？就在拢翠庵里面嘛！高鹗写得很清楚啊！但是起码有两个问题需要讨论。第一，贾惜春她出家是在整个贾府覆灭之前还是之后？第二，贾惜春出家，真的就在妙玉住过的拢翠庵里面吗？我认为，高颚又写得不对。那么贾惜春的结局在曹雪芹的笔下，应该是什么样呢？下一讲见。

第六讲
第八十二回至第九十回之谜[2]

贾惜春之谜

上一讲我告诉大家，关于贾惜春的命运结局，曹雪芹会在八十一回以后第一个情节单元里面，就加以描绘交代，为什么？因为我经过研究以后认为，贾惜春出家不应该是在宁荣二府被彻底抄没之后，而应该是在这之前。

高鹗怎么写的呢？

高鹗写贾惜春为什么要出家啊？是因为地藏庵来两个姑子，说了一番很肤浅的修善果一类的话，贾惜春就动心了，就要去当尼姑。这不符合曹雪芹的原笔原意，贾惜春出家有很深刻的心理契机，而且通过贾惜春的出家，曹雪芹所要表达的是一个很深刻的意蕴。

贾惜春在前八十回里面正面描写她的文字不是很多，在很多场合她是作为一个陪衬出现，是次要角色。但是有一回为她立了一个正传，这就是第七十四回后半回，在抄检大观园的事情发生之后，她主动让人把她的嫂子尤氏叫过去，说她有话要说。在抄检大观园的时候，其实贾惜春那儿没有什么太多的事，她的大丫头叫入画，在入画箱子里翻出一些东西是男人的用品，但是入画跟迎春的大丫头司棋完全不一样，不是她跟外面的男人有什么暧昧关系，是她哥哥在宁国府当差，得了贾珍一些赏赐，没有别的能妥善保存的地方，就寄存到妹妹这里。所以尤氏见了以后觉得这不算什么大事，说你看闹的，官盐成了私盐了，意思就是说一看这些东西都是她丈夫赏给那个小厮的，既不是偷的，也不存在什么奸情，是来路正当的一些赏赐品。当然根据府里面的规矩，奴仆不跟主子打招呼，私自把这些东西传递过来，也是不对的，但这是一个小错。所以尤氏主张责备入画几句就算了，让她继续留下服侍惜春，可是惜春不干。惜春的性格很古怪，在抄家的时候一抄出入画这些东西，她就说凤姐姐，你们要打把她带到外面打去，我听不惯的。惜春是这么一个人，心很冷，意志又很坚定。那么她跟尤氏就戗起来了。尤氏本来以为只是讨论关于处理入画这个丫头的问题，没想到惜春越说话就越吓人。惜春怎么说啊？惜春在尤氏面前主动提出来，今后她跟宁国府要一刀两断，断绝来往。为什么啊？她说况且近日我每每风闻背地里有人议论什么多少不堪的闲话，我要再去，连我也编排上了。她说古人说得好，善恶生死，父子不能勉住，而我只是要保住我自己就够了。又说，从此以后，你们有事别连累我，而且她还说，古人还有话：不作狠心人，难得自了汉。一句一句都戳尤氏的心。说到最后，甚至说了这样的话：我清清白白的一个人，为什么教你们带累坏了我？这话可太厉害了！尤氏就无法承受，就赌气带走入画，惜春从此果真地杜绝宁国府了。

有的红迷朋友可能会觉得，惜春那些话很好懂啊，你宁国府秽闻糗事特别多，是不是？柳湘莲说得好，你宁国府除了门口两个石头狮子干净，恐怕连猫狗都不干净，因此所谓每每有人背地里风言风语说一些事，无非就是说宁国府一些淫乱的事情。那么这些事尤氏她也不爱听，但是不至于觉得戳心窝。因为大家知道早在小说的很前面，秦钟到宁国府里来做客，送客的时候管家派老仆人焦大去送秦钟回家，焦大借着酒劲儿就大骂，把贾珍都骂出来了，把宁国府那些秽闻糗事来个大揭底，尤氏当然也不高兴是吧？但是她没有精神崩溃，她都还能沉住气，没有失态。因为在那个时代，那种社会，像贾珍这种贵族老爷，有些男女关系上的丑事糗事，不稀奇，妻妾一般都只能承受下来。所以，惜春所说的这些风言风语的闲话，可能包括这样一些涉及男女关系，府内淫乱的一些传言，但那绝不是这些风言风语的核心。

这些风言风语的核心是什么？还应该就是你们宁国府藏匿过义忠亲王老千岁的骨血，你们那蓉大奶奶死得突然，死得离奇，第十三回明文写出，秦可卿死讯传来，"彼时合家皆知，无不纳罕，都有些疑心"，那"疑心"就是风言风语的主轴。当然，关于秦可卿的真实出身，以及她猝死的真实原因，主子层的人也未必全清楚，底下仆役更难知悉底里，但是事情做得再机密，没有不透风的墙，人家不知道究竟怎么回事，但是人家会质疑、会每每背地里风言风语地议论。现在宁、荣两府到了八十一回以后，已经是山雨已来风满楼了，这个大厦虽然没有立刻倾倒，嘎啦嘎啦乱响了，因此府里面的议论就会有增无减，包括上房那儿来了几个甄家的女人，气色不成气色，干什么机密事呢？就是你藏匿罪产，下人不可能完全知道，但是可以窃窃私议，那么从而联想起当年秦可卿之死，又会把当年的疑心翻腾出来，加以议论。当时宁荣两府肯定是政治谣言满天飞、人心惶惶大浮动的那么一种氛围。

惜春她是一个有眼光的人，不是一个肤浅的人，她就意识到要坏事，有可能这个家族的新罪旧罪被皇帝一起算总账。而且她就意识到，她毕竟是贾珍的胞妹，按户籍她是宁国府的人，只是因为堂祖母史太君喜欢女孩子，才接到荣国府来住，因此，如果宁国府出了事，被皇帝追究，她就会被牵连，于是，她为了自保，第一步，就要当众把自己和宁国府切割开来，当然，以后也还要跟荣国府切割，但那是第二步，第一步是"矢孤介杜绝宁国府"，就是宣布我跟你们宁国府从此断绝一切关系，我清清白白一个人，你们干的那些不干不净的事情，跟我无关，不要带累坏了我！贾惜春进入了一个唯求自保的思路。你读《红楼梦》读不懂贾惜春这个思路可不行。

在第五回，《金陵十二钗正册》里关于贾惜春册的判词，以及《红楼梦十二支曲》里关于贾惜春那首曲，其实早就点明，在宁荣两府当中，对于家族的败落，她和秦可卿一样，是先知先觉，早有预感的。秦可卿死前给王熙凤托梦，念出的偈语是："三春去后诸芳尽，各自须寻各自门。"关于惜春的判词和曲子里，有与之相呼应的预言："勘破三春景不长""将那三春看破"。她就知道，这个家族的好日子也就是这么三五年的事，准确地说也就是三个春天，三个美好的春天一过，就会出现杀机，整个家族就会崩溃，就会家亡人散各奔腾，所以她虽然年纪很小，就自己拿定主意，我得把自己解脱出来，我得早做打算，惜春是这样一个人。

所以她一看荣国府先乱起来了，抄检大观园了，抄到她屋里了，把入画箱子里的东西都薅出来了，她觉得是个机会，尤氏本来并没有到她那儿看她，她主动让人把尤氏请过来，就跟你说明白，今后咱们一刀两断，尤氏始终听不明白她的意思，跟她还在那儿劝。最后她说，把话说到底，我清清白白的一个人，为什么教你们带累坏了我！她什么意思啊？不是说我一个小姑娘，你们男女关系方面很淫乱，人家会议论说我也很淫乱，我想她这种担心即使有，也不会很严重，她最担心的什么啊？你们做了一些早晚会被皇帝清算的事情，可能连累到我。所谓每每在背后风言风语议论，会议到她，会议论到什么程度啊？有人说她一个小姑娘，跟她哥哥一样，乱搞，她当然也不愿意听，这种议论当然很可怕，但那么议论她的可能性，其实并不大。最可怕的议论是什么啊？藏匿了一个秦可卿，会不会还有一个呢？她是谁啊？可能怀疑到她的来源，对不对？你替她想想恐怖不恐怖啊？哥哥嫂子藏匿秦可卿，做这种事情，到头来连累上了我，怎么办啊？所以贾惜春她早做打算，她的出家不是单纯地要结善缘、修善果，就算有这个内容，也是其次的，她要自救，要把自己跟宁国府、荣国府的那些政治性的行为剥离开，要在皇帝追究两府罪行，实施抄家之前，就划清界限，离府出走。

若等到抄家的时候，就来不及了，抄家时候谁都跑不了，抄家时候犯官的妻妾、子女都要当做犯人拘押起来的。成年的可能是一种处置办法，未成年的是另一种处置办法，都是要在皇权威严下进行严厉处置的。但是如果你这个家族的罪行还不到诛九族的程度，在这个前提下，如果你是一个嫁出去的姑娘，或者是已经离开家族出家了的子弟姑娘，那么在当时的法律下还是可以免于追究的，包括府里面一些仆人，如果在整个府邸被抄家、被治罪之前把自己赎出来了，离开这个府邸了，去独立生活了，而这个犯官他的罪行在被勘察的时候又不牵连到你，那么也可能也就混过去了。

贾惜春应该就是在宁国府和荣国府被抄家之前，她就冲出了这个府邸，走上了街头，找到了一个尼姑庵，叫做"缁衣顿改昔年装"，缁衣就是黑衣服，黑色的尼姑服，她每天托着一个饭钵，沿街乞讨，就成为了一个游动的尼姑。等到皇帝来惩治宁国府和荣国府，进行大抄家的时候，即便查明有这样一个小姐，但是确认她已经出家，而她和这个家族的那些罪行又没有直接牵连，就有可能不再追究她，她就得以保存自己的性命，同时保存自己一份相对的自由。贾惜春是这样一个人。

想起来我们应该是很难过的。书里描写，林黛玉进府的时候，见到的贾惜春"身量未足，形容尚小"，后面的情节流动中，她虽然在慢慢长大，但是她没有尝到多少少女的欢乐，她还没有过爱情的体验，还不像林黛玉、薛宝钗，尽管最后是个悲剧结局，起码爱过，享受过爱，这是人生当中很重要的一个环节，而惜春呢，我们通读前八十回，她是一个没有享受到爱的，没有被爱来叩问的这样一个女性。但是她却面临她的家族整个要被连根拔掉的这样一个悲惨大结局，她只能是自己保自己，和自己的兄嫂切割开，最后她又和荣国府切割开。

那个时候像这种侯门绣户的小姐，平时是不但大门不许出，二门也不许随便迈的。所以有人会怀疑，惜春走得出去吗？那么在大家族即将覆灭的前夕，门禁会出现一些漏洞，她是有机会从荣国府出走的。而实际上曹雪芹在八十回以后，就会这样来写出她的结局。她走出了荣国府，就再也不回头了。宁国府她早就杜绝了，荣国府她也就再也不去想了，她越走越远，"可怜绣户侯门女"，到晚上，就"独卧青灯古佛旁"。

在第七十四回写贾惜春杜绝宁国府的时候，她跟尤氏说话一句比一句狠，书里说"尤氏心内原有病，怕说这些话"。尤氏有什么心病啊？主要恐怕还不是自己丈夫如何花心，或者说当年有一个儿媳妇如何淫荡，她的心病还是因为牵扯到政治上的很大的问题，藏匿过义忠亲王老千岁的骨血啊！在听到惜春一句一句往下说，几乎就要捅破这层窗户纸时，尤氏那么一个很宽厚温和的人也承受不住了，心内羞恼激射，脸容话音随之失态，最后姑嫂两个撕破脸，决绝了。

那么在惜春跟尤氏讲话当中有一句话你得细读，有的读者读书很粗糙，他不细想，应该细读，应该注意到，惜春坚决要把入画退回宁国府，说："嫂子来的恰好，快带了他去，或打，或杀，或卖，我一概不管。"有这个话吧？有不少读者有疑问，说或打，或杀，或卖？怎么排列的啊？我初读《红楼梦》的时候也有这个疑问，按说打、杀、卖对于当时社会里的一个生命来说，最恐怖应该是被杀，是不是啊？排列方式应该是被打、被卖、被杀。可是呢？所有古本里面包括通行本写法都一样，都是这样的排列顺序，叫做被打、被杀、被卖。这是怎么回事啊？这里边大有文章啊，读《红楼梦》你读不懂这些地方你算白读了。

你要懂得，在清朝，皇帝抄官员的家那是很恐怖的事情，高鹗续后四十回也写了荣国府被抄，写得够客气的，真实的抄家是什么样子，我们可以参考一些有关资料。比如说在清朝有一个叫萧奭的人，写了一部书叫《永宪录》，《永宪录》有正编有续编，它的续编里面有一个很明确的记载，说雍正朝一个学政，叫做俞鸿图，一提学政咱们会想到，《红楼梦》里面写贾政一度被皇帝派到外面出差干吗去了？就是主持地方科举考试，就是学政，就干这活去了。那么这个学政被抄家的时候呢，他妻子一听说抄家人进门了，立刻就上吊自杀了。这倒也罢了，那家有个孩子，一看到那个景象以后，根据当时的官方文档记载，就活活地给吓死了。你想那个时候，皇帝抄家多残酷啊！

那时候被抄家的官员他自己先就要被拘禁起来，他的妻妾和他的子女也就都成了由皇帝处置的"动产"，等于是战利品，待处置。那么仆妇们，就更惨了，会先整体被圈禁起来，编好名册，然后怎么样呢？其命运的排列顺序就是或打、或杀、或卖。这话怎么讲啊？举一个实际例子你就明白了。

大家知道，《红楼梦》虽然是小说，可是跟纯粹虚构的那种小说不同，它具有家族史、自传性的色彩，其中许多艺术形象都是有生活原型的。比如书里面的贾母的原型，就是曹雪芹的祖父那一代，苏州织造李煦的一个妹妹。当时曹雪芹祖父曹寅担任江宁织造，李煦担任苏州织造，两家人好得不得了，李煦就把这个妹妹嫁给了曹寅。后来曹雪芹写这个书，他真事隐、假语存，把这样一个来自李家的祖母写进去，构成史太君贾母的艺术形象。

李煦在康熙朝风光得不得了，康熙一度特别喜欢他，但是，康熙死掉以后，雍正一上台，立刻就治了李煦的罪，抄了他家，把他拘禁起来，审问，审理他案子的时间很长，好几年里，李煦都在等待发落，到雍正五年，才形成终判，流放到边远苦寒的打牲乌拉，给披甲人为奴，雍正六年初死在那里。他的妻妾子女，他的家里的仆妇，什么样的命运呢？有官方记载，从雍正朝的档案里面可以查到。档案记载，李家被抄了以后，男女老幼一共有二百余口，皇帝当时先让抄家的官员在苏州，把他们统统卖了。结果苏州没人敢买。有的人过去得过李家的好处，不忍心买。有的虽然恨李家，但是不知道以后事态怎么发展，不敢买。雍正皇帝得到奏报，批示说，那就都给我运到北京来。于是就往北京押运，就当牲口一样押运。这些人在皇帝眼中不是什么活泼泼的平等的生命，是一些活动的财产，这些活财要运到北京以后另行处置。那么就像运货一样往北京运，惨极了。在路上就死掉一名男子、一名妇女、一名幼女。这是有官方文档记载的，这不就等于被杀了吗？还没卖，就先死了。最后押到北京的，一共是二百二十七个人，其中李煦的妻妾子女，就是属于主子这个阶层的一共是十名，仆人一共是二百一十七人。押解他们的官员档案上都有记载，叫做江南理事同知，这是官名，名字叫做和升额，当然是个满族人。到了北京以后就开始卖这些人，他的妻妾子女也来当做活的商品来卖，当然可能价格会定得稍微高一点，那些仆妇也要卖，可能价格就定得低一点，有的可能还附送。那么先变卖了多少个呢？先变卖了二百零九个，陆续卖掉了。那么还有八个人呢？当时就没有卖。为什么没有卖？这八个人经皇帝所指派的官员审查，认为和李煦的一些罪行有直接关系，是活口，还要留下来，再加严刑拷打，挖取他们的口供。你看，那时候作为罪家的家属和奴仆，先打你这是不消说的，有的要严刑拷问，套出口供以后，可能得出结论，你这活财我不要留，我就把你杀了。那些留下来的，也许有人觉得不如死掉，你杀了我吧，但是没那么便宜，你想被杀，你还没那个资格，你得给我活着，我要拿你卖钱，你去给买你的人当奴才。所以在当时那种情况下，要获得一个被卖的资格，是到最后阶段，杀了该杀的以后，才轮得到你留下被卖。

所以说在清朝，一个家族遭到抄家的命运以后，他的家族成员从妻妾子女到底下来这些男女仆妇，他们的命运前景的排列顺序就是：被打、被杀、被卖。曹雪芹通过惜春的话语这样排列，是非常严格地按照当时社会上实际存在的情况来下笔的。被卖其实是最惨的，那时候罪家被当做活财的那些人，多有生不如死的想法，也会有人试图自杀，但是看守的人连你自杀的机会都会堵死，最后你可能就会被在光天化日下，像牲口那么当众卖掉。有人会说：你讲得太恐怖了啊，会那么惨吗？你可以查当时的档案，有李煦家的那些人被拍卖的具体记载，卖他们的地点在崇文门。北京崇文门，那里现在有很宏伟的商厦，很美丽的花坛，但是雍正初年，皇帝下令在那儿拍卖活财。当时拍卖李煦他家人口的官员名字，档案上都有记载，叫五十一。有人会惊讶，这叫什么名字啊？怎么一个数码啊？要知道，在清朝，有不少满族人用数字作自己的名字，在当时这不奇怪。

贾惜春也是有原型的，她应该也是曹氏家族当中跟曹雪芹平辈的一个女性。在那个社会，虽然这个女性在闺房里面消息来源是比较匮乏的，但是没有不透风的墙。我前面就讲了一个留枬子盖头的小厮，他都说别看我在角门这儿听哈，内里我也有两个成体统的姊妹，什么事瞒得了我们？连府里最底层的小厮都有信息来源。因此在宁国府、荣国府已经风雨飘摇时，贾惜春一定得到某些准确的信息，更会听到很多风言风语的传闻。比如甄家已经被治罪了，甄家那些仆妇甚至于包括甄家的妻妾子女，可能就已经押往北京，在崇文门那儿被卖了，闻之能不惊心吗？在生活当中，贾惜春的原型，她就会听到，她的堂祖母，也就是贾母的原型，其哥哥李煦家，被抄了，一大家子人，全面临被打、被杀、被卖的悲惨命运。惜春的原型听到这些信息，呈现出来的状态就跟别人不太一样。她就觉得，在这种情况下我得早拿主意，我不能等到最后抄进来，把我一笼统地拘禁，往崇文门一运，让五十一去卖，那不得了，对不对？你甚至想被杀人家能都不杀你，你还能动，还能驱使，那就要把你的剩余价值榨干到最后。她很可能就要被家族牵连，拿去卖掉，那是最凄惨的，所以她要躲避这样一个结果。于是她就想出来，我第一和哥嫂切割，第二，走出府第，第三，我出家当尼姑。等到你来抄我们家，或者你找不到我，或者你打听到我已经出家了，你又查不出我跟家长们那些罪行有什么具体的参与活动，你就只好放我一马吧？

根据书里的描写，贾氏宗族的罪不到灭九族的程度，如果皇帝要灭你九族，你到哪儿也不行，到哪儿都能给你薅出来。不到那个程度那么你已经出家了，就可能放你一马，如果你一个女士你嫁出去了也可能放你一马。有人会问，历史上真实的生活里，有官员被抄家惩治，而其亲戚如你所说那样，还能幸存的例子吗？其实雍正朝曹雪芹他们家就属于这种情况。曹頫，他是继承曹寅、曹颙来当江宁织造的，雍正六年他被抄家了，逮京治罪，相当惨，但是没有惨到灭九族的程度。曹寅有一个女儿，老早在康熙朝就嫁到了北京城，成了平郡王的王妃，后来还生下了小平郡王。这位女子是曹頫的姐姐、曹雪芹的姑妈，曹頫被治罪以后，这位已经出嫁的姐姐没有被株连，没有一起治罪，还是王妃。当然平郡王自己也惹出一些事，皇帝也有过处分，但那是他家自己的账。这说明当时确有一个皇家"游戏规则"，一个女性已经出了嫁，或者出了家，那么你家族获罪时，就可以放你一马。惜春的原型懂得这个"游戏规则"，所以她就以出家来避免受到牵连。

贾惜春，是在那样一个黑暗的时代，那样一个各种矛盾逐步激化的历史时期，那样一个侯门绣户的闺中女儿，她预感到自己家族不祥的前景，她就在大厦倾倒之前毅然走出了家门，最后她就缁衣乞食。在清朝有人读到过曹雪芹原本《红楼梦》里八十回后的内容，不仅是我在这次系列讲座一开始提到的富察明义读到过，也有其他人读到过，这些人在他们留下的文字笔记里面，有的就记载了他们所读到的八十回后和高鹗所续的不一样的内容，其中就有人说，他看到的，就有贾惜春捧着饭钵沿街乞讨的情节。你现在可以想象一下，在古城幽长的街巷里，有一个还没有发育完全的女子，她披着黑色的尼姑衫，捧着一个饭钵，踽踽独行，往前移动。她这样做只是为了避免被打、被杀、被卖的悲惨命运。她不会有什么更好的前景，她只是，第一保了一条命；第二，相对还有一点个人行动的自由；晚上她就会在破落的尼姑庵金漆剥落的佛像下睡觉。清晨起来以后再继续地缁衣乞食。这是怎样凄怆的情景啊！

高鹗续书写的是，贾家沐皇恩、复世职、延世泽，宁、荣两府全恢复了，贾珍也得到皇帝赦免，回来以后重新整理宁国府，贾珍就说了，那就把拢翠庵圈进来。大家知道原来大观园是拆了一部分宁国府的花园构成的，所以重新整理宁国府的时候，是可以把大观园拢翠庵给圈进来的，这点高鹗写得并不错。但是贾珍说，就让四妹妹在那儿静养吧，因此好像贾惜春最后不但没有离开贾氏家族，甚至还回到了宁国府里头，她出家，是就地出家，在拢翠庵里安身。这就完全不符合曹雪芹的原笔原意了。

附带说一下，拢翠庵的古本《红楼梦》上有两种写法，一种是木字边，是帘栊的栊，"栊"的读音是"龙"，意思是形容庵里面的植物修剪得特别好，青翠的植物像帘栊一样；另一种写法，"拢"的偏旁是提手，读音是第三声，意思是形容青翠色的植物仿佛被集中在一起非常丰茂。这两种写法都能成立。现在通行本里你读到的往往都是栊翠庵，我个人取拢翠庵的写法，因为我认为曹雪芹这个文本的遣词造句是非常考究的。大家知道，大观园里面有一个很重要的水系叫做沁芳，有沁芳闸，有沁芳亭，沁是一个动词，芳是芳香，就是这个水域，它的芳香是一层层地往下渗透和一层层地往上透出，沁出芳香。那么"拢翠"和"沁芳"应该是配伍的，第一个字应该都是一个动词。这仅供大家参考。

那么说到拢翠庵大家很清楚，这个拢翠庵不可能是一个古寺，原来宁、荣两府里面并没有一个尼姑庵，是因为贾元春要省亲，省亲当中要行佛事，所以在建造大观园的时候才建造了一个拢翠庵，而且下帖子请来了一个带发修行、出身名门的尼姑，就是妙玉。它应该是一个新的庵所，它不可能有古佛。第五回关于贾惜春的册页上的画，就跟你说是画了一座古寺，判词又明确告诉了，她是"可怜绣户侯门女，独卧青灯古佛旁"，更说明她出家不可能是在并不古的拢翠庵。

那么我们现在再想一想，这样一个女性的命运，我们真是会发出长久的喟叹。在曹雪芹笔下，贾迎春是一个薄命的女性，是那样死去了。香菱又是另外一种生存轨迹，最后也死去了。那么现在的八十二回到九十回的情节单元里，他就会写到贾惜春最后处于一种实际上是生不如死、死也不如生的，非常悲惨的一种状态。

有人就会问我了，说根据你这么分析，在八十一回之后，在九十回之前，贾迎春的结局出现了，香菱的结局出现了，那么现在贾惜春的结局又被你说出来了。因为根据你的分析，惜春的结局确实是不可能写在很后面，她得在抄家以前出家，当然会写在第八十二回到九十回的情节单元里面。那么在这个情节单元里面，还会写到哪些入了册页的女性的命运结局呢？

我觉得，首先会被涉及到的会是袭人。有人又在那儿琢磨了，说袭人，她不是嫁给蒋玉菡了吗？高鹗也是这么写的，这是很透明的一个结局啊，难道您又有什么新发现吗？难道关于袭人出嫁，高鹗写得又不靠谱吗？真不是我个人跟高鹗过不去，经过对八十回后曹雪芹全本《红楼梦》的探佚，我发现袭人嫁给蒋玉菡的具体情况，曹雪芹所写出的跟高鹗在续书里面所写的，大相径庭。袭人离开荣国府，是一种惊心动魄的情况，何以惊心动魄呢？请听我下一讲的探佚。

第七讲
第八十二回至第九十回之谜[3]

袭人、麝月之谜

　　上一讲末尾，我说根据曹雪芹的构思，和他所写成的八十回后的故事，袭人离开荣国府，是一段惊心动魄的情节。有的红迷朋友惊讶：会是那样吗？因为他们很熟悉高鹗的写法。

　　高鹗他续的最后一回，一百二十回，才写到袭人离开荣国府。他怎么写的呢？他写宝玉去参加科举考试，认认真真地作完八股文，然后出了考场就失踪了，最后证实是出家了。宝玉出家了，那么薛宝钗就等于成了一个寡妇，她得为宝玉守节。如果宝玉有小老婆，过去一般是两种情况，一种是自愿陪着正妻守节，一种是公婆和正妻允许她出去另嫁。宝玉当时还没有正式的小老婆。袭人呢，她自己觉得自己是个小老婆，那么也有些人觉得她就是小老婆，但是咱们将一将前八十回的描写就知道了，她只获得了一个候补小老婆的资格，王夫人给她特殊津贴，预支了她一个将来的地位，可是并没有落实。这样袭人就很尴尬了。她对宝玉有感情，也愿意陪伴在宝钗身边，她应该是愿意为宝玉守节的，但是，你不是小老婆，你还没有正式获得那个名分，你没有守节的资格。公婆正妻如果允许你守节，那公婆和正妻反倒是违背那个时代那种社会的道德规范了。所以王夫人、宝钗都不能留她，必须安排她出去嫁人，薛姨妈也出面来劝。以她多年来跟宝玉的那种情况，她离开荣国府去嫁人，她自己会觉得是背叛贾宝玉，府里的一些人也会那么评判她。当然，她可以一死了之，但是高鹗以不无讥讽的语调往下写，就是袭人又并做不到为宝玉去死。开头她觉得死在荣国府对不起贾家，委委屈屈回到哥哥家里，又觉得家里把婚事操办得很风光，也不能死在家里，那就嫁过去再死吧，果真嫁了过去，又发现娶她的人对她非常好，死在那里也不合适，怎么办呢？也就接受了现实，何况更发现所嫁的就是跟宝玉非常要好的蒋玉菡，而且还有条血红点子的汗巾子，似乎证明着这是命中注定的姻缘。袭人的故事就结束在这里。这是高鹗的写法。

高鹗写袭人离开荣国府嫁人，最后引了清初一位叫邓汉仪的人写的两句诗："千古艰难唯一死，伤心岂独息夫人。"诗里用了一个典故：战国时代，楚文王灭了一个小国叫息国，就把息国国君的妻子俘虏来当做自己的小老婆了。这个女子可以叫她息夫人。这个息夫人，按过去的封建伦理道德，丈夫被人灭了，应该殉葬，以示忠诚。可是呢，人多惜命，息夫人也不例外。对一个人来说，千古最艰难的事情就是去自动死掉。息夫人尽管无限伤心，却苟活没有去死。为了平衡自己的心态，她就不说话。她长得很美丽，楚文王很喜欢她，她也给楚文王生了孩子，可是不管楚文王怎么跟她说话，她都不答应。直到很久很久以后，有人问她，她才开了口，说我一个女人，应该从一而终，我却嫁了两个丈夫，还给第二个丈夫生了个孩子，我觉得我没脸，没有资格再开口说话。

高鹗引这个诗，就是给袭人来一个"盖棺论定"。就是明确地批判袭人对宝玉不能从一而终。大家一定记得在前八十回里面有很重要的一回，第十九回，前半回叫做"情切切良宵花解语"，写袭人和贾宝玉之间的关系，袭人提出几个条件，让宝玉答应，说你果然依了我，刀搁在脖子上，我也是不出去的了。宝玉全都答应了她。高鹗续书，写了上面那些情节，再引邓汉仪的诗，意思就是，并没有刀搁在你脖子上，结果你呢，"抱琵琶另上别船"，多没气节，多么虚伪。

由于高鹗续书里这么来写袭人，再加上前八十回里面，曹雪芹笔下的袭人也做了一些不雅之事，就使得历来的读者多半对袭人不满意，认为袭人有问题。概括起来说，一些读者和一些评论家，他们指出袭人有三个问题，从三个方面对她进行批判和否定。

第一个问题，这是曹雪芹写的，第六回一开始我们就看到的，叫做"贾宝玉初试云雨情"，就是她跟宝玉发生肉体关系。她并不是宝玉的小老婆，王夫人也还没有把她预设为一个准小老婆，她只是一个丫头，她和男主人瞒着家长，发生这种关系，是越轨的。那以后，她知道宝玉婚姻大事还提不到日程，可是宝玉又已经发育成熟了，需要性方面的享受，更不用说生活上需要她周到的照顾，那么她就通过这样全方位地为宝玉服务，不但笼络宝玉，还辖制宝玉。所以很多读者对她是很厌恶的，觉得这个女人实在是不怎么样。

如果说第一个问题，两厢情愿的事，还好说，那么第二个问题，可就严重了。在前八十回曹雪芹笔下就写了，大家印象很深，就是贾宝玉被他父亲贾政痛打了一顿，打得皮开肉绽，这之后呢，袭人跑到王夫人那儿说什么呢？她竟然表示："论理，我们二爷也须得老爷教训两顿，若老爷再不管，将来不知做出什么事来呢。"一些读者乍读到这儿，就觉得好奇怪啊，宝玉被打成这样，你跟宝玉那么好，你怎么就能说这种话呢？袭人就抛出一个逻辑：宝二爷年龄一天天大了，跟前老有小姐晃悠，这不是原话，是大意，那么她举了两个例子，一个是做陪衬的，就是薛宝钗，她重点突出的是林黛玉，她强调，宝玉也好，黛玉也好，都人大心大了，这种情况下呢，就很危险了。所以她提出一个建议，说干脆别让宝二爷住在大观园里面了，最好把他再挪出来，住到王夫人眼皮底下为好。她就等于是向王夫人告发了宝玉和黛玉之间的情爱关系，她出这种主意，就是要斩断人家的情缘。王夫人一听以后呢，大吃一惊，没想到这孩子这么懂事，所谓懂事，就是按封建道德标准来衡量，她非常遵守那些男女相处的规范，非常维护宝玉在男女关系上的清白，王夫人就大为欣赏，后来王夫人从自己的月钱里面拨给她二两银子一吊钱，作为特殊津贴，待遇跟赵姨娘、周姨娘一样，等于给她一个候补姨娘的身份。

大家记不记得在第三十七回有一个细节，怡红院的丫头们给袭人取了一个外号？做文本细读的话你不能放过这些文字。什么外号啊？叫做"西洋花点子哈巴"，就是把她比喻成哈巴狗，她姓花，宝玉给她取的名字叫袭人，所以"西洋花点子哈巴"这外号是非常贴切的，既跟她的姓名谐音，也形容出她在王夫人面前的讨好姿态。这些丫头对她一方面服从、尊重，另一方面心中也是有看法的，晴雯对她的尖酸刻薄的讽刺就更多了。袭人是这么一个人，后来宝黛爱情婚姻形成悲剧，她是有责任的。

早在晚清的时候，有一种《红楼梦》通行本，叫做《增评补图红楼梦》，现在在市面上也可以找到新印的，里面有评语，这些评语当然跟脂砚斋的评语没法相比，是一些后来喜欢这个书的人加的一些评语，这些加评语的人也不清楚前后四十回是高鹗续的。有一位写评语的叫大某山民——这个"某"在古文里面是"梅"字的一种写法——他特别厌恶袭人，说："花袭人者，花贱人也。"另外一位评家叫护花主人，他说，历史上有一个人特别讨厌，就是王安石——当然从历史学角度来看的话，王安石是一个政治改革家，这里且不讨论那个——护花主人说，王安石是一个奸人，可是王安石的奸，奸在不近人情，不近人情就好识别；可是袭人呢，作为一个奸人，她是一个近人情的奸者，她把她的奸猾进行了伪装，包装得很有人情味，所以她就危害性更大。这是以往对袭人批判的典型言论。

第三个问题是在高鹗笔下产生的，就是我刚才讲的袭人出嫁一段。高鹗狠狠地讥笑、讽刺了她。

三个问题加到一起，袭人就基本上成了一个负面形象了。虽然读前八十回，你也可以从当中感受到袭人的某些优点、长处，可是因为这三个问题太大了，就全给掩盖了。

根据我的探佚成果呢，曹雪芹的本意，并不是要把袭人写成一个"贱人""奸人"，不应该把袭人视为一个负面形象。曹雪芹写出了一个活生生的生命存在，他笔下的袭人，按照自己的内心需求，自然地流淌她的生命。袭人是一个性格很丰满，有正有邪，有优点、有缺点，行为有对也有错，更多的时候她的言行也无所谓对错，糅合着复杂的生命本能，构成一个有血有肉的形象，使你深切地感觉到，那个时代那种社会，真有那么一个生命，如此这般地存在过。

下面就来讨论一下所谓袭人的三个问题。

第一个问题就是她和贾宝玉偷试云雨情，怎么看待这段情节？这段情节是要表现袭人道德上的越轨，对袭人这种行为进行谴责吗？我认为曹雪芹他写这段情节没有这个用意。这段情节主要是写出贾宝玉作为一个男性，他在生理上、心理上都成熟了。我在前面关于贾宝玉的讲座里有很多分析，这里不再重复。曹雪芹在行文当中说得很清楚，贾宝玉在梦游太虚幻境过程当中，警幻仙姑把妹妹可卿介绍给他，秘授他男女之事，宝玉在梦中受到了性启蒙，梦醒以后就强迫身边的袭人跟他实践一下。袭人是被宝玉强求才发生关系，不是袭人主动引诱了贾宝玉。当然他也写了袭人的心理活动，觉得自己反正是贾母给了宝玉的，会长久地服侍宝玉，而且自己又是宝玉身边的第一个大丫头，宝玉既然提出要求，顺从他也没什么关系。袭人比宝玉年龄大，生理上老早成熟了。他们两个发生关系，在曹雪芹笔下被写成很自然的一桩事。就事论事，不足以去否定袭人。更何况今天，我们的道德观念也好，社会伦理观念也好，都有一些进步，两个已经生理上成熟的男女，互相自愿，又在一个相对私密的空间里面有这样的事情，当然你不能说这是一件做得很对或者很好的事情，可是呢，也不足以构成一个道德上的问题。只是袭人和晴雯比较起来，那当然道德上要逊色得多，晴雯和宝玉之间没有这种暧昧关系。

第二个问题，就是袭人到王夫人面前去告密。过去的论家主要是批判她两个方面，一个就是虚伪，你自己跟宝玉有肉体关系，却在那儿报警，不得了啊，宝玉可能被小姐引诱啊，可能失身啊。宝玉的童贞被谁拿走的啊？宝玉失身于谁啊？不就是你吗？结果你跑到王夫人跟前装好人，哎呀，快把宝玉从大观园里挪出来，否则的话像林黛玉都大了，搞不好有不才之事，所谓不才之事就是云雨之事。真真虚伪透顶！有的红迷朋友跟我说起来浑身乱颤，说袭人简直是太可恶了！袭人这方面的表现你说她虚伪我也同意，是很虚伪，我们客观来看是这样，你担心这个担心那个，你自己怎么样？是不是？但是呢，从书里描写来看，袭人她说这些话的时候她内心是真诚的，她是真为宝玉着想，要保住宝玉的名节，向女主人贡献这样的意见、建议，她觉得是在尽责，是在做好事。

针对袭人的第二个问题，第一个批判就是说她虚伪。第二个批判，就是她告发宝玉、黛玉的情爱关系，性质恶劣。王夫人本来就不喜欢林黛玉，不愿意黛玉嫁给宝玉为正妻，她看中的是薛宝钗。当然袭人把林黛玉对贾宝玉的威胁说得影影绰绰，话语里也把宝钗当个陪衬，但王夫人一听就明白，就更坚定了排斥黛玉的决心。在贾宝玉娶谁为正妻这个问题上，袭人是跟王夫人、薛姨妈她们是一党，是站在坚决主张娶薛宝钗这个立场上的，所以有人批判她，说她效忠封建统治阶级那最腐朽、最黑暗的正统观念，参与封建家长压制自由恋爱，扼杀个性解放。

这个说法是有道理的，这样分析袭人我不反对。但是我有一个另类的看法。我觉得你判定她观念、立场都属于封建正统一方具有反动性，这是完全从政治思想角度来看问题。从政治思想角度看问题是必要的。但是呢，你不能忽略另外一个很大的原因，就是心理因素。支配一个人做事，除了政治、道德方面的站位、抉择以外，除了包括究竟说几分真话几分假话有利，这样一些为人处事的方略以外，还有一个非常重要的因素，就是内心深处的一些心理上的东西。袭人当时所以去做这件事，她是有很重要的一个心理依据的，曹雪芹是很认真地把它写出来了，但是有些读者却总把它忽略过去。

第三十二回，前半回回目叫做"诉肺腑心迷活宝玉"，写贾宝玉对林黛玉的爱情经过一段历程以后，达到了狂热期，有一天和林黛玉在大观园里遇上了，就掏心窝子说话，林黛玉也非常感动，但是林黛玉呢，感动以后说你别说了，你的话我早知道了，就转身走了，头也不回。可是贾宝玉还沉浸在当时的话语情境里面，他没觉得林黛玉走了。天气很热，他是要去见贾雨村，他忘带扇子了，袭人从怡红院拿着扇子追过来，要给他扇子。袭人走过来以后，他因为沉浸在刚才的话语情境里面，他就没看清楚是谁，以为还是林黛玉，他就抓着袭人的手，说了一番话，这番话惊心动魄。贾宝玉继续诉肺腑心："好妹妹，我的心事从来也不敢说，今儿我大胆说出来，死也甘心！我为你也弄了一身的病在这里，又不敢告诉人，只好掩着……睡里梦里也忘不了你！"什么意思啊？有的读者可能始终没弄明白，书里的袭人可听明白了，曹雪芹怎么下笔来写袭人的反应呢？说袭人听了这话以后吓得魄散魂消，由不得叫出"神天菩萨，坑死我了"！

过去的分析，大都停留在从袭人的思想立场上指出她是恪守封建道德规范的，她毕竟是一个年轻的女性，贾宝玉说出这样一种赤裸裸的不但有情爱的含义，而且有性爱的含义的语言，她觉得难为情，受不了。这个因素是有的。但是实际上，曹雪芹他这一笔写到袭人内心最深处去了。大家要知道，一个女性她对男性有一个基本要求——这个说出来我觉得没有什么不妥——就是你跟我做爱的时候，起码在这段时间里面，你心里要有我。袭人通过贾宝玉的这样一番话就惊讶地发现，宝玉跟她初试云雨情的时候，以及后来一段时间里，跟她做爱的时候想的都是她，但是林黛玉来了以后，渐渐地，虽然还跟她做爱，但心里想的，却并不是她了，现在贾宝玉干脆把她当成林黛玉，把话说破，所谓睡里梦里都想着林黛玉，就等于说他现在和袭人做爱的时候，他的性幻想对象完全是林黛玉，是把袭人当成了一个替身！

男子与其做爱，自己被当成一个替代品，这是所有女人最不能容忍的。我想听众里面的女性或者电视机前的女性，成年女性，扪心自问，最不能容忍的是不是这一条？哪怕露水姻缘，你男子也不能这么做。任何一个女性，她不能接受这个东西。当然，一定会有红迷朋友跟我讨论，说你这么说的话，好像袭人她想独占贾宝玉，这可能吗？袭人不会有独占贾宝玉的想法，她不可能成为贾宝玉的正妻，她的身份怎么能成为宝玉的正妻呢？她的人生最高理想就是稳当贾宝玉的第一个小老婆而已，她知道贾宝玉不可能只跟她一个人做爱，但是她有那样一个要求也是合理的，就是你跟我在一起的时候，你心里想的和你现在做的应该是一致的。可是呢，贾宝玉当时没认出是她，以为是林黛玉，说出那样的话来，所以袭人这个时候不但觉得魄消魂散，而且叫出来，"神天菩萨，坑死我也"。

一个女性被伤害到这种地步了，她内心深处的最不能伤害的地方被伤害了，她采取行动，要把这个跟她做爱的男人的性幻想对象灭掉，是非常自然的事情。所以她去找王夫人说那一番话，我们要懂得她最本能最本真的心理动机。作为十八世纪的一个中国作家，曹雪芹对女性心理的深层剖析、深层揭示，达到了如此细腻深刻的地步，也是令人惊叹的。我这么一解释，也许可以增进你对袭人去向王夫人说这些话的理解，你原来可能只是从阶级立场和意识形态方面去判断袭人，对她批判，现在你可能就会懂得，还可以从女性心理的角度来理解她，并且通过这个艺术形象，对人性产生更深更细的憬悟。

好的作家，总是要写到人的内心的最深处，最隐秘，最难为情，最说不出口，最不能直说的那种因素。曹雪芹就把袭人告密行为的最深层的动机，既巧妙又很明确地预写出来，提供给读者了。所以我主张对于袭人的这一次告密行为，应该全方位地去分析、去理解、去把握。她有作为一个女性的内心里坚守的底线，尊严底线，你搂着我你跟我好的时候你的性幻想对象不能是别人，就这点而言，是合理的。

当然袭人的告密行为从客观上说，那确实是很恶劣的。更何况，自从那次告密行为深得王夫人褒奖后，说她是"西洋花点子哈巴"都太客气了，她实际上就沦为了王夫人的鹰犬。她后来向王夫人的告密内容，就不仅是贾宝玉和林黛玉感情纠葛的动态了。

后来抄检大观园的那些情节大家记得吧？王夫人最后亲到怡红院去处理这些丫头，王夫人问，同日生日的人就是夫妻，谁说的？这是在怡红院的小范围里面，丫头们开玩笑，有个丫头叫四儿，她跟贾宝玉是同一天生日，开玩笑说过，她哪能真是觉得自己可以成为贾宝玉的妻子呢？她不但成不了正妻，小老婆都不够资格，做丫头都不是一二等的，是不是？那么大家想想，这个话只在怡红院里面出现过，王夫人怎么会知道呢？所以当时就写贾宝玉的反应，他非常震惊。王夫人当时就很得意了，说我身子虽不常到这里，我的心耳神意无时不在，我统共一个宝玉，难道就让你们白白勾引坏了不成？她的心耳神意是谁啊？就是袭人。四儿的玩笑话肯定是袭人告的密。这样的告密就不能用隐秘的心理因素来为她辩解了，就是献媚取宠。因此，袭人她的品质确实是不完美的，她是有问题的。

　　高鹗对于袭人的出嫁情况的描写，是不符合曹雪芹的原笔原意的。有红迷朋友可能要急着问了，你说根据曹雪芹的描写，袭人离开荣国府是一个惊心动魄的过程，怎么个惊心动魄啊？就是在八十二回到九十回这个情节单元里面的最后，根据我的探佚，就可以估计出来，曹雪芹会在这个情节单元的最后写到皇帝对贾家、对荣国府的第一波打击。这次打击可能就是派忠顺王来，不是抄家，而先进行查封，也不是立即地把府里面所有的人丁都或打，或杀，或卖，而是先把家庭成员都限制行动，然后呢，要求裁减他们的服务人员，也就是裁减他们的丫头、婆子、仆役。一般的情况下，皇帝会把这样一些裁减权完全交给皇帝所托付的这个查封者，那么小说里面就应该是忠顺王。

　　为什么要去查封荣国府呢？前面我已经多次跟大家讲了，因为贾政首先做了一件冒犯王法的事，就是帮甄家藏匿罪产。另外就是贾政让他的儿子和孙子去写歌颂姽婳将军的诗篇，表面上歌颂一个镇压农民起义军的女将，实际上经过我前面分析你就应该清楚，会被认为是影射清兵南下的时候，一处地方的女将对南下清兵的批抗，那就成了反诗。当然这两件事情还不足以使得皇帝彻底毁灭荣国府、毁灭贾氏家族，为什么？皇帝身边还有贾元春。皇帝就那么喜欢贾元春吗？那也未必，但是在《金陵十二钗正册》关于贾元春的判词里面，有一句叫做"榴花开处照宫闱"，什么意思啊？现在的紫禁城，叫做故宫，你去参观皇后、妃嫔居住的那些空间，你会发现那里现在仍然栽种着很多石榴树，不一定直接栽在地下，很多栽在大的木桶里面。皇帝他养了很多妃嫔，一个当然是玩弄女性，第二他希望这些女子为他生子，使皇权后继有人。石榴这种植物大家很清楚，特点是多籽，它是多子多孙的一个象征。那么什么叫做"榴花开处照宫闱"？大家知道石榴怎么结出来的吧，榴花开放，榴花底下那部分越来越膨胀，膨胀到最后花落了，就是一个大石榴果。这句判词就意味着贾元春已经怀孕了，如果不发生意外，她会为皇帝生下皇子或者公主。所以在这种情况下，贾元春作为一个怀孕的，还没有被皇帝厌弃的妃子，跟皇帝求情，比如说看在我们家几代为皇家服务的分上，尤其是贾家的祖上，属于是开国元勋，而父亲工作一贯也很勤谨，现在虽然做错事，是不是能够给他一个赎罪的机会，留下一条生路？那么皇帝看到"榴花正开"，有可能网开一面，第一波打击只是派忠顺王去，把府里所有存放财物的那些房屋——书里面写到荣国府有两层楼的大库房，刘姥姥上去后只觉得眼花缭乱，嘴里禁不住念佛——先贴上封条，查清楚案子以后再进行抄检；贾政当时可能状况就类似于现在的被"双规"，就是停职反省，自己交代，你是不是帮甄家隐藏了罪产？一共多少？你让你的儿孙写那个诗，你究竟什么动机？那时还没有完全给他定罪、发落。贾政的家属们，还允许正常生活，但是你就不能再像过去那样豪华、铺张了，首先就对你的服务人员进行裁减，有些忠顺王就可以分走，有些则要遣散。

在那种事态下，忠顺王就点名要了袭人。有人说你这有什么根据啊？这是你完全凭想象吧？忠顺王会知道袭人吗？大家记不记得二十八回有一个情节，就是在冯紫英的家里，冯紫英请贾宝玉、薛蟠去喝酒，席间还有一个戏子，就是艺名琪官的蒋玉菡，还有一个锦香院的妓女叫云儿，几个人喝酒唱曲。正是在这样一个场合，贾宝玉认识了蒋玉菡，而且交换了礼物。蒋玉菡把一条大红血点子的汗巾子送给了贾宝玉，后来贾宝玉回到怡红院之后又把这条汗巾子在晚上睡觉时候系到了袭人的腰上，这当然就是一个伏笔，说明蒋玉菡最后会娶袭人，就对这个伏笔的理解来说，高鹗他并没有错，他最后也是写由于这条汗巾子等于起了一个媒介作用，所以蒋玉菡娶了袭人。

在前面我的讲座里面我已经分析得很多，当时，忠顺王和北静王之间正争夺蒋玉菡这个戏子，他是有象征意义的，实质是一场政治角逐，不是一件简单的事情。当蒋玉菡私自逃离忠顺王府，藏匿起来以后，忠顺王派出他府里面的长史官，到荣国府问贾政要人，贾政一头雾水，只好叫出宝玉来，宝玉开始耍赖，说自己不知琪官为何物。这个时候呢，忠顺王府的长史官就说，公子真的不认识琪官吗？如果你不认识的话，那琪官腰上的汗巾子怎么到了你的腰上呢？有的读者看书看得不细，就觉得一定是当时贾宝玉系着这个汗巾子，那长史官看见了，才这样质问。但是书里前面交代得很清楚，蒋玉菡即琪官赠给他的那条叫茜香罗的汗巾子，他已经在晚上睡觉的时候系在袭人的腰上，袭人起床后觉得不稀罕，扔在一个空箱子里面了。而且，那种汗巾子是系里面内裤的，外面大衣服也挡着啊，可见那长史官这样质问宝玉，不是现场目击，指着宝玉腰说话，他根据的，是可靠的情报。贾宝玉当时的心里的反应就非常强烈,说哎呀,连这样机密的事情他都知道了,别的事情他可能也会知道啊,与其混赖下去,我不如实话实说得了,于是就告诉人家,蒋玉菡躲到东郊紫檀堡自己购置的庄园去了。可见在冯紫英宴请这几个朋友的时候,就有忠顺王府派出的探子掌握了全盘情况。

在冯紫英家宴席上,蒋玉菡唱完曲以后,拈起席上一朵木樨花,念出一句古诗:"花气袭人知昼暖。"薛蟠就大闹,说你怎么说宝贝啊?云儿就帮着说出来,蒋玉菡这才知道袭人两个字不能乱说,因为那是宝玉大丫头的名字,是宝玉生活当中的不可缺少的一个宝贝。确实,袭人提供宝玉俗世生活的全部的技术性支持,叫做色色精细、小心伺候,更为他提供性服务。席上出现的这个情况,忠顺王府派去的间谍——很可能混在唱曲儿的小厮里面——一定也会详细地回去汇报。

因此,贾宝玉的生活离不开袭人,也就成为忠顺王掌握的情报之一。所以忠顺王奉旨查封贾府,划拨一大部分奴仆到自己那儿去的时候,就点了袭人的名,以对宝玉进行打击,他知道宝玉是荣国府最重要的一个继承人,当时虽然结婚了,但他的生活上仍然依赖袭人。对其他各房,可能只是宣布数字,比如王夫人,只许留两个丫头,其他都得归我,留哪两个你自己考虑。我要谁我也不点名。

袭人被忠顺王点名索要,这个时候袭人就面临一个抉择。走不走?在这个节骨眼上如果去得罪忠顺王,不是袭人自己的安危问题了,也不仅牵扯到宝玉宝钗夫妻的安危,更牵涉到整个荣国府的安危,如果能够应付得好的话呢,争取到一段喘息的时间,可能通过贾元春在宫里面做工作,最好贾元春分娩生下一个皇子,最后荣国府的局面可能还能缓解;否则的话呢,就大家同归于尽。

忠顺王点名令一下,是容不得你犹豫的,因此,那确实是惊心动魄的一刻,全府的人,一定都在关注袭人的反应,她所面临的抉择,实际上比生死抉择更加艰难。府里不同的人会有不同的预测和心理波澜,袭人自己灵魂深处更会掀起大涛大浪。在那样一个危急的时刻,可能贾宝玉和薛宝钗舍不得她,千方百计要把她留下,但是袭人自己作出决定,你点名,那我走!所以袭人的离开荣国府,在曹雪芹笔下绝不是像高鹗写得那样,好像很无耻,不愿意死,食言,丧失了最起码的道德准则,苟活至上。不是这样的。袭人在那种情况下离府是一种义举,她是为了保护宝玉、宝钗,为了维护当时贾家的那个局面,使其不至于再进一步恶化。她牺牲了自己,保全了别人。

　　我这样讲，是有依据的。在前八十回的古本里面，第二十一回有一条署名畸
笏叟的批语，脂砚斋和畸笏叟是一个人还是两个人，这里不做讨论，这条批语说
"茜雪至狱神庙方见正文"。那就说明在八十回后有一回会写到狱神庙，那里面会
出现茜雪。批语接着说："袭人正文标目，花袭人有始有终"，手抄本里这个"目"
错抄成一个"昌"字，很明显是一个笔误。意思还是很明确的，八十回后会有涉
及到茜雪狱神庙慰宝玉的回目，还会有"花袭人有始有终"的回目。这条批语就
透露，在曹雪芹笔下，袭人不是一个有始无终的人物，就她与贾宝玉的关系而论，
是有始有终的。这条批语又说："余只见有一次眷清时与狱神庙慰宝玉等五六稿被
借阅者迷失，叹叹！"这就进一步说明脂砚斋或者畸笏叟他不是只听到曹雪芹给
他讲一个构想，曹雪芹已经把那稿子写完了，而且是其经手誊清，清清楚楚地有
这样一些情节。但是很不幸，还不止一稿，有五六稿，估计就是有五六回的稿子，
最后都迷失了，非常可惜。

　　古本第二十八回又有一条批语："盖琪官虽系优人，后回与袭人供奉玉兄宝
卿得同始终者，非泛泛之文也。"就是后来贾府的局面进一步地恶化，宝玉和宝
钗有一度经济上非常困难，而这个时候，谁去资助了他们呢？不是别人，就是
袭人和蒋玉菡。袭人应该是被忠顺王索要去了以后，再经历一番曲折，被忠顺
王赏给了蒋玉菡为妻，他们那时经济上应该还不错，就想方设法去救济困境中
的二宝夫妻。

　　这种八十回后的情节，作为批语，清清楚楚地写在了古抄本上，而且脂砚斋
和畸笏叟还不是一般地看到八十回后文稿，是一边誊抄一边看。所以我的探佚，
是有根据的。

　　因此我们可以得出结论，袭人离开荣国府不像高鹗写得那样是在宝玉出家之
后，而是在宝玉和宝钗的婚姻仍然存在，在荣国府遭受第一波打击的情况下，为
了力挽狂澜，才牺牲自己，被迫离开的。她不是背叛贾宝玉，不是所谓的"千古
艰难唯一死，伤心岂独息夫人"，不能拿那个战国时代的息夫人跟她类比，她是
为了维护贾府，为了今后能够有机会帮助宝玉，作出了一种令许多人没有意料到
的抉择，在曹雪芹笔下，她不是一个负面形象。

　　袭人的命运，和另外一个丫头的命运紧密联系在一起，就是麝月。有一条脂
砚斋的批语非常重要，在第二十回。那个时候虽然有大观园，但是贾宝玉和小姐

们还没有搬进大观园，元春省亲结束了，大观园先闲置着，贾宝玉还跟贾母一起住。过节的时候很热闹，其他丫头都出去玩了，宝玉发现独有麝月一个人在屋子里，就问她，说你怎么不出去玩儿啊？麝月说，这个时候袭人又不在，地下那么多灯火，我再出去，万一出了事怎么办呢？这个时候宝玉心理上就有反应——公然又是一个袭人。晴雯那些丫头都很天真烂漫的，贪玩，麝月却独自照顾着贾宝玉的居住空间，她确实很像袭人。

针对这一段情节，脂砚斋批语这么说："闲上一段女儿口舌"——写到晴雯去跟别人要钱，输了，回来取钱，碰见宝玉正在给麝月篦头，引出一番口舌，这个你去翻书，我在这儿不细展开——"却写麝月一人。"就是这段文字是专为麝月而写的。接着就告诉我们，在袭人离开之后，宝玉、宝钗身边还有一人，"虽不及袭人周到，亦可免微嫌小弊等患，方不负宝钗之为人也，故袭人出嫁后云，好歹留着麝月一语，宝玉便依从此话，可见袭人出嫁，虽去实未去也。"就是说在忠顺王点名让袭人走，那种情况袭人就等于出嫁了——或者是忠顺王自己，或者忠顺王的一个儿子，要纳她为妾，或者是把她直接赏给已经从紫檀堡找回来的蒋玉菡，把她嫁给他，以使这个戏子能安心待在府里随时为他们演戏——那么袭人临走时候就告诉宝玉，说底下丫头比如说只许留一个，那你就应该好歹留着麝月。麝月可能长得也不是很漂亮，也不是很乖巧，但是袭人留下话，好歹留着她。后来宝玉便依从此话，那么在一段时间里，麝月对他和宝钗的服务，质量和袭人大体相当。

值得注意的呢是还有一条批语，署名畸笏叟，也针对上面提到的那段文字："麝月闲闲无一语，令余鼻酸。正所谓对景伤情。"有位红迷朋友跟我说，这批语好怪啊，这段情节里面麝月说了很多话，不是闲闲无一语啊，而且这段情节发生在贾府最繁盛的时期，元春刚省过亲，还处在烈火烹油、鲜花着锦的状态中嘛，过节的时候丫头们都能够自由嬉戏，分明是很美好的一些场景啊，怎么会鼻酸呢？怎么会"对景伤情"呢？

细加推敲，就说明写评语的畸笏叟，写这几句批语时，身边就有一个人，这个人应该就是麝月的原型——《红楼梦》里面的很多人物都有原型，麝月想必也有原型——这个原型人物经过一番悲欢离合以后，终于又和畸笏叟这个批书人坐在一起，麝月的原型没有什么文化，畸笏叟不消说是有文化的，批到这段情节，那么批书人就告诉旁边这个女子，这段写的就是你，麝月想到往事，"闲闲无一语"，本来这个人就是笨笨的不会说话，她以沉默，来对待曹雪芹的这段文字。批书人这个时候就觉得鼻酸。什么叫鼻酸？我们在人生中都有这种经历，想哭，一下子又哭不出来，眼泪流不出来，鼻子已经酸了。这是比痛哭流涕有时候还要难过的一种状态。然后呢，批书人说，"正所谓对景伤情"。意思是，当年我们处于一种什么局面里啊？

当然，书里面描写的是一个根据"真事"而"假化"的场景，但连许多细节，都"追踪蹑迹，不敢稍加穿凿"啊。按书里描写，当年贾宝玉给你麝月篦头，对着镜子，外面是爆竹、烟火的响声，荣华富贵到不堪的地步啊！现在呢？曹雪芹写书的状态在开卷第一回古本《红楼梦》里的楔子里说得很清楚：茅椽蓬牖、瓦灶绳床，是一种非常贫困的状态，面对书里面那种繁华情景，再对比我们现在翻阅书稿时候的凄惨情景，能不对景伤情吗？这条批语，从书里批到书外，再从书外对照到书里，足可以令我们深思细品。所以读《红楼梦》，读古本《红楼梦》很重要，读古本《红楼梦》除了读正文以外，读这些批语也很重要，它对我们理解这部书，理解曹雪芹写作时候的心态，特别是对我们探佚曹雪芹笔下的八十回后真故事，提供了非常宝贵的资源。

以上是我对曹雪芹的《红楼梦》八十二回到九十回的真故事的探佚心得。

那么，九十一回到九十九回这个情节单元当中会有什么重要情节出现呢？会有贾探春远嫁。那么，贾探春究竟是为什么远嫁？究竟远嫁到什么地方去了？下一讲里，我继续向大家汇报我的探佚成果。

第八讲
第九十一回至第九十九回之谜[1]

贾探春之谜

高鹗续书写了贾探春远嫁。他说贾政被皇帝派了外差，接触到了一个镇守海门等处的总制叫周琼，周琼有一个儿子，主动请求贾政把女儿嫁给他儿子，贾政就答应了这门婚事。这可以勉强算是远嫁，因为从周琼的官职看，应该是在南方海疆。但说实在的，如果真是这样，贾探春嫁到她父亲都能到的地方，更没有跨出国门，完全构不成什么生离死别的悲剧。在高鹗笔下，贾家虽然遭受到一点打击，但很快又沐皇恩、延世泽了，家业复苏，于是贾探春就方便地回娘家来探视了。虽然远嫁，回家不难。这种写法不符合曹雪芹的原笔原意。

曹雪芹非常重视贾探春这个角色。大家想一想，《金陵十二钗正册》里的排序，第一二位不分名次，是林黛玉和薛宝钗；然后就是贾元春；如果要是按贾氏宗族小姐的长幼顺序往下排的话，应该是贾迎春，可是不然，曹雪芹把贾探春排在贾迎春前头，然后是史湘云，然后是妙玉，然后才是迎春、惜春，才是王熙凤、巧姐，最后才是李纨、秦可卿。他把贾探春排在你可以叫做第三，也可以叫做第四的位置——因为一二是并列的——可见作者非常看重这个人物。对于这个人物后来的命运的暗示、伏笔、预言，八十回书里就特别多。

首先是第五回里面，毫无例外地，他也给贾探春设置了册页上的图画以及旁边的判词。这幅图画呢，历来的读者和评论家往往都忽略其中的一个细节，很少探讨，今天我们一起来探讨一下。

册页上怎么画的呀？两个人放风筝，一片大海，一只大船，船上有一女子，掩面泣涕之状。一片大海说明她要漂洋过海。一只大船，不是小船，说明要走得很远，只有大船才能走远嘛。船里面的女子，不消说就是贾探春本人。掩面泣涕，说明她的远嫁不是一件喜事，实际上是一件很伤心的事情。这都不奇怪。奇怪的是画上有两个人放风筝。你现在可以回去翻《红楼梦》第五回，你会发现曹雪芹写贾宝玉偷看那些册页，所看到的图画构图都非常简洁，可是唯独到贾探春这儿，不是画一个人放风筝，画两个人放风筝，这就非常值得探究。如果以放风筝来象征家里人送别远行的嫁娘，画一个人就够了，为什么要画两个人放风筝？难道她出嫁，会有两拨人以娘家身份来送别她吗？别着急，咱们先把所有关于贾探春的伏笔都捋一遍，然后总起来揭秘。

图画旁的判词是："才自精明志自高，生于末世运偏消。清明涕送江边望，千里东风一梦遥。"在第五回里面，还有咏叹书里面女子命运的十二支曲，关于探春的那首是《分骨肉》："一帆风雨路三千，把骨肉家园齐来抛闪。恐哭损残年。告爹娘，休把儿悬念。自古穷通皆有定，离合岂无缘？从今分两地，各自保平安。奴去也，莫牵连。"

我现在只向你提出一个问题，就是你看了第五回的判词和曲子以后，你觉得贾探春嫁出去以后还会回到娘家吗？你相信高鹗写的那个符合曹雪芹在第五回里的这些伏笔吗？

关于探春远嫁的伏笔，在二十二回又出现了。二十二回写大家制灯谜诗，贾探春她写的灯谜诗谜底是风筝——她跟风筝关系真是很大——"阶下儿童仰面时，清明装点最相宜；游丝一断浑无力，莫向东风怨别离"。值得注意的是，为什么前面判词说"清明涕送江边望"，这首灯谜诗也强调一个节气，就是清明。清明是一个适宜出嫁的节气吗？过去把清明又叫做什么节？鬼节，是一个祭奠亡魂的日子。这就说明，贾探春她不仅出嫁的地方很远，出嫁的日子按中国人的习俗来说，也很不得当。这显然不是一个正常的婚嫁。

第六十三回，写"寿怡红群芳开夜宴"，大家抽花签，贾探春抽到的签上写的是"瑶池仙品"四个字，然后有一句诗："日边红杏倚云栽。"把她比成杏花。这个杏花不是一般的杏花，是挨着太阳开放的杏花。这气象很好啊，而且签上还写着"得此签者，必得贵婿"。所以当时在场的众女子就引出了议论："我们家已有了个王妃，难道你也是王妃不成？"这句话历来就有读者指出有点古怪。根据书里面的描写，贾家有没有王妃啊，贾家有皇妃，贾家的贾元春比王妃地位高，第十六回很明确地说明她"才选凤藻宫、加封贤德妃"了。她是一个皇妃，可是为什么书里面会写成王妃呢？一般人们说话，对家族里获得荣宠的人，只有夸张往高了说的，哪有降格往低里说的呢？曹雪芹为什么写成这样？因为在真实的生活当中，曹雪芹他们家，曹寅有一个女儿，嫁给了平郡王，而且是康熙指婚的，就是说曹雪芹他有一个姑妈确实是王妃，所以曹家人说话的时候，女子之间互相打趣，可能经常会有这样一句话：咱们家已经有了一个王妃，难道你也会当王妃不成？他这部书的文本特点既然是"真事隐"后以"假语存"，他就很自然地把这样一句家族女子间常用来打趣的话，录入了书中。我在以前讲座里面这样跟大家解释过。现在我要增加我的解释，我下面会给你挑明，为什么在这一回里边他这么来造句，就是因为，他往下写，贾探春确实会成为一个王妃。

第七十回呢，大家填柳絮词。曹雪芹写得很精心。他写贾探春填词，只填成上半阕，最后由贾宝玉给她续了下半阕。贾宝玉续的下半阕里面有一句："纵是明春再见隔年期。"柳絮每年春天来一次，贾宝玉有一个愿望，就是明年还可以再见到。为什么偏偏要由贾宝玉来写这样一句？我想作者的用意很明显，因为贾探春自己所写的上半阕最后一句叫做"一任东西南北各分离"，贾探春自己写的这句意味着永远分离，离开后就再不可能见面了。如果把整首词都当做贾探春的作品，那就等于贾探春预言自己还会回来。曹雪芹他很精心地安排，他偏写探春竟一时才力不逮，写不出下半阕，贾宝玉写的下半阕里的那句"纵是明春再见隔年期"，就成为是一个虚妄的幻想，只是贾宝玉个人的一种愿望，是不能实现的。

最重要的一个伏笔出现在第七十回末尾，写贾宝玉和众小姐放风筝，他有很丰富的描写。对贾探春放风筝他写得最细，也最惹人猜疑。贾探春自己放了一个凤凰风筝，这当然很吉祥，而且凤凰本身也意味着女性成熟了，要谋求一门好婚事了。结果呢，对面又不知道哪家人也放了一个凤凰风筝，俩风筝绞一块儿了，这就已经让读者觉得，哎哟，挺奇怪的，怎么回事？可是呢，曹雪芹挥笔接着往下写，又出来第三个风筝，像门扇那么大，而且这个风筝还带着响铃，是一个喜字风筝，这个风筝逼近过来，声音越来越大，像雷鸣一样，这个风筝最后跟那两个凤凰绞在一块儿，扯来扯去，最后三个风筝线全断了，三个风筝绞在一起，越飘越远。这意味太深长了。里面不是一个意思，好几个意思了。他这个预言，是一个比较复杂的预言了。在八十回后，不消说，曹雪芹会一一回应他的这些伏笔。

你读到前八十回的后面时就会发现，贾探春的年龄已经到了谈婚论嫁阶段。第七十七回有一句写到，王夫人日理万机，"且又有官媒婆来说探春等事，心绪正繁"（通行本里这句写成"心绪正烦"，有的古本写的是"正繁"，我不取"烦"而取"繁"，就是说王夫人对官媒婆来说探春婚事她不会"烦"，只是觉得事务线条太繁多，有点招呼不过来。为什么我认为王夫人对官媒婆来说探春婚事她不会"烦"，看到下面就会明白）。官媒婆会拿着贵族官宦人家公子的庚帖，到有适龄女子的府里，来见女主人，看那女子跟庚帖上开列的庚辰八字是否搭配，如果搭配，就竭力促成一桩门当户对的婚姻。

贾探春如果是通过官媒婆来说媒，嫁出去，她可能嫁到哪里去呢？在前八十回里面是有线索可寻的。

第七十一回写到贾母做八旬大寿。来了一些贵客。其中写到一位贵客，那绝对不是闲笔，我们读的时候应该加以注意。这位贵客就是南安太妃。什么叫做太妃？南安王他是一个王爷，那当然是很高的一个爵位了，是吧？他母亲还活着，就叫做南安太妃，他的正妻则叫做南安妃。这位太妃显然和贾母同辈，但她地位比贾母高，所以她来祝寿，就坐了上席，贾母虽然是寿星，只得到边上去坐。南安太妃本来身体不舒服，可以不来的，却还是特地来了，可见她并非只是对贾母表示祝贺，她是另有目的的。什么目的呢？她坐下以后，先问宝玉，意思是要见宝玉。贾母说宝玉到庙里跪经去了，意思是您今天见不着。

这些文字很多读者匆匆几眼看过去，不细思索。其实，这一笔就意味着贾母她心里头对宝玉的婚事要保驾护航到底。前面我不是早就讲过吗，在清虚观打醮的时候，张道士给宝玉提亲，贾母给驳回了。在这之前元春还指婚，当然不是直截了当，是通过颁赐端午节的节礼来暗示，她希望宝玉娶薛宝钗为正妻，贾母装作没感觉，也给抹了。那么南安太妃问起贾宝玉什么意思？贾母不能不防。南安郡王家有可能有小姐到了出嫁的年龄，王府家的小姐称郡主，或者称格格，嫁给宝玉得算是下嫁，可是宝玉呢，声名远播，是个非同一般的富家公子，南安太妃慕名要见，也可以理解；再说王爷的女儿也各不相同，有嫡出的，还有庶出的，模样性情有的可能比较差，南安太妃如果是推销她的某个孙女，那也很可能是庶出的资质不怎么样的，贾母能不防吗？何况贾母早拿定主意支持"木石姻缘"，你南安王那待嫁的闺女就是堪比天仙，贾母她也不感兴趣，所以贾母就说，宝玉您见不着，他庙里跪经去了。有人就说，开头读不懂，贾母怎么没礼貌啊，把宝玉叫出来见见有什么关系呢？就算跪经去了，到那时候也该回家了，而且下面写出，宝玉确实已经回到了家里，让宝玉见一下南安太妃，又有何不可呢？但是贾母她就不让南安太妃过目。有的读者始终觉得贾母是个只知一味享乐的贵族老太太，其实在曹雪芹笔下，贾母是一个很有见解，很有心计，很会应付方方面面，表面可能慈眉善眼蔼然谦和，实际是很有权谋，拿定主意雷打不动的那么一块老辣姜。

宝玉见不到，南安太妃就问小姐们，很可能她来，不仅是想见见宝玉看能不能招赘入府，也考察一下贾家的小姐们，有没有适合她家世子——王爷的儿子称世子——可以娶过去的。贾母说她们姊妹都在里头给我看屋子，跟亲戚女眷们一起看戏呢；南安太妃不放弃，在里头看戏？那也叫人请出来我看看。贾母这个时候就指挥了，请注意这一笔，很重要。贾母吩咐，让林黛玉来，让薛宝钗、薛宝琴来，让史湘云来，她们出来，让南安太妃随便看吧，因为这四位小姐都不是贾府本身的，如果谈婚论嫁的话，按理要由她们的同姓家长负责，南安太妃见了即使很喜欢，也没有道理跟贾家过话求亲，更何况史湘云、薛宝琴那时候已经定亲了。然后呢，贾母就说了，单让贾探春陪着来吧。

贾府本身有三位小姐跟亲戚一起在里边看戏，怎么单让贾探春出来？还有贾迎春、贾惜春嘛。惜春你可以说她年纪小，迎春比探春还大，是不是？可是贾母不让贾迎春出来，那时候贾迎春还没定亲呢，单让贾探春出来，贾母什么意思啊？往外推荐人呢。后来不是邢夫人很生气吗？她生贾母的气。她虽然不是贾迎春的生母，但她是贾赦的夫人，按家庭伦常来说，她是对贾迎春负有责任的母亲，南安太妃要见府里小姐，贾母不让贾迎春出面，对这个长房的孙女竟似有若无，替邢夫人想想，如此安排，分明是对二房偏心嘛！迎春比探春大，本该让她获得南安太妃青睐，倘若迎春能嫁到南安王府里去，她邢夫人不仅是脸上有光，也能获得许多实际的好处嘛！邢夫人对贾母排斥迎春大为不满，当然她不好跟贾母发作，后来借别的茬儿，她就"嫌隙人有心生嫌隙"，当众给凤姐没脸，实际上也就等于往贾母的寿桃上撒了把沙子。这是后来事态的发展。

书里面写得很细，这几个小姐都出来了以后，南安太妃首先就跟史湘云说，你原来在这儿，你听说我来你都不出来见我。南安太妃跟史湘云的两个叔叔保龄侯、忠靖侯特别熟，可能也知道史湘云已经订婚了，很轻松地跟她开玩笑。那么薛家两姐妹，林黛玉，南安太妃当然也说了很多好话，很欣赏，但是书里面写得很清楚，南安太妃一手拉过小姐，第一个拉过来的就是贾探春，连声夸赞。老太太之间她们很多事心照不宣，你让贾探春出来我就明白了，贾探春嫁给谁，贾家是说了算数，贾母更有发言权。所以，南安太妃应该是看中了贾探春，她可以通过官媒婆，把她要来嫁给自己的一个孙子。那么，第七十回放风筝那段情节里，第一个来跟探春的凤凰风筝绞在一起的那个风筝，所象征的应该就是南安郡王家，郡王的儿子，也就是南安太妃的孙子，跟宝玉同辈的一个世子，要来迎娶探春。如果这门亲事做成，探春先会是世子的福晋，若到头来这位世子承袭了王位，当然她就是王妃。从这个角度解析，第六十三回大家对她说"难道你也是王妃不成？"不是没影儿的事。

但是，很显然，南安郡王府，到头来没把贾探春娶走，这场两只凤凰相配的婚姻被搅局了，而且来头极大，书里拿来象征的是一个门板那么大的喜字风筝，雷鸣般地飞过来，把那两个凤凰风筝一起给拉扯走了，显然是去完成另一桩红喜事了。谁能有这么大的来头，这么威严的架势啊？只能是高于郡王的皇帝。

皇帝需要找合适的女子，拿去和番。在清朝，且不说顺治，也不说乾隆之后，单说康雍乾三朝，皇帝就经常用公主或者是郡主去和番。番邦，是一个宽泛的概念，外国是番邦，自己国家边疆地区的少数民族部落，也可以叫番邦。有的番邦来入侵，有的归顺了又叛乱，需要去派武装力量抵御、镇压，这是武的硬的一手；有时候番邦打不过你，会来进贡，表示他服你，这时候就要把皇家的女子嫁过去，建立血缘关系，以稳定其对朝廷的效忠，这是文的软的一手。把皇家的女子嫁给番邦邦主贵族，就叫和番。清朝还有一个传统，有"满蒙一家"的这样的说法，满族他最早在关外活动，积蓄力量企图进入中原，占领全中国，建立全国性政权，有一个部族跟满族形成合作伙伴关系，就是蒙族。所以很早，满族的上层就和蒙族的上层频繁通婚，通过血缘上的交融，巩固他们政治上、军事上的合作关系。那么把公主郡主拿去跟蒙古贵族婚配，也可以笼统地归入和番的范畴。

《红楼梦》在曹雪芹的八十回后，具体来说，很可能是在第九十一回到九十九回这个情节单元里面，会写到书里面的皇帝拿贾探春去和番了。本来贾探春有希望成为南安太妃的孙子媳妇，但是正如放风筝那段情节所象征、所预言的，南安郡王家和贾家的两个凤凰风筝绞在一起以后，又来了一个门板大的雷鸣声响的大风筝把它们给破坏了。也就是说，书里面的皇帝没让南安郡王家和贾家的婚事进行到底，他插一杠子，把贾探春冒充皇家的女子，嫁给外番，去起到和番的作用。

有人会皱眉头，说你这个说法是不是欠考虑？因为你前面已经讲了，书里面写到这个程度的时候就书论书，就情节论情节，因为荣国府藏匿了甄家的罪产，又有人告发了妱妱将军诗，已经遭到第一波打击了，你不是讲袭人都被迫离开了吗？这种情况下，贾探春她是一个罪家的女子，用今天的话说，是已经被停职反省的一个官员的女儿，她怎么还能拿去和番呢？

以罪家女子和番，在封建时代是一点都不稀奇的，在清朝，雍正时朝，就有过这样的情况。

我在前面讲座里面多次讲到了康熙朝，太子两立两废的事情。被彻底废掉的太子，从政治上来说，就是一个罪人，从那以后一直到死，他和他的家人，包括服侍他家的人，都处于被圈禁的状态。当然康熙他还是很注重骨肉感情的，他废掉这个儿子的政治前途，把他圈禁起来，但是还承认他是自己的儿子，在物质供应上，强调要丰其衣食。雍正夺取到王位以后，继承康熙的做法，依然那样对待他这位哥哥，仍予圈禁，但保障供给。但他采取了一个似乎很友善的姿态，他把这个废太子的一个女儿，拿来当做自己的养女，当做公主。雍正为什么要这样做？有人想拿历史上这个例子，来推翻我关于秦可卿的论述，他们的逻辑是，废太子他家的女儿，用得着藏到曹家去吗？雍正皇帝把他们家的女儿接过来当做自己的女儿了呀，这历史上有记载啊，是不是？是有这么回事。这位公主叫做和硕淑慎公主，她是废太子第六个女儿。但是细捋历史，拿这么件事来推翻我前面有关秦可卿的论述，是起不了作用的。

废太子的这个女儿，生在康熙四十七年初二，那时候她父亲还不可一世，还没有会被废掉的迹象，太子自己，和几乎所有的人，都以为他继承康熙登上宝座是早晚会有的事。万没想到在那一年九月，爆发了一个"帐殿夜警"事件，我在前面讲座里详细讲过，这里不重复了，总而言之，康熙第一次把太子废了，将他圈禁起来，那么这个小女孩，在她还是婴儿的情况下，就随她父母一起被圈禁了。

康熙皇帝一废太子以后，很快后悔，第二年又给太子复位。这个跌宕起伏，这个小女孩不会有记忆，她实在太小。过了三年以后呢，康熙又觉得太子不对头，又把他废掉，再次把他全家圈禁起来。那么这个时候，废太子这个女儿就应该开始有记忆了，但那应该是些恐怖记忆、阴暗记忆。那么在康熙朝，雍正——当然那时候他还不是皇帝，他是四阿哥，还没有雍正的称号，这里是借用——那时候他把这个女孩子抱过去当养女了吗？并没有。这个女孩是在圈禁中长大的。康熙驾崩了，雍正当皇帝了，她已经十四五岁了，这个时候，雍正才把她拿过来当做自己的女儿。

雍正这样做，第一，是为了昭示天下，我多么宽宏大量，她是被我父王废掉的那个太子的女儿，罪家的女子，我居然把她抱养为我的女儿，你们能不感动吗？如果你熟悉清史你就会很清楚，雍正登基以后，他所面临的政敌根本不是那个废太子，废太子先皇已经认定他不能继位了，谁敢推他当皇帝啊？而且废太子在雍正二年，也就病死在禁所，雍正乐得赐他个"理密亲王"的谥号，给这个倒霉蛋画了个句号。雍正当时政治上的劲敌是他的八弟、九弟和十四弟，特别是十四弟——这个弟弟跟他既同父又同母，而且他母亲还坚定地站在他弟弟一边，雍正当了皇帝以后，他弟弟是征西大将军，赶回朝廷以后不服，说这怎么回事，父王突然去世了，你就当了皇帝，怎么回来以后让我给你下跪，凭什么给你下跪啊？在康熙晚年，所有人都看好这十四王子，认为他会接替皇位，他的母亲也是这样认为。雍正当了皇帝以后，要把他的母亲移到太后住的那个宫殿里面去，本来他母亲只是康熙的几十个妃嫔当中的一员，现在他既然当了皇帝，他母亲就要尊为皇太后了，按说移住太后宫，是件好事啊，他生母却坚决不去，坚定站在他弟弟一边跟他斗气。那八弟、九弟更觊觎着他的皇位。雍正必须先把这三个兄弟摆平啊。八弟、九弟，他很快地把他们灭掉了，十四弟毕竟是一母所生，他没把十四弟害死，但命令十四弟去给父皇康熙守灵，后来等于一直把这个兄弟禁锢起来。那时候雍正的政敌根本不是废太子，收养废太子一个女儿，他是故作姿态。但这还只是雍正政治权谋的第一层面。

另一层，就是雍正登基以后，他要继承前朝的传统，用公主去和番，特别是蒙古贵族，要继续拿皇家的女儿去跟他们婚配，以使"满蒙一家"的传统更加巩固。但是，雍正自己女儿少，养大成人的只有一个，和番的人力资源大大欠缺，亲女儿不够怎么办？他就抱养，也不抱养那些年龄很小的，所抱养的都是接近嫁龄的，他当时抱养了三个，其中两位是他重用信赖的怡亲王的第四女（后称和硕和惠公主），以及庄亲王允禄的长女（后称和硕端柔公主），还有一位，就是废太子的第六女。

废太子的六女，被称作和硕淑慎公主，雍正没养几年，就立刻拿去和亲了，嫁给了一个蒙古贵族，叫观音宝。这观音宝呢，婚后没几年就死掉了，废太子这个女儿就守寡，她活得很久，到乾隆朝还活着，活了七十七岁。这是一个非常悲苦的女子，她一生七十七年，有十四五年处于被圈禁状态，又有五十余年守寡。她是皇室政治的一个牺牲品。

用雍正收养了废太子第六女，也就是和硕淑慎公主这件事，来证明废太子的所有女儿都会平安幸福，绝无在危急之时设法移出圈禁地，藏匿到别处的可能，这样的逻辑，是不能成立的。

康熙五十一年，太子二次被废黜被圈禁，他那一大家子人，他的正妻和许多侧室，以及这些女子所生下的孩子，包括所有的男女仆役，一律再次随之失去自由，虽然康熙命令丰其衣食、保障供给，谁会甘愿过那种禁锢的生活呢？能设法逃离的，一定不会放过任何机会。若废太子身边一位女子恰好在那时生下了一个女儿，尚未及到宗人府注册登记，于是其母设法将其运出禁所托付给平日相与亲密的官宦人家藏匿起来，就是可能的。如果说太子一废时家中诸人万没想到手足无措，那么二废前家中个别人应变有方，也是不奇怪的。现在我们虽然未能找到废太子家族成员设法逃出藏匿的例证，但却分明可以从《清圣主实录》第二百八十六卷里查到这样的记载：就在太子被二废时，太子宫中有个叫得麟的人，通过"诈死"的方式，让人把自己当死尸运了出来，当时一位大学士嵩祝，就冒犯王法藏匿了他。当然后来败露了，得麟处死，嵩祝被惩治。因此，和硕淑慎公主的个案，并不能推翻我关于秦可卿原型可能是废太子二废时一个藏匿到曹家的女婴的推断。

回过头来说曹雪芹《红楼梦》八十回后的真故事。第七十一回既然写到南安太妃对贾探春连声夸赞，那么，也就意味着贾母不让迎春露面，单把探春推出去的策略获得成功，第七十七回说有官媒婆到荣国府来为探春说亲，应该就是受南安郡王府委托，贾政王夫人没有不同意的道理，那么，后来就应该订了婚。谁知订婚以后，贾政出了事，被查。皇帝身边的贾元春，肯定急得不行，要想方设法来挽救父亲，挽救荣国府和整个贾氏家族。那么，正赶上皇帝又要安排和番。皇帝就是有年龄相当的女儿，他能心甘情愿把自己的女儿嫁到那种远苦之地去吗？他底下当然有一些王爷，这些人家难道就愿意把女儿奉献出来远嫁吗？因此，动用罪家的女子冒充皇家的骨血，拿出去和亲，就成为最佳方略了。在这种情势下，贾元春就会跟皇帝说，我有一个妹妹，才貌双全，年龄也合适，是不是就用她去和亲？她虽然跟南安郡王的一个儿子订了婚，但南安郡王肯定愿意为圣上奉献一切，把原来将探春娶为媳妇的做法，改为收养她为女儿，这样探春也就真具有了郡主的身份，拿去跟一个弹丸番国和亲，贾家体面，南安郡王家也荣耀，又省得动用真的公主、郡主，岂不四角周全？而且人们都知道贾政已是待罪之身，圣上能容罪家的女子破格成为郡主，送出和番，也昭显圣上的仁厚德泽。贾元春这样进言的时候，应该已有身孕，还未流产，皇帝也就同意了。

所以贾探春的远嫁是一个政治悲剧，是一个女性在政治交易当中被当做一个礼品，一个筹码，成为政治牺牲品。如果她真是能嫁到南安郡王家，好比两个凤凰风筝加在一起，倒也不错，但门板大的风筝写着喜字，雷鸣般来了，让你作为皇家的骨肉，其实是冒牌的，去嫁给外番，而且一去再不能返回，当然会涕泣不止。

当然问题跟着就来了，贾探春被用来和番，究竟是嫁到哪个外番了呢？

前八十回里面，曹雪芹笔下写到了若干外番。他不仅写到"土番"，更写到"洋番"。第十七回，提到一个女儿国，这还是贾政讲的。贾政虽然总体上是一个老古板，但他有时候言谈话语之间还是显得很博学，看见海棠花，他就提到女儿国。据古代传说，远离中国的地方，有一个女儿国，这国全是女人，没有男人。那么她们怎么怀孕呢？在那国的水域里面，下去洗澡，就怀孕了。怀孕难道就不生男孩吗？生出的男孩都养不大，必定死亡，所以这个国家繁衍的结果就全是女人。这个女儿国呢，盛产海棠，叫"女儿棠"。这是一个虚拟的国度，更何况女儿国不可能需要娶一个女人过去，讨论探春的去向，我们当然把它排除。

那么第五十二回还提到真真国，薛宝琴跟着她的父亲到过很多地方，其中有真真国，这是一个真有的国度，地点在西海沿子，估计他所影射的，可能是中国西边里海之类的地方。薛宝琴说有一个真真国女子，黄头发，打着联垂，会写中文诗，她把这个女子的一首诗念给大家听。那么探春是嫁到真真国去了吗？如果往那边嫁，一开始应该是走陆路，和第五回里的面画不符合，画上画的是一片大海，一只大船，探春远嫁是要运用这样的交通工具，真真国在西海的沿子，到西海的沿子这过程当中不可坐大船，所以真真国我们也排除了。

那么在《红楼梦》里面还提到一个国家，叫福朗斯牙，有人一听这个音，就判定是法兰西，但是也有专家经过精心考证指出，这个福朗斯牙指的不是法国而是西班牙。那么显然，也很难把贾探春的远嫁想象成是嫁到那种地方去。当然书里面还顺笔提到波斯国、爪哇国、暹罗等等。

那么，贾探春在八十回后根据曹雪芹的描写，可能是嫁到哪个国去了呢？有一个国，刚才我没提到，现在我要提，就是茜香国。这个茜香国是在第二十八回出现的。记不记得蒋玉菡把一条汗巾子当做礼物送给贾宝玉啊？这个汗巾子哪儿来的呢？古本《红楼梦》上有两种写法，一种说是茜香国女王进贡的。现在通行本都采取这种写法。历来就有读者觉得奇怪，你进贡什么东西都行，你怎么进贡腰带呢？而且是内衣的腰带，不是外头的腰带。有人就想象，可能茜香国开头对中国桀骜不驯，侵犯中国，被中国给击败了，女王被俘了，她身上的物品就被当成战利品了，皇帝分配战利品，北静王就分到这条汗巾子，北静工把它赏给了蒋玉菡，蒋玉菡又赠送给了贾宝玉，贾宝玉后来又系在了袭人的腰上，袭人后来嫁给蒋玉菡以后才恍然大悟，哦，这条汗巾子结果成为他们两个婚姻的一个联系物。

那么有一种古本，写的是茜香国女王带来的，那这就不一定是女王自己系过的，也不一定是战利品了。我觉得茜香国这个称谓，可能是指这个国度盛产茜草。茜草开黄花，但是它的茎和根榨出汁以后是鲜红的，可以做染料。茜，也就是红的意思，茜草的别名叫做"血见愁"。书里面描写汗巾子是血点似的大红汗巾子，可能这个国家是想向中国出口染料，那里的纺织品用盛产的茜草染料染成鲜红色，运过来进贡，数量很大，皇帝把这些贡品加以分配，分配以后只是一些成匹的茜草染成的血红的纺织品，然后不同的受到赏赐的人，把它制作成不同的物品，在北静王那儿可能就制作成了很多汗巾子，其中赏了蒋玉菡一条。这个解释是不是比较圆满？

贾探春她被皇帝拿去和番，和的那个番邦，应该就是这个茜香国。有人考证出，茜香国影射的是琉球。琉球原来是中国的属国，是要向中国进贡的。琉球在太平洋里面，表示去那里，画一片大海，一只大船，是非常恰切的。贾探春她是漂洋过海远嫁到茜香国去了，到那儿以后她就再也回不来了。根据曹雪芹的描写，贾家后来遭受到第二波打击，整个覆灭，剩一片白茫茫大地真干净了，贾探春当然就更回不来了。

现在我们就充分理解，为什么在第五回关于探春的那幅画，会画两个人放风筝了。就是因为她被皇帝拿去和番的时候，贾家当然是她的本家，应该会去送她，但南安郡王家既然改娶她为收为养女，也算是她父母家了，也得去江边送她，这就必须以两个人放风筝来象征。探春远嫁茜香国，当然失去了成为南安郡王妃的可能，但是去嫁给茜香国女王的儿子，她就是那国的王妃了。不过你一定不要把她当那个王妃想象得如何美好，漂洋过海，贫瘠之地，物质生活绝对比不了在荣国府大观园的时候，精神上更会苦闷，当那样的王妃其实就是一种流放。

有位红迷朋友问，书里会不会写皇帝干脆把贾探春收为养女，再把她作为公主嫁到茜香国？应该不会那样。因为她姐姐是皇帝的妃子，不能乱辈。而她作为南安郡王的女儿，以郡主身份嫁给一个弹丸小国的女王的儿子，就比较得宜。

嫁往茜香国，可以一直走水路，从北京通州张家湾码头登船，从大运河出发，再从长江口出海，越海到达茜香国，那么春季很少台风，海上航行会比较顺遂，这也就解释了为什么探春远嫁是在清明时节。那时杏花开了，运河解冻了，长江和太平洋都比较平静，正好乘大船出发。

贾探春就这样告别了自己风雨飘摇的家园，告别了自己的亲生父母，和跟自己耳鬓厮磨美好相处的二哥哥和姐妹们，那气氛，应该是悲怆的。对同父同母的亲弟弟贾环，她一贯不喜欢，但是我想在真正离别的时候，她也会感到难过。至于赵姨娘，她可能还是不认。

到这儿呢，《金陵十二钗正册》里面的女性，通过我前面的讲座和我这次讲下来，只剩下王熙凤和巧姐母女，还有李纨，没有专门加以探讨了。下一讲，我将向大家来讲述八十回后，关于王熙凤和巧姐的真故事。关于王熙凤，历来人们对她的论述可谓汗牛充栋，我还能有什么独家的讲述呢？那么我现在就告诉你，在八十回后，在第九十一回和九十九回这个情节单元里，会有一个非常重要的情节出现，叫做"王熙凤扫雪拾玉"。王熙凤怎么会扫雪？王熙凤拾到了一块什么玉？请听下一讲。

第九讲
第九十一回至第九十九回之谜[2]

王熙凤、巧姐之谜

　　一位红迷朋友找到我，说你要讲王熙凤了，王熙凤可不好讲，过去分析研究这个人物的著作太多了，你还能有什么新鲜的？我一听，一开始有点二乎。我读过很多研究王熙凤的著作，包括一位美学家王朝闻先生，写了一大本《论凤姐》，他掰开了揉碎了，从各种角度分析王熙凤，我从中受益很大。但是我觉得还是能用自己独特的角度，为大家提供比较新鲜的见解。讲王熙凤，我重点讲她扫雪拾玉。

　　有人一定会疑惑了，王熙凤扫雪？说前八十回里，哪有王熙凤扫雪的镜头？高鹗续的后四十回，也没有王熙凤扫雪呀。她还拾玉？拾哪门子玉？你这么说，有什么根据？

　　我先不把我的根据抛出来，先跟你稍微温习一下，第五回里，关于王熙凤的册页上的图画和判词，对王熙凤的命运走向，是怎么预言的。

　　那画大家都记得，是冰山上一个雌凤。冰山象征表面巍峨坚硬的贾氏家族，会经不起烈日的炙烤，雌凤当然就是王熙凤，一旦冰山融毁，她必同归于尽。判词呢，使用了拆字法。关于王熙凤的这个判词，特别能体现出拆字法的妙处。第一句"凡鸟偏从末世来"，"凡鸟"就是把繁体的"鳳"字拆开成为两个字。"末世"与画上的冰山正好对应。第二句"都知爱慕此生才"，说明曹雪芹虽然写了她很多罪恶，王熙凤做了很多坏事，不雅之事，但是总体而言，算得一个巾帼英雄，一个女中豪杰，作者对她不是全盘否定，甚至于对她还充满了欣赏和肯定，并且也相信读者对于这个艺术形象，到头来还是会爱慕惋惜。特别是写她协理宁国府操办秦可卿的丧事，把她的管理才能、杀伐气派、鞠躬尽瘁、游刃有余，描绘得淋漓尽致，在那一回最后，干脆发出这样的赞叹："金紫万千谁治国，裙钗一二可齐家。"判词底下这一句，也是典型的拆字法，但不像"凡鸟"那么好懂，历来读者有争议，叫做"一从二令三人木"。最后一句叫做"哭向金陵事更哀"，预言王熙凤最后的结局，是死在哭向祖籍金陵的路途中，那可能要超出我们现在所讲的九十一回到九十九回这个情节单元了，这个以后再说。

现在专门来探讨一下，什么叫做"一从二令三人木"？这一句，实际上概括了王熙凤和贾琏他们二人关系的三个阶段。第一个阶段叫做"一从"，从前八十回我们看出来，贾琏是一个怕老婆的男子，对强悍的王熙凤基本上是依从的。第二个阶段叫做"二令"，就是由于王熙凤做了一些亏心事，被皇权宗族追究，她的气焰高不起来了，她和丈夫贾琏的关系，就从她让贾琏服从，变成贾琏向她发命令，她得服从了。到第三个阶段，更凄惨了，叫做"三人木"，这是拆字，什么叫"人木"？一个单立人，一个木，休字。什么叫"休"啊？过去男子把自己的妻子强行地解除婚约，休妻，叫休了。所以王熙凤她最后是被贾琏给休掉了。

这在前八十回里是有伏笔的，凤姐过生日，贾琏去和下等女人偷情，暴露了，"变生不测凤姐泼醋"，她闹得很凶，还打了平儿，风波平息之后，李纨见到她，李纨本是一个很平和的人，说话很少尖酸刻薄，在凤姐泼醋打人之后，李纨见到她忍不住说，你居然伸出你的手打平儿，气得我只要给平儿打抱不平，你给平儿拾鞋也不配，你两个人该换一个过子才是！这就是一个伏笔，预示八十回后，贾琏把王熙凤休了，跟平儿的地位互换了。

平儿本是一个通房大丫头，什么叫"通房"？就是男女主人行房事的时候，她可以在旁边，在男女主人同意的情况下，她可以参与，这是过去时代以男性为中心的社会里，一种符合当时规范，但我们现代人会觉得是畸形的一种现象。

王熙凤被休，应该在上一个情节单元里就写到。忠顺王奉皇帝命令来查封荣国府前夕，整个府第内部已经乱作一团。首先是"官中"乱了。"官中"就是府里的管理中心，其中最主要的一个职能，就是管理府第的财政。每个月，总账房会把从贾母、王夫人、李纨，到所有公子、小姐，以及赵姨娘、周姨娘，还有那些服侍他们的丫头们的个人津贴——当然数目按等级，上下差距很大——叫做"月银"，一打总地交给王熙凤，由她具体发放到各房各处。王熙凤拿到那些银子以后，她不马上发下去，她派亲信仆人拿去放高利贷，当然是短期的高利贷，期限越短，利息就越高，有的商人临时需要一大笔流动资金，无法筹措，就可以向王熙凤来借这个银子，在多少天之内高利息返回，王熙凤等本银、利银都回来之后，再把银子发下去，这引起很多人的不满，书里面写到，连袭人这样很忠于封建主子的大丫头，都发出抱怨。

原来荣国府地位稳固，王熙凤觉得就是有人告他们谋反，也不怕。但是贾政做主藏匿甄家的罪产，以及娴婳将军诗的事情，已经有人向皇帝参劾了，贾政地位岌岌可危，整个府第的前景也就格外黯淡，那么府里从"官中"起就会有人揭竿而起，原来对王熙凤拿"月银"放贷敢怒而不敢言，现在就嚷嚷开了。

清朝的法律里面规定，可以放贷，但是有一个关于放贷的利息的限度，不能违例，不能放超标的高利贷，王熙凤的做法叫做违例取利，是应该受到责罚的。

这个事情暴露出来，首先被官府追究的，会是贾琏，那是一个男权社会，从名分上说，管理荣国府事务，包括所有银钱事项，贾琏是法人，应负全部责任。贾琏本来就对王熙凤不满，王熙凤违例取利开始瞒着他，后来他发觉了，王熙凤仍然那么干，而且利银基本上是归为她的私房，贾琏也奈何她不得。现在这事被捅了出来，贾琏首当其冲。固然一旦官府来追究，他可以细说端详，也不难找到证人，来辩白其实是他媳妇一手遮天胆大妄为，但那他也不能完全脱掉干系，况且此事公开以后，他也很丢脸面，因此，他对王熙凤深恶痛绝，一方面为推脱自己的责任，一方面他早不是对王熙凤言听计从，抓着王熙凤把柄，已经对王熙凤呼来喝去，有过一段"二令"的经历了，到这时觉得时机成熟，就下决心把王熙凤休掉。更何况尤二姐分明是遭王熙凤迫害致死，这件事还留下严重的后遗症。贾琏就在贾氏家族风雨飘摇之时，由族长贾珍出面，正式把王熙凤休了，然后把平儿扶为正妻，王熙凤倒成了通房大丫头了。对于王熙凤来说，这种社会地位的互换，是很屈辱，很悲惨的。

紧接着，可能忠顺王就奉皇帝旨意，来荣国府宣布贾政停职，责令他老实交代，待进一步处理，并封存荣国府大部分不动产，减撤府中主子的奴仆数量，这是对荣国府的第一波打击。贾琏休掉王熙凤，也可能是忠顺王刚来查办荣国府之时，在第二波打击到来之前。那他的用意，就含有抛出王熙凤，让查办者把目光聚焦到王熙凤身上，以缓解府第其他问题的因素。王熙凤确实值得一查，她还有弄权铁槛寺那样的老账，牵扯到两条人命；她树敌甚多，借机告发她的人不会少，从赵姨娘到某些仆役，都会向查办者举报。

尽管贾元春在宫里不断向皇帝求情，皇帝一度也鉴于她怀有身孕，对荣国府贾政还留有余地，但是，贾赦的违法行为也遭到参劾，偏贾元春在忧患焦虑中又流产了，更发现宁国府贾珍跟义忠亲王老千岁的势力勾结在一起，竟大逆不道、图谋不轨，政局上出现了虎兕相逢、短兵相接的局面，皇帝率兵去剿，被围困，谋反方索要贾元春，皇帝在危急时刻舍弃了她，才得以喘息候到救援，那么回到京城，皇帝就把荣宁二府新咎旧罪一起算，而且更把宁国府当年藏匿秦可卿的事情定为"首罪"，一刀切下去，把贾氏两府灭掉了。在这个过程里，荣国府遭到第二波毁灭性打击的情况，应该是曹雪芹下笔的重点。

在荣国府从被查封进一步恶化到被查抄、贾政从停职交代转变为罢官判罪的情况下，曹雪芹会写到一个非常重要的情节，就是王熙凤扫雪拾玉。我的根据是什么？根据是过硬的，就是在第二十三回，古本《红楼梦》的第二十三回一个细节旁边，有一条非常重要的批语。

二十三回开始不久就讲到，大观园本是为元妃省亲建造的，花那么大力，其实只是一个晚上的用途，用完以后，因为这是皇妃用过的空间，任何人不得擅入，只好把它封存起来。贾元春回到宫里后一想，这么好的一个园林，把它封起来，太可惜了，下一次省亲什么时候呢？说不清楚，因此就下谕旨，让贾宝玉，还有那些姊妹们，都搬进去住，把这个空间利用起来。

贾元春派太监来宣布谕旨以后，贾政和王夫人就召见公子小姐，向他们宣布这件事情。听到元春的这样一个谕旨，宝玉当然很高兴。后来他和林黛玉互通消息，问林黛玉想住哪儿，林黛玉说喜欢潇湘馆，他说自己喜欢怡红院，后来果然他们俩各自住了进去，其他一些小姐分住不同的空间，李纨带着贾兰住进了稻香村，里面还有一个拢翠庵，本来就住着一个尼姑妙玉。大观园从此就热闹起来了。

二十三回写这个事的时候，有一笔好像是很随便地那么一说，一般读者都容易忽略过去，就是在正房贾政说完话以后，让贾宝玉退出，他特别怕他父亲，在父亲面前浑身不舒服，一听让他退出，如临大赦，很高兴，"慢慢地退出去"——这是在家长跟前装样子——出了正房以后，就现了原形，向屋外的金钏儿笑着伸伸舌头，"带着两个嬷嬷一溜烟去了"。去哪里？没搬进大观园之前，他是跟贾母住，于是书里面很明确地写出，他到了穿堂门前，只见袭人倚门等在那里，他一面跟袭人说话，一面就回到了贾母身边。

通读前八十回后，你应该对荣国府的建筑布局，形成一个概念。从贾政、王夫人的正房出来以后，过一个属于王夫人院的穿堂门，就进入夹道，然后再到一个穿堂门，这个袭人当时倚着的穿堂门，是从这个夹道通向贾母院落的。针对这处文字，脂砚斋有很重要一条批语，叫做："妙！这便是凤姐扫雪拾玉之处，一丝不乱。"什么意思啊？脂砚斋当时已经看到八十回后，看到一个全本《红楼梦》了，在全本《红楼梦》八十回后，有一个情节就是王熙凤扫雪拾玉，扫雪拾玉的地点在哪里呢？就在二十三回所写到的，进贾母院的这个穿堂门外边一点。脂砚斋赞叹曹雪芹的写作技巧，说你看多妙啊，他在二十三回安排贾宝玉经过这个小空间，在八十回后的某一回，他恰恰就要利用这个小空间，生发出一个很重要的情节，就是王熙凤扫雪拾玉。脂砚斋指出这种草蛇灰线、伏延千里的安排，一丝不乱，就是说曹雪芹写到后来的时候，他没忘记前面所设下的这个伏笔，非常对榫。这条批语就再次说明，曹雪芹写没写完《红楼梦》呢？是写完了的。八十回后的文字，是不是曾经存在过呢？是存在过的。

关于荣国府的建筑结构，我要多说几句。曹雪芹写这个府里的故事，所安排的场景空间，不光是正房大屋、花厅厢房，他多次写到夹道、穿堂这些附属空间。对《红楼梦》我主张进行文本细读，你读的过程当中除了把握其中人物的性格，人物的命运，矛盾冲突的发展，你还应该有空间感。读的遍数多了，你应该对他所描写的荣国府和大观园的建筑布局、空间状况，形成连续性的立体画面。

大观园咱们先不说，先说荣国府。荣国府的空间构造，大体而言，第一个部分就是荣国府的主建筑群，从府第正门进去以后，几进阔绰的院落，其高潮，最重要的一组建筑，就是荣禧堂，那是贾政和王夫人居住的空间，也是整个府第当中最重要的一个家族活动的空间。荣禧堂之后，还有房子，两旁还有偏院，其中一所居住着赵姨娘和贾环，另一所则居住着周姨娘。是很宏大繁复的一组建筑。然后呢，在荣国府的主建筑群的西边，还有一个很大的院落，这个院落由贾母居住。第三回写黛玉投靠外祖母，通过她的眼光，对这个院落有很细致的描述。从它的外院通向里院，有垂花门，垂花门里面连着游廊，通向非常高大宽阔的正房，不仅足够贾母自己居住，宝玉、黛玉、史湘云、薛宝琴，先后都在那里居住过。后来书里面补充说明，因为贾母爱看戏，又加盖了一个花厅。正房后面还有房子。

以上两个空间里，发生的故事最多。在这两个大的空间的后头，有贾琏和王熙凤他们住的一个比较小的院落，门前面一个粉油的影壁——影壁是北京大小院落常见的，一个起到遮蔽和装饰作用的建筑构件——在王熙凤住的这个院落里，发生的故事也不少。

在以上三个建筑群之间，还有没有其他空间呢？是有的，不是说他们隔一堵墙，穿过墙的门就去了，不是那样的。当中有很重要的过渡性空间，叫做夹道，也可以叫做甬道。紫禁城，现在叫故宫，你去参观，就会发现其中不同的建筑群之间，会有很长的夹道，两边是红墙，红墙当中会有一些门，这些门有的就叫做穿堂门。当然，荣国府的夹道，比起紫禁城里的，会短一些，窄一些，也不允许使用红墙黄瓦，但是，你可以想象出，还是相当气派的。

曹雪芹的文笔确实如脂砚斋所说，细如牛毛。他多次把故事情节，安排在夹道里面，安排在穿堂门前后。一个死板的作者写贵族家庭的故事，只会描写正房、厢房、花园里面的场景，而曹雪芹他以生花妙笔，把许多情节，安排在夹道里。

贾芸，这是贾氏宗族近支的一个后代，他那一支衰落了，住在寺庙旁的西廊下，生活比较清寒。他老想到荣国府来找贾琏和王熙凤谋一点差事，使他的生活得到改善。贾芸到荣国府来谋差事，其中最重要的一个情节就发生在这个夹道里面。他有意识在夹道那儿等着，因为王熙凤休息好了出来办事，从她那个小院绕过影壁，必然会出现在夹道。终于有一天，他跟王熙凤遇上了，王熙凤见了他根本不停步，两个人之间有一番耐人寻味的对话，展示出两个人不同性格，最后呢，贾芸通过向王熙凤奉献冰片、麝香，就谋到了差事。

曹雪芹还多次写到贾宝玉在这个空间里面的遭遇，他有一次碰到了府里"官中"办事的人，有一次遇到一些贾政豢养的清客，再一次，贾宝玉在夹道里面碰见二三十个拿着笤帚、簸箕的小厮，小厮们没想到贾宝玉突然出现，吓坏了，因为他们跟贾宝玉地位相差太悬殊了，立刻退到墙边，垂手侍立，其中一个领班的小厮，就过来给宝玉打千致敬。曹雪芹在夹道里面展开了丰富多彩的人生画面，他把府里面最高层和最底层的角色，都很自然地在这样的过渡性空间里加以展现。

脂砚斋告诉我们，八十回后，王熙凤会在夹道里扫雪拾玉。究竟怎么回事？先来说扫雪。王熙凤原来是府里面一个女霸王，只有她让人家来扫雪的，哪儿有她自己扫雪的啊？想当年，扫雪的事不用她开口，平儿开口就行了，甚至平儿都不必开口，二等丫头丰儿，就可以支使人去扫雪，她怎么至于扫雪呢？但是故事发展到这个阶段，荣国府先是遭受第一波打击，有的主子可能还没被直接打击到，王熙凤却已经非常惨了，贾琏把她休了，按说休了她，她跟平儿换了一个过子，成为通房大丫头，不是主子了，是不是来查封荣国府的忠顺王，就会暂时放她一马呢？那是不可能的，且不说府里会有人告发她，指出她曾是全府的管家婆，忠顺王带来的人，包括忠顺王本身也都知道，她原是府里当家的，查问府里的事情，绝对把她当成一个重点。第二波打击，来势更加凶猛。贾赦、贾政、贾珍、贾琏都被治罪了，邢夫人、王夫人、尤氏、平儿全都随之被处置了，或者随夫流放到苦寒之地，或者被赐死，或者被拿去卖掉，但是对于王熙凤，却一时并不结案。

皇帝对罪家的打击，会是一波一波地进行吗？对有罪之人的处置，会拖颇长时间才结案吗？清朝雍正皇帝对曹家的打击，就是一环一环地进行，没有马上一刀切。历史上雍正皇帝处置康熙朝苏州织造李煦——他是《红楼梦》里贾母原型的哥哥——是一上台就把他治了罪，抄了他家，发卖了他的亲属和奴仆，对他本人，则拘禁审问了很久，到雍正五年才终于定案，把他流放到打牲乌拉苦寒之地，去给披甲人为奴。对曹頫（他如果不是曹雪芹父亲就是叔叔）的惩治，第一波打击是把他交给怡亲王看管，到了雍正六年，才以"骚扰驿站"的罪名将他抄家逮京治罪。实际生活当中既然有过这样的事情，那么在小说里面，曹雪芹写到皇帝分两波打击荣宁二府，写王熙凤从被审问到被发落有一个较长的过程，就不足为奇了。他有生活依据，当然，他对"真事"以"假语"进行了艺术加工。

简而言之，荣国府遭到第二波打击，被彻底查抄了，主持查抄的忠顺王，就想从中得到更多的战利品。皇帝在宣布查抄某贵族官员的时候，往往会把查抄出来的财物，全都赏给负责查抄的官员，雍正下令查抄曹頫就是这样，把曹頫所有的家产，都赏给了他指定的查抄官员隋赫德。那么故事里写皇帝把贾家查抄出来的财产赏给忠顺王，忠顺王因此不能轻易放过每一笔财富，把府里长期管财的王熙凤囚押起来，进行拷问，让她交代，就很合理了。

那时候贾宝玉可能都移送监狱了，但王熙凤却留下来，跟里其他有待处置的丫头婆子男仆小厮，集中到贾母院的厢房里——贾母在荣国府遭受第一波打击前，就已经去世了——晚上打地铺挤着睡，白天罚做苦役，下大雪了，你就要扫雪。王熙凤万没想到，自己原来一个"巡海夜叉"般令人畏惧的全府总管，此时沦为阶下囚，时时会被拷问，让她交代还隐瞒了哪些财产，就是她全说出来了，忠顺王也不信，总觉得荣国府那么大，还有个大观园，除了已经抄出来的，还有没有偷藏偷埋在墙壁里、地底下的金银珠宝？肯定一边在所怀疑的处所掘墙挖地，一边凌逼王熙凤从实招来。那种境遇，真比移送到监狱关押还惨。那么又到冬天了，下起大雪，王熙凤被驱使从事贱役，就是扫雪。

王熙凤扫雪，扫到当年袭人倚过的那个穿堂门外边，就拾到一块玉。是块什么玉呢？有的红迷朋友会说，一定是通灵宝玉！这是书里最重要一块玉啊！但是我的看法还不一样，不一定我就对，也可能你是对的，但咱们可以讨论。我认为不是通灵宝玉。通灵宝玉是贾宝玉与生俱来的一个东西，尽人皆知，甚至皇帝他也会知道。因此，出于迷信心理，一般的人不太敢碰这个东西。通灵宝玉应该一直还由贾宝玉自己戴着，即使遭遇厄难，他不会把通灵宝玉抛弃，也不会粗心地将它掉落而无感觉不拾取。即便是查抄者将其收缴，也会很郑重地把它存放在一个地方，不会随便掉在雪地里。参加查抄的人员也不至于去偷通灵宝玉，因为根据书里的交代，按俗世的标准，它的成色不好，是一块病玉，它只是具有特殊的意义，在俗世的商品交易里，它值不了多少钱。更何况根据书里神话式的构想，天界的一僧一道，他们对这个玉能够进行指挥，如果这个玉没有了，那可能是被一僧一道呼唤走了。所以，王熙凤扫雪拾到的，不会是通灵宝玉。

不是通灵宝玉，那王熙凤拾到的是块什么玉呢？咱们想一想，书里面提没提到一块玉，被人偷了？细读《红楼梦》前八十回，你就会发现，是有关于一块玉被偷的事情，在宝玉跟随贾母居住时，发生过，偷玉的还有名字。这是在哪一回写到的啊？是在五十二回。

五十二回讲的是"俏平儿情掩虾须镯，勇晴雯病补雀金裘"。平儿虽然只是一个通房大丫头，但她帮着王熙凤拿事，手中也相当有权，在王熙凤生病的时候，有时候先不通报王熙凤，她自己就对事情作出决定，平冤决狱，指挥若定。她八十回里表面身份低下，实际上一度在荣国府里面，是非同小可的人物。她常跟府里的正牌小姐一起活动，她戴的首饰，比如有一只虾须镯，金镯子上面还镶着珍珠，就非常华贵，跟主子们戴的首饰属于一个品级。

那一年也是下雪，"琉璃世界白雪红梅，脂粉香娃割腥啖膻"，在大观园芦雪广（这里"广"字读"掩"，依山傍水的园林建筑叫"广"）里，史湘云带头，吃烧烤，烤鹿肉，小姐们平等对待平儿，她就一起吃烤鹿肉，为了吃着方便，把虾须镯褪了下来，谁知吃完了以后，那虾须镯竟不翼而飞！被谁偷了呢？书里往后写，交代出来，是被怡红院的小丫头坠儿偷了。坠儿，你听这个谐音，曹雪芹的艺术手法之一是拆字法，艺术手法之二是谐音比喻。"坠儿"就是"罪儿"，她偷东西，按世俗的标准，当然有罪。平儿发现坠儿的偷窃行为以后，她心地善良，不愿意张扬，她到怡红院把麝月叫过去，悄悄地告诉她。平儿强调，别把这事张扬出去。为什么啊？她不是为坠儿着想，是为了宝玉着想。她说，宝玉是偏在你们身上留心用意、争胜要强的——因为大家庭有不同的房，你宝玉是一房，贾环也是一房啊，哪房也不愿意出丑闻，我这房出一个小偷，别的房该伸出食指划脸皮了——宝玉是一个很要面子的人，所以平儿说，为了宝玉别公开。然后就说了，那一年有一个良儿偷玉——她往前追溯，那件事可能发生在黛玉进府之前——刚冷了一二年间，还有人提起来趁愿，这会子呢，又跑出个偷金子的，而且更偷到街坊家来了。那么这一笔绝不是废文赘笔，这就是一个伏笔。现在是坠儿偷金子，怎么叫偷街坊呢？因为平儿不是怡红院的，也不在大观园里住，她跟王熙凤、贾琏住在大观园西边，荣国府靠北的一个小院里，她借用"街坊"一词表明坠儿偷虾须镯行为的严重性，就是她的偷窃对象已经不是她所服侍的空间里的，可见实在是胆大妄为。

平儿主张，不明说偷窃的事，找个别的理由，把坠儿撵出去就完了，这样宝玉不会觉得丢脸，别房的人也不至于看笑话说闲话。平儿本想背着宝玉跟麝月交代，没想到偏被宝玉听见了，宝玉就很感动，感激平儿对他的关怀维护。但宝玉这个人嘴没遮拦，去跟病中的晴雯说了，晴雯一听，立刻发作，把坠儿找过来，拔下头上的一丈青——一端是尖锐的锥子似的发饰品——就扎坠儿的手，晴雯发威，把坠儿给撵出了。坠儿在八十回后肯定还有故事。

坠儿这个角色非常重要。在大观园里面，坠儿的朋友是谁啊？那可不是一般人物啊。大家记不记得滴翠亭宝钗扑蝶啊？在滴翠亭里面小红跟谁说私房话啊？就是坠儿。坠儿给小红贾芸私下传递手帕定情。用我们今天观点看，坠儿是不是卑鄙无耻？我认为不能这样看问题。她偷虾须镯，目的是什么？绝对不是为了自己戴上，她能戴上吗？她继续在怡红院当差，在大观园里活动，她戴着平儿的虾须镯晃来晃去，行吗？肯定不行。坠儿和小红是有思想共鸣的，小红曾经说过：

天下没有不散的筵席，过了三年五载，谁知道谁干什么去啊？这些丫头年龄大了，"好不好拉出去配小子"，是不是？如果你自己有一点积蓄，比如悄悄把虾须镯换成私房银子，你出去以后配人，因为你有银子，在配给谁的这个问题上，你通过向拿事的管家行贿，就可能得到一个稍微好一点的对象。所以坠儿这种行为，是在那样一个社会环境里面，一个女奴，很有心机地为自己以后前途做打算的一个勇敢行为。当然，她没有成功。

坠儿偷金，跟良儿偷玉，都是发生在荣国府里的事。坠儿偷金在后，良儿偷玉在前。坠儿确实偷了金，良儿确实偷了玉吗？良儿这个命名你想一想，她和坠儿是配伍的，一个是有罪的姑娘，一个是我本善良的一个姑娘，那么从这个命名的方式上你就可以判断，这个良儿当年是被冤枉的。她本善良，她并没有偷玉，那块玉到哪儿去了？

故事流动到荣国府遭遇第二波打击，被彻底查抄。那些抄家的兵丁，在分头查抄的过程里，会中饱一些被抄物品，这块玉，应该是从贾母正房，也就是宝玉几年前曾经居住过的空间里，抄出来的，抄到它的兵丁一看成色很好，会很值钱，就趁长官不在眼前，把它揣起来了，当然按规定，所有抄出的东西，都要到指定的地方存放、登记，私揣查抄物品也要冒一定风险，那兵丁不免会慌张，更可能他私揣的物品不止这一件，也不可能都揣放得那么严实，混乱当中，他跑出贾母院落东边的穿堂门——就是二十三回写到的，袭人倚门等候宝玉从东边贾政王夫人起居的正房回来的那个穿堂门——就把那块玉掉落在穿堂门外的夹道那里了，人们一时都没发觉，下起大雪，纷飞的雪花很快就把那块玉给掩埋了，王熙凤被罚扫雪，扫到那个位置——一丝不乱——就发现了。

在这段情节里，曹雪芹会写到王熙凤拾玉后百感交集。当年在贾母居住的院落里，在宝玉所住的空间里，丢失了一块价值不菲的美玉，这事当然由王熙凤亲自来查实处置。宝玉的丫头们，多半都有嫌疑。窃贼最后可能就锁定在几个嫌疑最大的丫头身上。王熙凤当年怎么对待有嫌疑的丫头？记不记得王熙凤有一次跟平儿怎么说的？第六十一回，大观园里闹出涉及到玫瑰露和茯苓霜的盗窃官司，王熙凤那时候正在养病，不直接理事，平儿去跟她汇报，她就说：这些丫头虽不便擅自拷打，让她们大太阳底下跪在瓷瓦子上，不给吃喝，一日不说跪一日，看她们招不招！这种解决盗窃官司、对待下人的方法，显然不是王熙凤的新发明，当年良儿被锁定为窃玉之贼以后，肯定就被王熙凤这么处置过，跪瓷瓦子——就是瓷器跌碎以后的破瓷片——你给我跪上，大太阳底下，不给吃，不给喝，你招不招？身体再好的人也受不了啊，最后，良儿屈打成招，交不出玉，只好承认是偷传出去，卖掉了，这样良儿就被当做窃玉贼，给撵出去了，可能还会牵连到另外一些奴仆，那些奴仆被判定是帮良儿传玉、卖玉。当时事情闹得响动很大，赵姨娘贾环他们一定会讥笑嘲讽宝玉，看你身边，窝着窃贼！宝玉为此，很久都心情不畅。

那么事过几年，沧桑巨变，王熙凤沦为贱役扫雪，发现一块玉，拾起来一看，分明就是当年以为被良儿窃走的那块玉，稍加推敲，就可以慬悟，当年良儿并没有偷这块玉，应该是这回抄家，兵丁把贾母当年带着宝玉居住的地方，像用篦子那么篦了一遍，这块玉就不知从哪个旮儿里给掏出来了，兵丁私揣怀内，从这地方跑过时，落在这穿堂门边夹道一侧，偏就被自己拾到了！回想几年前，自己不可一世，对良儿那么凶狠，冤屈人家。当时自己处置另外一个生命，是那样的轻率，毫不手软。现在忠王府来查抄贾府，让自己交代贾府还有多少财产，你全说清楚了也不行，非逼你再说，让你跪瓷瓦子，不给吃不给喝，下大雪，衣衫单薄，你给我扫雪去……

曹雪芹会写，在那情景下，王熙凤的良心发现，写到一个生命内心最深处的痛切愧悔，那种对人生滋味的复杂感觉。那一段文字，对读者肯定形成强大的冲击力，能引发出读者对人道、人性的深切慬悟，在曹雪芹的第九十一回至九十九回这个情节单元里，会出现王熙凤扫雪拾玉的情节。这是以前研究者比较少，甚至于根本没有触及的一个内容，是我现在竭诚为大家奉献的比较独家的一个探佚成果。

有红迷朋友说，王熙凤作为《金陵十二钗正册》的一钗，那当然是能理解的，但是她女儿巧姐，故事里面她年龄很小，也没有很多的情节，怎么也是《金陵十二钗正册》当中的一钗呢？我想，曹雪芹是为了体现对贾氏家族薄命女子的一个立体的全方位的扫描。《金陵十二钗正册》里有已经嫁人成了媳妇的，比如李纨、王熙凤，甚至有入宫到了皇帝身边的贾元春，那么也有跟她们平辈的，一些没有来得及出嫁或者出嫁比较晚的小姐，同时呢，也要安排进比她们矮一辈的家族成员。秦可卿按她嫁给贾蓉来算的话，辈分矮一级，巧姐跟她一个辈分。但秦可卿

太神秘，辈分感不鲜明，那么把巧姐安排进去，就使得《金陵十二钗正册》的
阵容更加立体化，有利于深化"万艳同悲""千红一哭"的悲剧效应。而且巧姐
这个人物的命运，也寄托着曹雪芹他很多的感慨。王熙凤千不对、万不对，但是
刘姥姥到荣国府来，作为一个穷亲戚——其实根本不是正经亲戚，很牵强的一种
联宗关系——来求她救济，她善待了刘姥姥，那么善有善报，最后刘姥姥就解救
了困厄当中的巧姐。

　　巧姐最终应该是一个什么结局呢？应该是嫁给了刘姥姥的外孙子板儿，这在
书里面是有很明确的伏笔的。有人相信高鹗的写法，高鹗是说巧姐后来嫁给了刘
姥姥所住的农村的一个姓周的富户，这是不对的。前八十回写刘姥姥第二次到荣
国府去，贾母带着她游览大观园，到了贾探春的居所，探春屋里大瓷盘里有佛手，
板儿要了一个大佛手玩。佛手跟柚子在植物学上是亲戚，是同一种植物的不同变
种。柚子长得圆圆的，佛手它底下有一个圆托，上面伸出好多手指头似的分支。
柚子剥开皮可以吃它的果肉，佛手一般来说不能吃，如果要吃就把嫩佛手切成片
制成蜜钱。那么书里面很具体地写到，巧姐——当时应该还没有这个名字，这名
字恰恰是刘姥姥后来给她取的，当时她只叫大姐儿——看见板儿手里拿着佛手，
她就要这个佛手，开头板儿还不愿意给，后来经过大人协调，香橼——柚子又叫
香橼，也可以写成香圆——就换到了板儿手里，佛手就换到了大姐儿手里。板儿
开头不乐意，后来一看这柚子能当球踢，因为他是男孩，又很高兴。

　　这样一些描写，分明是一个伏笔。脂砚斋的批语，在这个地方也点破了，说"小
儿长情，遂成千里伏线"。就是告诉你最后他们俩结为夫妻了。为什么呢？因为"柚
子，即今香圆之属也，应与缘通"，就是香缘，意味着有一个姻缘在里面。"佛手者，
正指迷津者也。"佛手好像手指头似的，但是不是人的手，是神佛的手，所以叫佛手，
佛手起什么作用呢？指迷津，你的生命陷于迷途中，它能起到指点你把路走通的
解救作用。

　　当贾府崩溃，巧姐作为未成年家属，允许亲戚领走的时候，她的舅舅王仁，
就来把她领出，但并不是要抚养她，而是把她卖到妓院去了。解救巧姐，涉及到
贾芸"仗义探庵"、妙玉在庵里佛手指向处，留下一包银子，以及刘姥姥带着板
儿及时赶到，用那包银子将巧姐赎离火坑，等等情节。刘姥姥将巧姐带回自己家中，
最后她嫁给了板儿。这才是曹雪芹八十回后的真故事。高鹗写她嫁给了周姓地主，

是不符合曹雪芹原笔愿意的。

　　高鹗为照应第五回关于巧姐的判词里"狠舅奸兄"的提法，把王熙凤的胞兄王仁设定为"狠舅"，这是对的，王仁这个名字谐音"忘仁"，过去把"仁义礼智信"作为封建道德的基本组成，第一个就是"仁"，那么这个舅舅对自己妹妹的女儿，狠心往火坑里卖，当然是"忘仁"；但是高鹗把"奸兄"设定为贾芸，还有贾蔷，可就大错特错了！这两个人根本不是曹雪芹后八十回里面所写到的"奸兄"，那么这个"奸兄"是谁呢？有人一定会很感兴趣，应该告诉我"奸兄"是谁，可是又会皱眉头，为什么呢？你不是预告讲完王熙凤、巧姐，你要讲李纨吗？你怎么横生枝杈呢？我没有横生枝杈，要闹清楚对这个巧姐下毒手的"奸兄"是谁，就必须要从对李纨的分析说起。请期待我下一讲。

第十讲
第九十一回至第九十九回之谜[3]

李纨之谜

　　过去有一种说法，认为《金陵十二钗正册》里有一钗堪称完美，哪一钗呢？
李纨。如果你像脂砚斋一样通读过曹雪芹的全本《红楼梦》，就知道绝非如此。
即便你读的是通行本，如果你仔细推敲第五回里面，关于李纨的判词和她那支曲，
你也应该怀疑高鹗后面所写的那些情节是否对头。高鹗后来就没怎么写李纨了，
确实给人一种感觉，李纨这个人完美无缺。

　　第五回里，通过判词和关于李纨的《晚韶华》曲，曹雪芹其实已经告诉你，
李纨不仅不完美，而且，问题还不小。在关于李纨的判词里面有两句，叫做"如
冰水好空相妒，枉与他人作笑谈"。你细琢磨一下，这难道是赞美吗？特别是最
后一句。李纨的结局比较好，儿子贾兰后来中了科举考试的武举，当了高官，她
成了诰命夫人，但是，却被判定为"枉与他人作笑谈"。别人对她并不佩服，并
不羡慕，反而去讥笑，这是为什么？难道"他人"形成的舆论毫无道理，都是对
她的误解和污蔑？我引的两句判词，前面一句历来聚讼纷纭，解释不清，什么叫
做"如冰水好空相妒"？其实这句话不难理解，就是在八十回后，会写到贾氏宗
族最后是忽喇喇大厦倾，府里面各人的命运，就出现了分流。本来他们都是一个
池子里的水，但是有的呢，就被冻成了冰，也有的呢，居然还以水的姿态存在，
还可以自由流动，所以冰和水之间，虽然本来是同质，但是遭逢变故之后呢，生
存状态却大相径庭，互相之间产生了隔阂，甚至于冰就会来嫉妒这个水，这个水
也就不去顾那个冰了。

　　一定会有红迷朋友皱眉头问了：你前面讲了半天，给我明确了一点，就是说

皇帝如果打击这家人的话，那么不仅那个贵族官员本身会失去自由，"冻成冰块"，包括这个罪者的正妻、侧室、儿子儿媳妇、公子小姐，以及所有的这些府里面的男女仆役，都要面临一样的或打、或杀、或卖的命运。如果书里的荣宁两府彻底崩溃，李纨她凭什么就能例外不受打击，还是"好水"，拥有自由呢？

这就必须探讨李纨这个角色的原型。

李纨这个角色应该是有原型的，当然，从原型到书里面的艺术形象，作者进行了特别多的艺术加工。甚至于就辈分来说，都把她降低了一辈来写。怎么回事呢？咱们先说生活当中的情况。

曹雪芹他们家，在康熙朝，他的祖父曹寅，继承他曾祖父曹玺的衣钵，担任江宁织造。曹寅的母亲曾是康熙的教养嬷嬷，康熙和曹寅可以算是发小，康熙非常宠信曹寅。但是曹寅后来得疟疾，要死了，消息传到京城以后，康熙急得不得了，就派驿马，马不停蹄地给他送金鸡纳霜，当时皇宫里面有这种稀罕的特效药，但是呢，曹寅这个人没有运气，驿马赶到的时候，他已经死掉了。按说他死了，朝廷派另外一个人来做江宁织造不就结了吗？康熙以前，顺治时期，皇家定下的原则，像江宁织造这种职务是不能世袭的。可康熙皇帝他既然做了皇帝，他喜欢曹寅，他可以破先皇的规矩，还让曹家的人当织造，于是就任命曹寅的儿子曹颙，继续担任江宁织造。曹颙当了江宁织造以后呢，康熙很满意，没想到的是，曹颙没当几年江宁织造，他又死了。曹寅再没有亲儿子了。康熙宠爱曹家达到什么地步呢？他还要让曹家继承江宁织造这个职位，就命令苏州织造李煦，帮他从曹寅的侄子里，挑一个素质好的，过继给曹寅的未亡人李氏——这个李氏就是李煦的妹妹——来做儿子，继承这个家业，继续当江宁织造，这个过继给李氏的儿子，就是曹頫。

前面讲座里我多次告诉你，李氏，是书里面贾母这个艺术形象的原型。

你想一想，曹寅死了，李氏成了一个寡妇，曹寅和李氏他们的儿子曹颙又死了，曹颙的妻子也就成为寡妇。曹颙的这个妻子姓马，称马氏。这位马氏，她的命运非常凄惨，本来她住在江宁织造府的主建筑群的正堂里面，她是织造夫人，可是她丈夫死了，皇帝任命了另外一个姓曹的人，带着他的妻子到这儿来当江宁织造了，她就得从正房当中挪出去，失去了江宁织造夫人的身份。曹頫的夫人，取代她成为了织造夫人了。对于她来说，这真是一个尴尬的局面。

现在还可以从清宫老档案里查到，曹頫刚上任，就给康熙皇帝写了奏折，其中说到了他嫂子马氏的情况，汇报说马氏已经怀孕了，哥哥曹颙虽然死了，但是马氏会生下一个遗腹婴儿，要是一个男孩的话，我这个哥哥也就有后人了。但是在后续的奏折里，曹頫继续给康熙请安，汇报请示，却没有关于马氏生育的任何信息。康熙也继续在曹頫的奏折上写批复，也没见他问起曹颙遗孀生育的情况。因此，马氏究竟生没生孩子，生的男孩女孩，生产情况如何，生下了以后怎么样，就都不清楚了。那个时候，没有必要把涉及马氏生育的文档销毁、藏匿，这算得什么机密？又丝毫不会影响朝政。因此可以推测出来，这个马氏非常不幸，她要么就是流产了，要么就是她生的只是一个女儿，要么就是她虽然生了一个儿子，儿子也没有养大。她寡妇失业，非常可怜。当然，根据过去封建社会的游戏规则，她为了延续曹颙这一支，她也还可以从别的地方去领养一个男孩，作为自己的儿子，母子互相扶持，去走自己的人生道路，但她的那个过继子，名分上虽然也算是李氏的一个孙子，却完全没有了血缘关系，至于曹頫，那只是他一个叔叔，对于他来说，叔叔婶婶以及他们的子女，跟他并非一家子，他们之间的关系是"各家门，另家户"。听明白了吧，真实的生活当中，会有这样的情况。

在《红楼梦》的小说文本里面呢，李纨这个角色，她比王夫人矮了一辈，把她设定为贾政和王夫人大儿子的媳妇，这个大儿子叫贾珠，小说一开始，故事还没展开呢，就告诉你这个人死掉了，出现一个寡妇，就是李纨。

我们如果细想一下，就会发现书里面对于李纨这个角色的定位和描写，不符合当时社会的伦理秩序。如果李纨她确实是贾政和王夫人的大儿子的媳妇，那么大家想一想，这个府里面的事务，如果王夫人管家忙不过来，她要托付给一个可靠的人来管这个家，她应该交给谁？她就应该交给李纨。而李纨不用她婆婆说话，自己就应该挺身而出，涉外的事情她不用管，但是公子、小姐的生活，丫头、婆子的人力分配，整个府里面内务这一摊，她应该当仁不让地加以承担。可是书里面一开始呢，就告诉我们一个很怪的现象，她像槁木死灰一样，对整个家族的事情不闻不问。整个荣国府的管理权落在谁手里呢？落在旁系，落在贾赦的儿子、儿媳妇，实际上就落在那个儿媳妇，就是王熙凤的手里。但是呢，王熙凤并不以为自己篡了谁的权，而李纨自己，也并不觉得别人占了她的位，从书里描写上看，就人论人、就事论事的话，这是很奇怪的。

第四十五回，写李纨跟王熙凤两个人对话，王熙凤突然说起来府里每个人月银的数目。那么就出现一个惊心动魄的数字。细心的读者会注意到，李纨所领的月银是二十两，比王熙凤多四倍，比宝玉及其他平辈小姐们多十倍。跟谁相等呢？跟贾母和王夫人相等。就书论书，就书里面的事论事，这个情节设计是不合理的。你一个儿媳妇，一个寡妇，你在经济上的待遇，怎么能跟府里面的府主，跟你婆婆，跟你太婆画等号呢？没有道理。而且王熙凤还说，除了这份月银以外，她还有园子地，地租归己；荣国府在外地的庄园，每年来缴纳地租，会有银钱也会有实物，分配时会按级别有多有少，叫年例——书里没直接描写荣国府分年例的情况，但是非常细腻地描写了宁国府贾珍收年租分年例的情形——王熙凤进一步指出，李纨领的年例，是上上份儿，也就是最高一档，应该也是跟王夫人、贾母齐肩。可见她享受的待遇是很特别的，她和贾兰的生活是很特殊的。曹雪芹写李纨在荣国府的经济地位，他怎么会写成这个样子？

你现在想一想，刚才我讲到的，真实生活当中那个情况，再想想书里面的有关描写，把二者重叠起来，相合之处是不是颇多？因此我的结论就是，如果不能说李纨的原型就是马氏的话，那起码李纨的身上，有马氏的影子，很深的影子。如果你把这个李纨想象成马氏，就一通百通。怎么叫一通百通啊？江宁织造府来了新的府主带着夫人，你搬到旁边去了，但是你的待遇能够削减吗？你原来是夫人的待遇，你丈夫死了，所以你才失去织造夫人的地位，你又没犯什么法、有什么错，皇帝还对你死去的丈夫给予很高的评价，表达很深切的惋惜，虽然任命了新的江宁织造带着夫人来了，你让到旁边了，你待遇不能变，听明白了吗？那么在这种情况下，生活当中李氏还在，她有了新的儿子、儿媳妇了，而且是皇帝指定的，那么这个新来的儿媳妇，书里与之相对应就是王夫人，她来管理家庭事务，她把自己的外侄女找来，支撑自己这个家庭，你马氏没话说，你退出管理层了，只是待遇不变。所以这样一考察，就会感觉到，曹雪芹他在塑造李纨这个人物的时候，他心中是有一个原型的，这个原型就应该是马氏，他只是把她的辈分降低了一辈来写。

通过文本细读，还可以找到更有力的佐证。第二十二回，有一笔就更意味深长了。第二十二回写元宵节，荣国府举行家宴，还制灯谜，非常热闹。这是一个最讲究家庭团聚的节日。贾政王夫人主持家宴，贾母是母亲，当然在座，宝玉、贾环是儿子，也不能少，迎、探、惜三春，迎春和惜春虽然不是贾政的亲女儿，但是一直养育在荣国府里，林黛玉是贾母的亲外孙女，父母双亡了，寄养到舅舅舅母家，这几位小姐当然都在，李纨呢，书里面设定她是贾政王夫人的儿媳妇，当然到场。可是，有一个人物不在，谁不在啊？贾兰不在。

第二十二回写成这个样子，按说写得不对头啊。不要说书里荣国府那样的贵族府第，一定讲究规矩，小家小户也讲究规矩，是不是啊？一家团圆，围桌吃元宵，你怎么能不来呢？书里面的描写实在古怪，说贾政忽然发现兰哥儿不在，问怎么不来？李纨跟男眷不能在一个空间，在另外一个空间里面，闻声站起来，表示尊重，她就回答，注意，书里写李纨她是笑着回答，说因为他说老爷没叫他来，所以他没来。这怎么回事？如果没有生活原型，一个虚构的小说，写一个封建大家庭，你不能这样写，太离谱了！按书里设计的人物关系，贾兰是贾政的什么啊？是亲孙子呀，而且贾兰是不懂事的小孩吗？不是，贾兰那时候已经读书了，知书达理了，可是祖父祖母主持元宵家宴，他却不主动出席，说没特别地叫他，他就不来。为什么写成这样？

我觉得就是因为曹雪芹在写这个场景的时候，他是根据生活当中的真实情况来写的。在真实的生活当中，大家想一想，如果马氏她没有生下曹颙的那个遗腹子，或者生下了以后夭折了，她抱养了一个儿子，这个儿子跟她来说是亲母子关系，可是跟那个曹颙来说，有没有血缘关系啊？没有血缘关系，曹颙只是他名义上的叔叔，叔叔家进行元宵的团聚，你没叫我，我就不去，是不是顺理成章啊？各家门另家户，咱不是一家子啊。有人也许会问，马氏儿子都不主动去，马氏为什么要去？如果只是曹颙和曹颙的夫人他们举行家宴，如果上层婆婆死掉了，她也可以不去，你明白吗？你们是另外一家人。但是李氏这个婆婆还在，你丈夫死了，你婆婆还在，你要不要去啊？必须去。她去，也没让儿子跟着去。

为什么书里写贾政询问贾兰怎么没去的时候，李纨一点不紧张啊？她答话时还笑。按书里的人物设计，李纨父亲是国子监祭酒，她应该特别懂礼，公公问孙子怎么没来，应该惶恐万分，怎么搞的啊，不懂礼法，我教育失责啊！但是呢，书里写她笑着回话，意态十分轻松。为什么？就是因为在真实的生活当中，如果遇到这个情况，马氏就可以笑着说话，当然话语会非常委婉，但传递的信息一定非常明确：我儿子不是你们家的成员，你请他就来，你不请他就不来。当然小说里后来写到，在场的人们都说这个兰哥儿真是牛心古怪，就派贾环带人去把贾兰请过来了，贾兰来了，贾母、贾政表现出都很喜欢他。这段古怪的情节，就在许多读者不经意的阅读中，流淌过去了。

书里的这些"假语"，所隐藏的"真事"，就是在曹家，马氏和曹頫及他的夫人不是一回事，曹頫出了问题，他的夫人一定受牵连，但是马氏可以除外。

雍正夺取了王位之后，他对曹頫，没有马上罢官治罪，把他交给怡亲王看管，实际上是政治上被重点监视了。那个阶段，无论曹頫如何在奏折上讨好雍正，雍正的批语都非常严厉冷酷。到了雍正六年，才借"骚扰驿站"的罪名，抄没曹頫家产，将他逮京治罪。雍正打击曹頫，是分两波进行的。书里面写荣国府贾政的垮台，也写成皇帝分两次给予打击，第一波还留有点余地，第二波那就毫不客气，忽喇喇大厦倾了。

雍正在处置曹頫的时候，特别下旨意，让负责抄家的官员隋赫德在把曹頫押解到北京以后，拨出少量住房，安置其家属。有专家考证出，当时所拨的那所有十七间半房屋的院落，就在现在北京蒜市口那里。所谓曹頫的家属，主要是指两位寡妇，一位是曹寅的未亡人李氏，一位是曹顒的遗孀马氏。对于曹頫的妻子儿女，雍正不可能有什么怜恤照顾之心，但是李、马二位寡妇，其亡夫都是先皇康熙宠信的。曹寅不消说了，康熙对他情同手足。对于曹顒，他死掉后，康熙对内务府大臣们说："曹顒自幼看其成长，此子甚可惜！朕在差使内务府包衣之内，无一人及得。查其可以办事，亦能执笔编撰，是有文武才的人，在织造任上极细心谨慎……"这些至高的评价都记载在清宫内务府档案里，一直保留到今天。

雍正下手打击曹頫，他是可以毫无顾忌的，因为康熙后来对接任曹顒的曹頫，并不欣赏，在康熙朝留下来的档案里，没有留下什么康熙对曹頫褒奖的话，附带说一下，康熙晚年对原来宠信的李煦，也多有批评，甚至流露出厌弃情绪。但是雍正登基时宣布的所谓先皇遗嘱里，强调"皇四子人品贵重，深肖朕躬"，也就是康熙在那么多的儿子里，单觉得第四个儿子，即胤禛，各方面最像他，因此自己驾崩后，继位者非四阿哥莫属。不管这个遗嘱是真是假，胤禛成为雍正皇帝以后，他得拿出一个姿态，就是我确实是父王所有儿子当中最像他的一个，我处处遵照父王的意思来做事。那么他的父王对曹寅那么好，他能够对曹寅的未亡人——即使她是已经被他惩治的李煦的妹妹——完全翻脸绝情吗？他是不能的。康熙对曹顒有非常正面的评价，而且记载下来，他对曹顒的遗孀马氏，能跟曹頫一锅煮吗？

他不能。到了乾隆朝，因为曹家牵连进"弘皙逆案"，被乾隆灭了，那时候李氏应该死掉了，但马氏还活着，乾隆也不必把她，以及她抱养的儿子，跟曹𫖯及曹家其他人一起处置，她和她的儿子不但可以幸免，还可能获得比较好的前景。

历史上的真实情况既然如此，曹雪芹他以马氏为原型来写李纨，在书里虽然把这位寡妇降了一辈，他写成在家族遭遇皇帝打击的时候，这位寡妇却可以例外获得恩免，书里面的贾政等等都成了冰了，但是呢，李纨跟贾兰还是水，还有自由，还能升腾，也就顺理成章了。

当然，曹雪芹写这部《红楼梦》，他对"真事"素材的运用，是非常灵活的。他笔下所写的贾宝玉所经历的贾家生活，如果跟真实生活中的曹家情况相对应的话，应该已经是乾隆朝初期，那时曹𫖯在乾隆实行怀柔政策的政治情势下，已经又回到内务府当差，到乾隆四年，康熙朝废太子的长子——康熙的爱孙弘皙——与一些其他贵族谋反，史称"弘皙逆案"，乾隆干脆利落地平息了这场政治风波，曹𫖯受到牵连，曹家才彻底灰飞烟灭，由于事后乾隆销毁大部分"弘皙逆案"的档案，以至那以后曹寅子孙的生命轨迹，全都模糊不清，乃至成为一片空白。曹雪芹在《红楼梦》里，是把康雍乾三朝压缩到一起来写，对曹家在三朝里由极盛到湮灭的种种"真事"，也压缩到特殊的"假语"系统里，使文本呈现出迷离扑朔而又大可考据的状态。

《红楼梦》第七十六回，妙玉在林黛玉和史湘云的联诗后面，一气呵成续出二十六句，前面十八句暗示出荣国府的衰败，但接下来两句是"钟鸣拢翠寺，鸡唱稻香村"，这两句就生动地写出在整个贾府被皇帝打击之后，荣国府及其大观园的其他部位都是非正常状态了，却有两处例外，一个就是拢翠庵，依旧晨钟阵阵，一个就是稻香村，仍旧鸡鸣不止。

拢翠庵为什么还可以那样呢？因为妙玉不是贾氏家族的成员，当然她会被查，前面有伏笔，当时请她来是下过帖子的，这个帖子肯定被抄出来了，因此得查清楚，究竟是怎么回事？但毕竟那时候是皇帝恩准贾元春省亲的，拢翠庵是为省亲过程里必须要有的行佛事这个环节而建造的，妙玉是以主持佛事这样一个堂皇的理由下帖子请来的，负责查抄的忠顺王就是对妙玉收藏的古玩名瓷乃至她本人垂涎，一时也不好关闭拢翠庵将她牵连到贾政的案子里去。李纨和她的儿子贾兰幸存，根据我前面的分析，你应该理解其缘由了。

当然小说里不会写是因为太上皇帝肯定过贾珠，所以查抄荣国府才不动她，很可能是写到皇帝认为她尽心守节，又与贾政的罪行无关，网开一面，荣国府包括大观园抄个底儿朝天，独许稻香村保留原样，允准李纨带着贾兰且在那里居住，以后再迁出去置房另过。

前八十回里已经透露出来，尽管李纨确实有不少优点，对弟妹们很慈爱，对下人比较宽厚，她也会写点诗，品味也不算俗，但是一涉及到花钱，她就很谨慎，甚至可以说相当吝啬。她之所以去跟王熙凤对话，引出王熙凤关于她月银二十两的訾议，就是因为王熙凤觉得，作为大嫂子，领着弟弟妹妹们玩玩，成立个诗社，十天半月聚会一次，能用掉几两银子，你都舍不得出，你还来问我要银子？王熙凤表达这些意思当然都以开玩笑的口气，可是玩笑话里面也有真意见。李纨在经济上她是很算计的。

她为什么要算计？大家想想生活当中的那个马氏，她能不算计吗？她必须得算计，她得给自己留后路，不要说这个家庭遭受打击时她得有后路，不遭受打击，曹頫继续当江宁织造，她也得留后路，因为她之所以留在那个织造府里，是因为婆婆李氏还在，李氏活一天，她作为大儿媳妇就得在那个空间里侍候婆婆一天，李氏死了，她就没有道理总住在弟弟弟媳妇家里了，她就应该挪出去住，到那个时候，她手里没有充裕的银子，怎么应付以后的生活？她必须第一，努力培养自己的儿子，让他将来通过科举考试谋取官职；第二，积谷防饥，多多益善。曹雪芹既然是参照马氏的情况来塑造李纨这个形象，在前八十回里就透露出她的吝啬，是可以理解的。

八十回后，在我现在所讲到的，九十一回至九十九回这个情节单元里，荣国府遭遇皇帝的第二波打击，巧姐因为未成年，允许近亲把她领走，她的狠舅王仁，把她接出去以后，居然就把她带到妓院，应该就是前面写到的妓女云儿所在的锦香院，卖给鸨母。当时妓院是会买未成年的小姑娘的，买来先让你干杂活，养大了就逼你接客，那是惨无人道的。刘姥姥和板儿进城，发现这个情况，追踪到妓院要救巧姐，鸨母就要他们交纳赎金，他们哪里有那么一大笔银子呢？他们遇到了贾芸和小红。

贾芸和小红早就离开荣国府在社会上自立了。于是一起商量，自然就形成一个思路，就是在这危机时刻，可以去找李纨贾兰，他们手里有银子啊，巧姐是李纨的堂侄女、贾兰的堂妹，大家一直在荣国府里生活，至亲啊，难道还会不拿出银子来吗？但是万没想到，贾芸贿赂看守荣国府的，属于忠顺王指挥的兵丁，混入里面，潜进大观园，摸到稻香村，见到李纨和贾兰，可能开头李纨对巧姐落入火坑也表怜惜，但是贾芸提出拿银子赎取，李纨就不言声了，贾兰就表现得非常不像样子，甚至会说，她亲舅舅做的事，我们管不着，心非常之狠，母子二人见死不救、一毛不拔。贾芸苦苦哀求，竟仍不能软化李纨贾兰之心，贾兰为了让贾芸快些离开，会拿出几张票据，说现银实实没有，这几张你且拿去兑了用吧。贾芸拿去后发现，根本是死票，兑不了现的。因此，贾兰堪与王仁配对，一个是狠舅，一个是奸兄。这才是曹雪芹笔下，八十回后的真故事。

高鹗他怎么写的呢？八十回后，没有李纨、贾兰与巧姐相关的情节，小红简直写丢了，他竟把"奸兄"写成是贾芸，真是颠倒黑白！在前八十回里，贾芸在曹雪芹笔下是一个很有志气的人，脂砚斋有很多评语，给予他高度评价，脂砚斋是看完全本的，在批语里透露贾芸联合刘姥姥、板儿，把巧姐赎了出来，由刘姥姥把她带回农村，最后嫁给板儿为妻。高鹗笔下那样去写贾芸，说他不符合曹雪芹原笔原意都太客气了，他简直是倒行逆施，荒谬绝伦。

高鹗不仅丑化污蔑贾芸，把贾蔷也拉扯进去，充作与贾芸沆瀣一气的"奸兄"，也很离谱。王熙凤对贾芸有恩，对贾蔷非常依赖。前面那段"风月宝鉴"的故事里，谁是王熙凤的帮手？贾蓉和贾蔷。而且书里面有关于贾蔷的正面描写，他和龄官之间，本来是戏班班主和戏子，或者说是贵族公子和卑贱优伶之间的不平等关系，他可能一开头对龄官是玩弄女性，到最后他动真情了，他跟龄官之间产生了人格平等基础上的纯真爱情，贾宝玉目睹后就产生出哲理性的憬悟。在曹雪芹笔下，八十回后的真故事里，贾蔷早把龄官接出，而且在皇帝打击到荣宁二府前，他和龄官早疏离了两府，隐姓埋名去过低调的生活。高鹗把贾蔷写得下作不堪，是毫无道理的。

回过头来，我们再仔细去读第五回里面，关于李纨的那首《晚韶华》曲里的句子："虽说是，人生莫受老来贫，也须要阴骘积儿孙。"心里就该洞若观火般豁亮了。这是很沉重的批判语言啊！很多读者读的时候不仔细，不去掂量这两句话的分量。李纨哪里是一个完美无缺的人？曹雪芹在第五回对她的设定也好，他写完的全本里对她的描写也好，哪里是从头到尾肯定她？他后面要严厉地批判李纨人性的阴暗一面。这两句什么意思啊？就是这个李纨，她积谷防饥，本来这是可以理解，因为她得考虑到她老了怎么办，"虽说是，人生莫受老来贫"嘛，可是事到临头，你亲戚巧姐陷在窑子里面了，就要被毁掉了，救人急难，也没有要求你把全部的积蓄拿出来，你拿个大头，小头大家凑一凑，赶紧去把巧姐赎出来要紧啊！你积点德行不行？就算你自个不用再积德了，你给你儿孙积积德行不行？"也须要阴骘积儿孙"，就是对她的狠狠批判。"阴骘"是过去的迷信话，就是你要在阴间，在那儿存下你的积蓄，这个积蓄不是金钱，是你的善行，可能你自己这辈子用不着那个积蓄，但是为你儿孙想想吧，那份积蓄，在他们必要时可以支取。但是在八十回后，在九十一回到九十九回这个情节单元里面，会出现一个惊心动魄的情节，一直以温柔宽厚面目示人的李纨，在人生这样一个非常重要的关节点上，她不愿意拿出钱来救人，她装聋作哑，一毛不拔，就由她的儿子贾兰出面，设下奸计，把来求援的人给骗走了，巧姐就险些真成窑姐了。你说这积德不积德？您不积阳德，您积点阴德行不行？确实应该给予严厉的批判。

所以你看曹雪芹写人物，他非常全面地来写，不是单一的笔调。我曾经说过，有的人物，比如邢夫人、赵姨娘，曹雪芹好像写得比较平面化，对她们的否定好像流露在字里行间，现在我做文本细读，就发现实际对邢夫人也好，对赵姨娘也好，他也有对她们的心灵另一面的某些笔触，让读者体味到她们也有她们的苦处，也有值得给予理解和谅解的因素。有人觉得李纨是一个善良到底的人物，那么现在呢，我告诉你，在八十回后，李纨将会呈现出她人性中致命的弱点，乃至阴暗一面。

曹雪芹在前八十回里就写到，李纨含辛茹苦地培养贾兰。包括第二十六回里，写宝玉在大观园里面转悠，忽然发现贾兰拿着小弓追什么啊？追梅花鹿。宝玉说你这是干吗呢？他说我演习骑射呢。什么叫演习骑射，在清朝，科举考试不但有文举，还有武举，考武举是要考骑射的。贾兰在李纨培养下——书里面说他们是亲母子，生活当中的原型可能是养母和养子——不但能作八股文，写诗词，而且习武水平也不断提高。曹雪芹在前面明确写出，贾宝玉对习文练武热衷科举非常厌恶，贾兰追鹿说是演习骑射，宝玉的回应是：把牙栽了，那时才不演呢！可是高鹗却专门写了半回"博庭欢宝玉赞孤儿"，抹杀宝玉、贾兰人生追求方面的重大分野。

在八十回后，曹雪芹会写到李纨带着贾兰迁出荣国府稻香村另立门户以后，贾兰果然科举考中，当了高官，应该是武官，"威赫赫爵禄高登"，李纨也就成了诰命夫人，"带珠冠、披凤袄"，但刚穿上诰命夫人的衣冠，就喜极而亡，"也抵不了无常性命"。四大家族那些还幸存的人们，以及知道李纨曾不积阴骘不愿舍银赎救巧姐的人们，就都对她的乐极生悲产生快意，她到头来竟"枉与他人作笑谈"了。

到此为止，我就把这个《金陵十二钗正册》当中的十二钗，通过梳理八十回后的真故事，全都点到了。但是，八十回后的真故事还要继续往下讲。那么，在贾府被彻底摧毁以后，我多次引用脂砚斋的批语告诉你，有一个重场戏，它发生的空间是在狱神庙里，出场人物有王熙凤，有贾宝玉，这不稀奇，因为通过前面讲述知道，他们都是罪家的成员，那么还有茜雪，还有小红，这究竟是怎么回事呢？什么叫做狱神庙？在狱神庙里会发生一些什么故事？曹雪芹会写到些什么？请听我下一讲。

第十一讲
第一百回至第一百零八回之谜[1]

狱神庙之谜

上一讲最后，我说在曹雪芹的全本《红楼梦》第一百回到一百零八回这个情节单元，会有狱神庙的故事。我的根据是什么？

脂砚斋和畸笏叟是编辑过曹雪芹的全本《红楼梦》的，不光是看过，还誊抄、编辑过。脂砚斋和畸笏叟，有专家考证出，实际是同一个人在两段不同时期里的不同署名，这个观点可供参考。无论脂砚斋和畸笏叟是一是二，肯定是和曹雪芹关系很亲密的人，看过曹雪芹的全本《红楼梦》，一边整理书稿，一边写下批语。第二十回，写宝玉厌恶的奶妈李嬷嬷到了他的住处，唠唠叨叨排揎屋里的丫头们，顺嘴提起茜雪被撵一事，在这个地方，有条署名畸笏叟的批语："茜雪至狱神庙方呈正文。"

前面有一个角色叫茜雪，她的戏不多，有一次出现很多读者都忽略了，第七回，宝玉和黛玉在一块玩，这时候听到一个消息，说宝钗身上不大好，宝玉并不愿意亲自去看望宝钗，就打发一个丫头去问候一下，所打发的这个丫头，就是茜雪。到第八回，茜雪惹出一场风波，叫"枫露茶风波"，我在前面讲座里讲过，在这儿不展开了。宝玉当时喝醉了，大发脾气，嘴里就嚷，撵出去撵出去，他其实心里想的是要撵他的奶妈李嬷嬷，但是，他撒气是冲着茜雪，他把茶盅子摔了，茶溅到茜雪的裙子上了，这个响动比较大，因为当时宝玉和黛玉是跟着贾母住，在一个大空间里面，贾母听见这噪音就不高兴，就问怎么回事。往后读我们就发现，最后果然撵人了，被撵的不是李嬷嬷，反而是茜雪，茜雪很冤屈，她没做错什么事，就被撵出去了。

前八十回里，"枫露茶风波"后，有几处通过别的人提到茜雪被撵，但她再没有出现。有些读者就以为茜雪的戏结束了，以为她只是随便那么一写，写完随便那么一丢的过场杂角。但是畸笏叟整理过八十回后书稿，深知曹雪芹的精妙构思，就写下这条批语，提醒说，前面写到提到茜雪，都不是关于她的"正文"，她的"正文"将在狱神庙那一回呈现。

曹雪芹的《红楼梦》的写法就是这样的，很有趣，很多角色平常都是配角，会有相关的文字，但都不算"正文"；处在舞台前面的、聚光灯圈着的，可能是宝玉、黛玉、宝钗、湘云，其他人物只是后面的陪衬。比如说迎春、惜春都是这样。但是到了某一回，这个做陪衬的配角，就有可能一下子提升为主角，在那一回里面，对这个人物给予重点描写，像迎春，别的段落里她都只是配角，就算给她一个用花针穿茉莉花的特写镜头，戏份不多，但是到第七十三回，曹雪芹用半回书写"懦小姐不问累金凤"，那一回她就成为一个大主角了，如果改编成戏曲折子戏，扮演她的演员一定会挂头牌。惜春也是这样，前面戏份清淡，但是到第七十四回，抄检大观园之后，她"矢孤介杜绝宁国府"，成为那场戏的中心人物。第七十三回里迎春"呈正文"，第七十四回里惜春"呈正文"，那么茜雪会在八十回后的某一回"呈正文"。在高鹗的续书里，没有这样的"正文"，既没有狱神庙，也没有茜雪出现。

畸笏叟在第二十回的批语还很明确地告诉我们，茜雪在狱神庙干什么呢？她"慰宝玉"，慰问入狱的宝玉去了。那么这部分文字现在还有没有呢？很遗憾，不要说现在我们找不着，畸笏叟自己就已经找不到了。批语说："余只见有一次誊清时，与狱神庙慰宝玉等五六稿，被借阅者迷失，叹叹！"到第二十六回，畸笏叟又有一条批语："狱神庙有茜雪、红玉一大回文字，惜迷失无稿，叹叹！"透露出来，在狱神庙那段故事里，不仅有茜雪，红玉也会出现。红玉，就是林红玉，荣国府大管家林之孝的女儿，因为她跟黛玉同姓，名字里又重着宝玉的玉，有点讨主子嫌，后来简称小红。究竟怎么回事呢？很神秘。

那么，曹雪芹的全本《红楼梦》后面，有关于狱神庙的情节，能不能探佚出来呢？是可以的。当然，首先要弄清楚，什么叫狱神庙啊？这庙名挺新鲜的，难道监狱里会有庙？庙里会供个狱神？有人总认为小说就是统统虚构，就算曹雪芹写了个狱神庙，那也是他虚构的。

古往今来，人类写出各种各样的小说，全然没有生活依据，绝对虚构的小说文本，是有的。但我一再强调，《红楼梦》不是全然虚构的，它的文本特点，是"真事隐"后"假语存"，他写的这些故事，不光是人物，包括空间，往往都是有原型的。书里面所写到故事空间，他有模糊化的一面，却也有可以寻踪蹑迹，确切指认的例子，你如果去实地勘察，甚至今天都还能够找到。

比如书里写贾琏偷娶尤二姐，他在荣国府不远的一个院子里包二奶，就是瞒着正妻王熙凤，把尤二姐秘密包养下来了，书里写明那个包养尤二姐，而且尤老娘和尤三姐也过去一起住的院子，是在"荣宁街后二里远近小花枝巷内"。早有红学家考据出来，《红楼梦》里所写的宁国府、荣国府的位置，应该就在京城的西北部，薛宝钗在元妃省亲时题咏大观园，第一句就是"芳园筑向帝城西"嘛。宁国府在荣国府东边，其原型已很难指认，但荣国府的原型，很可能就是现在对外开放可以参观的恭王府及其花园的前身——注意，是其前身，而不是咸丰、同治、光绪年间恭亲王奕䜣时期，也不是乾隆时代和珅时期，而是康熙朝，那地方存而又废的王府——你现在去做考察，这种考察学术上叫田野考察，从恭王府再向西北，约二里远近，北京西城厂桥地区，你去转悠搜寻，就会发现有一条胡同叫花枝胡同，胡同就是巷，你跟老居民打听，他们会告诉你，清代那条胡同就是那个名字，直到今天始终保留下它的名称。就说明曹雪芹写这个故事，他是连故事发生的空间有的都是有原型的——荣国府和大观园的原型是恭王府前身，贾琏包养尤二姐那空间原型，他就连名称都没怎么改。

那么，有没有供着狱神的那样一种庙呢？是有的。北京现在因为变化很大，找不到了。但是，在全中国找一找，是可以找到的。我前几年就特意到河南南阳去，找到了狱神庙。

河南省西南部的南阳市，有一个保存得很完整的清代县衙，其建筑群至今基本上维持着清代的风貌，现在作为县衙博物馆对外开放。当地人对之很自豪，说"北有龙头，南有龙尾"，"龙头"指紫禁城，是统治全中国的皇帝居住和行使皇权的空间；皇帝为了统治这个国家，在各个地方要设很多衙门，包括各个县都有县衙，县衙作为基层政权机构，就可以比喻成"龙尾"。这个县衙保留着它附属的监狱。

我去参观监狱，一走到门口就觉得瘆人，监狱大门上有一个怪兽的形象，这个怪兽有脸无身，血盆大口里露出很大的獠牙。这个怪兽在过去是有讲头的，叫做狴犴，是传说里吃东西不吐骨头，很凶的一种猛兽，把它搁在监狱大门上头，象征着监狱的权威性和残酷性，就是给你无声的警告：你别犯法，你犯法，你就被吞进狴犴的嘴里了。

迈进狴犴下面的门以后，发现前面有一个小院子，这个院子北房是一个庙，东西厢房是当年狱卒值班的地方，然后有南墙，南墙两边有两个门，分别通往男监和女监。男监和女监之间有墙隔开。南墙那儿有一个水井，井口特别小，我当时问博物馆的人，这个水怎么打啊？他告诉我，要用特制的、特别小的桶来汲水，为什么？防止犯人被押送过程当中，想不开，去投井自杀。那井口小得即使最瘦的人，也不能把自己装进去。

监狱外院北房是一个庙堂。我走进去，正中佛龛里供着一个神像，是一个慈眉善眼的老人，很长的胡须，他右手捋着自己胡须，很有威严的样子。这个泥胎塑的是谁呢？他怎么会是一个神呢？这个人就是我们中国历史传说当中的尧、舜、禹时代，舜那个时期的一个大臣。他是中国司法制度的最早的创建者，他的名字叫做皋陶。这个陶字写出来是陶醉的陶，但是读的时候他的名字要读作"高摇"。

舜那个时期，社会生产力低下，社会物质财富很匮乏，人们也没有什么私有财产，所以也很少有什么犯罪行为。随着生产力逐步提升，一个部族所获取的东西可能就会多一些了。比如部族首领带着大家打猎，猎到一只野猪，把野猪分解了，大家分肉块，那个时候是一个很平均的社会，每人都分到一块。也可能有一个人当时他产生了贪心，把别人分的那块偷过来，被发现了。当时舜的一个叫皋陶的大臣，就想出了一个办法，偷东西不对，那怎么处置他呢？皋陶就拿着一个树枝，以那窃贼为圆心，在地上画一个圆圈，说你不能出这个圆圈，你就在这儿站着反省，对他进行惩罚。那个时候民风很淳朴，人的想法也很简单，那人就乖乖站在里头，再不敢动。这就叫"画地为牢"，那圆圈就是最早的监狱。现在如果再这么设监狱还行不行啊？不行了。随着社会生活的发展，监狱也成为很复杂的一个存在，要有栅栏，要有高墙、电网了。但是皋陶毕竟是我们中国最早的司法部长，他发明了监狱，虽然当时只是一个圆圈，但是那就是监狱的雏形，因此皋陶后来就成为监狱之神，清代的监狱里就建造了狱神庙，供奉他。

监狱里供奉皋陶，在清代有一个约定俗成的规矩，什么规矩呢？就是对犯人，审问的时候会严刑拷打，体现王法的威严和峻猛，但它也在它的制度里面，设置一个柔软的部分，就是每当初一、十五的时候，允许犯人分别到狱神庙去拜狱神，如果你觉得自己冤屈，你可以吁请狱神保佑你得到昭雪；如果你觉得自己确实有罪，你可以恳求他让你得到轻判；确认是死罪，就可以哀求皋陶，保佑自己死后能投生得好一点，下辈子别再遭罪。所以在当时，清代监狱里面设狱神庙，它起到一个润滑作用，在皇权、王法和老百姓、罪犯之间，搞一个缓冲区，来维系它固有的社会结构。

《红楼梦》八十回后，为什么会出现狱神庙呢？通过我前面的几讲你已经知道，贾府后来忽喇喇大厦倾，家亡人散各奔腾了，在当时的情况下，有两个人，他们就被关在同一所监狱里面了。当然关进的是京城某处的监狱，结构跟现在南阳县衙博物馆尚存的监狱类似，可能规模会大一些，那里面，循例也会有个狱神庙。贾府那时候其他主子都处置完了，两个被关进那所监狱待决的，一个男犯，就是贾宝玉，一个女犯，就是王熙凤。

贾宝玉为什么会被关进去呢？贾宝玉是荣国府里面的一个男主子，在故事开始的时候，他还小，元妃省亲以后，对他年龄有几次交代，才十三岁。但是好景不长，"三春去后诸芳尽"，从元妃省亲往后算，三个春天过去，到了"四春"，贾府就崩溃了，这个时候宝玉多少岁？十六岁。在当时那个社会，十六岁就是成年人，你这个府第被皇帝抄家、治罪了，不管你个人有没有具体罪行，你作为成年主子，你都要对家庭的罪行承担一部分责任，所以你是逃不掉的，宝玉就被作为一个成年的罪犯羁押投监了。

皇帝惩治这些罪家的成年男性，最严厉的当然就是凌迟、杀头、绞死，或者要你自尽，其次就是发配到边远苦寒之地，在那儿给披甲人当奴隶；还有就是可能投入监狱，长期囚禁起来；最轻的一种处置，就是查来查去你没有什么不得了的具体的罪行，又是刚刚成年的男性，那么就可能不允许你再在京城生活，或者派人解递原籍，或者勒令自行返乡。

宝玉刚到成年，与宁荣两府的那些坐实的罪行没什么关系，虽然写过歌颂姽婳将军的诗，但那是父亲驱使他写的，他并不知道姽婳将军的真相，因此他可能获得轻判，就是遣返回乡。大家知道，四大家族的原籍都是金陵，宝玉就等候终审以后，给他一个令牌——等于通行证——拿着这个，就可以走出监狱，离开北京，回到金陵原籍去设法生存。

王熙凤比宝玉惨多了。前面讲了，先是贾琏就把她给休了，让她跟平儿换一个过子，平儿就扶正当了二奶奶，她就成为通房大丫头了。这身份对抄家以后的她，也没起到什么掩护作用。按说你追究主子的责任，你追究不到我，我不是主子我只是丫头。但是你想她在荣国府称王称霸那么多年，谁不知道啊？负责去抄家的忠顺王又不是傻子。忠顺王为什么要对她把得特别紧呢？因为她长期在荣国府里管家理财。四大家族拿贾家来说财富不仅是在京城里有，在原籍有没有啊？书里有很明确的交代，原籍还有峥嵘轩峻的老宅，还有一些家人在原籍那儿看守老宅，那儿还有很多财产。忠顺王先把王熙凤关在荣国府里拷问，让她交代，除了查抄出来的，究竟还有哪些藏匿的金银珠宝？后来刨墙掘地，实在掏挖不出油水，才把她移送监狱，而下一步，就是把她押回金陵，到宁荣两府的老宅，乃至她娘家王家的老宅，去把那边的财产，逐一搜罗清理，登记注册，交割干净。

王熙凤肯定希望干脆给我重判，把我杀了，但是，前面讲过，不是你随便就可以去死，或者把你杀掉了事的，因为皇帝抄家，一般情况下都会把抄出的财物，包括整个府第，赏给派去负责抄家的那个官员，那个官员一定要设法使自己的利益达到最大化，他不允许隐瞒任何财产，甚至幻想能发现更多藏匿的财产。那么忠顺王知道宁荣两府在原籍还有房屋财产，会觉得也是大块肥肉，焉能放过。所以王熙凤和贾宝玉虽然关押在一个监狱里，一个投入女监，一个投入男监，会分别允许到前院的狱神庙拜狱神，但是两个人的前景有很大区别。贾宝玉遣返原籍后毕竟是个自由人，王熙凤被押解回去却仍是一个罪犯，押去是交代、清点老家的财产，交割完了以后，可能再被杀掉。

在南阳县衙监狱，参观了狱神庙，观察完前面那个院子，我再往里面院子去，发现无论男监还是女监，都很恐怖，里面有刑讯室，陈列的一些刑具我都不敢睁开眼睛来仔细观察，那些说明文字和附图看了几眼就不忍再往下看，对犯人的审讯，非常残酷，惨无人道。那些罪犯的囚室没有窗户，只有门，那个门跟狗洞一样，任是身材最矮小的人也得低着头进去，里面白天都是黑的，一股发霉的气味扑鼻而来，当年也就是铺点稻草，犯人睡稻草上。所以可以想见，书里的宝玉和王熙凤入狱，他们的处境就非常悲惨。

那么，曹雪芹会在狱神庙这个情节里面，写到些什么呢？他笔下的情节，会怎么往前流动呢？宝玉也好，王熙凤也好，他们到狱神庙去，应该是要错开时间的，不允许他们同时出现在一个地方，你串供怎么办呢？那不允许的。所以他们各有各的戏。

宝玉到了狱神庙里，他会拜狱神吗？也许会，更大的可能是他仍然拒绝迷信，他不相信通过拜狱神会改善他的前景。他面临遣返还乡。他过惯了公子哥儿的生活，享惯荣华富贵，回到原籍，没有家庭的庇护，没有亲情的温暖，他又缺乏独立生活的能力，前景是黯淡艰辛的。但是，过一种朴素的田园生活，对他来说，也有符合他内心追求的一面。

第十五回，写到在给秦可卿送殡的过程里，凤姐当中需要方便，把宝玉、秦钟带到一处庄院，在那里，宝玉接触到了质朴的农村生活，还见到一个村姑二姑娘，他们停留的时间很短，但离开的时候，宝玉对那跟他平日所过的豪华生活迥然相异的田园风情恋恋不舍，二姑娘再次出现时，宝玉竟恨不得下车跟了她去。宝玉到头来应该不畏惧遣返还乡。

但是宝玉能顺利地得到那个允许他动身的令牌吗？并不那么容易。宝玉也有仇家。

有的读者可能一时想不起宝玉的仇家是谁。贾环吗？贾环那时候自己也很惨了。他尚未成年，他生母赵姨娘要么被勒令自尽，要么被拿去发卖了，忠顺王允许贾氏无罪的亲戚将他领走，但是谁会去领养他呢？他就很可能被送到养生堂，给养生堂堂主当小厮去了。

贾环这时候没有能力给宝玉使坏。那么还会是谁呢？有人说前八十回里的宝玉，那是人见人爱啊。但是你仔细想想，有没有一个姓金的啊？前八十回书里，有没有一个闹学堂的情节啊？贾氏宗族有个私塾，有个跟贾母平辈的老学究叫贾代儒主持私塾。到这个私塾里面读书的，除了姓贾的本族子弟，也有一些外姓的亲戚去附读，薛蟠去附读过，当然他去是另有不雅的目的；秦钟也去附读；那么还有一个附读的叫金荣。金荣他父亲过世了，他妈被称为金寡妇。这个金寡妇可是上了回目的啊，你回忆一下，前八十回有没有一个回目，前半句是"金寡妇贪利权受辱"啊？那是第十回。《红楼梦》里几百个角色，不是每一个角色都能够上到回目上去的。有人说，他可能就是随便那么一写，临时心血来潮，就把那么个人物上了回目了。曹雪芹这个文本可不是随便一写的文本，他既然设定这个金寡妇要上回目，虽然前八十回后来就没有她和她儿子金荣的故事了，但显然这也是草蛇灰线、伏延千里，在八十回后，金寡妇和金荣会再次参与到情节发展当中来。

前八十回里，第九回写顽童大闹学堂，第十回就写到金寡妇，而且还牵出一个有趣的人物——璜大奶奶。曹雪芹的文笔真是七穿八达，玲珑剔透。金寡妇丈夫死了，可是丈夫有个妹妹，这个妹妹嫁给了贾氏宗族的一个分支的人士，叫做贾璜，这个人显然是跟贾琏、宝玉他们同属玉字辈，书里把贾璜妻子叫做璜大奶奶。璜大奶奶去看望她的寡嫂，金寡妇就跟她说起闹学堂金荣吃亏的事情。学堂里顽童打架，金荣打了秦钟，宝玉、秦钟当然不干。当时贾代儒不在学堂里面，贾代儒的孙子贾瑞来代管，贾瑞毫无管理才能，闹得一塌糊涂。宝玉有一个小厮叫茗烟，书里面后来把他又叫做焙茗，也搀和里头，仗势发威。最后贾瑞逼着金荣在宝玉和秦钟面前跪下来磕头赔礼道歉。对于金荣来说，这个是很大的仇。

事情过后，金寡妇虽然也为自己儿子抱屈，但是想来想去，能附读是不容易的，私塾里能吃现成饭，金荣跟薛蟠鬼混还能白得银子，事情过了就算了吧，这就叫"金寡妇贪利权受辱"。谁知璜大奶奶听了不依不饶，她说秦钟也无非是贾家的一个亲戚，那我们金荣也是贾家亲戚啊，凭什么秦钟欺负人呢？璜大奶奶不顾寡嫂阻拦，就跑到宁国府去想找秦可卿论理，当然，她去时气焰万丈，真进了宁国府，就渐渐变得敛气吞声，最后竟跟尤氏说了好些奉承话，转怒为喜，回自己家去了。关于璜大奶奶的这段情节，曹雪芹另有用意，这里暂不分析。

且说闹学堂的时候，金荣跟宝玉、秦钟结下了仇。后来秦钟死了，三年以后，宁荣两府垮塌，贾璜应该没受牵连，宝玉进了监狱，金荣得信以后，先是拍手称快，及至听说对宝玉的处置不过是遣返原籍，他就觉得判得太轻，金寡妇可能还并不主张去报复宝玉，金荣他能善罢甘休吗？所以宝玉并不能顺利地获得那个回乡的令牌，他的对头一定要设法横加阻挠，希望官府能给予宝玉更严厉的处置。金荣会去向忠顺王投诉，想方设法证明宝玉写那篇颂扬姽婳将军的诗，根本不是受父亲蒙蔽，而是本身就有"反骨"。估计曹雪芹会写出这样的情节，让我们体味到社会人生多么诡谲，"冤冤相报实非轻"，很多人和事过去后你都快忘记了，但你既然种下仇恨，就必然会收获蒺藜。他会写得非常生动，非常发人深省。

由于金荣使坏，准许宝玉还乡的令牌迟迟发不下来，宝玉会非常苦闷。当时每天晚上罚他干吗？打更。清代有人，还不是我这个系列讲座一开头说到的富察明义，另外的人，读过曹雪芹的全本《红楼梦》，后来在清人笔记里面有所记载，

《红楼梦》八十回后真故事

说看到八十回后写宝玉被派做"击柝之役"。柝，是用木头做的，好像一个小枕头的模样，当中掏空，有一根木棍杵在里头，打更时候把它取出来，然后敲打。在监狱里，在总得不到还乡令牌的情况下，宝玉可能就每晚击柝报时，真是非常潦倒、沦落，觉得生活真是一点乐趣都没有了。

就在这个骨节眼上，他万没有想到，狱卒通知他到狱神庙去，说有人要见你，谁啊？进去仔细一看，竟然是茜雪！这个因为一杯茶，被他误撵出去的弱女子，按说，应该记恨他，对不对？当时茜雪没有做错任何事啊，可是却被撵出去了。你要知道贾府这些丫头被撵出去，命运都会很悲惨的。茜雪她撵出去以后就没脸了。

金钏被撵，金钏自己还确实有毛病，她比较轻佻，对不对？金钏撵出去以后觉得脸上无光，最后怎么样？就跳井自杀了，第三十二回后半回回目就叫做"含耻辱情烈死金钏"。茜雪并不轻佻，服侍宝玉也很尽心，却被撵出，她怎么跟父母解释？怎么应付周围舆论？她脸面扫地，你想后来那些岁月，她怎么苦熬过来的啊？贾府的丫头被撵出，失去了在主子跟前分沾到的优裕生活，当然也就没有了月银，她们的下场，就是由府里的管家，或者父母，拿去配人。不可能嫁到理想的丈夫，能嫁个虽然比较贫穷，但品性还可以的下等人，就很幸运了。

那么有人会问，茜雪怎么会出现在监狱？监狱不能随便进去啊！那么，我觉得曹雪芹他写这么一个长篇，他一定会储备很多的角色，在情节发展当中作为一个人力资源库，不断地选取出来，在后面的情节当中发挥作用。大家记不记得他写到一些市井人物，比如写到倪二，贾芸西廊下的邻居。倪二有一个什么朋友？王短腿，马贩子。倪二和贾芸在街上相遇以后，倪二慷慨赠金，贾芸用那些银子买了冰片、麝香，行贿了王熙凤，获得了在大观园补种花草树木的美差，前面有这个情节，对吧？那么当时倪二怎么跟贾芸说的？说我今晚就不回家了，我到马贩子王短腿那儿去，你给我家里带个信。我觉得像这样一些人物，都不会是写了就扔的，一定会在八十回后发挥作用。你想他在十四回里面拉了一个王孙公子名单，出现一个卫若兰的名字，形象也没有，动作也没有，他最后都可以安排卫若兰在八十回后成为一个重要人物，有"射圃"的重场戏，那么王短腿，从绰号上就可以想见其人，醉金刚倪二的朋友，倪二晚上不回自己家到他那里过夜，估计又要一起喝个烂醉，虽然只是影影绰绰的形象，却会在八十回后，作为人力资源之一，调取出来，参与进故事情节的流动。

　　估计茜雪被撵出去以后，几经波折以后，就嫁了这个王短腿，而王短腿后来不贩马，到监狱当狱卒了。茜雪因此知道宝玉在丈夫看守的监狱里，也得以比较容易地进入监狱，她就在狱神庙那里约会宝玉，安慰他，并设法救助他。茜雪会对宝玉说，你受苦了，你现在有什么困难，尽量说出来，我们能帮尽量帮。你想宝玉会多感动啊！宝玉过去欣赏青春女性，欣赏她们的外貌，她们的风采，她们的气息，像花朵一样地欣赏她们、珍爱她们，也愿意为她们效劳，"作养脂粉"，但往往并不能一下子就能看到那美丽花朵深处的心灵美。当茜雪去慰问宝玉的时候，曹雪芹一定会写到宝玉内心的震动。这是一个被我害掉的人啊，但是人家不念旧恶，以德报怨。茜雪对宝玉，她能有一个全面中肯的评价，茜雪跟宝玉一起生活了颇长时间，知道他那天是一时喝醉了，撒酒疯，犯下错误，整个来说，宝玉确实还是一个怜花惜玉，对青春女性非常尊重非常友好，难得的一个贵族公子。所以，到了八十回后，在一百回至一百零八回这个情节区间，会有这样一场茜雪到狱神庙里慰问宝玉的重头戏，"茜雪方呈正文"。

　　茜雪不仅安慰宝玉，后来知悉是金荣从中作梗，使宝玉遣返还乡的事受阻，搞不好还会以写反诗的罪名重判，她就会想方设法，为宝玉化解这个新的厄难。茜雪和她丈夫王短腿，跟她丈夫的好朋友醉金刚倪二一样，"轻财尚义侠"，这个前八十回里戏份不重的角色，会在八十回后这个情节段落里，放射出人性善美的光辉，成为一个举足轻重的角色。

　　根据畸笏叟的透露，在狱神庙里，还会有林红玉出现。林红玉到监狱去不是看望宝玉，就是看望宝玉也是捎带脚，你想一想她是去看望谁？应该是看望王熙凤。王熙凤是一个很霸道、很跋扈的人，但是王熙凤爱才，而且也善于用才。大家一定记得第二十七回的那段情节吧，王熙凤在大观园里面忽然觉得有些事要临时找个丫头，回到她的小院去找平儿进行处理，结果偶然发现了林红玉，就是小红，小红不仅手脚麻利，更伶牙俐齿，把事情办得非常圆满，汇报得也非常明晰，王熙凤大为赞赏，后来就把在怡红院郁郁不得志的小红，调到自己身边加以重用，成为她麾下的一员干将。

　　跟小红一起到狱神庙看望王熙凤的，一定还有贾芸。前面写的你当然记得，贾芸一开头去求贾琏，想到府里谋一个差事，没成，最后求了王熙凤，果然获得在大观园里面负责补种树木花草的项目。贾氏宗族里面旁支外住的不那么富有的男性，都希望能到宁荣两府里谋个差事，一旦获得某个项目，总账房就会拨你一笔银子，拿贾芸来说，这笔银子除了买树苗、花秧和雇工以外，会有很大的富余，富余这部分就归自己了，所以获得的是一个美差。

贾芸在谋差事前后，在荣国府里邂逅小红，两人大胆恋爱，"痴女儿遗帕惹相思"，贾芸后来说捡到了帕子，让小红的好朋友坠儿返还给她，其实他不是把小红的手帕拿给坠儿，而是把自己的手帕传过去。双方这样传递手帕，表达爱意，在当时那种社会那样的空间里，是很出格的。贾芸和小红两个人头脑都很清醒，对自身的命运走向具有自主性，小红早就说过，千里搭长棚，没有个不散的筵席，谁守谁一辈子呢？不过三年五载，各人干各人的去了。在贾府还处在旺盛状态的时候，小红就跟秦可卿、贾惜春一样，预感到三春之后贾府会有不祥之变，因此，她应该在贾府还没有遭到第一波打击之前，趁王熙凤还在拿事，有决定权的时候，自己赎出来了，跟贾芸结为夫妻，那时贾芸积累了一些财产，也就不再依附贾府生存，到贾府崩溃的时候，作为贾府的一些远支，只要是没有跟重大案件牵连，一般不至于都去揪出来，贾芸小红他们就很低调地在社会上生活。

但是这两个人还是有良心的，王熙凤对他们有恩，他们在王熙凤遭难的时候，觉得还是应该给予王熙凤安慰、帮助。他们到狱神庙探望王熙凤，还是很冒风险的。特别是，小红的父母，林之孝和林之孝家的，因为是荣国府的大管家和管家婆，那时候已经被忠顺王拿去卖掉了，她必须隐姓埋名，格外谨慎，但是她仍鼓起勇气，到狱神庙去看望王熙凤。混入监狱是很不容易的，小红和贾芸可能是行贿买通看守，或者利用跟倪二、王短腿的关系，想尽办法到了狱神庙里，让看守把王熙凤叫到那个空间里见面。贾宝玉见到茜雪觉得我对不起你，你却对我这么好，是一种情景。王熙凤对有的人很不好，但是她对小红和贾芸是好的，所以她觉得人家知恩必报，心里一时也会欣慰，这是另一番情景。

王熙凤当时最揪心的是什么？还不是她自己的命运，因为她自己，说老实话没有什么活路，按道理说她应该不想活了。她之所以还活着，是因为她有一桩悬心的事，实在不能在没个着落之前，自己就去死掉。她的女儿巧姐，因为未成年，所以在抄家过程当中，没有被编入拿到市场上去发卖的名单里，允许无罪的亲戚把她领走，王熙凤的胞兄王仁，就出面把巧姐领走了。王仁这个人很糟糕，名字谐音就是"忘仁",他把巧姐往妓院卖,王熙凤没有确切的消息,但也模模糊糊知道不妙,她为巧姐揪心。所以小红和贾芸两口子来探望她,他们之间的对话,应该主要集中在如何解救巧姐这件事情上,王熙凤一定委托他们,说你们能不能帮我探听到巧姐确凿的下落?如果她陷于不幸的话,你们是不是能够搭救她一下?贾芸和小红在这种情况下,就答应了凤姐的请求,想方设法去解救巧姐。

高鹗的续书里面,小红就写丢了,贾芸被写成一个奸兄,跟王仁一块儿去做坏事,去把巧姐卖到妓院,这完全不符合曹雪芹的原笔原意,是一种令人气愤的亵渎。

脂砚斋在第二十四回的批语里赞叹贾芸:"孝子可敬,此人后来荣府事败,必有一番作为。"既然"可敬",荣府事败后贾芸的"作为",怎会是伤天害理的事情?必然是正面的义举。在上世纪一度出现后来竟又迷失的古本《红楼梦》,红学界称作"靖本"里面,还有一条特别的批语,说贾芸到狱神庙探望王熙凤以后,他有一个什么举动呢?叫"仗义探庵"。

历来的研究者对这句话都大感不解,他仗义,这还好理解,他去救巧姐嘛;但是探庵,探哪个庵?前八十回里出现过很多庵名,他探的是哪一个?再说,探庵能解决什么问题?难道探庵以后,巧姐就能获救吗?通过我前几讲里面关于王熙凤、巧姐的讲述,以及关于李纨的讲述,我把这个事情的来龙去脉就梳理出来了。

贾芸和小红探望王熙凤以后,又遇上进城来的刘姥姥和板儿,大家一起商量,形成统一的思路,就是去求得李纨的帮助,让她拿出银子,把巧姐从妓院里赎出来。李纨青春守节,当时皇帝号称以孝治国,以节治国,就表彰她是一个节妇,网开一面,荣国府别的人拘走,李纨和贾兰暂时还允许留在大观园的稻香村居住。贾芸设法去到稻香村,万没想到,李纨是一个抠门儿大仙——这是北京话,就是极其悭吝的守财奴——舍不得拿出银子来,而跟巧姐平辈的贾兰,拿出假票据搪塞贾芸,贾芸去兑,根本是死票,才知贾兰奸诈恶劣到不堪的地步。

那么这个情况下,贾芸不得已,再有谁可求啊?大家想一想,当时大观园里,只有两个地方还有人烟,一处是稻香村,另一处呢?就是拢翠庵。拢翠庵为什么还存在?因为妙玉她不属于四大家族,虽然查出了当年王夫人给她下的帖子,但是当时的理由是很堂皇的,是皇帝准许贾元春省亲,省亲活动里有一项是礼佛,妙玉是因为这个入住拢翠庵的,你不能因为这个给她定罪,所以当时妙玉仍可在拢翠庵里居住，准许她在问题彻底查清之后再离开。在不得已的情况下，贾芸就仗义探庵。为什么说是仗义？不是为自己谋利益，是为了解救自己的恩人王熙凤的女儿巧姐，去采取行动，是一种义举。贾芸跟妙玉很难搭上钩、对上话，救人要紧，"病笃乱投医"，贾芸就冒昧地进入了拢翠庵。

我设想，曹雪芹会写到，贾芸没有能够见到妙玉本人，妙玉轻易不见人的。但是，妙玉会通过一个巧妙的方式，留下一笔银子，提供给贾芸，贾芸会拿到这个银子以后作为经费，去把已经卖到锦香院的巧姐赎出来，刘姥姥和板儿，就把巧姐带回农村，最后巧姐就嫁给了板儿，"偶因济刘氏，巧得遇恩人"。有人可能会说，妙玉怎么会预见到，会有人来到庵里求助银钱支援，以解厄难？大家不要忘记，当年跟王夫人汇报妙玉情况的，正是小红的父亲林之孝，汇报里面有一句，说妙玉师父"极精演先天神数"，妙玉得到师父真传，料事如神、救人厄难，是不奇怪的。

"靖本"《红楼梦》——和多数古本一样，书名称《石头记》——还有一条特有的批语说："狱神庙相逢之日，始知'遇难成祥，逢凶化吉'，实伏线于千里。哀哉伤哉，此后文字，不忍卒读！"虽然悲剧的发展愈演愈烈，达到中国文化中前所未有的"好一似食尽鸟投林，落了片白茫茫大地真干净"的奇诡程度，令批书人"不忍卒读"，但这条批语也再次有力地证明着，曹雪芹是写完了全部书稿的，他完全打破了中国文化中即使是大悲剧的结局，也还是要归结到祸去福至、苦尽甘来的"大团圆"模式，他的《红楼梦》仅此一点，也是具有无可辩驳的创新性的，在那个时代，可以说是最先锋、最新锐的文本。

狱神庙相关的情节过去后，宝玉和王熙凤的命运还有待进一步往下流动发展。宝玉那以后的情况，我在前面相关的讲座里讲述得很详尽，这里不重复。王熙凤被押解去往南京。那时候北京东边通州的运河开冻以后，从张家湾码头上船，走水路去南京是最常见的行进方式。王熙凤被押上船前，应该是得悉了巧姐获救的消息，她觉得这桩最后的心事终于可以放下了，在押解她的船上，夜里趁看守不备，投水自尽了。她"哭向金陵事更哀"，说明她并没到达金陵，她在朝向金陵的航船上流泪投水，是一个非常凄惨的结局。

讲到这儿，《红楼梦》里的《金陵十二钗正册》各钗的命运，就都交代完全了，有的还重复讲到。下面需要探佚的，首先是《金陵十二钗副册》，在前面第五回里，曹雪芹写得很巧妙，他只透露了一个钗，就是香菱。那么其他十一钗是谁？有人会记得，我在前面讲座里一再说，有一个女性她不但有资格进入副册，她都有资格进入正册，她不能够再往后排了，她肯定在副册，这个角色是谁呢？就是薛宝琴，四大家族里的正牌小姐，对不对？有人会说，薛宝琴啊，她的结局我知道，她嫁给梅翰林家了不是吗？但是我现在郑重地告诉你，薛宝琴最后没有嫁给姓梅的，她嫁给了姓另外的姓的人，这个人曾经痛打过她的堂兄。那么请你想一想，薛宝琴她究竟最后嫁给了谁？下一讲见。

第十二讲
第一百回至第一百零八回之谜[2]

《金陵十二钗副册》之谜

在曹雪芹写完的《红楼梦》后二十八回里，会逐一扫描到《金陵十二钗副册》中所有女子的命运归宿。其中大多数会在第一百回至第一百零八回中涉及。

《金陵十二钗副册》里究竟都有谁？首先可以确定下来是香菱，第五回里明确透露了。前面通过讨论，大家基本形成共识，就是应该还有薛宝琴。那么除了这两位女性以外，另外十位是谁呢？曹雪芹在排列金陵十二钗册页的时候，他还是有等级观念在里面的，全书重点在于表现贵族大家庭的盛衰，十二钗名册按这些女子在贵族大家庭中的地位等级来排列，这是可以理解的。入《金陵十二钗正册》的，都得是四大家族或者是其他来源的正牌的小姐，或者是正牌的媳妇。入《副册》呢？也得是主子小姐或者媳妇，但是在贵族群体里，她们地位比正册里面的那些要略低。

有人会说，香菱她不是个丫头吗？但是你别忘了香菱的根基。她是苏州乡宦人家的正牌小姐，她家在当地被人们视为"望族"，从出身上说，她一点不低贱。薛宝琴不消说了，她是四大家族薛家的一位小姐，当然有资格进入副册。

那么有人会问我，你是不是认为薛宝琴在副册里面排第二位呢？我个人还不是这个看法，我认为，在副册里面排在第二位的应该是平儿。

平儿开头她是个丫头，但是正如我前面讲座告诉你的，在曹雪芹笔下，八十回后，她和王熙凤换了一个过子，她成为了贾琏的正妻，所以平儿就获得了进入副册的资格。为什么要把平儿排在前面？是经过综合评估，觉得平儿在书里戏份超过薛宝琴，而且她经常是处在风口浪尖上，她的命运起伏跌宕得很厉害，是曹雪芹笔下非常重视、珍爱的一个艺术形象，关于她的情节你现在闭眼一想，过过电影，很多镜头，难以忘怀，这里我不多说了。我想强调的是，曹雪芹通过平儿，道出了一个很重要的治国齐家平天下的社会政治理念。

第六十回到第六十二回开头的那段情节里，平儿在大观园里面出现盗窃官司，几个利益集团相激相荡，情况复杂、稍疏即乱的情况下，冷静睿智，调查研究，优选方案，判冤决狱，果断行权，先斩后奏，解放了被误作窃贼的大观园厨房厨头柳家的和她的女儿柳五儿，本来厨房都已经换帅，秦显家的都去接任了，平儿又把秦显家的退了回去，避免了大观园内部的混乱，使一度失控的局势重新恢复平静。这个时候平儿就宣布了她的一个治家，实际上也是治国的理念，她说："大事化为小事，小事化为没事，方是兴旺之家。若得不了一点子小事，便扬铃打鼓的乱折腾起来，不成道理。"当然这种治家或者治国的理念是不是一个最好的理念？可以讨论。但是不管怎么说，平儿做这些事情她不是乱做，她是有思想的，她提出来一个不折腾的理论，这个理论在维稳方面还是起作用的，这个理论潜在的能量一直释放到了今天。当然曹雪芹的文本是善于从不同角度来衡量人与事的。第五十五回、第五十六回他写贾探春、薛宝钗在大观园实施承包责任制，现在有的论家引出来发议论，说你看早在曹雪芹笔下就有这种调动人们积极性、增加产值的改革了，一唱三叹，但是曹雪芹却又从大观园底层人物的角度，也写出这种"新政"的弊端，引导读者全方位观察、思考社会人生。

对平儿的理论及其事态发展，他基本上也是中性的笔触，我们往下看就会感觉到，你不折腾，有的人偏要折腾，贾府到头来还是内部先乱，再引发外部强大的不可抗拒力的冲击，崩溃了，平儿最后也面临一个被打、被杀、被卖的悲惨命运，在第一百回至第一百零八回这个情节单元里，会写到她的大结局，她要么被拘去卖掉了，要么被准许跟随贾琏一起流放到苦寒之地。总而言之，平儿是一个非常重要的角色，我个人认为，她应该排在《金陵十二钗副册》第二位。

那么第三位我觉得确实是薛宝琴。关于薛宝琴的讨论，我放一放再说，因为关于薛宝琴谜太多了。我先告诉你，底下接着都是谁。

我认为接下去三位应该是尤氏三姐妹，这三姐妹就是宁国府尤氏和她的两个所谓的妹妹，这两个妹妹跟尤氏实际上既不同父又不同母，是她父亲续娶的一个妇女所带来的两个跟前夫所生的女儿，就是尤二姐和尤三姐，关于她们的故事我就不重复了,具体到在《副册》里面的位置,不按年龄,而按作为艺术形象的高度,尤三姐排第四,尤二姐排第五,尤氏排第六。

尤氏年龄应该比李纨再稍大一点。她是所有册页里年龄最大的一个女性。曹雪芹设计的关于金陵十二钗的册子里,基本上只收录青春女性,像尤氏、李纨、王熙凤这样的媳妇,算破例录入。第五十九回,曹雪芹通过小丫头春燕,引出贾宝玉的"女性三段论":"女儿未出嫁,是颗无价之宝珠;出了嫁,不知怎么就变出许多不好的毛病来,虽是颗珠子,却没有光彩宝色,是颗死珠了;再老了,更变的不是珠子了,竟是鱼眼睛了。"这应该也就是曹雪芹的观点。尤氏、李纨、王熙凤大概是处于从宝珠朝死珠变化的初始阶段,多少还保留着一点光彩宝色,因此还给录入册子,那些比她们还老的,就一概不入册了。尤氏在前八十回里戏份不少,有两条脂砚斋批语说得中肯,一条说:"尤氏亦可谓有才矣,论有德比阿凤高十倍,惜不能谏夫治家,所谓人各有当也。"另一条也指出她"过于从夫",同时强调"其心术慈厚宽顺,竟可出于阿凤之上"。全书里面,唯一能体谅善待赵姨娘的,也就是尤氏一人。尤氏第七十六回跟贾母说,她已嫁给贾珍十来年,奔四十岁的人了,但她仍多少保留着点少女的柔肠,将她列入《金陵十二钗副册》,还是说得通的。

第七位,我认为是邢岫烟,贾赦那一房的邢夫人的一个侄女儿。她在书里面有一些不可以轻视的情节,比如她和宝玉谈论妙玉,很重要。邢岫烟虽然家里穷,但她是正牌小姐,应该入副册。

还有两位小姐,李纹排第八位,李绮排第九位。她们是李纨寡婶的两个女儿。她们和邢岫烟、薛宝琴都一度到了贾府、进入大观园,和贾宝玉及其他原住大观园的小姐们一起吟诗、赏梅、聚餐,有过一段很美好的生活。这两个小姐也是正牌小姐,她们虽然不属于四大家族,但是和四大家族有姻亲关系。

还有两位,一个叫做喜鸾,一个叫做四姐儿,分别排在第十位、第十一位。这两位小姐是在贾母八旬大寿的时候,随她们母亲去给贾母贺寿的。她们都是贾氏宗族的远支后代。贾母一贯喜欢女孩子,祝寿时有些亲戚带了女孩子来,贾母一下子看中这两位,"生得又好,说话行事与众不同",就把她们留下了,让她们在贾府多住几天,玩一玩。为此贾母还发了命令,贾母说我知道咱们府里人都是"一个富贵心,两只体面眼",会觉得她们家境比较贫寒,就小看她们,贾母让大家一定要拿她们跟府里的小姐们一样对待。这两个女孩里的喜鸾，还在大家面前说了天真烂漫惹人发笑的话。她们不会是随便那么一写的人物，八十回后，她们应该还被提及。

排第十二位的是谁呢？应该就是傅秋芳，想起这个名字了吧？第三十五回，影影绰绰写到一位傅家的小姐，她哥哥叫傅试，从谐音就知道是趋炎附势之徒，当着通判那么一个小官，拜在贾政门下充门生；傅试为了把妹妹当做发家的本钱，不找到一个大富大贵之家，绝不把她嫁出去，小说里面提到她的时候，她已经二十三岁了，傅试本想把妹妹嫁到比荣国府地位更高的豪门里去，但是那些贵族嫌他穷酸，不理睬他，他就打贾宝玉的主意，时不时派婆子到府里给贾宝玉请安。

傅秋芳比贾宝玉差不多大十岁，仅此一点就绝无嫁给他的可能，但是贾宝玉知道傅秋芳"也是个琼闺秀玉，常闻人传说才貌俱全，虽自未亲睹，然遐思遥爱之心十分诚敬"，当然，这里的"爱"并不是情爱，贾宝玉对任何未受污染的宝珠般的青春女性，都十分珍爱，在这一点上论，他是个泛爱主义者。曹雪芹又特别写到，去给贾宝玉请安的傅家婆子"极无知识"，但是她们离开怡红院以后，有一段重要的对话，她们虽然是以愚昧的口气举出一些亲见亲闻和旁人告知的例子，来论证宝玉"外像好里头糊涂，中看不中吃"，但读者读了，就会觉得宝玉那"情不情"的胸怀——比如看见燕子，就和燕子说话；河里看见鱼，就和鱼说话；见了星星月亮，不是长吁短叹，就是咕咕哝哝的——真达到了一种至高的境界，那么那两个婆子回到傅家，肯定会在傅秋芳跟前说起，傅秋芳应该是有慧根的人，她对贾宝玉，也就会"遐思遥爱之心十分诚敬"吧。曹雪芹写下这些，埋伏下一个傅秋芳，更绝非赘文废笔。在后面第一百回至一百零八回里，他会写到傅试狠心把傅秋芳拿去给"枯骨"般的老色鬼忠顺王填房或作妾，而傅秋芳也就因此在贾宝玉蒙难的时候，能为他取得遣返还乡的令牌，使金荣的阻挠落空，宝玉得以脱离监狱，急速南下。她入《金陵十二钗副册》，理由十分充足。

再回过头来说薛宝琴。有人跟我讨论，说薛宝琴未必有资格入册，因为第五回写得很清楚，所有这些册子，都存在一个薄命司里面，可是薛宝琴不薄命啊，你看书里面的描写，贾母对她多喜欢啊，她形象多完美啊，而且她又嫁给了梅翰林家，在翰林府里当少奶奶，多享福啊，她不薄命，因此任何一个册子里，都不会收入她。

我认为薛宝琴也是薄命的。她到贾府来的时候，家里情况就已经不是很好了，薛姨妈跟贾母介绍她家里景况，第一句就是"可惜这孩子没福"，她父亲是个游商，虽然带着她到处逛过，使她眼界不凡，但是她父亲已经故去了，她母亲又得了痰症，过去认为痰症就是不治之症，形同等死。她哥哥把她带到京城，要落实把她许配给梅翰林家的婚事，前景固然不错，但是前八十回书里，没有写到她嫁成了没有，是一个悬念。那么现在我就告诉你，薛宝琴她实在不幸，在八十回后，会写到她并没有能够成功地嫁到梅翰林家，去成为一个很风光的官员家庭里面的一个少奶奶。她后来的人生道路是很曲折、很坎坷的。

有何为证呢？书里写她诗才出众，一度跟史湘云两个人抢着联诗，技压群芳。我们都知道曹雪芹他为每个角色设置的诗作，多半要从中透露或逗漏出其命运归宿，算在薛宝琴名下的诗，当然也不例外。从她写的诗里，我们就可以知道，她后来的命运绝不像某些人想象得那样美好，她也是红颜薄命。

第五十回，薛宝琴写了一首咏红梅花的诗，有两句是"闲庭曲槛无余雪，流水空山有落霞"。在第四回里出现的"护官符"里有"丰年好大雪"的句子，第五回关于黛玉和宝钗合在一起的判词里，有"金簪雪里埋"的说法，那里面的"雪"都是"薛"的谐音，因此，这两句诗前一句里的"无余雪"，其实也就是"无余薛"，意思是说贾、史、王、薛四大家族全都被逐出了"闲庭曲槛"的贵族生活空间，薛家成员全被牵连，没有剩余下的幸运儿。薛蟠先是跟悍妇夏金桂争斗时，失手将其打死，夏家报官，四大家族全都衰败，哪儿还是当年打死冯渊可以满不在乎的局面？被收监严讯，紧接着贾家宁荣两府被查抄，不少事情也牵连到薛蟠，罪上加罪，就被判了死刑。薛宝琴的哥哥薛蝌不仅不能为堂兄求得救援赦免，自己也被追究，倾家荡产地使尽银子，才终于算脱卸罪责。那时候薛宝钗早抑郁而死，薛姨妈在获悉薛蟠死罪后，惊恐病亡；而梅翰林家，跟锦乡伯家、神武将军冯唐家等"月派"贵族一样，也都受到皇帝追究打击，薛宝琴哪里还能成为梅翰林家的媳妇，哥哥薛蝌带着她，离开京城往南方漂泊。那么在漂泊的过程里，在"流水空山"之间，遇到了谁呢？"有落霞"。前一句里的"无余雪"最后一个字是谐"薛"的音，那么后一句最后一个字，就是谐"侠"的音。有人会问：《红楼梦》是部以写闺友闺情为主的书，里面有侠吗？是有的。畸笏叟有条批语说："写倪二、紫英、湘莲、玉菡侠文，皆各得传真写照之笔。"倪二、冯紫英、柳湘莲、蒋玉菡就是"红楼四侠"。"分离聚合皆前定"，那么，薛宝琴在江南，跟哪位流动的侠客聚合了呢？

就很值得推敲。

第七十回，公子小姐们填柳絮词，薛宝琴填了一首《西江月》。里面有两句是"三春事业付东风，明月梅花一梦"。什么意思啊？我在前面讲座里面多次告诉你，"三春"指的是三个春天，也就是三年，三年的什么事业啊？就是"月派"想搞政变，夺取最高权力，成功没成功啊？"付东风"，这个事业筹备三年一朝破灭，最后被"东风"给扫荡了。因为梅翰林属于"月派"，被皇帝处置了，那么薛宝琴嫁给梅家如果说是一个梦想的话，就完全落空了。

我在前面讲座里说到过，在曹雪芹的这个文本里，"月"是有象征意义的，"梅花"傍着"明月"，"月派"失利，一切就都泡了汤。薛宝琴没能嫁到梅翰林家，被她自己这首词预言出来了。这个词后面还有两句是"江南江北一般同，偏是离人恨重"。就是她从江南颠沛到江南，发现南北都被忠顺王那样的效忠皇帝的"日派"势力控制，令她觉得窒息，她自称是一个"离人"，即乱离之人，心中只有沉重的家仇之恨。当然她写这首词的时候，似乎无意，实际上曹雪芹是用她自己的词来预示她今后的命运，这些故事，都会出现在第一百回至第一百零八回这个情节单元里面。

前八十回里，五十一回薛宝琴上了回目，叫做"薛小妹新编怀古诗"。有人读这一回很不仔细，说这些诗我觉得没意思，哗哗哗翻过篇去。有人对《红楼梦》的丰富性、深刻性没有认知。什么叫《红楼梦》？觉得《红楼梦》就是"天上掉下个林妹妹"，然后"共读《西厢》"，然后"掉包计"，然后"焚稿断痴情"，完了，觉得无非就是本爱情小说，你离开爱情婚姻从别的角度分析《红楼梦》他不耐烦，《红楼梦》有什么好研究的？"是他们的口头禅。

现在我就要再一次郑重地告诉大家，绝不能把《红楼梦》概括为一部爱情小说，也绝不能把它的思想内涵仅仅概括为反封建，《红楼梦》是一个伟大的文本，如同浩瀚的海洋，蕴涵着极其丰富的内容，堪称经典，值得细品，当然更值得研究。拿第五十一回"薛小妹新编怀古诗"来说，曹雪芹以那么大篇幅，表现一个才女一口气写出十首怀古诗，它能是废文赘语，可有可无的吗？你不喜欢读这部分文字，可以不读，但是你不要反对别人研究、讨论。通过探究这十首怀古诗，我们可以获悉书中若干人物的命运走向和归宿，它们也是八十回后那些故事情节的重要伏笔，其中大部分会在曹雪芹已经写出的第一百回至一百零八回中体现出来。

什么叫怀古诗？就是每一首的标题和诗的内容，都跟一个古迹有关系。当时薛宝琴为什么写这些诗呢？因为又到过灯节的时候，又要制灯谜，因此，它又都是一些灯谜诗，都有一个具体的谜底。但是还不仅如此，大家知道，《红楼梦》里面的所有的诗，几乎都有暗示人物命运的因素，第二十二回就出现了一系列的灯谜诗，每一首几乎是暗示着作诗者本人的命运，那么这十首也不会例外。就是说，每一首诗都有三层含义，第一，它写一个古迹，然后发一个感慨；第二，它是灯谜，诗是谜面，让你猜它的谜底；第三，又在暗示书里面人物的命运。第二十二回的灯谜诗，绝大部分都公布了谜底，但是薛宝琴的这十首曹雪芹故意说书里其他人"大家猜了一回，皆不是"。他留下谜团，让读者去猜。

我讲这个《揭秘》系列，总有人警告我"你不能把《红楼梦》搞成猜谜"，确实不能把整本《红楼梦》都搞成猜谜，但是《红楼梦》里面明明有谜语，作者很细心地把它写出来，告诉你是谜语，那我去猜这个谜语我有什么罪过啊？您不愿意猜，给您作揖，也是一种办法，我愿意猜，最起码不应该遭到讥讽和打击吧？也有的人士，跟我一样，愿意试着猜，一起探讨，觉得其乐无穷，也很有意义。

愿意猜的，咱们一起来猜。有人说，他要是写出十二首的话，比较好猜，因为金陵十二钗嘛，可以拿每首去跟册子里的女子对号。可是，却是十首。历来的研究者都觉得有点怪，为什么是十首？我个人是这么分析的：当薛宝琴到了荣国府，跟其他的姐妹在大观园里面聚齐，书里面就有一段话，说"此时大观园比先更热闹了多少，李纨为首，余者迎春、探春、惜春、宝钗、黛玉、湘云、李纹、李绮、宝琴、岫烟，再添上凤姐和宝玉，一共十二三个"。准确地说呢，是十三个，宝玉是个男士，把他排除，女性就是十二个，十二个人，怎么会用十首诗影射她们的命运呢？我的思路是：根据书里前面的惯例，黛玉宝钗总是合为一首；另外在这段故事里面，李纹、李绮同是李纨寡婶的女儿，这两个姐妹后来的命运应该是近似的，所以也可以合为一首来写她们。这样一算的话，通过薛宝琴写的十首诗，来暗示当时跟她在一起活动，包括她自己在内的女子们的命运，是很说得通的。

过去我曾经认为这十首诗里面有的影射贾元春，有的影射秦可卿，现在我改变那样的看法了，因为贾元春在宫里面，和薛宝琴没什么关系，秦可卿跟她更了无关系，况且早死掉了，还有妙玉，妙玉虽然在大观园里面住着，但是不跟她们来往，宝玉就说过，妙玉不在这些人当中算，所以说，这十首诗应该是既咏了一个古迹，又破了一个谜语，又暗示了这组人物当中的十二位女性的命运。

下面我逐首揭秘。

第一首《赤壁怀古》："赤壁尘埋水不流，徒留名姓载空舟。喧阗一炬悲风冷，无限英魂在内游。"吟诵出对三国时代赤壁大战古战场的凭吊。谜底是寺庙里面那种带盖子的长方形香炉。这种香炉有个别名叫做法船，它的形态确实有点像船。暗示的是王熙凤的命运。她算得是一个巾帼英雄，最后却从押往金陵的船上投江而殁，其"英魂"就像法船里面被焚烧的香束纸锭，成为灰烬，在里面无休止地回旋。

第二首《交趾怀古》："铜铸金镛振纪纲，声传海外播戎羌。马援自是功劳大，铁笛无烦说子房。"交趾是西汉时期的边境重镇。四句诗咏叹了汉时武将守卫边境的功劳。它的谜底是喇叭，就是军中的军号，古代军号跟现代的还有区别，叫铁笛，类似于唢呐。所影射的是探春的命运。探春理家是前八十回里很重要的一个情节，她荣国府里"振纪纲"；八十回后远嫁海外去和番，"羌戎"可以作为外族、外番的一种代称。

第三首《钟山怀古》："名利何曾伴汝身，无端被诏出凡尘。牵连大抵难休绝，莫怨他人嘲笑频。"诗句感叹南齐的周子，表面隐居南京钟山，标榜清高，实际贪图功名利禄，被人看穿后，遭到嘲笑。谜底是街头卖艺的耍的那个猴儿，那种猴儿什么特点啊？秃屁股，没尾巴。猴儿表演半天好像很风光，到头来被人频频嘲笑。那么谁最后的命运是表面风光、不积阴骘，像秃尾巴一样性命休矣呢？大家想一想，应该就是李纨。李纨看起来很风光，但那是猴戏，皇帝说你是节妇，不把你跟整个府邸一起毁灭，让你儿子最后中一个武举，给你封一个诰命夫人，其实也毁了你一生，有何乐趣呢？枉与他人作笑谈！

第四首《淮阴怀古》："壮士须防恶犬欺，三齐位定盖棺时。寄言世俗休轻鄙，一饭之恩死也知。"讲的是西汉韩信的故事，淮阴是韩信出生地。诗句咏叹韩信后来功高封为齐王，但终于还是被杀，不过别去鄙夷他，因为他毕竟报答过贫贱时给他饭吃的漂母。谜底是什么啊？打狗棍。这首诗的内容跟迎春命运有关。第五回的册页里面也好，十二支曲里面关于贾迎春的那首曲也好，曹雪芹的写法都是从孙绍祖的角度来写，这首诗也以反讽的口气来写，意思是人家在你最困难的时候给你一碗饭吃，你都应该感激一辈子，更何况人家给你那么多好处，可是你却像中山狼一样全不念当日根由，把贾迎春蹂躏致死。这首诗它实际上是影射贾迎春误嫁中山狼。

第五首《广陵怀古》："蝉噪鸦栖转眼过，隋堤风景近如何。只缘占得风流号，惹出纷纷口舌多。"广陵指扬州，吟叹的是隋炀帝开大运河被后人不断争议批评。谜底是春天杨花飘的白絮，这就把李纹、李绮合在一起来说，她们因为在荣国府借住过一段，在大观园里面活动过，包括《副册》里面还有的喜鸾、四姐儿她们，在贾府塌台后，虽然皇帝打击棒子还不至于砸到她们头上，但是她们会被人纷纷议论，为那一段短暂的享乐生活，付出了被人鄙夷奚落的代价，从此她们的生活也只能在黯淡中度过。我以前曾主张这首诗是影射秦可卿的，经过再研究、再思考，现在进行这样的诠释。

第六首《桃叶渡怀古》："衰草闲花映浅池，桃枝桃叶总分离。六朝梁栋多如许，小照空悬壁上题。"晋朝王献之曾在南京秦淮河和青溪合流的渡口跟爱妾桃叶作别，那渡口后来被叫做桃叶渡。诗句咏叹一对爱人的离别难舍的情绪。谜底是灯前手影戏。现在大家享受到的现代视听科技太多，录像啊、光盘啊、电视啊、电影啊，就忘记了人类最原始的光影游戏——手影戏，就是在灯和墙壁之间，人手可以比画出各种样子，比如我这样一来，墙上就出现一个影子好像鸟在飞，再那么一来，好像一个动物在张嘴闭嘴。灯前手影戏，童年时家里大人带着我玩过，乐趣无穷，这种最原始的光影游戏我们不应该丢弃。这首诗把黛玉和宝钗合在一起来暗示。黛玉和宝玉最终的结局，就是"桃枝桃叶总分离"，有情人终未成眷属。宝钗后来虽然嫁给了宝玉，可是宝玉悬崖撒手，离开荣国府出家去了，"小照空悬壁上题"，给宝钗所留下，只是往日的一些影像而已。虽然宝玉第一次出家后，又被甄宝玉送了回来，但宝玉和宝钗的婚姻，到头来是虚有其表。

第七首《青冢怀古》："黑水茫茫咽不流，冰弦拨尽曲中愁，汉家制度诚堪噪，樗栎应惭万古羞。"青冢就是北部大草原上，西汉和番后死在那里的王昭君的墓，诗句咏叹了王昭君的辛酸悲哀。它的谜底是什么呢？这种东西现在不多见了，木匠在干活的时候，要在木头上画线，现代画线工具很先进了，有很多种办法，过去木匠画线，必须要有一个墨斗，线从墨斗这边过，还是白的，到那边，经过这个墨斗以后，再出来就变成黑的了，弹一弹，就在木头上画出线了。这首灯谜诗的谜底就是墨斗。这首诗影射的是贾惜春的命运。前面我已经讲了，惜春最后一个什么形象啊？缁衣乞食，一身黑衣服，捧着一个钵子，满心幽咽愁苦，在大街上作为一个尼姑讨饭。所以这首诗的对应人物，应该是贾惜春。

第八首《马嵬怀古》："寂寞脂痕渍汗光，温柔一旦付东洋。只因遗得风流迹，此日衣衾尚有香。"马嵬就是马嵬坡，唐朝玄宗宠爱的杨贵妃，因为安史之乱，随玄宗逃难路经马嵬坡，三军哗变，不得不自尽的那么一个地方。诗里咏叹了杨贵妃之死。它的谜底是什么？是熏盒。一般是扁圆型的，上面有镂花的孔洞，把一些香料搁在里面以后，它能够持久地散发出香味，可以搁在被子里、衣柜里。这个东西现在不多见，但也不是绝对找不到，有的人家还在使用。过去我认为这首诗是影射贾元春的，现在呢，我形成新的看法，认为所影射的应该是史湘云。诗句所咏叹的，可以想象成湘云醉卧芍药裀，事情过去很久，她的衣衾尚有芍药花的余香。

但这首诗还可能有更深一层的含义。我认同周汝昌先生的观点：脂砚斋是女性，这个人在真实的生活当中，她应该就是曹雪芹的一个李姓表妹，也就是书中史湘云的原型。"寂寞脂痕渍汗光"，就是她和曹雪芹最后共同来完成这个书稿，当然是很寂寞的一种劳作，没有人能理解他们，也不知道这个书稿最后的命运会怎么样，但是她孜孜不倦在上面增加"脂痕"——写下批语，更不消说她还要编辑，还要誊抄，十分辛苦，渍出"汗光"，虽然他们早将"温柔富贵乡"付诸东洋，十分艰辛，但是他们坚信自己的文字——正文和批语一起——是"留得风流迹"，最后会香飘世界。

当然小说里不会写到贾宝玉和史湘云合作著书、一个撰稿一个写批语，我前面讲过，为了保持大悲剧的结局，书里到最后甚至会写到史湘云冻饿而逝，但是，以薛宝琴这样一首诗来对应史湘云，并暗示其也就是脂砚斋在书里的化身，则是可能的。有人可能会问：脂砚斋毕竟是《红楼梦》正文以外的一个人啊，能拿来跟书里提到的人并列吗？曹雪芹这个文本就具有这种真假并列的特点，比如他在第一回里就把自己的名字写入了正文，通行本里固然没有脂砚斋字样，但是古本里的甲戌本在第一回里，就也把脂砚斋名字写入了正文，说这部书的异名虽多，"至脂砚斋甲戌抄阅再评，仍用《石头记》。"因为融汇进了过于丰富的含义，解析起来层次太多，所以对第五十一回里的这些怀古灯谜诗，曹雪芹没有通过人物之口，来说出谜底，他希望读者通过精读细品，去长久体味。

第九首《蒲东寺怀古》："小红骨贱最身轻,私掖偷携强撮成。虽被夫人时吊起,已经勾引彼同行。"蒲东寺就是唐代元稹写的《会真记》里的那个普救寺，故事里张生和崔莺莺一见钟情的地方。这个诗的字面比较粗鄙，写的并不是公子小姐的爱情场面，而是丫头跟小厮偷情的事。诗句里的"小红"绝不是林红玉，过去时代，"小红"是对丫头的一种通称，诗文里常用来泛指小姐身边的丫头。它的谜底是鞋拔子——不用时被人吊起来，使用时勾引鞋后腰升平。我个人认为，这首诗所对应的是邢岫烟。

有人会说这太离奇了，邢岫烟难道跟人私奔了吗？邢岫烟没有跟人私奔。邢岫烟是一个很自爱，很有道德操守的一个女子。但是邢岫烟有一个丫头叫什么啊？想起来了吗？篆儿，篆儿这个音稍微变化一下是什么啊？拽儿，拽儿什么东西啊？就是鞋拔子。这个篆儿品质不是太好——有人马上会说，你这人真是的，人家书里面塑造一个角色，设计一个名字，你动不动就说人品质不好，你凭什么啊？我文本细读，我有根据。第四十九回，写"脂粉香娃割腥啖膻"，在这个过程当中，平儿为了吃东西方便，把腕上虾须镯褪了下来，结果被窃。首先被怀疑的是谁？并不是怡红院的坠儿，平儿后来到怡红院找到麝月，跟她说悄悄话，就告诉麝月，王熙凤和她自己，"我们只疑惑邢姑娘的丫头，本来又穷，只怕小孩子家没见过，拿了起来也是有的。"篆儿的穷而无志，让人一望而知。当然后来证明偷虾须镯的不是篆儿而是坠儿。

在曹雪芹写出的第一百回至一百零八回这个情节单元里，除了贾家覆灭的主线，也会有多条副线，描绘出复杂的世相人情。故事发展到这个阶段，邢岫烟是薛蝌的妻子、薛宝琴的嫂子，薛宝琴原要嫁往梅翰林家，没想到梅家也遭到皇帝清算，薛宝琴虽然尚未嫁过去，但也害怕遭到牵连，哥哥薛蝌就带着她暂避江南，邢岫烟在那段时间里只好一个人度日，亲戚全遭皇帝打击，整日生活在恐惧之中，经济上原来就不富裕，到那时更加窘迫，丫头篆儿本来就是一个不怎么守规矩的，在那种情况下，就和某一个原来在贾府认识、后来卖到别家又逃出的小厮，相约私奔了，这就给邢岫烟的生活笼罩上更浓重的阴影。

最后一首，第十首叫做《梅花观怀古》，这首最重要，写来写去，薛宝琴就写到她自己了。梅花观和蒲东寺一样，是文学戏剧作品里写到的地方，说成古迹有点牵强，但是宽泛而言，算作古迹也无妨。薛宝钗刚看到她堂妹的这十首诗的时候，对后两首装愚守拙，意思是历史上无考，不如另作，林黛玉就打圆场，说戏里演过的，李纨支持了黛玉，说确实大家看戏听书都熟悉，而且原来没有那样的地方，后来人们造出来附会，也是可能的，于是就没让宝琴另写后两首。

这首诗咏的梅花观，是明代戏剧家汤显祖写的《牡丹亭》里，为女主人公杜丽娘建造的一处道观。对于书里的这群公子小姐来说，《牡丹亭》也算得一出老戏了。《牡丹亭》里有一段故事，表现梅花观里来了一个书生，叫柳梦梅，他在那儿拾到了一幅画，画上是一个美女，他就拾画叫画，引出美女杜丽娘的游魂，详情我不细讲了，总而言之，他就爱上了画上这个女子，而且发现这个女子已经死去，就埋在梅花观里，他设法把这个女子从棺木中取了出来，这个女子就恢复如生，他们两个就形成一个好姻缘了。薛宝琴就据此写了这首《梅花观怀古》："不在梅边在柳边，个中谁拾画婵娟。团圆莫忆春香到，一别西风又一年。"作为灯谜诗，它的谜底是团扇。

诗句表面咏叹的是戏里的故事，细一推敲，哎呀，句句都是在暗示薛宝琴她今后的命运啊。注意："不在梅边在柳边"！当然，这个句子不是曹雪芹生造的，《牡丹亭》戏词里有这样现成的一句，作者汤显祖写这一句，他是为了说明书中的女主角杜丽娘，到头来要跟柳梦梅结合，因为柳梦梅名字里面既有柳字又有梅字。但是，曹雪芹把这句引在这里，他是什么意思呢？他就是想透露出薛宝琴的归宿，她嫁给姓梅的了吗？她最后是在梅翰林儿子身边享福吗？不是。那么她不在姓梅的身边，在姓什么的身边呢？"不在梅边在柳边"。《红楼梦》有一个很重要的角色姓柳，谁啊？柳湘莲。前面我引了薛宝琴咏红梅诗里的句子"流水空山有落霞"，告诉你意思是她漂泊到江南以后，遇上了"落侠"，就是流落在江湖的侠客，我还告诉你书里有"红楼四侠"，四侠里有位就姓柳，到这最后一首怀古灯谜诗，就明确地写出来，薛宝琴到头来是与柳湘莲结合了。那么他们邂逅结合的中介是什么啊？是一幅画，"个中谁拾画婵娟"就是这个意思。

前八十回里有没有跟薛宝琴相关的名画出现过啊？是出现过的。记得吗？第五十回，写贾母到大观园赏雪景，忽然间山坡上出现了薛宝琴，后头还站着一个丫头小螺，抱着一个梅瓶，非常美丽。众人就赞叹，说这比贾母屋里挂的那个《双艳图》还漂亮。《双艳图》根据书里交代，是明朝一个大画家仇英仇十洲的作品，在清代那也算是一幅名贵的古画了。贾母当时说，画上的人也没有雪中的宝琴美丽。

八十回后，会写到贾母先死，然后贾家被查抄，在抄家过程当中，贾母房里这一幅《双艳图》，应该是被抄了，但是大家知道，负责抄家的从主要官员到次要官员，到底下这些衙役，都是很贪婪很刁滑的，都会借机中饱私囊。这幅《双艳图》最后就没有能够归到忠顺王府，被人偷出来了。画上画的是美女，"婵娟"，有人立刻想起宋代苏东坡的句子"但愿人长久，千里共婵娟"。说"婵娟"不是说月亮吗？在古代，婵娟既是形容美女也是形容月亮，或者你可以把两个印象合起来，就是像明月一样美丽的女子叫婵娟。

那么《双艳图》怎么会促成了薛宝琴和柳湘莲的姻缘呢？"团圆莫忆春香到，一别西风又一年。"可见这当中有一个丫头起了作用。和"小红"一样，"春香"也是以往对丫头的泛称。那么具体到书里情节流动中出现的那个丫头是谁呢？应该就是小螺。作为薛家的丫头，在四大家族被皇帝治罪的时候，她也会随着薛家遭到打击，她可能跟别的许多丫头仆妇一样，被忠顺王搜罗到忠顺王府里，后来又被忠顺王赏给了府下面的随从。这个随从在查抄贾家的过程当中就私匿了《双艳图》，小螺后来发现了，她当年肯定听说了人们对雪坡上她和薛宝琴的那种赞美，说她们比画上的"双艳"还美，因此这幅画对她具有特别的意义，小螺就把《双艳图》带着逃离了京城，到江南来寻找她原来的女主人薛宝琴，她应该先遇到了柳湘莲。柳湘莲参与"月派"的武装起事，失败以后，隐姓埋名、流落江湖。小螺盘缠用尽，不得已到庙会上去售卖这幅画，被柳湘莲发现，柳湘莲十分欣赏这幅画，却没有银子能买，恰巧薛蝌和宝琴也到那庙会，薛蝌和柳湘莲原来认识，小螺和宝琴互相认出，大家惊呼热衷肠，携画同到私密僻静处畅叙别后种种，算起来，"一别西风又一年"，在曹雪芹笔下，东风都是代表米摧残四大家族的一种力量，西风则喻"月派"，那么现在是东风已经压倒了西风，西风已经销声匿迹了，经历一年的劫难，他们主仆朋友终于重逢。那么这幅《双艳图》就促进了薛宝琴和柳湘莲的结合。薛宝琴和柳湘莲的结合固然有甜蜜的一面，但柳是通缉犯，琴与罪家沾边，他们那以后也只能东躲西藏过一种不安定的流亡生活，薛宝琴到头来也还是属于太虚幻境薄命司册子里的一钗。这些内容应该都在曹雪芹写出的第一百回至一百零八回里呈现。

《金陵十二钗副册》探佚完了。第五回里写到的太虚幻境薄命司里面，除了正册、副册以外，还明确写出有又副册，那么《金陵十二钗又副册》里面究竟都有谁？肯定有晴雯，有袭人，曹雪芹在第五回里虽然没有直接点名，却通过册页上的图画、判词交代了。除了她们俩，还有谁？请期待我下一讲。

第十三讲
第一百回至第一百零八回之谜[3]
《金陵十二钗又副册》之谜

《金陵十二钗又副册》里面，排在第一位的是晴雯，第二位是袭人，这是大家的共识。册页上关于她们的图画和判词大家很熟悉，我就不描述引用了。

《正册》《副册》里收的都是女性主子，《又副册》开始收入丫头。晴雯排第一，意味深长。

贾府丫头的出身来历是不一样的。贾府丫头的来源主要是两大类：第一类家生家养。曹雪芹笔下的宁国府、荣国府从宁国公、荣国公开始往下传，已经百年了。一开始他们家里就有很多仆人，有男仆，有女仆。男仆、女仆在主人的撮使下互相婚配，就生下了后代。生下的男孩，长大以后，又成为贾家的男仆，女孩就成为贾家的丫头，世代为奴。这是贾府丫头的第一个来源，是最大的来源。书里面所写的丫头，多数都是这种来源。

像贾母身边的一号大丫头鸳鸯，就是家生家养的丫头。贾赦逼婚，非要鸳鸯嫁给他，给他当小老婆，鸳鸯不干，贾赦就动用她的兄嫂来劝说。鸳鸯哥哥金文翔和嫂子，都是荣国府里的奴仆，哥哥负责贾母院的采买事项，嫂子负责贾母院的浆洗活计。鸳鸯很刚烈，她嫂子跑来劝她，被她痛骂了一顿。于是贾赦就决定把她父母找来，让她父母来包办这件事情。书里就交代了，她的父亲在哪呢？不在京城，不在荣国府，在哪儿？在老宅。荣国府的老宅在金陵，就是南京，那里有若干仆人负责看守老宅，鸳鸯的父母就在其中。贾赦让贾琏把鸳鸯的父母给找来，贾琏就跟贾赦汇报，说她父亲已经痰迷心窍活不长了，虽然没死，可是南京那边烧埋银子都已经发下去了；她母亲呢，是个聋子，你把她找到北京来也没用。

贾赦听了气得要命，但是也无可奈何。

另一种来源，是百姓的女儿。有的平民百姓，家里穷得没饭吃，只好卖儿卖女，有的就把女儿卖到贾府当丫头。袭人就是这样的来历。书里故事正式展开以后，写到过节的时候，她还能够回家探亲；她父亲没了，但是她母亲还在，哥哥还在，家里的经济情况已有好转，因此她母亲和哥哥一度考虑把她再赎回家来，当然，袭人自己并不愿意离开荣国府，尤其舍不得离开贾宝玉，而贾宝玉在小厮焙茗引领下，偷偷来到袭人家，袭人母亲、哥哥见到她和宝玉竟是那么亲密无间，也就理解袭人为什么跟他们说"至死也不回去"了；后来袭人母亲去世了，府里还准许她很风光地去奔丧。

从书里描写来看，平儿最早也应该是从平民百姓那里买来的丫头，当然，应该是王家买的，王熙凤出嫁时，把她当做陪送，跟着王熙凤到了贾琏跟前，后来又跟着贾琏、王熙凤进驻荣国府，成为荣国府丫头群里最出众的一员，她在"变生不测凤姐泼醋"时，挨了打，贾宝玉把她请到怡红院去，"喜出望外平儿理妆"，那一段情节里，通过宝玉的心理活动交代出来，平儿"并无父母兄弟姊妹"，可见从民间买来的丫头，像袭人那样尚能和原来家庭保持联系的，实属幸运，而像平儿这样完全成了浮萍的，应该更多。

那么你想一想，晴雯她属于以上两类当中的哪一类呢？想明白没有？她哪类都不是！晴雯的出身极其卑微。她不是府里面世代奴仆的后代，她也不是府里面花银子买来的丫头。她是怎么来的呀？且说宁国府、荣国府因为富贵百年了，里面就有很多的老仆人，退休的老仆人因为侍候过上一辈主子，非常有脸面，现在的主子们对他们就不得不尊重几分。他们通过多年的服务，积累了很多钱财，一般就不在府里面住了。荣国府的一个大管家赖大，他们家在荣国府里面世代为奴，最后就变得很强大，赖大每天到荣国府来上班，下班以后回自己家。他家是一个很大的宅院，甚至有很大的花园，规模虽然比不了大观园，"却也十分齐整宽阔，泉石林木，楼阁亭轩，也有好几处惊人骇目的"。赖大母亲还活着，就是赖嬷嬷。赖嬷嬷应该是跟贾母一辈的老仆人，但是老早就退休了，退休了以后，她就在赖大所购置的带花园的大宅院里面，过着相当养尊处优的生活。赖大的后代，按说成年以后，应该都来为荣国府的主子服务，赖大生下一个儿子叫赖尚荣，赖大跟主子求情，要把赖尚荣赎出去，成为自由人，府里面答应了。这个赖尚荣在赖大自家的宅子里面，捧凤凰似的养大，最后科举考试考中了，还谋到了一个县官的官职，要去走马上任，赖大家因此大摆酒席，不仅贾府的老爷、少爷去了，一些其他贵族家庭的人都去了，连贾探春也去了，还趁便跟赖家姑娘取了管理经。所以贾府的老仆人可以说是很风光的。有一回赖嬷嬷到荣国府来，其实就是串门，但是她毕竟身份是仆人，她不能说是串门，叫什么？叫请安。她到荣国府来请安，首先要给贾母请安，贾母当然很高兴。像这样一些上等的仆人，他们自己也拥有小厮、丫头。赖嬷嬷来给贾母请安，她是带丫头的，那回她带着一个小丫头，还不到十岁，贾母一看到就很喜欢，一看老主子喜欢，赖嬷嬷也很会逢迎，就说您既然喜欢这个小姑娘，那就把她当做一件玩意儿，孝敬给您吧！晴雯就这么进入荣国府里，先成为贾母的丫头，后来贾母把自己身边的丫头拨给宝玉，拨出了袭人，又拨出了晴雯。袭人在贾母身边时候叫珍珠，宝玉后来长大了，读点儿古诗，古诗里有一句叫做"花气袭人知昼暖"，袭人姓花，宝玉就把珍珠的名字去掉，改叫她袭人。但是袭人是贾府正经用银子买来的，而晴雯却是仆人的仆人，她一点身价都没有，袭人起码值几两银子，她却是一个白送的，论出身，说她"身为下贱"，那是非常恰切的。

关于晴雯，历来读者对她印象都非常深刻，很多读者为她流下过热泪，也有很多论家从各种角度论述过晴雯。晴雯个性鲜明，在书里面戏份儿很多，很值得详细论述。但是，别人嚼过的馍不香，已经被别人多次论述过的，我就不在这里重复了。我在这里把我个人进行文本细读的心得，提出几点跟大家共享。

一点就是我不知道大家注意到没有，书里面后来有一个交代，晴雯还很小，一个十来岁的小姑娘，到了荣国府以后，她就做了一件事。一件什么事？她就想，我从一个赖家的宅子，到了贾家的宅子，赖家是贾家的仆人，我从仆人的仆人，变成了他们主子的仆人，我的生活环境有所改变，有所提升了，我应该很高兴；那么在这个时候，她就想到，不能光是我一个人享受这个好处，能不能，也让别的人分享到一些呢？晴雯她根本不知道自己父母是谁，也没有什么可以确切指认的血亲，但是她就想到，有一个人，跟她模模糊糊有些血缘关系，书里说，是她的一个姑舅哥哥，是一个会宰牲口，会做饭的这么一个人，沦落在社会上。于是，晴雯到了荣国府以后，她就求大管家赖大，允许她的这个姑舅哥哥，摆脱漂泊不定、衣食常忧的生活，也到荣国府来"吃工食"，从此能够有固定住处、固定收入。"吃工食"是书里原文，我读到这三个字时，不知怎么搞的，鼻酸。晴雯那时候还远未成年，却已有这种与人分享好处的心肠。她的那位姑舅哥哥得以进入荣国府，后来这个姑舅哥哥还娶了媳妇。没想到晴雯被王夫人撵逐以后，这个姑舅哥哥对她非常冷酷，那位姑舅嫂子就更不像话。

关于晴雯把她的姑舅哥哥安排进府的有关交代，常被读者和论家忽略。但是我吁请读者掩卷默想，晴雯，这样一个小生命，游丝般的生存状态，具有着爆炭般的性格，常常游弋在危险中而不自知，最不会保护自己，可是在她心灵的深处，却有着最柔软的情愫，她自己得到一点好处，就总想找人分享，终于想起有个姑舅哥哥，就让他也能进府获得比以往好些的生活。其实所谓姑舅哥哥，是一个很模糊的血统概念。你姑父的儿子是你姑表哥，你舅舅的儿子是你的舅表哥，姑舅哥哥是一种极其含混的说法，曹雪芹如此行文，就是想告诉读者，其实晴雯她自己也搞不清，这是她姑父的还是她舅舅的孩子，但是跟她有点关系，她就去关心人家、顾及人家。所以我们对晴雯这个形象，要注意到曹雪芹所精雕细刻出来的，她心灵深处的这些善美。

晴雯由着性子生活。论家经常指出，晴雯是黛玉的影子。正如袭人是宝钗的影子一样。她"风流灵巧招人怨"，但是请你注意，贾母却不嫌怨她，反而非常欣赏她。贾母和王夫人之间是有矛盾的，先不说别的方面，两个人看人的眼光，就大不一样。王夫人喜欢规规矩矩的，完全遵守封建道德规范的后代。贾母比较容忍开放式性格，她对王熙凤的放诞无礼，不仅容忍，还挺欣赏；她对黛玉的尖酸刻薄，也能容忍，从无责备；她对晴雯的千伶百俐、嘴尖性大，只当活泼有趣。书里面有一笔，非常重要，在晴雯被撵出去，甚至已经死掉之后，贾母跟王夫人说起晴雯，她还是赞赏的口气，她说"晴雯那丫头我看他甚好"——注意：不是一般地好，是"甚好"——她说"我的意思，这些丫头的模样爽利言谈针线多不及他，将来只他还可以给宝玉使唤得"。这段话出现在第七十八回开头。周汝昌先生认为前八十回曹雪芹的真笔就到第七十八回为止，第七十九回和第八十回都非曹雪芹的文字，他曾试图另写第七十九、第八十回，他写出的第七十九回里，一段重要情节，就是贾母因晴雯被撵逐致死痛责王夫人。周先生的观点足资参考。

过去有一种论调，把晴雯定性为一个具有反抗意识的女奴。这种对晴雯的定位，贴这样的标签，论家有他一定的道理，但是我个人不认同。我认为晴雯的悲剧不是因为她有阶级意识,自觉地进行反封建压迫的斗争,因力量单薄故而败亡。所谓阶级意识,或者说女奴意识,就是觉得自己是被剥削、被压迫的,我是被关在一个牢笼里面,我感到窒息,我反抗,我要冲破这个牢笼,出去获得自由。晴雯显然不是这样的。晴雯的悲剧是一个性格悲剧。

　　曹雪芹去世以后,在西方,过了很多年,到十九世纪末、二十世纪初,瑞士一位学者荣格,提出了一个影响很大的命题,叫做"性格即命运",也就是"播下一种性格,你将收获一种命运"。曹雪芹虽然没总结出这样一句话,可是在他的《红楼梦》文本里,早就表达了这样一种哲思,就是很多人生的大转折,大喜剧,大悲剧,固然有政治原因,有经济原因,有其他社会原因,但是往往最深处的因素,却是性格。晴雯她那种由着自己性子来消费自我生命的做派,表现得最充分的是在"撕扇子作千金一笑"那一回,大家印象很深,论述也很多,具体情节我不重复了。由于她性格过于锋芒毕露,一时闹得宝玉都不高兴了。宝玉赌气说那我就去回太太,把你打发出去算了。如果晴雯真是一个所谓具有阶级意识的反抗的女奴,她应该高兴死了。这是一个牢笼,我在这受剥削、受压迫,你把我放出牢笼,太好了!一拍屁股走人。可是书里怎么写的呢?晴雯当时什么反应?晴雯最后就哭了,说"为什么我出去?要嫌我,变着法儿打发我出去,也不能够",甚至说"我一头碰死了也不出这门儿"。这是曹雪芹笔下的晴雯。晴雯为什么愿意留在"牢笼"里不愿意出去?任何事情都有特定的环境,特定的因素。固然,你按阶级分析的角度来分析的话,晴雯这些丫头确实是女奴,是为奴隶主服务的女奴。从深刻意义上分析的话,她们是受剥削受压迫的。可是具体到荣国府,具体到大观园,具体到怡红院这个环境里面,这些丫头,特别是一二等丫头的生活,跟公子、小姐没有太大区别,非常舒适,非常惬意。更何况宝玉这个主子是主张"世法平等"的,具有"情不情"的博大胸怀,具有开放性思维,对丫头们不仅绝无压迫,更把她们当做花朵般欣赏、呵护。晴雯在那样的生活环境里,如鱼得水,自由自在,她不但不会觉得那是一个牢笼,随时想挣脱出去,反而把在那个环境里的撒娇使性、纵情享受,当做了生命的必然,以为永远就可以那么优哉游哉地过下去。晴雯本身有个口头禅:"撵出去!"她对比她地位低下的丫头和婆子,是很凶的,她经常吓唬她们:把你撵出去!干脆撵出去算了!口吻跟主子没有什么区别。主子还没有这么说,她先这么说。她还付诸行动,直接做主撵出过坠儿。她从来没有设想过,自己到某一天倒会被撵。曹雪芹写出了这么一个毫不设防、毫无忧患意识的晴雯。

有一位红迷跟我讨论晴雯的时候，我难过地说，晴雯搬起石头砸了自己的脚。她说这个话只能去说坏人啊，晴雯死了以后，宝玉写了篇幅很长、文句很古奥的《芙蓉诔》，称誉她"其为质则金玉不足喻其贵，其为性则冰雪不足喻其洁，其为神则星月不足喻其精，其为貌则花月不足喻其色"。这样一个生命，怎么可以忍心说她是"搬起石头砸了自己脚"呢？我就跟她一起梳理书里的情节发展。

晴雯最后被撵出去，最直接的原因就是抄检大观园。大观园为什么被抄检？风起于青萍之末，或者叫做"蝴蝶效应"——本来只是一个蝴蝶翅膀轻轻扇动，结果形成一个大风暴。酿成抄检大观园惨剧的"蝴蝶扇翅"，换句话说，那挑事起头的是谁？就是晴雯自己。

大家记不记得从第七十三回开始的情节发展逻辑链？那天晚上，宝玉正准备睡觉，突然赵姨娘那儿有一个丫头叫小鹊，来到怡红院，直接走到宝玉跟前。这个丫头的名字取得很有趣，小鹊，喜鹊的鹊，按说应该报喜，结果她报的却是凶信儿，似乎应该叫做小鸦——乌鸦的鸦——才对。她说什么？说宝玉你要仔细，我听见赵姨娘在老爷耳朵边说了一些什么，仔细明天老爷问你话。宝玉听到老爷，就跟孙猴子被唐僧念了紧箍咒一样，坐立不安了，连夜抱佛脚温书。因为老爷问他话，无非是问你圣贤书读得怎么样了？你八股文练习得怎么样了？宝玉开夜车搞恶补，所有丫头都得一块儿熬油。晴雯表现得很积极，对小丫头们吆三喝四。有个小丫头陪着在那儿值班困了，打盹时一下子头碰到板壁，就以为晴雯打她了，哭着央告："好姐姐，我再也不敢了。"突然，出现了一个事态，就是芳官她出去方便完，回来以后就说，哎呀！我觉得有一个人影从墙上跳下来。晴雯一心一意要为宝玉解围，一听有这动静，觉得构成一个理由，马上让宝玉装病，把这个事儿吵吵出去：有人跳墙了，这还得了啊！宝玉吓着了，吓病了。这么一来，第二天，老爷也好，天皇老子也好，谁还问他功课啊！晴雯就带头闹。守夜人到处查，哪有跳墙的痕迹啊，哪找得着跳墙的人啊，说没有这个事儿。当时晴雯是怎么说的？晴雯觉得自己跟王夫人是一头的，说明明看见的，不光芳官看见，我跟宝玉都看见了，我现在还要到上房，到太太那去，报告这个事儿，还要给宝玉领安魂药，依你们说，难道就罢了不成？

其实这事闹到一定程度，及时刹车，第二天就说虚惊一场，宝玉确实受惊病倒，贾政也就不会问宝玉功课了。但晴雯的性格使然，她执意要把这个事儿闹大。果然越闹越大。到第二天，贾母也知道了，等于就临时召开了一个家庭紧急联席会议。贾母平常不问府里面的事儿了，她离休多年，只享清福，这回却亲自主持"御前会议"，确定了严查严处的基本方针。结果没有查出来跳墙的人，但是查出府里夜间赌局，查出了赌头，这个赌头一查出来，牵动面就太大了，一个是府里面大管家林之孝家的亲戚，你说管家能高兴吗？又查出来一个是贾迎春的奶妈，这个事儿让她没脸，贾迎春虽然很懦弱，能忍就忍，可是她是邢夫人的女儿，邢夫人能忍吗？你们二房竟查到我们大房头上来了！还有一个是内厨房厨头柳家她的妹子，内厨房那个柳嫂子也不是一盏省油的灯，而且内厨房是很重要的机构，供应整个大观园里面这些公子小姐，包括李纨的伙食。所以就搅得整个府里全乱了，各个利益集团之间的矛盾全激化了。恰好贾母房里的一个傻大姐，在大观园的山石上捡到一个绣春囊，交到了邢夫人手里，邢夫人如获至宝，赶紧封起来交给王夫人——什么叫封起来交给王夫人呢？有人说是不是写了一封信？不用写信，尽在不言中。大家想一想，王夫人看了什么感觉？等于邢夫人就跟你说了，谁是贾母大儿子？贾赦。谁是大儿媳妇？本人。谁应该住在荣禧堂？谁应该来管理荣国府？我们大房。我们被排除了，都交给你们二房了。贾政一天到晚忙于他的公务，掌管整个荣国府的不就是你王夫人吗？对不对？那么你现在看看，你把这个府第治理得怎么样？光天化日之下，你的荣国府所附属大观园的山石上头竟有这种淫秽物品！王夫人脸上心里就都搁不住了，那么事态发展到后来，就是抄检大观园。

晴雯她万没有想到，她强调有人跳墙必须得严查，一查到底，蝴蝶翅膀一扇，酿成超级风暴，抄检大观园的第一个苦果子，竟是由她来尝，她天天在那里毫无心机地嚷"撵出去撵出去"，到头来抄检大观园以后，率先被撵出去的就是她自己。正如宝玉所说，她就如同一盆才抽出嫩箭来的兰花被送到猪窝里去一般，她的嫂子，还对去探望她的宝玉进行性骚扰，最后她就死在她那个姑舅哥哥的冷炕上，而这对受过她恩惠的远房兄嫂，竟在她刚一咽气的时候，就忙着去领烧埋银子，把她匆匆火化了。真是凄惨绝伦！你看这个晴雯，那么聪慧美丽、心地善良的一个好人，结果确实搬起石头砸了自己的脚。我和一起讨论的红迷朋友，不禁发出长长的叹息。她说曹雪芹下笔真够狠的。我说，也唯有这样的文笔，才能够使我们读者遍体清凉，懂得什么叫社会，什么叫做世道，什么叫做人生，什么叫做人性。真是一言难尽。所以晴雯是一个专门把她展开讲十几讲都讲不够的一个角色。限于时间，我只强调这些。曹雪芹在设置《金陵十二钗又副册》的时候，把她列在所有丫头的第一位，是有道理的。她的出身虽然最卑微，但是她的故事最丰富，最动人；她所能够引发我们的思绪，最充沛，也可以达到最深刻。

又副册里排在第二位的是袭人。关于袭人我前面讲了很多，这里就不重复了。

第三位是谁呢？第三位我觉得应该是鸳鸯。提起鸳鸯，有人马上就想到鸳鸯抗婚，那当然是全书里面最精彩的片段之一。有红迷朋友会问，既然鸳鸯是世奴，贾赦直接占有她就是了，何必啰啰唆唆，又是让邢夫人私下去动员，又搬出鸳鸯兄嫂来劝说，更想让鸳鸯父母出面包办？这是因为鸳鸯是他母亲身边的一号大丫头，他知道贾母不可能放弃鸳鸯，他希望鸳鸯在劝导和逼迫下去跟贾母违心地表态，如果鸳鸯自己表示愿意，贾母也就难以挽留。那是一个把"孝道"扛上天的宗法社会，贾赦不能不至少在表面上遵从贾母的意志，所以最后鸳鸯抗婚得以胜利，贾赦只好拿银子去另买了个嫣红来泄欲。贾母一死，鸳鸯没有了保护伞，贾赦霸占她也就无所谓不孝，因此贾赦发狠宣布鸳鸯早晚脱不出他的手心。鸳鸯自己也很清楚这一点。那个时代那种社会，如果贾母死后鸳鸯宣布出家，永不嫁人，从法律和道德的大面上说，贾赦也不能强娶她，但鸳鸯深知在得势之时，贾赦这样的贵族老爷对法律和道德是满不在乎的，她恐怕到头来还是要落入魔掌。贾母死，鸳鸯随，这是必然的结果。在曹雪芹的全本《红楼梦》的八十回的后面，在贾母去世之后，会写到在贾赦逼婚的情况下，鸳鸯掏出剪子，剪喉自尽。她并不是为贾母表忠——在高鹗笔下，"鸳鸯女殉主登太虚"，完全是一个"忠奴"形象——她是为了捍卫自身的尊严，她绝不屈服于色鬼贾赦。支撑鸳鸯心灵的，绝不是什么忠孝节义封建道德那一套，这在前八十回里已经表现得很清楚。

第七十一回，写到鸳鸯有一天在大观园里办完事，打算出去回到贾母那边，天已经黑了，她要方便，往僻静地方走，无意中就发现了司棋和她的表兄潘又安，在大观园里面幽会，分明有云雨之事。这种行为在那种社会非同小可，不要说主子，就是一些丫头，如果发现或者仅仅是听到这个事情，也会觉得司棋无耻之极。可是书里面有一笔写得非常动人。鸳鸯后来听说那边无故走了一个小厮，这边司棋病重——一方面可能生理上确实出现问题，更重要的是心病。鸳鸯无论是跟贾母、王夫人或者王熙凤随便一汇报，司棋就面临金钏那样的下场。金钏无非只是跟宝玉稍微调笑了几句，司棋是真有行为，而且私自把外面男子勾引到大观园里面来，不光是淫行，更涉嫌招纳匪盗——司棋面临被挪出去的处置，作为丫头，不能老病着在小姐屋里待着，虽然她跟小姐不住在一个空间，可能在另外一个屋子里头，但是怕传染，府里管家需要把她挪出去。在司棋最惶恐绝望的时刻，鸳鸯赶到了司棋的身旁，把其他人支开，赌咒发誓："我告诉一个人，立刻现死现报！你只管放心养病，别白糟蹋了小命儿！"不要说在那个时代，在今天，有的人看见别人所谓的偷情，婚前性行为，都可能要去告发，都不同情。而在那个时代，鸳鸯那样一个女性，她真是具有人本思想啊，在她眼里，最最重要的是司棋的"小命儿"，而不是什么律条规矩和道德概念。当然她也劝了几句，意思是你以后注意点。但是她的基本意识和情感，是觉得不能为这个事情，让我的一个姐妹就此毁灭前程，我得保护她。这是多么高尚的精神境界。鸳鸯排在第三位是当之无愧的。

第四位，我个人的看法，应该是小红。荣国府里面的丫头们，对自己的前途，每个人抱有不同的态度。小红是其中最富于理性，最能够把握自己前途的一个。她在怡红院里地位很低，老受气，晴雯也刁难过她，她就懂得，在宝玉身边争取到一个什么位置，是根本不可能的，那么，她逮着一个机会，大展口才，深得王熙凤欣赏，成功地从怡红院跳槽到了王熙凤那边，算是攀上了高枝，但是她依然冷静，懂得过几年年龄大了，也得由主子安排去配小子，尽管她父母是荣国府里跟赖大夫妇平级的大管家，或许不至于配太差的小子，但是她还是决定自主找对象。当然，像宝玉那种级别的贵公子不必去幻想，那么贾氏宗族其他的男子，模样也不错，能力也不低，经济上虽然不是很发达，但是有潜力，能达到小康的，那么我看中了，我就敢大胆地跟他过电。第二十四回写到贾芸又到荣国府里谋差事，在外书房里跟小厮们说话，这时小红恰好来外书房传话，贾芸知道了小红是怡红院的，小红知道了贾芸是贾府外面的本家爷们，书里面写到这段情节时就有一句，叫做"小红知是本家爷们，便不似先前那等回避，下死眼把贾芸盯了两眼"。我看下面听讲座的有人在学这个"下死眼"，怎么叫"下死眼"？就是非常大胆地盯着看，非要留下个深刻记忆不可。不要说过去的时候，现在有的未出嫁的姑娘，见到生人还很羞涩，任何一个男性，她都不敢去正眼细看，何况是"下死眼"。曹雪芹通过"下死眼"三个字，活画出一个有种的小红！关于小红的故事，前面讲座里已经讲了很多，这里不再重复。在又副册里，我认为她应该排第四位。

第五位应该是金钏，她的故事大家很熟悉，不重复了。

第六位应该是紫鹃，她原来是贾母身边的丫头叫鹦哥，贾母在黛玉来了以后，把她拨给黛玉，她和黛玉后来超越了主仆关系，成为了朋友。

第七位应该是莺儿，薛宝钗的丫头。

第八位应该是麝月，前面我讲到了麝月，这里就不重复了。

第九位应该是司棋，司棋的故事我前面也讲到了，这里不多重复。我只点明一点，就是高鹗他所写的司棋后来的命运结果，这一部分大体符合曹雪芹原笔原意，是不离谱的，应该是这样一个结局。在曹雪芹笔下，司棋也是一个形象很鲜明的角色。首先她的身材、相貌就和别的丫头不一样，她身材高大丰壮，绝非骨感美人。她那种体态在唐朝最吃香。为了适合自己的身材，她梳头怎么梳？梳鬅头，是一种把头发往上挑得高高的，让其蓬松不垮的发型。第二十七回，其中有一个很微小的细节，不知你注意到没有？就是小红在大观园里面，得到了王熙凤的信任，王熙凤让她去办几件事儿，办完以后，她回来再想找王熙凤汇报的时候，王熙凤不在那个位置了，这个时候小红就看见司棋从山洞子里面出来，站着系裙子，小红问她看没看见二奶奶，司棋答曰"没理论"。这几句很多人不注意，那么你想想这是什么意思？这里面有很多含义。首先你可以想见，大观园虽然非常宏伟美丽，但是没有先进的卫生设施，有的人就会找个隐蔽的地方去方便，有了第二十七回这个伏笔，第七十一回鸳鸯在大观园里内急，往偏僻处找地方方便，"鸳鸯女无意遇鸳鸯"的情节就一点不突兀，显得非常合理了。同时，二十七回这淡淡一笔，也就让细心的读者读到第七十一回的时候意会到，司棋把潘又安引到大观园里之前，她老早就进行了地形勘察，哪里最隐蔽，最不易被人发现，她都心中有数。司棋不是像有的人想象的，身材高大，心眼很粗，她其实心很细。司棋还大闹过厨房，前面讲过，不重复了。这个角色也不是一个扁的形象，而是一个圆的，活生生的形象。

排在第十位的，应该是金钏的妹妹玉钏。金钏跳井、宝玉挨打以后，她被派去服侍宝玉，宝玉喝莲叶羹，让她吹汤，又让她尝一口，她把汤递给宝玉、宝玉接的时候，两个人没有互相看，都看着前面，谁啊？傅秋芳他们家派来婆子，正给宝玉请安。两个人传递当中，没能配合好，汤就洒了，烫到宝玉了。宝玉自己被烫，却关心玉钏，问她烫着了没有。后来傅家婆子就把这个事儿传播出去，想必傅秋芳也耳闻了，就知道宝玉这个人，真是个具有特殊品格的人。第四十三回写王熙凤生日大摆宴席，宝玉一开头缺席，大家都很疑惑，怎么回事啊？宝玉记得那天也是金钏的生日，他是悄悄跑到一个尼姑庵，在井台上悼念金钏去了，回到府里，他跟别人撒谎，见到玉钏独坐在廊檐下垂泪——当然是在想念悲戚姐姐金钏——宝玉就跟她说："你猜我往那里去了？"玉钏儿不答，只是擦泪。这些细节含义都很丰富。

排在第十一位的，应该是茜雪，前面讲得太多，这儿不重复了。

第十二位应该是柳五儿，内厨房的厨头柳嫂的女儿。柳家也是贾府世奴，生下女儿，就应该上报给管家，一到成年的时候，就应该由管家分房。什么叫分房？就是把你分配到哪一位主子那儿服务，是分往贾母那一房，还是王夫人那一房？最不济你是到赵姨娘那房，或者是周姨娘那房去当丫头。但是柳五儿有病，按说十三岁就应该当差了，她拖到十五岁，还没有分房定岗。到故事发展到第六十回前后的时候，柳五儿病养好了，该分房了，柳五儿他们家在这种情况下，就开始积极活动。如果由着大管家来分配的话，就可能给你胡乱地分配，分到赵姨娘的屋里你乐意吗？当然不乐意。那么哪儿最好呢？怡红院最好。怡红院又正好有空缺。小红原来是怡红院的，高升了，到凤姐那去了，这不就是一个空缺吗？坠儿被撵走了，又是一个空缺。柳家的在怡红院有内线，就是芳官。芳官当戏子的时候，住在梨香院，那时候柳家的就在那里当差，双方很熟，建立了友好的关系。戏班子解散，芳官到了怡红院，就总在宝玉耳边说，柳五儿多么多么好。宝玉动了心，就打算去要这个柳五儿。但是大观园那一时期里发生盗窃官司，柳五儿和她妈都卷进去了，她妈差点儿被革职，她差点儿被撵出去，事情当然就搁浅了，但是她们还会继续钻营。

关于柳五儿的故事里，有个细节很值得玩味。因为她没有归房，她虽然是大观园内厨房厨头的女儿，可以到她妈当差的厨房那块地方去玩儿，可是她不敢往里走，你没有身份，你是哪房的丫头啊？你没分房，走进去就是违规越矩。当然后来她为了把一包茯苓霜赠送给芳官，趁着傍晚，天色比较晦暗，柳遮花隐的，她偷去过里面，结果惹出大祸。开头她是不敢往里走的，因此她对大观园的印象是什么呢？书里面就说了，她说这后边一带——因为内厨房设在大观园的最后头，靠后门那个地方——也没什么意思，不过见些大石头大树和房子后墙，正经好景致也没看见。这是很深刻的一个描写。大观园里面那么多美景，但是你身份不到，你就不能够随便越雷池一步。你所看到的好像是布景的背后。有人到舞台表演的布景背后站着吓一跳，泡沫塑料、三合板、小竹竿加钢丝细麻绳支撑的一堆东西，可是前头灯光一打，从观众席上看去那么漂亮。任何事物背后，都会有一些支撑性的，并不体面的东西，柳五儿那时候所看到的，就是大观园的背面。仅就这一笔，就渗透出哲理的意蕴。

柳五儿在高鹗笔下，是还活着的一个丫头，而且还写了什么宝玉"候芳魂五儿承错爱"。实际上曹雪芹的《红楼梦》里面，在第七十七回，通过王夫人之口，就已经明确告诉读者，柳五儿"短命死了"，王夫人作为荣国府的第一夫人，她关于府里奴婢的生死情报肯定是准确的。现在流布得最广的人民文学出版社出版的，由红楼梦研究所校注的一百二十回通行本里，第七十七回也有王夫人宣布柳五儿死掉这句话，却和高鹗续的第一百零九回"候芳魂五儿承错爱"并列一书，这样的版本缺陷，我个人觉得实在遗憾。

《金陵十二钗又副册》里的这十二个丫头，其中金钏、晴雯、柳五儿，在前八十回里就夭折了。鸳鸯、司棋应该死在八十二回至九十回那个情节单元里。袭人离府、麝月暂留的情节也应是在八十二回至九十回那个情节单元里。紫鹃，还有雪雁、春纤，黛玉沉湖前，留下遗嘱和多年攒下的银子，恳求府里让她们离府自谋生路，得以在皇帝打击荣国府的时候，幸免于难，这也应是第八十二回至九十回里的事情。但是莺儿、麝月、玉钏最后的命运就非常惨痛了，在第一百回至一百零八回这最后的情节单元里，会交代她们随着贾府的陨灭，被卖到别的人家为奴。至于茜雪，她的早被撵出，倒成了焉知非福的事，贾府垮塌波及不到她，她反而在最后这个情节单元里，出现在狱神庙里，去慰问、救助宝玉。小红还会在第一百回至一百零八回中几次出现。

到这里，我把金陵十二钗《正册》《副册》《又副册》都扫描完了。问题跟着就来了：太虚幻境薄命司的橱柜里面，记载金陵地方重要女子命运的册子，究竟有多少册呢？是只有这三个册子呢，还是有更多的册子呢？那么现在我可以斩钉截铁地告诉你，起码还另外有两个册子，我的根据是什么？下一讲见。

第十四讲

第一百回至第一百零八回之谜[4]

《情榜》之谜

有的红迷朋友，他觉得《金陵十二钗》的册子应该就是三册，问我有什么根据说不止三册？是有根据的。

在古本《红楼梦》里面，有一条畸笏叟的批语，先说："前处引十二钗，总未的确。"意思是他一开始批书的时候，还没有看到后面，他就猜，《金陵十二钗》有几组？都是谁？他试着开列出名单，但总不准确。等到他整理完全部书稿，看到了最后一回，他就明白了，于是在批语里面很明确地告诉我们："至末回情榜，方知正副再副及三四副芳讳。"

细读这条批语，你算一算，他提到有几个册子？有正册，副册，再副册也就是又副册，除了这三册，还有三副册、四副册，加起来，最起码有五个册子，对不对？什么叫芳讳？过去人的名字不能乱叫，尤其女性的名字，要避讳，芳讳，就是女性的名字。畸笏叟在这条批语后面还注明了时间：壬午季春。他所说的这个壬午应该是乾隆二十七年，就是 1762 年，那个时候曹雪芹应该还在世——因为关于曹雪芹的卒年虽然有争论，但那争论主要集中在他究竟是壬午除夕还是癸未除夕去世的。壬午季春他仍在世并无争议——在那个时候批书人已经看到了最末一回，看到了《情榜》，这就再次说明，曹雪芹写完了全本《红楼梦》，全本的最后一回里，开列出了一个《情榜》，起码有五个册子，即《正册》《副册》《又副册》《三副册》《四副册》。《又副册》可以理解成《二副册》，那么你梳理下来就更顺当了。大家知道《红楼梦》这本书，它有很多不同的书名，脂砚斋在誊抄、编辑以及写批语的过程当中，一直主张把这本书叫做《石头记》，但是曹雪芹本人，更倾向把这本书就叫做《金陵十二钗》，这在第一回里面，是明确交代了的。可见曹雪芹他在构思和写作这部书的过程当中，对于把书中的年轻女性每十二个人分成一组，一共分几组，每组收入哪些人，怎么排列她们的顺序，他是殚精竭虑、费尽心思的。

既然肯定有《金陵十二钗三副册》和《金陵十二钗四副册》，那么我们现在就讨论一下，这两个册子里，究竟都有谁？

先讨论《三副册》，也就是整套册子里的第四个册子。我认为里面会有一些小姐身边的大丫头。贾府的小姐，按年龄排序是元、迎、探、惜，连起来构成一个谐音，就是"原应叹息"。她们大丫头的名字呢，也是配伍的，她们名字里的最后一个字，连起来恰是"琴棋书画"。书里面写到，元春的大丫头叫抱琴，可见元春擅长弹琴，所弹奏的琴应该是中国传统的古琴。元春入宫，抱琴随往。迎春会下棋，书里面几次写迎春下围棋，所以她的大丫头叫司棋。探春则是一个书法家，她住的屋子里有很大的案子，上面摆满了名砚，有装笔的笔筒，笔插得像树林一样，还有古代到那个时代名家的帖子，所以她的大丫头叫待书——有人会说，不对吧！我看的通行本上写的是侍书，侍候的侍，少一撇，你怎么说是待书呢？在古本《红楼梦》里面，好几种古本都写的是待书，为什么我认为是待书？因为下面的那一位，四小姐惜春会作画，她的大丫头叫入画，入画的意思是我把应该画的这个事物已经画进去了，那么待书是什么意思呢？就是说铺好了白纸，有待于把美丽的书法写上去，一个"待"一个"入"，应该是对应的，"待书"和"入画"，它的对应性比"侍书"和"入画"强，所以我取待书这个写法，认为符合曹雪芹的原笔原意。贾府四艳的四个大丫头，当然都应该入册，因为司棋的故事比较多，很重要，已经排进《又副册》里面了，所以现在我们讨论的《三副册》，也就是第四个册子，里面当然就不用排入司棋了，但是，四个大丫头里面另外三个都要排进去，就是抱琴、待书、入画。她们占据前三位。贾元春暴死后，抱琴被勒令自尽。待书随贾探春远嫁。入画则随着宁国府的崩溃，被卖与别的人家为奴。

排第四位的，应该是王夫人屋里的丫头，叫彩霞。一定有人要跟我争论，说应该是彩云吧？前八十回里面，出现了一些文本上的混乱，这个角色，你觉得应该是彩云，却写成彩霞，而且有一回里面，彩云、彩霞同时出现。但是，细细梳理的话就会发现，这是曹雪芹在写书过程中文本上的毛刺，他还没有来得及剔净。

彩云、彩霞应该是同一个人物。这个丫头跟谁好？她并不跟宝玉好，她跟贾环好。六十回前后，荣国府大观园里闹盗窃官司，彩霞戏份不少。她后来因年龄大了被王夫人放出，王熙凤的仆人来旺夫妇就要彩霞嫁给他们的儿子，但来旺之子容颜丑陋，是个吃酒赌钱的混混，连府里负责安排奴才婚配的大管家林之孝，都觉得把彩霞配给来旺的儿子是白糟蹋了一个人，但是，来旺媳妇求了王熙凤，王熙凤执意要把彩霞安排给来旺之子为妻，贾琏也没有办法，林之孝也只能去帮助落实。赵姨娘总想让彩霞成为贾环的小老婆，自己也得个臂膀，就在贾政跟前请求，贾政没有答应，"来旺妇倚势霸成亲"，彩霞嫁过去绝无幸福可言。书里还交代，彩霞有个妹妹叫小霞，所以说彩云、彩霞如果是同一个角色的话，最后定名应该是彩霞。荣国府被彻底查抄后，彩霞和她的丈夫以及公婆，被发卖到不同人家为奴。

排第五位的是素云，她是李纨的大丫头。书里有一个细节，尤氏到稻香村休息，先洗脸，洗完脸以后要补妆，素云就把自己的梳妆匣拿过来，说奶奶将就着用，于是遭到李纨批评。李纨是寡妇，绝对不能够化浓妆，甚至于淡妆是不是能化都是一个问题，李纨没有相应化妆工具，李纨批评素云说我虽然没有，你就应该到其他小姐那儿去借，你一个丫头，公然把自己的东西拿来，让主子奶奶用，实在无礼。其实素云不是无礼，素云是表示对主子要伺候得尽量周到。由于皇帝认为李纨青春守节值得旌表，在打击荣国府时，将她排除在外，李纨和贾兰后来迁出荣国府置房安家，素云和其他丫头仆妇应该都随其迁出，躲过宁荣两府忽喇喇大厦倾的大劫，李纨乐极生悲死去后，以贾兰之吝啬奸猾，肯定不会善待素云，她最后的命运，仍属薄命一族。

第六位，应该是史湘云的丫头翠缕。史湘云在很小的时候，就父母双亡，两位叔叔婶婶轮流抚养她，对她又不是特别好，所以她经常到祖姑贾母这边来，贾母非常疼爱她，就把自己的一个丫头拨去伺候她，后来跟着她回到她的叔叔婶婶家里去，有时候又随她再到荣国府住下，这个丫头就是翠缕。翠缕有一个重要的情节，就是她和湘云两个人在大观园里面论阴阳，论到最后还拾到一个金麒麟。史湘云嫁到卫若兰家时，翠缕应该跟随过去，但是后来四大家族全都覆灭，卫若兰在虎兕相争中阵亡，史湘云被卖入娼门成为花船上的乐伎，翠缕也被发卖不知所终。

第七位应该是雪雁。雪雁什么来历？她是贾府固有的丫头吗？不是。雪雁值得你关注。你替她想一想，她多可怜！她是在黛玉还很小的时候，因为母亲死了，黛玉的父亲林如海就把黛玉送到京城外祖母这儿来，跟随黛玉进京的只有两个仆人，一个是奶妈王嬷嬷，老态龙钟，一个就是她雪雁，书里说贾母一见她就觉得年龄甚小、一团孩气。她从江南随着林黛玉进京住进荣国府，后来住到大观园潇湘馆里，她跟荣国府大观园里的其他丫头没有任何共同生长、共同相处的经历。她的前途充满不确定性。如果林黛玉很健康，最后比如说出嫁了，甚至嫁给宝玉了，那么她前景可能光明一点，她会跟着林黛玉安顿下来。但是黛玉死掉以后，她就会成为一个难题。根据当时富有家庭的游戏规则，这个丫头既不是我们家生家养的，也不是我们花银子买来的，是亲戚家的，那么她所伺候的主子死掉了，应该把她退回去。书里写明林如海死去以后，林家就没有什么属于林黛玉亲支嫡派的族人了。所以黛玉如果死了，要退雪雁都不知道该往哪里退。在黛玉沉湖仙遁前，雪雁随着年龄的增长，深夜沉思，她会感觉到前途十分渺茫。

　　书里在多数情况下，她都只是一个影子，偶尔被提到罢了。但是到第五十七回，"慧紫鹃情辞试忙玉"，这一回主要内容是写贾宝玉听紫鹃说林黛玉要回江南，就傻了、慌了、病了，形成宝、黛爱情故事的最后一个高潮。可是在这回里面，曹雪芹穿插了一小段文字，仿佛将聚光灯圈定在雪雁这个角色身上，使她一下子凸现在我们眼前。雪雁到上房王夫人那儿去给林黛玉取人参，取完参以后就在下房跟其他丫头说话，这个时候就看见赵姨娘招手叫她。赵姨娘应该是住在正房侧面的一个小院里。赵姨娘是一个刁人，柿子拣软的捏。她招手叫雪雁干什么？赵姨娘的兄弟不是死了吗？书里前面有交代。赵姨娘跟王夫人请了假，说要到兄弟家参与丧事活动，伴宿坐夜，被批准了。赵姨娘去要带丫头，带哪个丫头？带小吉祥儿去。参加丧事活动，要穿月白缎子袄儿。赵姨娘就跟雪雁说，小吉祥儿要跟你借月白缎子袄儿穿，你是不是拿来借给她？雪雁回到潇湘馆就跟紫鹃汇报这件事，她有一段话，听起来很平实，细细品味，令人鼻酸。雪雁就说了，这种月白缎子袄儿她们一般也有两件，因为去参与丧事怕弄脏了，所以，居然问她借，觉得她好欺负。雪雁有一句话，很俗却很深刻，叫做"他素日有些什么好处到咱们跟前？"如果说黛玉是寄人篱下的话，雪雁则是寄人篱下的再篱下。她很小到了贾府，慢慢长大，经历许多事情以后，懂得你对我好几分，我该回报你几分，你素日有什么好处到我跟前呢？你没有，因此我不能够来为你作出奉献。雪雁进府的时候一团孩气，到这个时候，经过几年历练，她已经成熟了，她很会说话，她怎么跟赵姨娘说？她说，我的衣裳簪环都是姑娘让紫鹃姐姐帮我收着呢，我要动用这些东西，紫鹃姐姐还要跟姑娘去说，姑娘病着，就是准许了，通过紫鹃我才能拿到，这样不就耽误您的事儿了吗？您别误事儿，您就改问别人借好不好？短短的几行文字，曹雪芹就写出一个来历跟府里别的丫头不同的小生命，她在艰辛生存中学会了自我保护。黛玉沉湖前留下遗嘱和银子，使紫鹃、雪雁、春纤等潇湘馆的丫头都得解脱，出府自立，皇帝打击宁荣二府时，她们得以幸免。但那以后的生活，大体上也只能是作为平民之妻，在人生的途程中默默跋涉。

排在第八位、第九位、第十位和第十一位的，是宝玉的丫头秋纹、碧痕、春燕和四儿。秋纹有两面性，她对比她地位低的一些婆子、丫头挺凶。有一次她陪着宝玉在大观园里面走路，宝玉方便完了以后要洗手，天气很冷，水盆里的水凉了，她看见一个婆子提着热水壶走过去，她就问那个婆子要热水，婆子说这个水不能给你，这水老太太等着用呢！她就扬高声，意思是你看看我们是谁？婆子一看原来是秋纹，宝玉屋里的，知道贾母视宝玉为金凤凰，就不敢违逆秋纹，倒了水让宝玉洗手。而且秋纹还说，我敢把你给老太太坐的水吊子——就是冲茶用的滚水——都拿来用。但是在强势的人物面前，秋纹又表现得非常温驯，非常愿意让步。怡红院的丫头们在屋里瞎议论，其他几个丫头议论到了袭人，说王夫人给了袭人特殊的赏赐。但是，这几个丫头又不明点出袭人来。秋纹因为有一段告假了，没在怡红院，就问究竟是谁？说哪怕是给了狗呢，我也无所谓。其他几个丫头就哈哈笑，说可不是给了那西洋花点子哈巴儿吗？秋纹一听闹半天是袭人，而且袭人正好走出来听见了，袭人当然很不高兴，秋纹就赶快过去，极谦卑地给袭人赔礼道歉。

碧痕是经常伺候宝玉洗澡的，书里面通过其他丫头透露，说有时候一洗澡洗好几个时辰，最后连床上、席子上都汪着水。在有的古本里面，这个丫头名字又写作碧浪。

春燕又叫小燕，贾宝玉有一段关于女子三阶段变化的名言，就是通过春燕的口转述的。

四儿原来叫蕙香，她因为说过"同日生日的就是夫妻"的戏言，被王夫人获悉暴怒撵出。

秋纹、碧痕、春燕应该都在荣国府遭遇第一波打击，忠顺王勒令主子各房减撤丫头时就离开了宝玉、宝钗，多半被忠顺王搜罗到自己府里服役。

《三副册》里最后一位，应该是小螺，薛宝琴的丫头。前面已经讲到她在第一百回至一百零八回里的故事。

《四副册》，实际上就是第五个册子里面，里面应该是哪些女子呢？我认为这个册子的成员应该非常整齐，她们就是"红楼十二官"。

元妃省亲的时候，有一个环节，就是让戏班子演戏，以增加喜庆气氛。为了成立戏班子，贾府就特派贾蔷到姑苏采买了十二个女孩子。这些女孩子或者是家里面养了那么大以后，还没取名字，或者原来取了一个名字，买来集中到荣国府的梨香院里集中训练，派教习教她们演戏，就给这十二个女孩子都取了艺名，艺名两个字，最后一个字都是官，这是符合清代梨园体例的。在清代，很多戏子都是两个字艺名，最后一个字都是官，男戏子、女戏子都这样。书里面有一个男戏子蒋玉菡，他艺名就是琪官。元妃终于省亲来了，十二官登台献艺，一个个歌欺裂石之音，舞有天魔之态，虽是装演的形容，却作尽悲欢的情状，元妃非常高兴，大加褒奖。那以后，这些小戏子就随时为府里的主子及其客人们表演。但是后来书里面交代，朝廷里面薨了一个老太妃，书里面的皇帝表示他要以孝治国，就把这个丧事办得很隆重，而且下命令，从贵族家庭、官府人家一直到普通平民百姓，都不许唱戏了；又由于贾元春不大可能再省亲了，荣国府就把戏班子解散。解散以后，贾府表示很仁慈，虽然当年是花银子买来的，但是现在你们谁愿意回家，我还发给你银子，放你回家；若是愿意留下，就在贾府里面分到各房当丫头。结果这十二官留下了几官呢？有的说你再把我送回父母那里，他们还会把我卖了，有的说你们待我不错，我愿意留在这儿，就留下了八官。有四官没有留下。

哪四官没有留下？有一个叫菂官，她死掉了，当然也就无所谓留下不留下了。还有一个呢？你一猜就能猜中，就是龄官。她很重要。龄官画蔷记得吗？先是宝玉隔着蔷薇花架，看到龄官痴迷地用簪子在地上画蔷字，大惑不解；后来在梨香院里面，宝玉目睹了贾蔷和龄官的真爱，产生顿悟，就是每个人享受到的感情，是自有缘分的。荣国府戏班子解散，贾蔷把龄官接了出去，两个人结为夫妻了。有的红迷朋友会说，戏班子解散，龄官没留下，书里虽然没有明写，但交代留下的八官分配情况的时候，没提到她，可见她确实离开荣国府了，但你能不能拿出个证据，证明龄官后来确实是不演戏，跟贾蔷过日子去了？证据是有的。前面第三十回，关于龄官画蔷这段情节的概括，不但是有的古本，有的通行本也一样，回目里写成"椿龄画蔷痴及局外"。就把龄官叫做椿龄不叫做龄官。第二个字官，那是戏子的标志，名字改得没有官字，叫椿龄，可见不是戏子，是一个普通女子的名字了。但是无论古本还是通行本，在前八十回里都没交代说龄官后来改名字了。可见龄官改名椿龄，是在第三十回回目里预告，具体交代，可能要到第一百回至一百零八回这个情节单元里，才会出现。

没有留下的，还有宝官和玉官。她们在第三十回里也出现过。下雨了，怡红院的丫头们就把门关了，把院子里下水沟的水眼堵了，让雨水积起来，就拿好多水禽，有的会飞的就把翅膀缝了，搁在水里面游动，大家一块玩儿。一块玩儿的女孩里面，就有从梨香院去的宝官和玉官。第三十六回宝玉到梨香院找龄官唱曲，出面接待他的，也是宝官和玉官。可是，到后来，我们就发现留下来分配各处的名单里，没有她们两个。她俩的名字合起来恰是"宝玉"，就和第二十八回里出现的书里唯一的妓女取名云儿一样，作者是否另有深意，值得探究。

留下来的八官里，我们印象最深刻的当然是芳官，这是一个到后面很抢戏的角色。芳官的性格和晴雯很接近，任性，浪漫，前面晴雯的这种性格已经刻画得淋漓尽致了，到后来又把芳官写进怡红院，跟晴雯在一个小空间里活动，按说这两个人物靠色，很难写出她们的差异，搞不好会让人觉得雷同。但是曹雪芹却能写出她们两个的区别，使你相信这是两个不同的，活泼泼的生命。曹雪芹手里这支笔真不得了。第六十三回，"寿怡红群芳开夜宴"，多少小姐、丫头在怡红院集合，真是群芳斗艳，曹雪芹对哪个角色进行了重点描写呢？不是别人，就是芳官。有这样一段文字："当时芳官满口嚷热，只穿着一件玉色红青驼绒三色缎子斗的水田小夹袄，束着一条柳绿汗巾；底下是水红撒花夹裤，也散着裤腿；头上眉额编着一圈小辫，总归至顶心，结一根鹅卵粗细的总辫，拖在脑后；右耳眼内只塞着米粒大小的一个玉塞子，左耳上单带着一个白果大小的硬红镶金大坠子，越显得面如满月尤白，眼如秋水还清。"给我们留下非常深刻的印象。

这十二官在《四副册》里的排列顺序，我认为是这样的：第一位还应该是龄官，就是后来改名叫椿龄的那个女子。第二位是芳官。第三位是后来到贾母那儿当丫头的文官，书里交代她是十二官之首。第四位是后来分给了黛玉的藕官，藕官在大观园杏树下给谁烧纸钱？给菂官烧纸钱。为什么给菂官烧纸钱？她俩在舞台上扮演夫妻，最后弄假成真，她和菂官是一对同性恋人。曹雪芹写"杏子阴假凤泣虚凰"，丝毫没有讥讽和批判的意思，而当芳官向宝玉兜出底细，"茜纱窗真情揆痴理"，宝玉毫无厌恶，只是赞叹。在那个时代，曹雪芹对于同性恋就能够如此宽容，也是很不容易的。第五位是蕊官，分给了宝钗。第六位是葵官，分给了史湘云。第七位是艾官，分给了探春。第八位是豆官，分给了薛宝琴。第九位茄官，分给了尤氏。第十位宝官。第十一位玉官。第十二位菂官。

"红楼十二官"作为一个群体，总体来说有两个特点。第一个特点就是她们因为学戏、演戏，就都很浪漫。第二个特点就是她们非常团结，比府里园里其他的丫头群体凝聚力强多了。赵姨娘跑到怡红院去向芳官兴师问罪，藕官、蕊官、葵官、豆官听说后，四个人刻不容缓地冲进去，一个顶着赵姨娘的前胸，一个抵着赵姨娘的后背，一个抱着她左胳膊，一个抱着她右胳膊，放声大哭，说你把我们一块打死！其实她们在搓揉赵姨娘。芳官看到她们的支援，就直挺挺躺在地上大声号哭，把怡红院闹得沸反盈天。艾官虽然没有去，但当天就在探春面前，告发了挑唆赵姨娘到怡红院去闹事的婆子。她们拧成一股绳，维护自己所属群体的利益。这些小戏子变成小丫头真是很难缠，但是，也真可爱。

她们后来的命运都不好。龄官嫁给贾蔷，两人很恩爱，但宁荣二府崩塌，贾蔷就算免于追究，也只能低调生存，应该是带着椿龄，离开北京遁往远方了。芳官被骗到尼姑庵里以后，岂甘被老尼驱使压榨，她应该是逃出尼庵，浪迹天涯；藕官、蕊官不知能在庵中煎熬多久。宝官、玉官下落不明。其他留在贾府的五官，随着贾府及四大家族的覆灭，逃不出被打、被杀、被卖的凄惨命运。

说到这儿，我们算一算，五组十二钗，加起来有六十钗了，规模已经相当可观了。那么是不是金陵十二钗的册子就到此为止呢？还不是。根据周汝昌先生的研究，金陵十二钗的册子一共有九册，所容纳的女性的数量是一百零八位。

《红楼梦》文本的总体规律，就是它总有一个 9×12 的配伍关系。前面引的畸笏叟的那句话："至末回情榜，方知正副再副及三四副芳讳。"可以理解成他是大概而言，就像第二回前头有一条脂砚斋批语说："以百回之大文，先以此回作两大笔以冒之，诚是大观。""百回大文"就是大略而言，不是意味着全书是一百回，是把一百零八回甩掉零头来说（如果是一百二十回，则不可这样略去后面，因为

"二十"不能认为是"零头")。畸笏叟说"方知……芳讳",也并不意味着到册子"三四副"为止,有"等等"的意味在里面。因此,整个《情榜》,就应该是 9×12,也就是九组金陵十二钗,五组以后,还有《五副册》《六副册》《七副册》《八副册》,加起来一共九个册子,共一百零八钗。

当然也有人会说,那是不是有点落套呢?因为一想的话,出现在《红楼梦》之前的一部古典小说《水浒》,后面就有一个英雄榜,就是一百单八个英雄好汉。你曹雪芹写《红楼梦》,最后你也排了个一百零八人的榜单,岂不是亦步亦趋?我认为不然。这体现了曹雪芹《红楼梦》文本的两个特点,第一个特点,曹雪芹总是善于从他之前的,我们中国古典文化当中汲取营养,最明显就是他把《西厢记》《牡丹亭》直接引入书中,来表现宝、黛的精神滋养与心心相印。《水浒》的一百单八将的英雄榜,对他可能是有触动有启发的,但他感兴趣的可能只是那数字,而非实质。曹雪芹《红楼梦》文本的第二个特点,恰恰就体现在他对《水浒》英雄榜内涵的颠覆上。《水浒》一百单八将的名单,你仔细想一想,基本上全是男性,就几个女性,而这几个女性有女人味吗?疑似男性,对不对?《水浒》歌颂的基本是一些男子汉。曹雪芹写《红楼梦》,他别开生面,他为在皇权、神权、宗族权之下最受压抑的女性,特别是青春女性树碑立传,为她们列榜,这是多么大胆的创新!当然他最后一回的这个《情榜》,当中有一个男性,就是贾宝玉,他作为绛洞花王单列,好比一个红色的洞天里面,一个护花的王子,他引领出一组一组的金钗,先是《金陵十二钗正册》,然后《副册》《又副册》《三副册》《四副册》,接下去还有《五副册》《六副册》《七副册》《八副册》,加起来就是九个册子,录入一百单八个女性。

一定会有红迷朋友好奇,说如果曹雪芹真有这么一个《情榜》的话,你能不能试着把它恢复一下?是可以尝试一番。

以下简单说一下我个人的看法。《五副册》,也是第六个册子,里面都有谁呢?

第一位是二丫头。在给秦可卿送殡的过程当中,宝玉随着王熙凤到一个庄院里面去临时休息一下,宝玉第一次见到了农村的景象,见到了一些村姑,其中就有一个二丫头。宝玉看见那个农庄的房子的炕上有一个纺车,不知道是什么东西就去玩儿,二丫头就过来说你不知道怎么弄,我弄给你看,二丫头纺线给他看。最后,他随着王熙凤告别这个农庄,要重新归到送殡队伍当中去,于是出现奇特的一笔——历来很多读者和评家，对这段文字，要么麻木不仁，要么就觉得惊心动魄——"一时上了车，出来走不多远，只见迎面的二丫头怀里抱着他小兄弟，同着几个小女孩说笑而来，宝玉恨不得下车跟了他去，料是众人不依的，少不得以目相送"。二百多年前的一个作家，写到一个贵公子，偶然见到一个农村小姑娘以后，竟然就"恨不得下车跟了他去"！何以这样下笔？曹雪芹要展示宝玉的什么心理？又想通过宝玉这瞬间的心理活动昭示什么？现在我不展开分析，你自己去琢磨。但是我要告诉你，这也是一个伏笔，在第一百回至一百零八回这个情节单元最后，二丫头还会出现。怎么出现？在我讲座的最后，梳理全部的后二十八回内容时，我会告诉你。

第二位是卍儿。这个卍不是一万两万那个万，是一个符号，这个符号你会不会画，拿手指头试着画一下，我看有人画错了。如果画的是顺时针旋转的图形，再斜着放，那是法西斯符号了；卍儿这个卍要逆时针旋转。卍儿，这是一个和宝玉的小厮茗烟相好的宁国府的丫头。她在一百回至一百零八回这个情节单元里还要出现，我也放在下面讲座里去讲。

往下排，第三位是瑞珠，第四位是宝珠。这是在秦可卿淫丧天香楼的时候，一个触柱而亡，一个表示愿意当义女，给秦可卿摔盆，愿意去守灵，永远不再回到宁国府，两个表现怪异的丫头。前面讲座里分析很多，这里不再重复。

第五位是馒头庵的尼姑智能儿，秦钟的情人。

第六位是书里唯一出场的妓女，云儿。她出现在第二十八回冯紫英家的宴席上。

第七位是青儿，刘姥姥的外孙女。第八位是宝玉房中的小丫头佳蕙。第九位是迎春的丫头绣橘。第十位是探春的丫头翠墨。第十一位是惜春的丫头彩屏。第十二位就是偷虾须镯的坠儿。

《六副册》，也就是第七个册子里，我个人认为依次会有琥珀，这是贾母的丫头；春纤，这是黛玉的丫头；碧月，这是李纨的丫头；佩凤、偕鸾、文化，都是贾珍的侍妾；还有靓儿，应该是贾母房中的丫头，她去问宝钗你拿没拿我的扇子？宝钗就"借扇机带双敲"。底下，是宝玉房里一些丫头，有的只出现一次，后面不再写了，显得很神秘；有的书里交代是死掉了，或者被撵出去了，其中有媚人、檀云、绮霰、可人、良儿。

《七副册》，第八个册子，我认为会收入的依次是：张金哥，这是王熙凤弄权铁槛寺间接害死的一个女子。还有就是红衣女子，宝玉在茗烟的陪伴下，过节的时候偷偷跑到袭人家里面去，发现袭人家里的炕上还有袭人的两姨姐妹，一个红衣女子，根据脂砚斋的批语可知，这是一个伏笔，在八十回后，红衣女子会出现，在情节发展当中起到作用。还有周瑞的女儿，周瑞家的很拿事儿，在接待刘姥姥过程当中，她女儿摇摇摆摆来了，说我丈夫冷子兴被人家放了一把野火给告了，说要把他解递回乡，周瑞家的口气很大，因为当时贾府的势力是最旺盛的时候，就说小孩子家没经过大事儿，就急成这个样子！后来周瑞家的跟王熙凤汇报完别的事，顺带脚说了这个事儿，王熙凤立刻让她的一个仆人去传个话，就把官司化解了。再有就是娇杏，原来是甄士隐家的一个丫头，最后被贾雨村先是接过去，后来贾雨村原配死掉了，就把她扶正了。另外还有王熙凤的丫头丰儿，尤氏的丫头银蝶，迎春的一个小丫头莲花儿——这个莲花儿在故事当中她是有重场戏的，她就鸡蛋的事跟内厨房厨头柳家的先有冲撞，后来司棋带着一群丫头去闹厨房，打砸抢，莲花儿是急先锋。还有就是蝉姐儿，探春的丫头；炒豆儿，尤氏的丫头；小鹊，前面我提到的，去给宝玉报信的，赵姨娘的丫头；臻儿，香菱的丫头；还有就是嫣红，贾赦逼娶鸳鸯没有成功，花银子买来的一个女子。

有人会说，你这么一扫描，基本上像样的女子都被你搜罗净了，剩下的，大都不像样子，难道她们也有资格入册？那么我很郑重地告诉你，我个人认为，她们也应该入册。仔细想来，以下我所提到这些女子，她们也是社会的牺牲品，她们本身所表现出来的，比如人性恶，坏品质，更多的是社会因素，人际因素造成的。

《八副册》，第九个册子，也就是最后一个册子里面，我觉得会列入一些本来你十分厌恶的女子，第一个就是夏金桂；然后就是她的丫头宝蟾；还有就是参与虐待尤二姐，导致尤二姐死亡的秋桐、善姐儿；然后是府里面两个荡妇，鲍二家的、多姑娘，在有的本子里面把这个多姑娘写成灯姑娘，又把她设计成晴雯的姑舅哥哥的妻子；还有彩霞的妹妹小霞；问雪雁借月白袄儿的小吉祥儿，赵姨娘的丫头；春燕的妹妹小鸠儿；夏金桂的小丫头小舍儿；邢岫烟的丫头篆儿；最后一钗，压轴的，则是拾得绣春囊的傻大姐。最后这一组，你会觉得有点奇形怪状，但是，跟前面的合起来，就构成了那个时代，悲剧性的一百零八个妇女形象。

讲到这儿，我想起了上个世纪先贤鲁迅先生，在《我之节烈观》那篇文章里写到的一段话，我认为借用来奉献给九册《金陵十二钗》里面的一百零八位女性——她们虽然善恶不等、性格各异——是非常贴切的。

鲁迅先生是这么说的——

"她们是可怜的人，不幸上了历史和数目的无意识的圈套，做了无主名的牺牲，可以开一个追悼大会。

"我们追悼了过去的人，还要发愿：要自己和别人都纯洁、聪明、勇猛、向上。要除去虚伪的脸谱，要除去世上害人害己的昏迷与强暴。

"我们追悼了过去的人，还要发愿：要除去于人生毫无意义的苦痛，要除去制造并赏玩别人苦痛的昏迷和强暴。

"我们还要发愿，要人类都受正当的幸福。"

随着我的讲述，荧屏上会飘过全部《情榜》的名单。你会注意到，单列的贾宝玉，除了称绛洞花王，还有考语"情不情"。这个考语和林黛玉的考语"情情"，是曹雪芹写出来，被脂砚斋在批语里加以引用的。我试着对头三册的其他人物，拟了考语，供您参考。《情榜》在整个讲座结束时还会呈现。

讲到这里，有的红迷朋友可能会提出一个很苛刻的要求了，说你探佚都探到这个份儿上了，最后连《情榜》你都给列出来了，那后二十八回的回目，能不能也探佚一下？从八十一回到一百零八回的回目是什么？每回大致内容是什么？能不能给捋一遍？好，咱们下一讲再聚在一起，来把我对后二十八回的回目之谜的探佚成果，竭诚地奉献给大家。

第十五讲

第八十一回至第一百零八回　回目之谜

　　前面讲座，我已经把曹雪芹的全本《红楼梦》揭秘得差不多了。我反复告诉大家，曹雪芹的全本《红楼梦》不是一百二十回，是一百零八回。虽然我前面讲座里面宣布过最过硬的证据，但现在有必要向红迷朋友们重申一下，希望你把它牢牢记住，就是在第四十二回，脂砚斋有一条重要的批语，他说："钗玉名虽二个，人却一身，此幻笔也。今书至三十八回时已过三分之一有余，故写是回，使二人合而为一，请看黛玉逝后宝钗之文字，便知余言不谬矣。"前面讲座里我讲林黛玉和薛宝钗的时候，阐述过黛钗合一的问题，这里不重复了。这段批语最重要的一句话叫做"今书至三十八回时已过三分之一有余"。任何一个小学生都能算出来，如果全本《红楼梦》是一百二十回，那么到了第三十八回是怎么个情况呢？是不足三分之一，既然已过三分之一还有余，全书怎么可能是一百二十回呢？如果是一百零八回，那么它的三分之一就是三十六回，书到三十八回的时候，请问是不是过了三分之一，还有余？就跟脂砚斋的计算对榫了。

　　有的红迷朋友，有的观众，提出一个希望，说你现在探佚到这个程度了，你能不能够想办法把现在我们所看不到的后二十八回，那些回目，也探佚一下，同时把每回的内容概括一下？这是很难的。但出于对曹雪芹的《红楼梦》的热爱，我抛砖引玉，把对曹雪芹笔下的第八十一回至一百零八回的回目，以及各回的内容，跟大家捋一遍。为使其连贯，难免会重复到前面讲过的内容，凡前面讲述过的我尽量简略，需要补充的，则稍加展开。

　　曹雪芹的《红楼梦》回目很整齐，每一回都是一个对子，每一句都是八个字。过去中国的古典章回小说都是有回目的，但是在回目上，没有能够精心到曹雪芹这种地步。比如说《水浒》，它的回目，有时候上下句各七个字，有时候它又是八个字乃至九个字，作者没有对回目进行非常精心的调理。《西游记》的回目也是不整齐的。《三国演义》的回目一律七个字，但比较粗陋。《红楼梦》的回目非常讲究，像第十九回"情切切良宵花解语　意绵绵静日玉生香"，本身就是两句优美蕴藉的诗。

我认为第八十一回应该是写到贾迎春和香菱的悲惨结局。第八十一回的回目可能是"中山狼吞噬薄命女　河东狮吼断无运魂"。

在这一回里，曹雪芹会交代孙绍祖危难时曾经得到过贾府的救援，他是一个白眼狼，忘恩负义。

第八十二回的回目，可能叫做"谣诼四起官中大乱　封园闭户胆战心惊"。

荣国府藏匿了甄家罪产，府里人们纷纷窃议，谣言不胫而走，人心浮动，官中率先就乱起来了。什么叫官中？前八十回里面多次出现这样的字眼，比如贾宝玉挨打以后养伤，忽然说想吃莲叶羹，王熙凤吩咐去准备原料，王夫人问，要那么多做什么？王熙凤说，既然宝玉想吃，那么借这个机会就多做一点，大家都尝尝。于是贾母就跟她调笑说："猴儿，把你乖的！拿着官中的钱你作人！"王熙凤表示不动用官中的钱，这个小东道她还孝敬得起。"官中"，就是荣国府它有一个管理中心，其核心机构是总账房，掌管整个府第的银钱分配，包括从贾母起到小丫头止，每个人每个月的零用钱，都是它往外划拨。每个人零用钱之外的花费，则根据府里的规划、惯例，由官中支付。官中对于府里府外的不动产和动产，都有管理权。按照既定的游戏规则，府里无论哪一位，除了享用自己那一份月银外，都不能违规侵占官中的费用，贾母那样说，意味着王熙凤即使是府里实际上的大管家，她给宝玉的莲叶羹下单子，也只能让官中划拨出够宝玉一个人吃的数额，超标并且最后自己也尝上一碗，便有违规侵占之嫌。当然贾母是开玩笑。实际的操作中，从上到下，谁真的恪守老祖宗定下的规则？

大家如果读得仔细，会发现第八回，写宝玉到梨香院去探望宝钗，半路上在夹道里碰见了府里官中的管事人，七八个头目给宝玉请安，其中一个库房总领叫吴新登，谐音"无星戥"，过去称银子有一种工具，它用一个戥星来核准数量，无星戥，你想想看，从他手里往外支银子能不离谱吗？还有一个是仓上的头目，荣国府它有很多仓库，储存很多东西，主要是粮食，那么这个头目叫戴良，谐音"大量"，大斗往外量，他一点不心疼主子的仓储，也意味着必然从中贪污。还有一位买办叫钱华，花钱如开花。这些名字起得很有趣。这些主持官中事务的家伙，主子得势的时候，他们比谁都凶，贪腐无度，主子不稳了，他们比谁都熊。贾政做主藏匿江南甄家罪产，必定需要官中一些人去落实，即使他选取的是自认为可靠的心腹，就算那几位心腹一时也还忠诚，但没有不透风的墙，府主做出如此违反王法的事情，动静泄出，官中必然先乱，整个府第的管理机制原来就有问题，到这个阶段，肯定是席卷逃逸者有之，避祸告假者有之，惶惑怠工者有之，甚至就会有抢先一步去告发求荣的。

那么大观园怎么样呢？王夫人老早就想把宝玉挪出大观园，这个时候整个府第风雨飘摇，维持大观园这个大摊子也很不实际了。宝玉先迁出来，黛玉、探春、惜春相继也迁出了。宝钗早就自己退出，迎春已经嫁出去而且死掉，她们原来的住处早已腾空。只有李纨和贾兰还住在稻香村，另外就是拢翠庵还有妙玉住着。总体而言，大观园是封园闭户的一派萧索景象，每个人心里面都在打鼓，因为都听到了不祥的消息，不知道今后的命运究竟是一个什么样的走向。

这一回会写到，皇帝对四大家族陆续实施打击了。首先受到打击的是史家，就是贾母的娘家。书里面史家有两位封侯，一个是保龄侯史鼐，一个是忠靖侯史鼎，那么到故事的这个阶段，全被皇帝削爵了。这对贾母打击很大，她背后的煊赫家族黯然失色，临近垮塌。我这样来推测故事走向是有道理的，我一再告诉你曹雪芹他这部书"真事隐，假语存"。在真实的生活当中，政权更迭，康熙驾崩，雍正登基，率先受到打击的就是李家，就是贾母原型他们家，贾母原型的亲哥哥李煦，雍正上台不久立刻就把他惩治了。所以到小说里面，率先受到打击的如果是史家，那是一点都不奇怪的。

贾母是暮年之人，家族遭受这样沉重的打击，从精神上派生到生理上，她就彻底崩溃了。到第八十三回，就会写到贾母惊吓而死。第八十三回回目，我认为可能是"史太君无奈大厦倾　金鸳鸯有志宁玉碎"。贾母没有撑到八十一岁的寿辰，就溘然而逝。曹雪芹他写这个故事，他在时序的推移上，是相当精确的。在我们现在所看到的前八十回的后两回，荷花开过了，夏末了，"池塘一夜秋风冷"，"蓼花菱叶不胜愁"了。那么八十一回以后，在时序上，应该是接着往下写，应该是在元妃省亲以后的第三个年头秋天，史家受到打击，开始瞒着贾母，但是她终于知道，突然中风，不能说话。她来不及留下遗嘱，府里各个利益集团为抢夺她的遗产，出现很多丑恶的现象。贾母一死，贾赦当然就要对鸳鸯下手，逼她就范，鸳鸯宁为玉碎不求瓦全，剪喉自尽，血溅厅堂。

第八十四回，就会写到打击逐渐地逼近了贾氏宗族了，首先被打击的应该是贾赦。第八十四回的回目我估计是"平安州事发不平安　洒泪亭鹤唳难洒泪"。贾赦派贾琏去找平安州节度的事，率先被弹劾，皇帝严究。有红迷朋友会说，书里没说贾琏去做什么，难道就不许人家因私来往吗？要知道清朝皇帝严禁京城的贵族与外地的官员交往，不要说你在一块勾结做什么不利于朝廷的事，你就是私人来往，也属悖逆。贾赦那一等将军的爵位被削，贾赦就被枷号了。所谓枷号就是没有在最后确定把你怎么办的时候，每天要戴着木枷，到街上站着示众。贾琏设法蒙混过关，他可以表示说只是奉父亲之命去送封信，不知底里；贾赦虽然对贾琏并没有父爱，由于事关家族命运，他一定责任全揽，尽量不把儿子牵连进去。贾赦是贾政的哥哥，皇帝当然很清楚，你哥哥如此混账，你怎么样？但是那个时候，贾元春还在皇帝身边，而且怀孕了，加上贾政一贯的表现，皇帝对贾家的打击，到故事发展到这回的时候，还暂时只及于贾赦，也没有对他作出最后处置，邢夫人等家属虽然战战兢兢，也还能暂时住在原来那个黑油大门的院子里。

贾母死了，贾政要为母亲居丧，他把母亲的灵柩，亲自运回原籍金陵。一家人在洒泪亭告别。过去大的路口、水域码头，设有这种长亭，供人们使用。第三十七回开头说贾政被皇帝外派了学差，就写到"宝玉诸子弟等送至洒泪亭"。本来大家应该完全沉浸在家族本身丧事的哀戚情绪中，可是这个时候就传来风声鹤唳，有人告发贾政替甄家藏匿罪产，他让儿子、孙子写那歌颂娸婳将军的诗是别有用心。尽管消息还不能坐实，本来一家人应该单纯为哀悼贾母和暂时分手洒泪，顿时情绪全紊乱了，"洒泪亭鹤唳难洒泪"。

第八十五回，"暖画破碎藕榭削发　冷月荡漾绛珠归天"。写惜春离府出走和黛玉沉湖仙遁。前面讲座里对黛玉、惜春讲得很充分，讲过的不重复了。现在只讨论一个问题。有一位红迷朋友说，第五回关于黛玉的判词，有一句是"玉带林中挂"，因此他觉得黛玉应该是用自己腰上的玉带，在大观园湖边的树上上吊了。这位红迷朋友进行了文本细读。可是我要指出来，这种理解是不正确的。什么叫玉带？这是一个文物方面的课题。《红楼梦》可以从各种角度进行研究，比如有位潘富俊先生就编出一本《红楼梦植物图鉴》，还有人写出论《红楼梦》建筑的学术专著，我自己写过谈《红楼梦》中宠物的文章，《红楼梦》里面的器物、服装也都有人研究。《红楼梦》里面很细致写到了人物穿什么衣服，包括系什么腰带。他写没写过林黛玉有一条腰带？特意写到过。第四十九回，当时下雪了，小姐们，还有李纨、王熙凤，都穿上了御雪的衣服。黛玉当时罩了一件大红羽纱面、白狐狸领的鹤氅，很华贵的一个御雪的斗篷；束了一条什么样的腰带呢？束一条青金闪绿双环四合如意绦。双环四合说的是那个带子的带扣，那个部件一般都是玉做的，所以可以把这条带子叫做玉带。那么这种玉带能不能用来当做上吊自尽的工具呢？是不可以的。在故宫博物院，你可以去参观，它有一些玉带在展览。这些玉带，它的制作材料都比较坚硬，除了玉扣以外，其余地方也会点缀一些美玉、玛瑙、翡翠、祖母绿、珍珠等物，这样的带子没有伸缩性，所以从物理学角度来说，它不可能让人套进脖子以后，自动勒紧令人窒息。我这样解释，你可能觉得有点好笑，其实不好笑，这是我为了考察这个问题，去参观古物陈列、查阅资料的心得。所以，如果说判词里"玉带林中挂"确实有伏笔作用，那应该是黛玉她在沉湖之前，先把腰上玉带解下来，让披风自动脱落在地上，那玉带，可能她就挂在湖边的树枝上了，这也成为后来人们判断她沉到湖里面去的一个依据。

第八十六回回目可能叫做"勉为其难二宝成婚　似曾相识枕霞出阁"。贾母去世，黛玉仙遁，家族处在惶惶不可终日的状态当中，在这个情况下，家长做主撮成了宝玉和宝钗的婚姻。成婚以后，二宝都没感受到幸福，整个大环境不好，两个人貌合神离，小环境里也没有喜乐。

史湘云也出嫁了。她两个叔叔如果第一步只是削爵，那还不至于像抄家、治罪那么惨，削爵以后你还可以用你原来积累的财富维持你的生活，有一些削了爵的贵族就会想尽办法再去找路子，希望能恢复自己的爵位。那么在这个过程当中，史湘云的两个叔叔，就赶紧把她嫁出去了。她的夫婿就是卫若兰。前八十回里已经写到史湘云订婚，那时候她不敢设想未来的夫婿一定令自己满意，过门以后，她觉得卫若兰处处符合她暗中的理想，有似曾相识的感觉。史湘云自己有一个金麒麟，从小佩戴的，比较小，可以理解成雌的；后来她曾经在大观园捡到过一个比较大的金麒麟，可以理解成是雄的，这个大些的金麒麟是在清虚观打醮的时候，宝玉从张道士那得到的；史湘云和翠缕捡到这个金麒麟以后，把它还给了宝玉；在史湘云成婚的时候，宝玉跟宝钗当然要去祝贺，宝玉就把这个大的金麒麟送给了卫若兰，这样他们丈夫、妻子就各有一个金麒麟了。虽然史家削了爵，但那时卫家状况还好，在那段短暂的时间里，史湘云颇有幸福感，"厮配得才貌仙郎，博得个地久天长，准折得幼年时坎坷形状。"

第八十七回呢，回目可能是"椿龄抗旨远走高飞　司棋殉情殃及池鱼"。

元妃省亲的时候有个细节，大家应该有印象，就是贾元春夸赞龄官演得好，让她再演两出。当时戏班班主贾蔷就去跟龄官说，你演《游园》《惊梦》;《游园》《惊梦》的场面比较好看，也比较高雅。可是，龄官堪称大艺术家，她不管是什么场合，她不听指挥，她为艺术而艺术，她说《游园》《惊梦》不是我拿手的，非本角之戏，不唱，我要唱什么呢？唱《相约》《相骂》。大家想一想这两个戏的名字，什么场合？你演《相约》《相骂》！但是龄官就那么个脾气，没办法，只好让她演，结果演完以后，元春没觉得有什么不合适，还是觉得好。

到这一回，应该写到宫里面的情况，"榴花开处照宫闱"，意味着贾元春即将给皇帝生后代了，如果要生下一个男的，那就立大功了；但是，她的家族遇到麻烦，皇帝对她的宠爱明显减弱。她一定想方设法维系皇帝对自己的宠爱，那么她就会想到，当年我省亲的时候，有那么好的戏班子，演那么有趣的戏；虽然皇帝看戏，有的是戏子给他演，她还是可以出主意，通过太监去把家里有过的最出色的戏子龄官找来，让她演几出逗趣的喜剧，让皇帝开心。传下命令去以后，府里面汇报上来，解散戏班子以后，留下当丫头的，没有龄官；龄官被贾蔷接出去娶为妻子，改名椿龄，不再唱戏了；贾元春发令：无论如何，给我找来！不唱也得唱！贾蔷、椿龄闻讯，双双远走高飞。

有个由戚蓼生写序的古本，在第十八回前面有首脂砚斋的回前诗："一物珍藏见至情，豪华每向闹中争，黛玉宝钗传佳句，《豪宴》《仙缘》留趣名。为剪荷包绾两意，屈从优女结三生。可怜转眼皆虚话，云自飘飘月自明。"前五句都好理解，是针对第十八回里的具体情节发感慨。后三句历来难倒了无数读者和论家。"屈从优女结三生"怎么解？其实，并不难理解。这是指出第十八回里，上面提到的那段贾蔷"屈从优女"的情节，是个伏笔，贾蔷后来跟龄官结为夫妻恩爱到底。红迷朋友们一定要注意到，《红楼梦》里的宝、黛、钗虽是恋爱婚姻的大悲剧，但全书里的男女爱情婚姻不都是悲剧，起码有两对青年男女在那个禁锢的年代冲破桎梏，自由恋爱，终成眷属，一对是贾芸和小红，一对就是贾蔷和龄官。当然，他们后来都只能生存于社会边缘，小红父母随贾府垮塌逃不过被打、被杀、被卖的厄运，她属于罪家遗子；椿龄在这个情节单元里的抗旨逃逸，决定了此后必须过更加低调的隐匿生活，总体而言，她们还是属于薄命女子。至于第十八回脂砚斋的这首回前诗的最后两句，确实难解。我们都知道第十八回贾元春省亲的这个重头戏里，并没有史湘云出现，更没有麝月的戏份，"可怜转眼皆虚话"如果是针对前几句里提到的人和事，那还好懂，可是，偏归结到"云自飘飘月自明"上头，这是怎么回事？第二十回所出现的一条批语，前面讲麝月的时候我提到过的——"麝月闲闲无语令余鼻酸，正所谓对景伤情"——可与这首诗最后一句合并理解。就是说，批书人不仅语涉书里，也语涉书外。批书人脂砚斋很可能就是书里史湘云的原型，而她批下这些文字时，麝月的原型就坐在她的身边。我这个思路，仅供参考。

我估计第八十七回里，还会写关于司棋的故事。高鹗续书里的写法大体上符合曹雪芹的原笔原意，可以参考。但是，在曹雪芹笔下，应该衍生出更多的情节。司棋在大观园里面，是一个很活跃的人物，前八十回里写了，有以司棋为后台，争夺大观园内厨房掌控权的一场风波，司棋亲率小莲花儿等一群丫头，到柳家的所主持厨房去打、砸、抢、抄，很凶。司棋是打算让她的一个婶娘，就是秦显家的，去掌管这个厨房，眼看大功告成，秦显家的取代柳家的都上任半天了，却又峰回路转，被平儿给退回，柳家的官复原职，司棋气了个倒仰。司棋追求自己的爱情，表现得非常坚定刚烈，这值得肯定，但是她那超强的控制欲，不惜采取打、砸、抢的方式来达到自己的目的，却不值得赞赏。在她被撵出去以后，到她和潘又安的相继死亡，会激荡起仍在贾府的柳家的、秦显家的这些人物之间的矛盾，在造成她死亡的责任问题上，秦显家的就可能诬赖到柳家的，形成殃及池鱼的效应。

这一回里面也可能会写到，夏金桂这个悍妇，终于令薛蟠忍无可忍，两人在争吵当中，薛蟠失手打死了她。夏家当然不答应，立刻告官，这个时候四大家族都在往下坡路滑落，不复有当年打死人视为儿戏的气焰，薛蟠被收监，面临死罪。

第八十八回，叫做"薛宝钗借词含讽谏　王熙凤知命强英雄"。我列这个回目的时候，最理直气壮。为什么？因为在前八十回的脂砚斋批语里面，明明确确告诉我们，曹雪芹已经写下了这样一个回目，就在后三十回里面，只是他没告诉我们是八十几回或者是九十几回而已，我现在把它安排在第八十八回。这是曹雪芹的原汁原味的一个回目。前面第二十一回，他写袭人规劝宝玉，写平儿掩护贾琏。脂砚斋在第二十一回的回前批语里告诉我们："按此回之文固妙，然未见后三十回，犹不见此之妙。""此回"就是第二十一回，脂砚斋用"娇嗔箴宝玉，软语救贾琏"来概括所引的回目，没引全，但是主要的意思都概括出来了。感谢脂砚斋，前面回目你引不全无所谓，因为随时我们可以看到，后面这个回目，引全了，十分宝贵，使我们知道，在后三十回里面，有一回就是"薛宝钗借词含讽谏　王熙凤知命强英雄"。

脂砚斋指出，第二十一回，是从两个奴婢说起，后来的那一回呢，则"直指其主"。意思是，前后两回写的，其实都是主子间的矛盾冲突，不过第二十一回是从袭人和宝玉的冲突，来折射宝玉和宝钗观念的冲突，那么到后三十回里的某一回，我认为很可能就是第八十八回里，就直接来写宝玉和宝钗思想观念上的冲突了。黛玉沉湖仙遁以后，宝玉"空对着，山中高士晶莹雪，终不忘，世外仙姝寂寞林"。虽然住在大观园之外，他对黛玉想念得紧，就还去大观园的潇湘馆，缅怀林黛玉。前面第二十六回写到潇湘馆竹丛小溪，用了"凤尾森森，龙吟细细"八个字来形容时，脂砚斋写下一条批语："与后文'落叶萧萧，寒烟漠漠'一对，可伤可叹！"那"落叶萧萧，寒烟漠漠"八个字，就应该出现在"直指其主"这一回里。宝玉去了荒芜的潇湘馆，再回到大观园外跟薛宝钗的住处，他一定还沉浸在思念黛玉的心绪中，薛宝钗肯定看不过去，两个人对话，宝玉不知哪句话哪个词儿被宝钗逮住，她就"借词含讽谏"，规劝宝玉不要再沉溺于儿女私情，现在家族败落，靠皇帝施恩去承袭贵族头衔已经完全没有可能了，你就应该好好地寒窗苦读，通过科举谋取功名，重振家族。宝钗还是老一套，宝玉肯定听不进。这是第八十八回上半回的内容。

第二十一回后半回，表面上写的是平儿跟贾琏的冲突，其实，也是折射主子之间的紧张关系。到这一回下半回，曹雪芹就不绕弯子，"直指其主"，正面写贾琏和王熙凤的矛盾冲突。荣国府官中大乱，王熙凤长期用从官中取出的月银去违例取利的恶行大暴露，原来她面临一些怨言，可以满不在乎，现在她公公都枷号示众了，贾政也被人告发了，甚至于以前借出的银子都收不回来，月银根本发不出了，家族里面普遍愤怒，你这不但违反王法，你也违反家规，再加上其他种种因素，贾琏再也不甘"气管炎"（妻管严）了，开始对王熙凤吆三喝四起来，最后，贾琏就让贾珍这个族长出面，当众宣布把王熙凤给休了，然后，把平儿扶为正妻。但是，王熙凤性格非常倔犟，她知道自己命该如此，可是，遇到一些具体情况，她还要梗着脖子强充英雄。

第八十九回，它的回目可能是"忠顺王奉旨逞威风　花袭人顾局舍声名"。荣国府原来非常强盛，以至于府里的老仆人，比如说大管家赖大，也变得很强大，自己家有豪华住宅，附带大花园，儿子赖尚荣当了官。这一回写到赖尚荣官运居然一路亨通，他又升了，在赖家花园里面大摆宴席。这个时候，仆人的这种向上走的势头，已经使得走下坡路的主人的心态跟原来都不一样了。原来是仆人要巴结主人，现在这些主人恨不得去巴结这个往上走的仆人了。所以，贾府很多人都去捧场，到赖家赴宴。赖尚荣左右钻营，他本是贾府这边出来的，但是他一定还会去和贾府对立面——比如忠顺王府——拉关系。于是贾家的人和忠顺王府的人，在赖尚荣家，就免不了碰面。忠顺王的儿子，就发现了袭人——袭人应该是随宝玉和宝钗去的——就生出霸占袭人之心。在这个宴席上，还会出现一些特会钻营的人物，比如贾雨村。贾雨村是一个聪明过顶的官僚，几种政治势力他都会去巴结。贾雨村发现忠顺王的世子看中袭人，意欲霸占，心领神会，你说半句，我明白十句，他事后就会设法去满足忠顺王世子这方面的要求。

故事发展到这一回，应该是贾元春省亲以后的第三个年头的冬季了。贾政安葬完贾母，从金陵回来了，一回到北京，皇帝就对他进行打击，派忠顺王来下旨，他就被拘禁严查了。荣国府的官中，用今天的情况来比喻，就如同进驻了工作组，被忠顺王派来的人掌控了。王夫人、宝玉和宝钗，以及其他主子，都要从大房子腾到小房子，多数奴仆要遣散，只允许他们身边留下一两个人，具体到宝玉和宝钗，只许留一个，他们原想留袭人，没想到忠顺王府点名索要袭人，这个情况下，前面已经讲到，不多重复——袭人就做出了离府的抉择，留下"好歹留着麝月"的话，宝玉和宝钗就留下了麝月。

第九十回，回目可能叫做"蒋玉菡偏虎头蛇尾　花袭人确有始有终"。"花袭人有始有终"，这是曹雪芹的原笔。在前八十回的脂砚斋批语里面，引用了回目当中的这七个字，只差一个字。这一回会写到，蒋玉菡早就被忠顺王从紫檀堡找回来了，忠顺王喜欢看蒋玉菡演戏，离不开蒋玉菡，把他养在府里面，时不时让他来演戏取乐。根据前八十回里的描写，蒋玉菡是忠顺王和北静王之间争夺的宝贝。书里面的"日""月"两派政治势力互相博弈，北静王貌似中立，两派都会笼络他，以利集中力量打击对立面。忠顺王在府里面搞一个堂会，让蒋玉菡献技，把北静王请来看，意思是咱们"一笑泯恩仇"，虽然蒋玉菡现在归了我，但是他高超的技艺也能奉献给您。蒋玉菡知道北静王在底下看，他的心是向着北静王的，就把他的全部技艺都发挥出来，光彩四射。可是北静王中途退席了。蒋玉菡看见北静王撤了，他就不认真演了，"偏虎头蛇尾"。忠顺王气坏了，派长史官到后台质问他你怎么回事？蒋玉菡拿出很多搪塞的理由来，比如说世子刚才赏我一块点心，吃了以后我就倒仓了，等等。忠顺王就亲自对他斥责，侮辱。

花袭人被要到忠顺王府，本是忠顺王世子想占有她，但是袭人进府以后，忠顺王虽是一把老骨头了，却也垂涎三尺，父子两人同时争夺一个女子有点不伦不类，富贵家庭遇到这类情况，都会采取一个折中的办法，就是把那女子先拿去伺候府里面最老辈的老太太，搁她身边，然后呢，父子分别趁其不备去占便宜。忠顺太妃那时尚未昏聩，袭人求告，太妃发怒，忠顺王和忠顺王的儿子谁也没得到袭人，忠顺王一赌气，就把她赏给了蒋玉菡。把袭人赏给一个戏子，以当时社会的价值标准来衡量，是一种侮辱和惩罚。袭人和蒋玉菡的姻缘被一条汗巾子绾定。那时荣国府官中已经不发月银，宝玉、宝钗生活极其困窘，袭人和蒋玉菡就悄悄去接济宝玉和宝钗，就袭人和宝玉的关系而言，她是"有始有终"的。

第九十一回，叫做"霰宝玉晨往五台山　雪宝钗夜成十独吟"。霰是冰雨的意思。我这么来设计回目就是为了尽可能的对仗，霰和雪都是天上下的一种东西，"霰宝玉"对"雪宝钗"；宝玉在冰霰中"晨往五台山"，宝钗在冷雪里"夜成十独吟"，一个是早晨，一个是夜里，一个有一个数字是五，一个有一个数字是十，都形成对仗。宝玉、宝钗婚后虽然相敬如宾，但是不能够心心相印，更没有性生活。宝钗仍旧不断在宝玉耳边说一些"家族已经这样了，你更得发奋读书，谋取个功名"等等"大道理"。宝玉忍无可忍，在一个下着冰雨的早晨，趁忠顺王府派来监视的人避寒躲懒疏忽，就"悬崖撒手"，离家出走，去当和尚，这是他第一次出家。他当时未能免俗，一般俗人都知道佛教圣地在五台山，他就往那里走。第三十一回，林黛玉将两个指头一伸，跟宝玉说："做了两个和尚了，我从今以后都记着你做和尚的遭数儿。"那是一个伏笔。这回里就写到宝玉第一遭出家当和尚。那时贾家虽然已经没落，但是你想他身边有一个宝钗那样美丽温柔的妻子，有麝月那样一个色色精细的侍妾，对于那个社会一般人家的男子来说，莫大的幸福了，但是宝玉有"世人莫忍为之毒"，他还是觉得如此生活没有意思，他狠心撇下宝钗和麝月，

"悬崖撒手一回"。

宝玉突然失踪，宝钗精神就接近崩溃了。但是宝钗又是很能自持的女子，她就通过写诗来调整自己的心绪，在这一回里她写成一组《十独吟》，写十个鳏寡孤独的古人，通过对他们的咏叹，来慰藉自己，祈祝事态能有好的转变。曹雪芹的文本里面，他是不断要嵌入诗文的，不会只是在前八十回里有人物写诗，后二十八回就没有诗了。有人会问，你怎么见得宝钗写了《十独吟》呢？这不是我凭空想出来的，第六十四回，记不记得黛玉写过一组《五美吟》？在那个地方，脂砚斋有条批语，明明白白地告诉我们："《五美吟》与后《十独吟》对照。"他把全书都看完了，前面林黛玉写了《五美吟》，后面另外一个人会写《十独吟》，谁才能够跟林黛玉相匹配？非薛宝钗莫属。

宝钗很不幸，但她是一个很理性的人，她不会一味地感情用事，她会想方设法找回宝玉。她想到了谁？求谁来帮助寻找宝玉呢？这就牵扯到最前面的一个伏笔。第一回贾雨村一出场，就表现出非常有抱负，口中吟出了一副对子："玉在椟中求善价，钗于奁内待时飞。"这副对子，一般读者眼睛一溜就看过去了，觉得无非是贾雨村抒发他的野心，没想到脂砚斋写下条批语，说这是"二宝合传"，就是影射到了贾宝玉和薛宝钗，他们两个在后来某个时段当中的状态。

历来的读者、研究者都觉得费解。但我觉得，如果你跟着我一步一步地，咱们好像在一起修复那个古代瓷瓶，一片一片小碎瓷地来镶嵌，从前面讲座梳理到现在，你就会觉得不是那么难懂了。

前面我讲到与狱神庙相关的情节时告诉你，宝玉当时等的是什么？等的是准许返乡的令牌，"有钱能使鬼推磨"，有人拿出大笔的钱来行贿，等于给他买下令牌，他就能够暂时松一口气，那种处境，不就是"玉在椟中求善价"吗？"求善价"并不是自己想谋取财产，而是想获得解脱，解脱的前提必须要筹足受贿者满意的"善价"。

当然，关于宝玉在"椟中"（暗指监狱）"求善价"的情节应该在这回以后出现，而"钗于奁内待时飞"作为伏笔，就应该在这回里照应。贾宝玉悬崖撒手去出家，薛宝钗一定要寻人，寻人要找谁帮助？不能乱找人，而贾雨村，大家想一想，书里面所写的一些官衔虽然是虚拟的，但是有人会很调侃地告诉你，贾雨村所当过的官，一度就相当于市长，又等于是卫戍区司令，故事发生到这儿的时候，贾雨村可能他的官衔有所变化，但是呢，利用他的权力去寻找贾宝玉是最得体的，也是最便捷的。因此，在这一回，宝钗就会通过贾琏，去跟贾雨村取得联系，希望能通过他，把宝玉找回来。这副对子的后半句，"钗"是宝钗不消说了，"于奁内"，奁的原义是梳妆盒，那么宝钗跟宝玉住那个屋子，可以比喻成一个梳妆盒，宝钗在"奁内"等待什么呢？"待时飞"。有人会说，她在等待找一个合适的时候飞走吗？不，请你再仔细看一看第一回里是怎么交代的，贾雨村他"姓贾名化，表字时飞，别号雨村"。宝钗在自己屋子里苦苦等候"表字时飞"的贾雨村的回音，这就是这副对子伏笔的含义！曹雪芹的文本，就巧妙到这种地步。贾雨村品质恶劣，虽然薛宝钗对他抱着很大的期望，但这个时候贾雨村害怕贾家的事情牵连到他，躲都躲不及，怎么会去帮助薛宝钗寻找贾宝玉呢？"钗于奁内"，是空"待时飞"了。

第九十二回，叫做"甄宝玉送回贾宝玉　甄士隐默退贾雨村"。宝玉往五台山去，半路上，大雪中看见对面走来一个人，跟照镜子似的，与他一模一样，谁啊？甄宝玉。甄宝玉虽然跟贾宝玉同龄，但甄家被查抄得早，他那时还没到十六岁，就没被拘押，流落社会了，然后去寻找一个心灵的归宿，到过五台山，结果甄宝玉就发现，真要求得内心的平静，这种世俗性的"悬崖撒手"——当和尚，是解决不了问题的。半路碰见贾宝玉之后，他就告诉贾宝玉，你要寻求更深层次的那种顿悟，就劝贾宝玉还是暂且回家。甄宝玉就把贾宝玉送回了京城，送回了荣国府，叫做"送玉"。

有红迷朋友跟我讨论，说甄宝玉，是曹雪芹设计出来的一个影子般的存在，第五十六回里，他在宝玉的梦中出现过，估计这个角色会始终隐隐约约，你怎么到这回让他正面出场了啊？曹雪芹会这么写吗？现在我很郑重地告诉你，曹雪芹要让甄宝玉正式出场，第二回，脂砚斋一条批语明明白白地告诉我们："甄家宝玉乃上半部不写者。"什么意思？下半部必写啊！那么甄宝玉出场，会"送玉"，这我又有什么根据呢？太有根据了。元春省亲时大开宴席，大演戏剧，演了四出戏，其中有一出叫做《仙缘》，是根据唐代沈既济的《枕中记》改编的，这个戏曲全本的名字叫做《邯郸梦》，《仙缘》是其中一折。那么所演的四部戏，伏书中四事，《仙缘》伏的是什么？脂砚斋就明明白白告诉你，"伏甄宝玉送玉"。

故事发展到这个阶段，贾雨村危机四伏了。贾家的事儿会不会牵连到他？他很慌。你别忘了，他还曾经在甄宝玉家当过家庭教师呢！不过年头比较久，皇帝可能不是很清楚。但是，贾赦贪占石呆子古扇的事情，石呆子本人并没有死，他见贾赦因私交外官枷号，能不去向官府诉冤揭发吗？那就必然牵出贾雨村来了！

贾雨村就四处活动,一方面他会拉关系撇清自己,另外一方面他拼命寻求内心的安宁。他到一个道观去求仙拜神,发现里面有一个衣衫褴褛的道士,他去向道士问吉凶,人家闭目不理,他觉得面目似曾相识,仔细端详,不是别人,就是甄士隐。高鹗在他的续书里面,也有类似的内部。那部分内容,我觉得大体上还是符合曹雪芹的整体构思的,会有这样的情节出现。

第九十三回,回目可能是"卫若兰射圃惜麒麟 柳湘莲拭剑赏梅瓶"。书到这个地方,不会单纯去写一个贵族府第内部的故事了,曹雪芹会把他的笔触从贵族府第延伸到社会,延伸到皇权下面各种力量之间的相激相荡。

卫若兰射圃,我在前面的讲座里,一再地引用脂砚斋的批语告诉你,八十回后有这样的情节,那么估计在这回里就该呈现了。什么叫射圃?这是种军事行为,就是在一个地方练习射箭,练习射箭的目的不是锻炼身体和娱乐,而是为了准备战斗。卫若兰参加了什么样的武装力量,要跟谁战斗?他参加就是书里面说的"双悬日月照乾坤"的"月派",那派政治势力的武装力量,他们想通过发动政变,把书中在位的那个皇帝干掉,把他们喜欢的人扶上宝座当皇帝。会有惊心动魄的政治斗争的内容进入书里面来,但是,估计曹雪芹在文本上会进行控制,他不一定直接写两派武装力量的鏖战,他会重点写到备战的情景——射圃,可能是在菜地或者是在花圃当中来进行演练。按说卫若兰射圃的时候,他身上不应该佩戴任何东西,因为碍事,对不对?但是有一样东西他舍不得把它取下来,就是金麒麟。他戴着这个金麒麟射圃,这说明他很珍爱这个东西。这个东西是宝玉送给他的,他的妻子史湘云也有一个,不过比他这个小。估计卫若兰他离开京城集结到一个山寨,和另外一些"月派"的人物聚在一起,他不一定跟史湘云说实话,他可能说是去云游,你先在家里面待一段,我过些时候回来,实际上他是参加"月派"的政治军事活动去了。

柳湘莲和卫若兰他们是一伙。柳湘莲是"红楼四侠"之一。"射圃"的场面里一定有他。关于柳湘莲后来和薛宝琴巧遇成婚的情节,前面讲过,这里从略。需要补充的是,"射圃"之后会有实战,卫若兰牺牲了,咽气之前,他把身上的金麒麟取下来,交付给他的战友柳湘莲,嘱咐他设法再把它交还给贾宝玉,意味着他把史湘云托付给了贾宝玉,希望宝玉替代他照顾湘云到底。

第九十四回,估计回目是"蘅芜君化蝶遗冷香 枕霞友望川留余憾"。大家知道宝钗和蝴蝶有一种配伍关系。宝钗扑蝶是书里最美的段落之一。虽然甄宝玉把贾宝玉送回了荣国府，但是宝玉依然跟她格格不入，她精神上无比孤独。到这时四大家族的王家又出了问题，王夫人和薛姨妈的亲兄弟，原来炙手可热的王子腾，被皇帝罢官，宝钗在家族败落和婚姻失败的双重焦虑中，抑郁而死。宝钗逝去时已是隆冬，却有蝴蝶飞出窗牖，室内氤氲出缕缕冷香。宝玉毕竟多年来跟宝钗耳鬓厮磨，思想上有分歧，情感上还是剪不断理还乱。宝玉填一首《蝶恋花》，感叹宝钗红颜薄命。

柳湘莲潜回京城，告知史湘云其夫卫若兰云游殒命真相，并找到宝玉，把卫若兰托付的金麒麟交给宝玉。史湘云到大运河边——数月前送别卫若兰的地方，痛哭哀悼。

第九十五回，回目可能叫做"玻璃大围屏酿和番 膃油冻佛手埋奇祸"。

玻璃大围屏是第七十一回里面，贾母八旬大庆时出现的一件寿礼。书里面有特殊的一笔，就是贾母专门问了王熙凤："前儿这些人家送礼来的，共有几家有围屏？"王熙凤汇报说，有两架围屏特别好，一架是江南甄家送的，还有一架是粤海将军邬家送的玻璃大围屏。有人一听，可能很不以为然，玻璃大围屏——玻璃值什么钱？算什么好东西？怎么书里面就写贾母那么看重，说这两架围屏不能动，留着要送人。现在我们是什么时代？曹雪芹所写的又是什么时代？贾母身边有四个丫鬟取的什么名字？珍珠、琥珀、翡翠、玻璃。珍珠后来拨给宝玉，改名袭人。从四个丫鬟的名字可以看出，当时玻璃是和珍珠、琥珀、翡翠一样贵重的东西。

请注意，玻璃大围屏是一位管理海事的官员送的。这和后来探春远嫁应该是相关的。茜香国跟中国双方应该是打过仗的，茜香国可能失败了，女王甚至被俘了，后来怎么解决这个问题呢？茜香国女王表示服了，从此向中国称臣纳贡，中国皇帝也就对之实行怀柔政策，拿中国贵族女子去下嫁茜香国女王的儿子，也就是和番。首先向皇帝汇报战胜茜香国情况的，应该就是粤海邬将军。皇帝可能就让他把女儿拿去和番。邬将军虽有女儿，谦称自己地位太卑，女儿不够资格，恳求皇帝另觅合适人选。贾元春闻知此事，在这个当口，就会在皇帝幸她时，趁便竭力推荐自己妹妹贾探春。而贾探春呢，那之前在第七十一回已经被南安太妃看中，在贾政出事前，通过官媒婆运作，南安郡王世子已经跟贾探春订婚，贾母在世时，作为定亲聘礼的回礼，那架玻璃大围屏已经送往南安郡王家。情况汇报给皇帝，皇帝在再次召见粤海邬将军时会说，虽然有个贾探春备选，但她已订了婆家，是不是还是由你女儿去和番为好？粤海邬将军就会细细禀告，在荣国府史太君八旬大庆时，他妻子前往送寿礼，是一架玻璃大围屏，当时出面接待的，正是理家的贾探春，据他妻子回家后形容，不仅容貌好，言谈也爽利，很有才干，倘若此女去和番，定能让茜香国女王及王子满意，更有利于时时奉劝该国臣服中国。皇帝听后，就下旨让南安郡王改弦易辙，原来是要娶贾探春为世子之福晋，现在改为过继贾探春为女儿即郡主，以便下一步送去嫁与茜香国王子和番。玻璃大围屏这件道具，应该起到这样重要的作用。探春嫁往茜香国时，正值元妃省亲后的第四个年头的清明，贾家和南安郡王家都到大运河边送别，贾政能从拘押处所出来，作为家长送别女儿，贾家危机暂时获得缓解，但是探春心里非常难过，她知道自己如断线风筝一去不返，只能祈求"从今分两地，各自保平安"。

那么膤油冻佛手怎么回事？这个膤油冻佛手的"膤"字，写成"腊"（繁体为"臘"）是可以的，"膤"和"腊"是同义异体字。但是请大家注意，现在最通行的，红学所校注的，人民文学出版社出版的一百二十回《红楼梦》里，把"腊"印成"蜡"，形成一个错字。红学所校注时前八十回使用的是古本里的庚辰本，庚辰本并没有错，写的是"腊油冻佛手"，校注者偏把"腊"字改成"蜡"字，这一回后面的"校后记"里，注明是"径改"，就是他觉得不对，直接就把它改掉了。这种改动太武断粗暴了。在所有古本里面，没有"蜡油"的写法，都是"腊油"或者"膤油"，以往的通行本里，也没有写成"蜡"的。

膤油冻佛手这件古玩，是在第七十二回里写到的。鸳鸯有事到了贾琏王熙凤住的那个小院，贾琏忽然想起，就问鸳鸯，老太太生日过去，现在宫中清点寿礼，发现古董账上有个外路和尚孝敬的膤油冻佛手，可是古董房里却找不到它，管事的跟他汇报过两次了，他也急着寻其下落，问是老太太还摆着呢，还是交到谁手里去了？鸳鸯就告诉他老太太摆了几天以后厌烦了，给王熙凤了，平儿听到赶紧加以证明。历来都有读者把"腊油"跟"蜡油"画等号，觉得清代庙会就有蜡制的假水果出售，平民百姓用很便宜的价格就可以买到，拿到家里当摆设；以贾府之豪富，怎么会对一个蜡制的佛手模型，那么样地看重？府里古董房管事的觉得找不到是桩大事，日理万机的贾琏更郑重其事地进行查询，是否小题大做？更不明白曹雪芹他写《红楼梦》，写出宝、黛、钗的爱情和婚姻悲剧不就行了吗，怎么还要写这么多的"废话"？看来红学所校注时也是这样,认为什么"腊油冻佛手"啊, 就应该是蜡制模型, 大笔一挥, 径改为"蜡油冻佛手"。哎呀, 腊油冻佛手太重要了, 曹雪芹的《红楼梦》这个文本, 可是没有废文赘笔的啊!

腊油冻是一种非常名贵的石料。现在大家吃鲜肉很方便, 但是以前没有冰箱, 鲜肉很难长期保存, 所以多有把鲜肉加工腌制以利保存的, 尤其南方各省, 腌制的肉多称腊肉, 现在也仍然有腌制腊肉, 有人嗜好吃腊肉。腊油冻, 就是石料的质感和色泽就和腊肉上面的肥肉部分一样。石头长成那个样子, 是非常罕见非常贵重的, 再把那个东西雕成一个佛手, 叫腊油冻佛手, 年代再久远些, 当然就属上乘的古董了。它是书里面一个极其重要的道具。

大家知道, 在元春省亲的时候演了四出戏, 其中有一出叫做《豪宴》,《豪宴》是一个折子戏, 是《一捧雪》里面的一折。"一捧雪"什么意思? 就是有一种玉器特别好, 捧在手里就跟捧的全是雪一样。这个戏曲讲了这样一件古玩给一个家族带来的一个惨剧。脂砚斋在批语里就很郑重地告诉我们,《一捧雪》中伏贾家之败", 可见贾府的败落虽然有种种的远因近因, 但是其中会牵涉到一件古玩, 那这件古玩是什么? 从前八十回里检索, 它不能是别的, 只能是这个腊油冻佛手, 要不怎么七十二回里会那么用力地写到它?

腊油冻佛手怎么会埋奇祸呢? 估计就是在贾母还活着, 王夫人也还有充分的活动自由的时候, 她们还有机会进宫去给元妃请安, 王熙凤就建议她们把这个腊油冻佛手带去, 献给元春。佛手是很吉利的东西, 一个人随时手里拿着一个佛手, 就等于得到了神佛的长久保佑。当然, 这样做是违反宫中规定的。允许你来探视妃嫔——只能是女眷来探视, 贾政就不行——来请安, 但是不能够私相传递东西。可是一个腊油冻佛手, 体积也不大, 当时贾母王夫人觉得算不了什么, 带进去元春握到手中也感到确有安神的功能, 没想到就埋下了奇祸。

于是到第九十六回, 奇祸就呈现了, 回目可能就叫做"潢海铁网山虎兕搏 槠林智通寺香魂断"。潢海铁网山是在前八十回里面出现的, 就是秦可卿死了, 要做棺材, 最后薛蟠就推荐了一种, 叫做潢海铁网山所出的槠木。在小说最前面写贾雨村他赋闲的时候, 游览山林, 就发现有一座庙叫智通寺, 那么第九十六回很可能把前面这些因素都加以使用, 构成了这段故事。我在最早的讲座里, 详细讲述过贾元春之死, 这里不多重复。只再强调两处细节, 一个是皇帝以秋狝(就是秋天打猎）为名，出征剿除叛逆，贾元春随行，在驻跸地，元春有乞巧的行为，乞巧，一般是阴历七夕，就是七月七晚上进行，方式是把一根针放到水盆里，月光下，通过针在水盆底下的影子，从中来测祸福。元妃省亲时演的四出戏，其中就有《乞巧》，是《长生殿》里面的一折，脂砚斋批语非常明确地说：“《长生殿》中伏元妃之死。”元妃乞巧时哪里预测得到，没过几时，她就在虎兕相逢时，被皇帝抛出惨死。再一处细节，就是贾元春一路上总握着腈油冻佛手。在皇帝犹豫要不要献出元春以为缓兵之计时，太监夏守忠向皇帝下谗言，说元妃她手里老抓着一个很有分量的腈油冻佛手，她因为圣上追究她家，心怀不满，是想趁您在睡着了不备的时候去砸您太阳穴！这就促使皇帝下决心把贾元春牺牲掉。她原来所怀的那个孩子早就流产了，皇帝对她当然无所吝惜。

第九十七回，就会写到“宁国府旧账成首罪 荣国府新咎遭抄检”。宁国府有旧账，什么旧账？就是藏匿秦可卿。荣国府有什么新咎呢？就是闹了半天你不仅藏匿甄家的罪产，你也不仅是唆使你的子孙写反清的姽婳将军诗，现在又发现你私自把腈油冻佛手传递进宫，几乎把皇帝给谋害，这样的话，对荣国府就不是第一波打击那么客气了，就彻底查抄，忽喇喇大厦倾了。当然，皇帝到头来一算，“造衅开端首罪宁”，因为贾家最大一宗罪，还是藏匿义忠亲王老千岁的骨血秦可卿这件事，所以宁国府也就连锅端了。贾赦本来就有罪，当然一并加重处置了。

第九十八回，回目可能是“月落乌啼寒霜满天 食尽鸟泣奔腾流散”。估计书里不仅会写到宁荣二府乃至四大家族，还有相关“月派”的大溃灭，甚至还可能写到整个“月派”政治力量的总后台，也就是第七十六回黛玉、湘云联诗里“乘槎待帝孙”的那个“帝孙”，就是义忠老千岁他的儿子，从前面最早那个皇帝往下算的话是孙子辈，跟现在的这个皇帝应该是同辈的一个人，这个“帝孙”的原型就应该是乾隆朝的弘皙。“弘皙逆案”，我在前面讲座里面有详尽展开的分析，大家可以回忆翻查，这里不多说了。那么以弘皙为原型，进入到书里面，成为一个影影绰绰的艺术形象，会被圈禁在清虚观里面。在月落乌啼的时候，他就会为自己这派势力的彻底的覆灭，感到既愤懑又无奈。而受他的牵连，四大家族的男男女女就败落得连一个绿珠那样的人物都出现不了，“白骨如山忘姓氏，无非公子与红妆”。但是故事并没有结束，还要往下发展。

第九十九回，叫做“良儿误窃真相大白 凤姐扫雪痛心疾首”。故事发展到这个阶段，已经进入从元妃省亲往后算的第四个年头的冬季了。这回的故事在前面关于凤姐那一讲里已经讲得很详细。回目里为什么写成"良儿误窃"？"误窃"不是偷错了东西的意思，应该是"被误解为偷窃了东西"的意思。第八回里有一个细节，写袭人对宝玉照顾得无微不至，宝玉睡下了，她把宝玉脖子上的通灵宝玉取下来，用自己手帕包好，塞到褥子下面，这样第二天拿出来给宝玉带，就不会冰脖子了。脂砚斋在此处有条批语说："交代清楚。'塞玉'一段，又为'误窃'一回伏线。"有位红迷朋友跟我讨论，他说从这条批语看，良儿当年被怀疑偷走的玉，也许就是通灵宝玉。我又细读了第五十二回里平儿提及"那一年有一个良儿偷玉"的文字，觉得如果当年良儿被怀疑偷了通灵宝玉，那就不是一般的偷窃行为，跟坠儿偷金也不必并列了，平儿提及，应该是另外的口气，因为就荣国府而言，偷通灵宝玉就等于偷贾宝玉的命根子，性质超越谋财，完全是害命。脂砚斋在第八回里所说的"'误窃'一回"，应该就是本回，我在前面就其基本内容进行了探佚，但是究竟曹雪芹是怎么交代当年"误窃"的具体情况，良儿如何被冤屈的具体细节，则难以细化复原了。

然后就到第一百回了，应该出现狱神庙的故事了，回目可能叫做"狱神庙茜雪慰情痴　拢翠庵贾芸感诗仙"。前面刚讲过相关真故事，不重复了。

第一百零一回，回目可能是"巧姐儿遭骗临绝地　刘姥姥报恩如涌泉"。这段真故事也不重复了。

第一百零二回，一些前面的人物，看起来不起眼，在这一回会起到很关键的作用。回目可能是"傅秋芳妙计赚令牌　红衣女巧言阻金荣"。前面讲到傅秋芳后来嫁到了忠顺王府，她通过行贿相关衙门的关键人物，设法弄到了令牌，宝玉得以从监狱出来，急速南下。从时间上说，这已经是元妃省亲后第五个年头的开春了，运河开冻。金荣听说宝玉竟然拿到令牌走脱，就一直追到运河码头。金荣仍想逮住宝玉报官，让宝玉多吃些苦头。金荣追到码头，什么人用巧计阻拦了他？就是红衣女。红衣女是谁？第十九回，宝玉在过节的时候到袭人家里面去，回到荣国府以后问袭人，说炕上那个穿红衣的是谁？我见她实在好得很；袭人说那是我两姨姐妹，快出嫁了。那么这个人物不会随写随丢的，你想第十四回，只出现一个卫若兰的名字，他都是有用意的，何况红衣女有这样一些文字，而且，就在写到宝玉进入袭人家里，提到袭人之母还接了与袭人同辈的一些外甥女侄女儿时，脂砚斋就立刻批道："一树千枝，一源万派，无意随手，伏脉千里。"从第十九回到这一回，可谓故事已经从那个场景发展了千里之外，袭人两姨姐妹红衣女再次出现，身份可能是码头饭馆的老板娘，她为掩护宝玉，巧言阻退金荣，是顺理成章的。

第一百零三回，回目可能是"靓儿弃前嫌护灵柩　卍儿释新怨守绝密"。靓儿，有的古本子上写作靓儿。前八十回里她只出场一次，第三十回，靓儿无辜被薛宝钗厉声呵斥。故事发展到这一回，薛宝钗早抑郁而死，薛蟠判了死刑被杀头，薛姨妈也在绝望中死去，三个人变成了三口棺材，这些灵柩，由薛蝌送往金陵原籍去埋葬。那时候薛蝌和邢岫烟两口子生活十分窘迫，靓儿出现了，她居然不念前嫌，和她的丈夫一起，帮助薛家把灵柩往南运送。当然，靓儿夫妇也是正好要到南方办货，他们开了家卖纸札香扇的小店，第四十八回薛蟠家一个老伙计张德辉说，赶在端阳节前从南方采办些纸札香扇来京城卖，"除去关税花销，亦可以剩得几辈利息"。曹雪芹可能会通过这样一个情节，来展示底层青春女性那种超出贵族女子的心灵美。

卍儿，第十九回写到她跟宝玉的小厮茗烟偷情，那时候她和茗烟还不懂什么是爱情。在贾府败落之前，宝玉把茗烟放出去，卍儿也离开了宁国府，茗烟娶了卍儿一起过小日子。宁荣两府的垮塌，令他们揪心。忽然有一天，卍儿发现丈夫失踪了。其实，是茗烟得知宝玉得到令牌，护送宝玉去南方了。从前八十回里的描写看，他们身份虽有主仆之分，但相处得跟朋友一样。卍儿一开始很生气，知道了缘由以后，就释然了。为什么？大家想一想十九回里写的，当年茗烟和卍儿在一间屋子里面偷情，被宝玉发现，卍儿不知所措，宝玉就提醒她说，你还不快跑，卍儿就往外飞跑，宝玉追出去说："你放心，我是不告诉人的。"宝玉的好心，卍儿会感恩一辈子。宝玉得罪了金荣，收获的是蒺藜；善待了卍儿，收获的是香草。

第一百零四回，回目可能是"哭向金陵凤姐命断　疾走江南宝玉神昏"。王熙凤的大结局在这回呈现。宝玉急着往南奔，最后心力不支，昏昏沉沉。多亏有茗烟照顾他。红衣女阻拦金荣，使宝玉获得宝贵时间，但金荣仍设法去告倒宝玉，忠顺王船队南下，其中要做的一件事，就是捉拿宝玉归案。

第一百零五回，回目可能是"瓜州渡口妙玉献身　金山寺下悍王殒命"。妙玉不顾师父"不宜回乡"的警告，去往金陵地区，在瓜州渡口，先把卫家毁灭后被卖为花船乐伎的史湘云赎了出来，再找到已逮住贾宝玉的忠顺王，设计救出宝玉，并让他和湘云双双远遁，在忠顺王亵渎她时，她与忠顺王同归于尽。我在前面关于妙玉的那几讲里讲得很详细，不多重复。

第一百零六回，回目可能是"空茫大地中秋诗否　白首双星能聚几时"。宝玉和史湘云在妙玉的帮助下，经过一番离乱以后，重逢了。

宝、湘重逢，应该也是生活中原型的真实情况，被隐到了小说的假语中。曹雪芹有两个最好的朋友，是一对兄弟，哥哥敦敏，弟弟敦诚，在二敦遗留到今天的诗作里，有不少涉及到曹雪芹的内容，那时候他们都不便于在诗文里直接提到《红楼梦》，但又忍不住要含蓄地表达他们对曹雪芹写作《红楼梦》的理解与支持，比如敦诚在曹雪芹生活困窘时激励他"劝君莫弹食客铗，劝君莫叩富儿门；残杯冷炙有德色，不如著书黄叶村"。诗里提到"著书"，当然就是指写作《红楼梦》。曹雪芹去世后敦诚悼念他的诗里说"开箧犹存冰雪文"，那珍藏在敦诚箱子里的"冰雪文"，可能就是一部一百零八回的《红楼梦》稿本。敦诚用"蓬门僻巷愁今雨"来形容曹雪芹著书的环境，用"废馆颓楼梦旧家"来概括《红楼梦》的内容。敦敏则在诗里提及曹雪芹生活中的遭遇："秦淮旧梦人犹在，燕市悲歌酒易醨。"这种意思表达了一次还不够，另一首诗里又说："燕市哭歌悲遇合，秦淮风月忆繁华。"从中可以推知，曹雪芹生活中既然有与"旧梦人""悲遇合"的经历，他一定会以假语隐入到《红楼梦》的文本中，那就是故事发展到这个阶段时，宝、湘终于遇合并从秦淮转移到"燕市"，不堪回忆，长歌当哭。

这一回会写到，宝、湘是在听到一个消息后，才决定从江南返回北京的。就是老忠顺王殒命以后，他的儿子承袭了他的爵位，但没过多久，皇帝就治了新忠顺王的罪，把忠顺王府满门抄斩了。傅秋芳在抄家的进入时，点燃屋里帐幔，把自己火葬了。有人会说，你是不是编故事编得走火入魔，想哪儿是哪儿了。还是那句话，曹雪芹《红楼梦》的个文本点，叫做"真事隐，假语存"。在真实的生活当中，雍正六年，雍正皇帝派去抄没曹頫家的官员，叫隋赫德，当时好风光啊，曹頫的江宁织造官位，让他取代了，曹頫所有田产房屋人口，雍正全赏给了他，五年以后，即雍正十一年，雍正却又对隋赫德加以惩治，下圣旨宣布将他"著发往北路军台效力赎罪，若尽心效力，著该总管奏闻；如不肯实心效力，即行请旨，于该处正法"。曹頫也没隋赫德惨啊，没有流放到边陲，到乾隆登基后，尚能回到内务府去任职。

因此，书里写到忠顺王府到头来也被皇帝打击，是有生活中的例子可循的。

宝玉和湘云，在忠顺王府垮塌后，秋风中，从南方又回到京城，乞讨为生。他们走到昔日他们生活过的府第门前，宁荣二府已经被皇帝赐给了另外的贵族，门口又是车马、轿子一大片，达官贵人进进出出，"乱烘烘你方唱罢我登场"。

在这一回，可能会交代出李纨和贾兰的情况。在宁荣二府陨灭以后，他们迁出稻香村在城里置房安顿下来，贾兰在科举考试武举中名列前茅，得到官位，李纨被封为诰命夫人，但刚披上凤冠霞帔便喜极倒地身亡。

根据脂砚斋的一条批语我们可以知道，曹雪芹的全书的结构有一个特点，叫做"用中秋诗起，用中秋诗收"。第一回就有好几首中秋诗。全书里最后的诗，还是中秋诗。到这一回，应该是元春省亲后的第五个年头的中秋节了。在京城流落为乞丐的宝玉和湘云，苦中作乐，对月吟诗。

前面第三十一回，回目下半句是"因麒麟伏白首双星"，历来让读者、论家煞费猜疑。因为一对金麒麟，就埋伏下一个结局，会出现一对白发相守的夫妻——"双星"在过去就是夫妻的意思——那么这对白发夫妻是谁呢？难道是贾宝玉和史湘云？从两个金麒麟的走向上看，史湘云原来有一个，后来贾宝玉送给卫若兰一个，卫若兰牺牲后，大点的金麒麟又回到了贾宝玉那里，贾宝玉经历过牢狱之灾，史湘云曾被当街发卖，他们能够把各自的金麒麟保留下来吗？如果一度都被掠走，又是怎么奇巧地分别重获？我们现在很难把曹雪芹设计的那些细节复原，但是，我们可以意会到，两个金麒麟，到头来成为宝玉、湘云生活在一起的命运缩系物，可是，他们邂逅时，都还不到二十岁，怎么会以"白首"来称谓呢？唯一的解释，就是他们那时候讨来的残羹剩饭缺盐少酱，身体里盐分都不够，一个成了白毛男，一个成了白毛女，自然也就可以称为"白首双星"了。第三十一回回目中的伏笔，在跨越七十几回以后，才得到兑现，确确实实是"伏延千里"啊！

第一百零七回，回目可能叫做"饥怡红寒冬噎酸齑 病枕霞雪夜围破毡"。当年贾宝玉的生活是吃什么有什么，不想吃什么也有什么。第十九回，他偷偷地让茗烟陪着他到了袭人家，袭人一看，自家炕上虽然过年也摆了很多吃的，却没有一样配给宝玉吃。"寒冬噎酸齑,雪夜围破毡"这十个字，就是第十九回写到"袭人见总无可食之物"的时候，脂砚斋告诉我们在"下部后数十回"一定会有，可以"对看"感叹的。因为长期缺盐，所以见到一些别人扔了的酸菜渣滓，他们也会如获至宝；冷得不行，就捡一个破毡子围在身上。

曹雪芹不会只写宝玉、湘云的沦落，在第一回的《好了歌解》里，就一方面说出盛极而衰的世相，一方面也道出"蛛丝儿结满雕梁，绿纱今又糊在蓬窗上"，"昨日黄土陇头送白骨，今宵红灯帐底卧鸳鸯"，"昨怜破袄寒，今嫌紫蟒长"等诡谲的政治社会怪相。宝玉、湘云冷眼看世相，既会看到贾雨村、赖尚荣"因嫌纱帽小，致使枷锁扛"，也会看到贾兰、贾菌爵禄高登趾高气扬……

除了人生两极，他也会写到中产阶级的生活图像，比如说写到宝玉和湘云在闹市偶然地看到贾芸和小红去商店买东西，他们能认出小红和贾芸，小红和贾芸却不会去注意旁边的乞丐。宝玉和小红离得很近，却俨然属于两个世界。我对这样的细节的推测也是有根据的。第二十五回，写到在怡红院里，宝玉早上起床以后，想起来头天有一个丫头趁别的丫头都不在，给他倒了一杯茶——这个丫头就是小红，小红因为倒了这杯茶，付出了惨痛代价，被其他几个丫头嘲骂一顿——宝玉隔着花枝，看见有个丫头在那儿出神，就是昨天给他倒茶的那个丫头，"待要迎上去，又不好去的"，这个地方脂砚斋就有一条批语："试问观者，此非'隔花人远天涯近'乎？""隔花人远天涯近"是元代王实甫的《西厢记》里面的一个句子，非常优美，也非常有哲理含义，什么叫"隔花人远天涯近"？其实就是"隔花人近天涯远"的更巧妙的说法，我和你只隔一枝花儿，我们的距离很近，但是，如果我们属于不同的阶层，属于互不相干的人，那么，我们之间的距离就好比天涯那么远。根据前面这条脂砚斋批语，可能到这一回会写到这样的情景，令人无限感慨。而他们不仅看清了小红、贾芸，也听见了两口子跟其熟人在商店门口的寒暄交谈，交谈中，提到李纨乐极生悲，贾芸讲起头年去稻香村求李纨救助巧姐，李纨不积阴骘的情况，大家对李纨没有同情，只有嗤笑，宝、湘无意中从旁听到，心头五味杂陈。

最后就到了第一百零八回，回目可能叫做"神瑛顿悟悬崖撒手　石归山下情榜俨然"。元春省亲以后的第五年隆冬，宝玉、湘云这对乞丐夫妇无法继续在城里城门旁、胡同口的堆子——半截墙的废墟——里生存，不知不觉走向郊区，看到一户农舍窗里透出亮光，他们就挣扎着走过去敲门，农舍的男主人和女主人对他们非常仁慈，热情款待。宝玉仔细一看这个农妇，依稀可辨，想不起来在哪儿见过，忽听那丈夫称这农妇"二丫头"，啊，想起来了，在给秦可卿送殡途中，到一处农庄歇息，当时见到过她啊！那一段故事里，宝玉离开农庄时见二丫头抱着小兄弟同几个小女孩说笑而来，曹雪芹写出一句话，叫做"贾宝玉恨不得下车跟了他去"，历来许多读者、论家惊异，何以如此言重？脂砚斋在二丫头出现时有条批语："处处点情，又伏下一段后文。"注意，说的是"点情"而不是"点睛"。点什么情？不是亲情、爱情、友情，而是人世间最宝贵的同情、大怜悯、大接纳之情！二丫头是埋伏下来到最后要参与收拾全局的一个人物啊。到故事结尾，宝玉接触过那么多的生命了，再见二丫头，方知世上最纯之人，本在乡野中，从深刻的意义上说，宝玉从精神上，确实已经"下车跟了他去"。

　　二丫头夫妇接待了宝玉和湘云。史湘云冻饿得已经不行了，在二丫头家炕上结束了她跌宕起伏的一生。虽然是寒冬，土地都冻上了，二丫头夫妇和宝玉还是努力挖掘，把湘云埋在了门外一株树下。什么树？海棠树。象征史湘云的是什么？"葩吐丹砂，丝垂翠缕"，就是海棠花。刚埋好，忽然那树上绽出许多花蕾，飘出淡淡气息……回到屋里，二丫头夫妇安排宝玉在另一侧屋里的炕上歇息，宝玉思绪万千，最后宝玉就听到空中有一僧一道召唤他的声音，他意识到自己原来是天界的神瑛侍者，下凡到人间，历尽了离合悲欢炎凉世态，现在到了重归天界的时刻，他就第二次悬崖撒手——也可以理解成二次出家——形成顿悟：所有的荣华富贵和盛衰更迭都是过眼烟云；但仅仅懂得这一点还是不够的，要进行终极叩问："人生着甚苦奔忙？"要懂得，在过眼烟云的人生途程当中，什么是最值得珍惜的？就是那些没有被糟糕的政治、经济、文化所污染的灵魂，特别是那些社会边缘人物，男性如柳湘莲、蒋玉菡，还有就是一直被忽视的青春女性，而人生的终极意义，就是始终保持对无污染生命的尊重、欣赏、呵护，对弱者，对被侮辱与被损害的生命的大悲悯，对"世法平等"的不懈追求……宝玉升华到天界，还原为神瑛侍者，而跟随他在人间经历了这一切的通灵宝玉，就还原为天界大荒山无稽崖青埂峰下的那块女娲补天剩余石，这块大石原来上面没有字，从人间游历一番回来，上面就写满了字，这些文字读下来，就是一百零八回的《石头记》，也就是《红楼梦》。在一百零八回的最后，有一个《情榜》，它是这样的：

情　榜

绛洞花王

贾宝玉　情不情

金陵十二钗正册

林黛玉　情情

薛宝钗　冷情

贾元春　宫情

贾探春　敏情

史湘云　憨情

妙玉　度情

贾迎春　懦情

贾惜春　绝情

王熙凤　英情

巧姐　恩情

李纨　槁情

秦可卿　情可轻

金陵十二钗副册

甄英莲　情伤

平儿　情和

薛宝琴　情壮

尤三姐　情豪

尤二姐　情悔

尤氏　情外

邢岫烟　情妥

李纹　情美

李绮　情怡

喜鸾　情喜

四姐儿　情稚

傅秋芳　情隐

金陵十二钗又副册

晴雯　情灵

袭人　情切

鸳鸯　情拒

小红　情醒

金钏　情烈

紫鹃　情慧

莺儿　情络

麝月　情守

司棋　情勇

玉钏　情怨

茜雪　情谅

柳五儿　情失

金陵十二钗三副册

抱琴

待书

入画

彩霞

素云

翠缕

雪雁

秋纹

碧痕

春燕

四儿

小螺

金陵十二钗四副册

龄官

芳官

文官

藕官

蕊官

葵官

艾官

豆官

茄官

宝官

玉官

䓤官

金陵十二钗五副册

二丫头

卍儿

瑞珠

宝珠

智能儿

云儿

青儿

佳蕙

绣橘

翠墨

彩屏

坠儿

金陵十二钗六副册

琥珀

春纤

碧月

佩凤

偕鸳

文化

靛儿

媚人

檀云

绮霞

可人

良儿

金陵十二钗七副册

张金哥

红衣女

周瑞女

娇杏

丰儿

银蝶

莲花儿

蝉姐儿

炒豆儿

小鹊

臻儿

嫣红

金陵十二钗八副册

夏金桂

宝蟾

秋桐

善姐

鲍二家的

多姑娘

小霞

小吉祥儿

小鸠儿

小舍儿

篆儿

傻大姐

　　以上就是我所探佚出的曹雪芹的一百零八回的全本《红楼梦》，八十回后的真故事。细心的听众、读者会发现，我这个新系列里与以往所讲相重叠的一些内容，又有新的进展，也有若干修正。欢迎批评指正！感谢观看讲座、阅读本书！

刘心武文存

22

红楼眼神

《红楼眼神》自序

本书包括三辑阅读欣赏《红楼梦》的文章。

第一辑《红楼眼神》把书中几处关于人物眼神的描写拎出，道其妙处，和读者共享曹雪芹文笔之老辣精到。

第二辑《红楼拾珠》，则集中分析书中人物的精彩语言。

一部小说让读者读起来觉得很爽，一是叙述语言必须生动流畅，一是人物语言个性活现。曹雪芹的《红楼梦》就把那叙述语言和人物语言交织成的文本，书写得非常成功。《红楼梦》里那些如闻其声如见其神的人物语言，犹如璀璨的珠玑，书里比比皆是，我不过是拾取了其中一部分，拿来赏析发挥罢了。

我的这些"拾珠"，大都包含三个元素。一是研红心得，有的是独家见解，当然仅供参考，并无自以为真理在手，非得人家来认同的目的，只希望读者见了我这一家之言，多一种思考的角度，得一些交流的乐趣。二是对所涉及到的具体语言"珍珠"的讨论，其中有的俗话俚语现在已经不大能从人们嘴里说出，比如"黑母鸡一窝儿"，究竟是表达着一个什么意思？查工具书未必能找到现成答案，问老前辈也多半不能确定，就需要讨论讨论，通过讨论，既有助于把《红楼梦》读通，也增加了对我们民族语言的丰富性生动性的体验。三是从一句具体的语言"珍珠"，生发出对我们大家共处的社会现实和世道人心乃至人性的感慨与感悟。

第三辑《红楼细处》，更充分地体现出我对《红楼梦》进行文本细读的心得。也包括从书里延伸到书外的一些文字。最后《揭秘刘心武》是首次入书的电视采访记录，读来应觉有趣，希望有助于大家对我研红特别是从秦可卿入手开辟"秦学"的理解与宽容。

　　我是中国人，我说中国话，我写中国方块字；我看中国方块字写成的书，我为自己民族有《红楼梦》这样的，用方块字写成，并且记录下珍珠般的中国话的经典而自豪——谨以这最朴素的情怀，与能共鸣的读者共乐。

2010 年 5 月 15 日绿叶居中

下死眼

　　小红是曹雪芹笔下的一个极诡谲的形象。她大名叫林红玉。她是荣国府大管家林之孝的女儿。荣国府本有大管家赖大，是世代大管家，赖大的母亲赖嬷嬷在故事开始后仍健在，常到府里来给贾母请安、打牌，按说荣国府有赖大、赖大家的一对世仆充当管家也就够了，却又偏还有林之孝、林之孝家的一对似乎非世仆的夫妇也来担任大管家，而且一个天聋、一个地哑，令读者多少有些奇怪。宁国府地位比荣国府高，书里只出现赖升一个大管家，难道是因为荣国府在故事开始的时候人丁比宁国府繁多，因此需要多设一对大管家？更耐人寻味的是，有的古本上，林之孝的名字本来写成秦之孝，后来又把"秦"字点改为"林"字。林红玉若姓林，与林黛玉重姓，若姓秦，则又与秦可卿有某种关联。曹雪芹写得真是扑朔迷离。"秦"在书里可不是个好字眼，贾宝玉随贾政初游大观园，有位清客在题咏时想必是忆起古诗"寻得桃园好避秦"，建议用"秦人旧舍"作匾，宝玉忙道："这越发过露了，'秦人旧舍'说避乱之意，如何使得？"这样的文句显然绝非闲文赘笔。书里姓秦的难道都有"避乱"之嫌？且不说秦可卿，在大观园西南角上守夜的秦显家的，林之孝家的把她拉来顶替柳家的充当内厨房主管，平儿没答应，理由是对这个姓秦的不熟。林之孝家的为何推荐秦显家的？莫非是林之孝本姓秦后为更稳妥地"避乱"而改姓林？恐怕也正是为了"避秦"，才天聋地哑地低调生存，林之孝家的已是一成年妇人，却偏去认年轻媳妇王熙凤为干妈，自己明明手中有权，完全可以把女儿安排得地位高些，却偏把林红玉安排在怡红院里，先是看守空屋子，后来宝玉带一群人入住，林红玉只是个管浇花、喂鸟、拢茶炉子的三等丫头，多次被头、二等丫头晴雯、秋纹、碧痕挤对。总而言之，林红玉这个角色，从出身设计上来看，就谜团重重。

林红玉这名字，姓氏重了黛玉，名字更与宝、黛二位相犯，所以王熙凤初听到就皱眉撇嘴："讨人嫌的很！得了玉的益似的，你也玉，我也玉。"这就更让人觉得林之孝夫妇不像赖大夫妇那样，属于家生家养，如果他们是家生家养，不至于给女儿取名字时非重几位主子名字里的"玉"字，他们可能是已经有了女儿取好了名字，再因某种机缘来到荣国府的。

更值得探究的是，书里用不少笔墨写林红玉和贾芸的爱情。林红玉后来简称小红，但"红"字不仅与"怡红院"重合，更与"绛芸轩"（"绛"就是红色）暗合，"绛芸轩"是宝玉给自己居处取的名字，早在跟着贾母住的时候，他就把自己居住的那个空间叫做"绛芸轩"，移到怡红院后，他还那么叫。"绛"若理解成小红，那么"芸"恰好是贾芸。这是怎么一回事呢？根据古本里署名脂砚斋和畸笏叟的某些批语，可知宝玉后来被逮入狱，在狱神庙里，不仅有茜雪（"茜"也是红色）出现，也有小红和贾芸出现，那么，"绛芸轩"这一轩名，是否就含有特殊的，与小红和贾芸相关的隐喻呢？

小红和贾芸的爱情故事是《红楼梦》里的重要篇章。他们首次见面的场景，有两笔特别值得细细鉴赏。一是写贾芸的听觉享受："只见门前娇声嫩语的叫了一声'哥哥'。"那并不是叫他，是小红从怡红院出来传唤宝玉小厮焙茗。小红从焙茗话里听清从屋里出来的贾芸是本家的爷们，"便不似先前那等回避，下死眼把贾芸钉了两眼。"曹雪芹笔下多次细写人物的眼神，依我之见，小红的"下死眼"对贾芸钉住端详，可评为全书"第一眼神"。

在那个时代那个社会那样的贵族宅第那样的具体环境里，无论小姐还是丫头，都必须按礼教行事，对异性，尤其是青年男子，绝不能直视、正视、久视，偷窥已属不良行为，何况下死眼去钉住看。但小红有种，她在怡红院悒悒不得志，她知道自己难以接近宝玉，纵使宝玉对自己产生一点兴趣，以后也绝无袭人那样的前途；她也不愿像晴雯那样毫无忧患意识地快活一天算一天，她深知"千里搭长棚，没有个不散的筵席"，她下棋多看七八步，尽管她父母是府里大管家，她年龄大了拿去配小子时，或许遭遇会比那些出身背景差的略强一些，但她也不甘心任由父母包办婚姻，她要自主择婿，蹚出一条自强之路！曹雪芹用"下死眼"三个字，把一位具有自主意识的女奴的心灵眼神活画了出来！

镜内对视

　　那真是一幅绝妙的图画，或者说是一个生动的镜头：麝月坐在梳妆匣前，卸去钗钏，打开头发，宝玉站在她身后，拿篦子给她一一地梳篦。本是宁静的二人世界，忽然晴雯跑了进来，晴雯是跟人耍钱输了，回来取钱好去捞本，晴雯见那情景，立刻尖牙利齿地讥讽："哦，交杯盏还没吃，倒上头了。"宝玉忙表示也可为她篦头，晴雯说："我没那么大福。"拿完钱摔帘子出屋了。于是宝玉和麝月就在镜内相视，宝玉笑对镜中的麝月说："满屋里就只是他磨牙。"麝月忙向镜中摆手，宝玉会意。果然晴雯掀帘子进来，不满发问："我怎么磨牙了？咱们倒得说说。"麝月笑道："你去你的吧，又来问人了。"晴雯又斗了两句嘴，才一径跑去接着玩耍。接着场面复归于宁静。

　　麝月在宝玉身边，"公然又是一个袭人"。书里写到，一次宝玉雨中回到怡红院，因为丫头们没有及时开门，门开后，宝玉任性地一脚踹去，万没想到踢中的是袭人，袭人"不觉将素日想着后来争荣夸耀之心尽皆灰了"，这说明袭人是有明确的人生目标的，就是当上宝玉的第一姨娘，并以此来"争荣夸耀"，麝月显然并没有这样的人生目标，她之像袭人，可以在袭人缺位的情况下替代袭人，只不过是她也能为宝玉的世俗生活提供避免微嫌小弊的技术性支撑罢了。从书里描写看，袭人尽管性格温柔和顺，气质似桂如兰，论姿色却绝非一流，麝月就更平庸一些。虽然书里也有几次写出袭人的嘴不让人，也写到麝月出面去说退芳官干娘的无理取闹，呈现出她们性格中有棱角的一面，但总体而言，她们还是属于圆润型性格，不像晴雯那么爆炭般火辣剪锥般尖刻，也不像芳官那么浪漫任性，在晴雯被撵逐后，宝玉难以自持，袭人这样劝解："太太只嫌他生的太好了，未免轻佻些，在太太是深知这样的美人似的人必不安静，所以很嫌他，像我们这粗粗笨笨的倒好。"袭人说自己"粗粗笨笨"，把麝月也包括进去，称"我们"，倒未必是虚伪的谦词，从封建主子的角度看她们，"粗粗"就是姿色不那么细致嫩腻，对府第公子没有"狐媚子"的威胁；"笨笨"就是或许对比她们身份低的会显示出尊严威力，但对主子却是跟前背后都绝不多言多语多想妄动的。

根据曹雪芹的构思，贾宝玉的丫头系列里，还有一个檀云名字是跟麝月配对的，宝玉住进大观园后写的《夏夜即事》诗里有两句是"窗明麝月开宫镜，室霭檀云品御香"，晴雯夭折后，宝玉撰《芙蓉诔》悼她，里面又有对偶句："镜分鸾别，愁开麝月之奁；梳化龙飞，哀折檀云之齿"，正好把两个丫头的名字嵌了进去。另外他还设计了一个丫头叫绮霰，绮霰和晴雯的名字也恰好对应。可惜檀云、绮霰还有媚人等宝玉的丫头在前八十回里都只有其名不见其事，也许会在八十回后出现并参与情节的推衍？

我在《红楼梦八十回后真故事》的电视讲座和同名书籍里，探佚出麝月在八十回后的情节发展里，是袭人在忠顺王点名索要的情况下被迫离开荣国府，临走时告诉已经成婚的宝玉和宝钗："好歹留着麝月。"忠顺王勒令二宝减撤丫头只允许留下一名，二宝果然留下了麝月。但在皇帝通过忠顺王对荣、宁二府实施第二波毁灭性打击时，宝钗先已死去，宝玉被逮入狱，麝月则被收官发卖，不知所终。书里对麝月最后大概就是被卖的那么一个模糊的悲惨结局。但是在书中写到宝玉为麝月篦头并镜内对视时，一条畸笏叟的批语却这样写道："麝月闲闲无一语，令余鼻酸，正所谓对景伤情。"批语的内容与书中那段情节并不对榫，因为那段情节里麝月并非"闲闲无一语"，而且那正是荣国府的全盛时期，繁华热闹，主仆同乐，人人喜笑颜开。于是我从批语推测出，麝月是有原型的，其原型经历一番惨烈遭遇后，终于与批书人遇合，批书人把书里那段关于她和宝玉镜内对视的文字读给她听，她的悲怆并不形于外，而是"闲闲无一语"，真是"此时无声胜有声"，使得批书人鼻酸，不禁把书中往昔的繁华与书外今日的萧索两景相对照，伤情感慨万端！

杀鸡抹脖使眼色儿

这是一个连带肢体语言的极其生动的眼神描写。贾琏和王熙凤的女儿染上天花，全家总动员，采取种种措施来维护大姐儿使其逃过一劫。有的现代读者不大理解，出痘算多大的症候，怎么荣国府里紧张到如此地步？其实查查清代文献就可知道，那时候天花一旦流行，就是皇宫里也如临大敌，而且没有什么好办法来防止传染，治愈的几率很低，完全是听天由命的那么一种恐怖状态。若干皇子公主都夭折于天花。玄烨之所以成了康熙皇帝，很重要的一个因素，就是他儿时染了天花却只在脸上留下一些瘢痕而已，天花是一旦得过挺住，便获得自动免疫力，余生再不会重患的疾病，顺治皇帝死后，掌握朝政大权的孝庄皇太后正是考虑到这一点，怕立了别的后代当皇帝一旦染上天花驾崩于朝廷不利，遂果断拥立玄烨成为康熙皇帝，当然，也是看中玄烨还有许多其他优点。清朝每当天花流行，都会造成大批幼童死亡，曹雪芹之所以四十岁就去世，也是因为他的独生子死于天花，悲伤过度。《红楼梦》里写大姐儿染上天花，立刻安排隔离治疗，贾琏和凤姐也要暂停夫妻生活，一点都不牵强，正是那个时代一般世态的真实写照。使用接种牛痘的方法获得针对天花的免疫力，是近代才有的医学进步，服用药丸免疫更是近三十年来的新医学成果。

王熙凤是真为女儿着急奔忙。贾琏却利用这个空当偷腥。当大姐儿病愈，要从外书房回归与王熙凤的共居处时，平儿收拾铺盖，发现了贾琏偷腥的证据——一绺女人的青丝，贾琏意欲抢回，平儿拼力挣扎，正在这个当口，王熙凤来了,询问平儿整理东西时,可发现少了什么?多了什么?杀鸡抹脖使眼色儿,便是这时候贾琏在王熙凤身后抛给平儿的一套做派。平儿不动声色,若无其事,竟替贾琏遮掩了过去,贾琏却过河拆桥,王熙凤一走,到头来还是把那绺青丝夺了过去。

这是《红楼梦》第二十一回里的情节,这一回的回目是"贤袭人娇嗔箴宝玉,俏平儿软语救贾琏"。前半回写袭人和宝玉的冲突,当中夹写了一笔宝钗对袭人的暗赏。古本里这个地方有条脂砚斋批语,意思是这一回是从两个丫头来表现两对主子的关系,到了后来——指的是八十回后——有一回回目是"薛宝钗借词含讽谏,王熙凤知命强英雄",那回文字里,就不是通过袭人、平儿来折射二宝和琏凤的关系了,是直接去表现那两对人物的意识冲撞。

我在《红楼梦八十回后真故事》的电视讲座和书籍里,探佚出八十回后,有王熙凤被贾琏休掉,并且与平儿换了个位置的情节。有的听众读者提出,王熙凤被休尚可信,她与平儿互换位置,则难以认同。有位读者说,王熙凤带着巧姐离开另过不就结了吗?她怎么能忍受与平儿互换位置的奇耻大辱?这是现代人的思维。现在女性与男子离异,当然可以通过法律保护带着孩子离开另过,在《红楼梦》所表现的那个时代,是个男权社会,女子被丈夫休了,只能独自离开返回娘家,一个子女也不能带走的。又有读者问,王熙凤既被休了,就该回到王家去呀,她怎么会还在贾家呀?我在讲座里和书里,对这一点的探佚心得交代得不细,借此文加以补充:故事发展到那个阶段,书里的四大家族都陆续遭受到皇帝打击,首先被打击的应该是史家,也就是贾母的娘家,史湘云的两个叔叔全被削了爵;然后遭到打击的就是王家,王家原来有个在朝廷做大官的王子腾,是王夫人、薛姨妈的哥哥,王熙凤的伯伯或叔叔,这个人被皇帝罢官治罪,牵连到王家几房,全都忽喇喇似大厦倾,王熙凤那一房,也整个儿破落了,她的胞兄王仁,只顾自己苟活,哪里还管她的死活,因此,贾琏休掉王熙凤的时候,她已无娘家可回,无娘家人认领,不得已,接受了留在贾家,贾琏将平儿扶为正妻,自己降到往昔平儿那样的通房大丫头地位的方案。再加上,情节发展到那个阶段,贾元春已经失却皇帝宠爱,皇帝已经命令忠顺王来查封贾家,忠顺王知道王熙凤原来是荣国府

大拿，为查清荣国府的财产，也绝不允许王熙凤以任何理由离开府第。王熙
凤"知命"，屈辱存活，但她毕竟性格刚硬，有时候又不免梗着脖子"强英雄"。
可惜我们现在只知道曹雪芹的八十回后有这样一个回目，具体是怎么行文的，
竟只好意想悬悬了。

乜斜着眼

《现代汉语词典》里对乜斜有两解，一是眼睛因困倦眯成一条缝，一是眼睛略眯而斜着看（多表示瞧不起或不满意）。曹雪芹写《红楼梦》不止一次使用乜斜一词表现人物眼神，但他赋予这个词汇的意味却比《现代汉语词典》的解释更为丰富。

《红楼梦》第三十回写到盛暑中午，宝玉因无聊，顺脚进入王夫人上房，只见王夫人在里间凉榻上睡着，金钏儿坐在旁边捶腿，乜斜着眼乱恍——这里的乜斜一词，确实只是形容金钏困倦时眼神恍惚。宝玉悄悄跟她调笑，其间有动作，有玩笑话，金钏说了句最不该说的涉嫌下流的话："我倒告诉你个巧宗儿，你往东小院子里拿环哥儿和彩云去。"宝玉和金钏儿都万没想到，王夫人那时候并未睡沉，忽然翻身起来，照金钏脸上就打了个嘴巴子，指着金钏骂道："下作小娼妇，好好的爷们，都叫你教坏了！"盛怒之下，立即把金钏母亲叫来，将金钏撵了出去，后果大家都清楚，是"含耻辱情烈死金钏"。金钏之死，性质是否属于奴隶主对女奴的迫害？以今天的观点来看，答案是肯定的。其实宝玉也有一定责任，金钏固然轻佻，宝玉在那短暂的时间里也只释放着贵族公子的特权意识，其人格中的优美面毫无体现，王夫人打骂金钏时他一溜烟跑了，竟没有留下多少为金钏辩解哀求几句。就曹雪芹下笔而言，他倒未必是要表现主子对奴才的压迫，他似乎是在书写又一个性格悲剧，因为在第二十三回，写到贾政和王夫人召见众子女时，就特意写到宝玉进门前，一群丫头在廊檐下站着，见到他都只是抿着嘴笑，唯独金钏一把拉住宝玉说："我这嘴上是才擦的香浸胭脂，你这会子吃不吃了？"金钏仗着素日王夫人对她服务的惯性依赖，竟不知收敛自己的轻薄做派，她是迟早要出事的。而王夫人对金钏的投井自尽，在曹雪芹笔下并不是狠毒无情，而是心有悔意，也很符合王夫人的一贯性格，包括后来王夫人决定抄检大观园，撵逐晴雯等丫头，曹雪芹在叙述文字里说"王夫人原是天真烂漫之人，喜怒出于胸臆，不比那些饰词掩意之人"，我以为那并非反讽之语，而是对王夫人性格的白描。乜斜死金钏，偶然性里有必然性。

金钏的乜斜是睡眼。醉眼也可能呈乜斜状。第二十四回"醉金刚轻财尚义侠"，写贾芸在卜世仁舅舅家受了气，烦恼中低头往家走，不曾想一头撞到了一位醉汉身上，那是市井泼皮醉金刚倪二，倪二正抓住贾芸脖领骂完要打时，贾芸忙叫道："老二住手，是我冲撞了你！"倪二听是熟人的语音，将醉眼睁开看时，见是贾芸，忙把手松了，趔趄着转怒为喜。这段描写里曹雪芹虽然没有使用乜斜这个字眼，但脸上醉眼、脚下趔趄，有读者产生倪二双眼乜斜的想象，也很自然。醉金刚这个角色很耐琢磨。按说他在市井中重利放贷，属于法外谋财的社会填充物，似乎没有什么正面价值可言，但曹雪芹用十分明亮的色彩来描绘他，把他安排进回目，称道他"轻财尚义侠"，脂砚斋批语更指出，在作者和他的实际生活里，都遭遇到醉金刚这样的人物，言外之意，是他们多舛命运中的若干援助者，恰恰是这种"泼皮破落户"。

醉金刚是底层的社会边缘人，书里另一位引人瞩目的社会边缘人是柳湘莲，曹雪芹对柳湘莲这样一位破落世家的飘零子弟，就给予了更多的温情与赞美。薛蟠错把会串戏的柳湘莲视为一个可以轻亵的相公，第四十七回"呆霸王调情遭苦打"那段情节里，曹雪芹从各种角度描写到薛蟠色迷颠顶的眼神，他听到柳湘莲明明是骗他的话，竟信以为真，"喜得心痒难挠，乜斜着眼忙笑道"……薛蟠的这个眼神，区别于金钏的睡眼和倪二的醉眼，是十足的色眼，这样看视柳湘莲当然更刺激出柳湘莲痛打他的决心。但是，我们要注意到，在曹雪芹笔下，柳湘莲是个由着自己性子生活的人，他常会随性而变。痛殴薛蟠之后，他避事藏匿，有的读者或许以为他的故事就此结束，没想到第六十六回，他竟忽然和薛蟠同时出现在贾琏面前，一问，竟是戏剧性地驱散了劫掠薛蟠商队的强盗，与薛蟠不仅尽弃前嫌，更结拜为兄弟了！贾琏趁便促成了他和尤三姐定亲，谁知回到京城后，听了宝玉几句话，他又坚决反悔，要收回定亲的鸳鸯剑，这就导致了尤三姐的持剑自刎。然后有一段迷离扑朔的文字，使读者觉得柳湘莲遁入空门，从此不再出现于俗世。我在《红楼梦八十回后真故事》的电视讲座和书籍里，探佚出柳湘莲在八十回后复出俗世，不仅作了对抗皇帝和"日派"政治势力的"强梁"，还与没嫁成梅翰林家的薛宝琴在离乱中遇合，使得宝琴最后的归宿是"不在梅边在柳边"，根据之一，就是曹雪芹已在前面为柳湘莲的性格特征和命运轨迹定下了调子：他是最会随性而变，也最会出人意表的一种生命存在。

贾政一举目

认为《红楼梦》一书具有反封建的思想内涵，是非常值得尊重的论断。但有的持这种观点的人士，把贾政设定为一个代表封建正统的载体，从书里截取出若干贾政的言行，特别是训斥贾宝玉的那些话语，从而把全书的主线概括为那个时代的"新人"（新兴市民阶层的代表人物）与封建顽固势力进行斗争，我以为，这样的观点，有简单化的弊病，不利于我们理解曹雪芹的苦心、参透《红楼梦》的真味。

书里写贾政，也是立体化的。对贾政需作面面观。贾政固然有忠于皇帝的一面，有父权、夫权的威严，有封建正统思想，对于贾宝玉总体而言是施以必须走仕途经济"正路"的意识形态压迫，但书里也多次写到贾政内心里的矛盾，他的灵魂由多种因素组合，而且常会发酵，生发出种种复杂的况味。

第二十二回写"制灯谜贾政悲谶语"，就多层次地展开了贾政内心涌动的情愫。由于其原型并非贾母原型的亲子而是过继的，虽然"真事隐"，却又"假语存"，写到贾母对他的冷淡和他内心里对母爱的需求，更写到他面对元、迎、探、惜等晚辈灯谜中透露出的不祥之兆的警觉惊悚，写出了他在家族兴隆时期内心的孤苦无告与疲惫凄清。这是一个有血有肉的形象，欣赏这个艺术形象要摆脱贴标签的模式，要从中体味出曹雪芹挖掘探究人性的功力。

按有的人的粗糙思路，贾政一举目，定然无好事，又要宣扬什么封建正统思想？但是在第二十三回，写贾政和王夫人召集子女们公布元妃让他们住进大观园的谕旨时，晚辈到齐后，曹雪芹特意写下这样一笔："贾政一举目，见宝玉站在眼前，神采飘逸，秀色夺人；看看贾环，人物委琐，举止荒疏；忽又想起贾珠来，再看看王夫人只有这一个亲生的儿子，喜爱如珍，自己的胡须将已苍白；因这几件上，把素日嫌恶处分宝玉之心不觉减了八九。"这个地方把贾政的眼神从外在形态直写到内在底蕴，说明他也有超越封建价值观念判断的审美亲情。

七十八回前半回写"老学究闲征姽婳词"，更进一层写出"近日贾政年迈，名利大灰，然起初天性也是个诗酒放诞之人，因在子侄辈中，少不得规以正路。近见宝玉虽不读书，竟颇能解此，细评起来，也还不算十分玷辱了祖宗……"读者读到这里，会感觉到贾政与宝玉并非势不两立，他们灵魂深处，都有看淡功名诗酒放诞的因素，只不过贾政素日自己压抑更去压抑子侄，而宝玉能挣脱压抑自觉释放罢了。

我在《红楼梦八十回后真故事》的电视讲座和书籍里，告诉大家我的探佚心得："老学究闲征姽婳词"，是贾政内心深处悼明之亡情绪的一次大宣泄。有的听众读者发问：贾政是个满清王朝的官僚，他怎么会有这样的心思？更有人指出，曹雪芹是八旗子弟，又不是明朝遗老遗少，他怎么会在书里去通过这样的情节这样的人物来表达哀明的情绪？要弄通这个问题，就必须要知道三个事实。第一，曹雪芹祖上是满州八旗的成员，而所属的正白旗还是八旗中的"上三旗"之一。一直有人误以为曹雪芹祖上是汉军旗的成员，非。如果是满清入关前后所编制的汉军旗的成员，那么，在整个社会系统里面，身份就比较低下。属于正白旗成员，表面上就属于最正统的满族。第二，曹雪芹祖上是汉人，但被满人俘虏得早，那时究竟满人能否得天下，还很难说，但曹雪芹祖上与满人共同作战，立下汗马功劳，后来竟一同入关，清王朝定都北京、统一全国，跟随满族主子夺得天下的如曹雪芹祖上的汉人纷纷分享到胜利果实，被委任为有权有势的官僚，曹雪芹家后来三代四人担任了江宁织造，在康熙一朝，无限风光。特别是曹雪芹祖父曹寅，他与康熙可谓"发小"，除了织造任内的事务，他还兼负盐政、制造铜筋、刻印典籍等重任，更担任着不为人知的单线与康熙联系的特务，其中一项特工任务就是与明朝遗老遗少套近乎，笼络时也就刺探到他们的内心想法与外在作为。第三，虽然被编制到了满八旗中，但曹雪芹家族毕竟血管里流淌的是汉族的血液，而他家在正白旗里，地位又比满族成员低，属于"包衣"，就是奴隶，他们分配到的衙门，是内务府，也就是为皇家服务的一个专门机构。从曹寅留下的诗文里，能找到不少在与明朝遗老遗少唱和中，自己也发哀明之幽思的蛛丝马迹，这一方面可能是为了"统战",另一方面也不排除其内心确有那样的情愫涌动。但曹寅那样做，却又有所仗恃，康熙六次南巡四次住进曹寅接驾的江宁织造署，而且康熙为了强调满清政权在中国的合法性与连续性，专门去祭奠明太祖陵，书写了"治隆唐宋"的碑文，因此，适度地表达悼明情绪，对于曹寅那样的人来说，属于"打擦边球"，并不一定是悖逆，弄巧妙了倒是对满清"奉天承运"的一种肯定。了解这些书外的情况，有利于我们理解书里贾政"闲征姽婳词"这段情节。

相对笑看

抄检大观园的导火线，是傻大姐在大观园山石上拣到的一个绣春囊。那绣春囊究竟是谁失落在那里的？绝大多数读者都认同这样的判断：是迎春的大丫头司棋的情人不慎遗落在那里的。抄检时从迎春的箱子里抄出了司棋表兄潘又安写给她的一封密信，里面提到"所赐香袋二个，今已查收"，那么当潘又安潜入园子与司棋幽会时，很可能就至少佩带着一个绣春囊，在隐蔽处宽衣求欢，又被鸳鸯无意中惊散，惶恐中失落在山石上，顺理成章。但是，历来《红楼梦》的读者中，对绣春囊究竟是由谁遗失在那里的，却也有另样的理解。比如一位叫徐仅叟的读者，他就认为那绣春囊非司棋潘又安所遗，是谁的呢？薛宝钗！有人听了可能哑然失笑，会觉得这位徐姓读者是个现代小青年，也许是在网络上贴个帖了，以"语不惊人死不休"谋求高量点击率罢了。但是我要告诉你，这位徐仅叟是晚清的官僚文士，跟康有为、梁启超志同道合，他对《红楼梦》里描写的人情世故，比我们不知要贴近多少倍，作为饱学之士，他这样解读书中绣春囊的遗落者，自有其逻辑。

抄检大观园丑剧发生第二天，惜春"矢孤介杜绝宁国府"，尤氏被惜春抢白了一顿，怏怏地到了抱病疗养的李纨住处，没说多少话，人报"宝姑娘来了"，果然是薛宝钗到。头晚抄检，薛宝钗住的蘅芜院秋毫未犯，理由是王善保家的提出王夫人认可的——不能抄检亲戚，但是，那又为什么不放过潇湘馆呢？难道林黛玉就不是亲戚？这些地方，曹雪芹下笔很细，虽未明点王夫人的心态，聪明的读者却可以对王夫人诛心。抄家的浩荡队伍虽然没有进入蘅芜院，没有不透风的墙，薛宝钗探得虚实后，第二天就来到李纨这里，说母亲身上不自在，家中可靠的女人也病了，需得亲自回去照料一时，按说从大观园撤回薛家需跟老太太、太太说明，或者去跟凤姐说明，但宝钗强调"又不是什么大事，且不用提，等好了我横竖进来的"，因此只来知会李纨，托她转告。对于宝钗的这一撤离决定，曹雪芹这样来写李纨和尤氏的眼神："李纨听说，只看着尤氏笑，尤氏也只看着李纨笑。"几个人一时间都无语，丫头递过沏好的面茶，大家且吃面茶。

李纨和尤氏的相对笑看，那笑应是无声的浅笑，心照不宣。她们都深知宝钗的心机。真个是随处装愚、自云守拙。

如果宝钗真拥有绣春囊，我们也不必拍案惊奇。书里多次写出宝钗见识丰富，高雅低俗无所不通。她如果拥有绣春囊，并不意味着她心思淫荡，她只不过是要尽可能扩大认知面罢了。她哥哥薛蟠一定是拥有许多这类淫秽物品的，她得来全不费工夫。当然，她把那东西带进大观园并失落在山石上，可能性实在太小，徐仅曳若把这一点解释圆满，恐怕也不容易。尽管如此，我觉得徐仅曳的观点仍有参考价值。书里写宝钗是有"热毒"的，她需时时吞食"冷香丸"来平衡自己的身心状态。

我们可以把宝钗和二玉对比一下。宝玉、黛玉虽聪慧过人，却"五毒不识"，他们不懂仕途经济，宝玉不会使用称银子的工具黛玉不识当票，他们坐在台下看《鲁智深醉闹五台山》却不会背其中的唱词，接触到《西厢记》的戏本他们欣喜若狂，而人家宝钗早在幼年时就把《元人百种》都浏览过了，宝玉不识绿玉斗的贵重、黛玉不知梅花雪烹茶才成上品而旧年蠲的雨水"如何吃得"……宝钗之所以能成为那个时代那个社会那种贵族家庭里的模范闺秀，不是因为她单纯、真诚、透明，而恰恰是因为她什么都知道却能装作什么都不知道，说出话行出事来常常让别人心下明白却又无法点破，这是她游弋于那个社会那种环境的优势，但也使她即使获得了宝玉这个人却无法获得宝玉那颗心。

宝钗来辞别，李纨、尤氏先只是相对笑看，无语应付。后来李纨才说"你好歹住一两天还进来，别叫我落不是"。这时宝钗却冒出一句很厉害的话来，叫做"落什么不是呢，这也是通共常情，你又不曾卖放了贼"。按说宝钗不该如此绵里藏针，她为什么脱口来上一句"你又不曾卖放了贼"？难道真如徐仅曳所言，她对抄检一事除了回避，还有某种微妙的心理？

以目相送

有一个被称为"靖藏本"的古本《红楼梦》，它在上世纪中叶一度浮出水面，却又神秘地消失。有阅读过这个古本的人士，抄录下其中若干独有的批语，寄送给当年的红学家们，因此，这些"靖藏本"批语也就传播开来。我对这些资料也是很重视的，纳入到自己探佚的参考范畴之内。

我的《红楼梦八十回后真故事》电视讲座和书籍公开后，有观众读者指出，"靖藏本"第六十七回前，有很长的批语，涉及到全书结尾，可是我的探佚心得里，却没有采纳，这是为什么？首先，古本《红楼梦》的第六十四回、六十七回，经过去不止一位红学家研究考证，基本达成共识，就是这两回文字不是曹雪芹的文笔，当然也不是高鹗弄出来的，应该是跟曹雪芹比较亲近的人士揣测曹雪芹构思补缀的。第六十四回，还有人认为前半回大体是曹雪芹留下的，第六十七回，则正文全不可靠，其批语的价值，也就格外可疑。在现存的其他古本里，第六十七回都没有任何批语，"靖藏本"的批语的确很独家。这一回回前的批语，抄录者过录下来的文字，简直无法阅读，文句错乱到不知所云的程度，这也是我不敢采纳的重要原因。勉强点读，大体而言，是说最末一回，写到宝玉"撒手"，达到"了悟"，他出家不必削发，回到青埂峰，仍应在甄士隐的梦里，而在前面引领他回归的，是尤三姐。我的探佚，最末一回，却是有二丫头出现。

我为什么看重二丫头，认为她会在最关键的时刻起到令宝玉顿悟升华的作用？是因为在第十五回里，写到宝玉随凤姐去到一处农庄，在凤姐来说，不过是找处地方暂且"更衣"，对宝玉而言，却是来到一处与平日完全不同的环境里，产生了新鲜的生命体验。在农庄里宝玉遇到了二丫头，一个淳朴的村姑，二丫头纺线给他看，使他大开眼界。本来这段文字似乎也没有什么警动读者之处，但到登车离开农庄时，曹雪芹却写出这样一些惊心动魄的文字："出来走不多远，只见迎头二丫头怀里抱着他小兄弟，同着几个女孩子说笑而来。宝玉恨不得下车跟了他去，料是众人不依的，少不得以目相送，争奈车轻马快，一时展眼无踪。"

关于二丫头的出现，脂砚斋批语指出："处处点情，又伏下一段后文。"在"以目相送"、"车轻马快"侧旁，又批道："四字有文章。人生离聚，亦未尝不如此也。"所指"四字"，多认为是"车轻马快"，我觉得更应指"以目相送"，宝玉的这个眼神，体现出他内心对囚禁于富贵之家的大苦闷与复归淳朴田园生活的大向往，同时也是一个大伏笔，就是到最后他会在二丫头的引领下顿悟，从而悬崖撒手、复归天界，也就是"因空见色，由色生情，传情入色，自色悟空"——请注意，"色即是空，空即是色"是佛教已成滥觞的说词，但曹雪芹用"由色生情，传情入色"八个字作为顿悟的桥梁，就超出了传统世俗佛教的"色空"概念，强调出了"情"在宇宙人生中的重大意义。

历来多有用世界上现成的理论解读《红楼梦》的，王国维早在上世纪初就试图用叔本华的悲观哲学来阐释这部奇书，上世纪中叶运用俄罗斯别林斯基、车尔尼雪夫斯基、杜布留罗波夫（简称别、车、杜）的文艺观点，特别是运用恩格斯提出的"典型环境中的典型人物"的理论来分析论证《红楼梦》的主题与人物，更成为一种潮流，直到进入二十一世纪，也还有用康德、尼采、海德格尔的哲学来说事的，更有引进女权批评、结构主义、后现代主义、解构主义来诠释《红楼梦》的。十八般文艺批评的利器，凡有可取处的，皆可借鉴、试用。我自己的研究，也一直借鉴使用着原型研究和文本细读的方法。但曹雪芹写《红楼梦》却是超越理论的，他不是在既有理论指导启发下来写这部小说的，他自创了"真事隐"而又"假语存"的文本，书中又"处处点情"，以"情"贯串全书，他似乎在启示我们：宇宙人生中最宝贵的，不是功名利禄，不是传宗接代，不是声光色电，而是那些人与人、人与自然之间的情感享受，哪怕只是暂短的，转瞬即逝的，只要享受到了真情，人生就具有了实在的意义与价值。我曾说自己的红学研究从秦可卿入手可称"秦学"，其实，更准确的称谓，应该是"情学"。

刘心武文存

22

红楼拾珠

世法平等

妙玉在大观园所住的那所尼姑庵，究竟叫栊翠庵还是拢翠庵？各个古本《红楼梦》在写法上不一致，通行本庵名第一字从"栊"，过去有"帘栊"的说法，"栊"有细栅的意思，跟"翠"连用意义难解；"拢"有梳理汇聚的意思，"拢翠"就是把一派翠绿理顺集中，庵名曰此较为合理，我下面说妙玉居处，采取拢翠庵的写法。

妙玉是"金陵十二钗正册"中，惟一的一位既不属于有贾、史、王、薛"四大家族"血统，也非嫁入"四大家族"做媳妇的女性，而且她排位第六，在书中大主角戏份极多的王熙凤之前，可见曹雪芹对她的珍爱，非同寻常。

在前八十回里，妙玉正面出场只有两次，一次是她在庵中招待大家品茶，一次是中秋深夜，林黛玉、史湘云联句未竟，她忽然出现，最后到庵中一气将诗篇完成。有些读者因为不懂书中关于她的《世难容》曲里"到头来，风尘肮脏违心愿，好一似，无瑕白玉遭泥陷，又何须，王孙公子叹无缘！"这几句，又受到高鹗续书的影响，对这一角色产生出不应该有的误解，这是需要为她辩明的。特别是"风尘肮脏违心愿"这一句，误解最严重。有的读者一见"风尘"就联想到"风尘女子"，觉得妙玉后来一定是沦为妓女了。其实"风尘"一词过去还有很通行的一种解释，就是"尘世"也即"世俗社会"的意思。"肮脏"在这里要读成"抗藏"的第三声，是不屈不阿的意思，古人常这么使用这个语汇，如文天祥《得女儿消息》诗里就有"肮脏到底方是汉，娉婷更欲向何人？"的句子。"风尘肮脏违心愿"是说妙玉最后还是回到尘世上，做了一番不屈不阿可歌可泣的大事，这虽然违背了她那作一世"槛外人"的初衷，是个"无瑕白玉遭泥陷"的自我牺牲的惨烈结局，但这并不意味着堕落，反而更说明她品质高贵。那么她究竟爱不爱贾宝玉？"王孙公子叹无缘”指的是否就是贾宝玉喟叹跟她没缘分？我的探究结果，是否定这些猜测的。她赞赏贾宝玉的脱俗，认为贾宝玉是个难得"些微有知识的"，却未必是暗恋贾宝玉，叹"无缘"的王孙公子，另有其人，我考出是第十四回出现的那位陈也俊（曹雪芹明文称他和另几位为"王孙公子"），我在探佚小说《妙玉之死》中写下了自己对八十回后妙玉命运的描述，有兴趣的读者可以找来一阅。

"拢翠庵茶品梅花雪"这半回书，只用了 1325 个字（按庚辰本统计，其他本子出入有限），就把妙玉性格活跳出来。曹雪芹写妙玉拉宝钗、黛玉到耳房去品私房茶，宝玉跟了过去，妙玉给钗、黛二位用的茶具，那名字又难写，又难读，都是稀世古玩，给宝玉用的呢，则是她自己常日吃茶的绿玉斗，看上去似乎平庸，这时候宝玉就发牢骚了，当然主要是开玩笑，他笑道："常言'世法平等'，他两个就用那样古玩奇珍，我就是这个俗器了？"妙玉立刻正告他："这是俗器？不是我说狂话，只怕你家里未必找的出这么一个俗器来呢！"妙玉究竟是怎样的家族背景？又究竟为什么从江南流落到京城大观园？她怎么会拥有那么多价值连城的珍贵瓷器珍玩？她实在是十二钗正册里最神秘的一位女性，其神秘度比秦可卿还更胜一筹。

贾宝玉所说的"世法平等"一语，源于《金刚经》。《金刚经》里过去被人引用最多的是"一切有为法，如梦幻泡影，如露亦如电，应作如是观"几句，这是很虚无的观念。《金刚经》里也有"是法平等，无有高下"的句子，却又能让人感受到在佛法面前人人平等的一种温馨许诺，使信众增强在攘攘红尘中继续趱行的信心。值得注意的是，曹雪芹写贾宝玉说那句话时，把"是法平等"故意写成"世法平等"，虽然这句前后的句子各古本多有差异，但这四个字却完全一样，可见是曹雪芹原笔原意。曹雪芹通过贾宝玉这一艺术形象，表述了世界上人人应该平等相处的人际法则，这不但在他那个时代是超前的，就是搁在今天，也是很先进的思想。联想到近时，还有一些人嫌贫爱富，甚至对外出打工的农民特多的省份歧视，对来自那一地域的农民工"老实地不客气"，难道这些人不应该感到惭愧，不应该在"世法平等"的理念中改弦易辙吗？

事若求全何所乐

　　这样的概括有一定道理：林黛玉小心眼儿，但有反封建的叛逆意识；薛宝钗
豁达圆通，对封建礼教依顺维护——但请注意，这只是现代人从"一定角度"粗
线条概括的"道理"，其实曹雪芹对他笔下的人物总无单线平涂的笨笔，他能写
出人的复杂性，所谓"活生生"是也。林黛玉在扬州随贾雨村读书时，年龄还很
小，大约才五岁吧，却能自觉地把"敏"读作"密"，以避母亲贾敏的名讳，何
尝天生是个"反封建"的"新人"。薛宝钗扑蝶偶然听到小红在滴翠亭里吐露隐私，
不惜嫁祸林黛玉来个"金蝉脱壳"，这即使按封建道德规范也是不雅之举。在拢
翠庵品茶，林黛玉遭到妙玉尖刻的讥讽："你这么个人，竟是个大俗人。"她也并
没有小心眼儿发作，容纳了妙玉的乖僻。薛宝钗只不过听到贾宝玉一句说她像杨
贵妃一般"体丰怯热"，就不由大怒，竟然"借扇机带双敲"，不仅对宝玉冷言怪语，
还把无辜的小丫头靛儿呵斥了一顿，心眼儿又何尝宽宏。

　　在曹雪芹笔下，黛中有钗，钗中有黛，既如二水分流、双峰对峙，又似形动影随、
阴晴交融。到第四十九回，宝玉发现林黛玉竟然绝不再猜忌宝钗，二人亲如同胞
姊妹，"心中闷闷不乐""只是暗暗的纳罕"，如此灵动地写出人性复杂人际诡谲
的文笔，是一般先给角色定了性再去细描的作家决计不能有的。

　　如果仔细阅读《红楼梦》，就会发现曹雪芹笔下的林黛玉，她的性格虽然始
终如一，其思想境界却在不断变化提升。第七十六回，她和史湘云一起在凹晶馆
联诗，那时的她，已经不同于吟菊花诗时，少了些幽咽哀怨，多了些澹定禅悟，
当时她们在池边两个湘妃竹墩上坐下，看到月光下的美景，史湘云就说应该到水
中泛舟吃酒，林黛玉则表示，就那么坐着赏月已经很好了，"事若求全何所乐"。

在前几十回书中，林黛玉给人的印象是个"完美主义者"，她的苦恼，往往缘于"美中不足，好事多魔"（注意：曹雪芹在书里一再地写成"好事多魔"而非"好事多磨"，有深意存焉），所谓"情重愈斟情"，泪珠也就总是涟涟不断线，但到凹晶馆这一回，她似乎通过生活的磨练有了顿悟，不再有求全之想，眼泪也似乎所储不多，作为天上的绛珠仙草下凡历劫，她偿还神瑛侍者甘露浇灌之恩，已经所欠有限，据周汝昌先生考证，按曹雪芹的构思，林黛玉并不是死于高鹗所写的什么"调包计"，而是因为遭到赵姨娘诬陷（硬说她与宝玉有"不才之事"），以及吃了贾菖、贾菱错配的药（这从第三回一条脂砚斋批语可知），"风刀霜剑严相逼"，便自己沉湖而殁了。史、林联句中有"寒塘渡鹤影，冷月葬花魂"的句子，就是在暗示她们二人最后的归宿，通行本《红楼梦》后一句作"冷月葬诗魂"，有的人很欣赏，但曹雪芹的原笔应该就是"葬花魂"（书中几次出现"花魂"一词，黛玉葬花时吟的就有"昨宵庭外悲歌发，知是花魂与鸟魂？花魂鸟魂总难留，鸟自无言花自羞"等句），鹤鸟喻湘，花魂喻黛，这是我们应该知道的。

"事若求全何所乐"，揭示了一条真理，就是：你一定要追求美，却无论如何不必追求完美。比如有的人讲究卫生，达到怎么洗手都觉得不能达到完美境地，就没完没了地洗个不停，终于洗完，一拿东西，就立刻怀疑沾染了病菌，心里总闷闷不乐。再比如有的女性其实相貌身材并不差，却为了完美去一再地整容，有的虽然没造成什么不良后果，却被亲友一句"你没原来自然"弄得气急败坏，更有的上当受骗，花费不赀却成为"丑容"，面对美容机构的推脱要赖，踏上了漫长的投诉、诉讼之路。还有人一味追求人际上的"人见人爱"，削掉了必要的性格棱角，甚至不能坚持原则，到头来隐忍了对个别、少数腐化分子的恶感，没有去抵制抗争，弄得反而得罪了大多数，甚至在腐化分子被查处时还惹了一身骚。以上是自己对自己求全闹得痛苦焦虑，对他人如果求全责备，缺乏宽容忍耐之心，也会闹个心烦意乱，抑郁暴躁，难以与人共事。追求完美如果达于极端化，会造成病态人格，甚至精神分裂，因为觉得自己怎么都难以完美，便会自杀，而觉得人家实在是不能完美，便会产生"干脆把其灭掉"的恶念。

林姑娘最终被其所处的险恶环境所毁灭，是大悲剧的结局，但她给我们留下的"事若求全何所乐"的悟语，却值得我们细细体味，有利于我们构建健康的心理素质，提升我们的精神境界。

是真名士自风流

　　琉璃世界白雪红梅，大观园的冬景真是美丽动人，然而更美的是活跃其间的青春花朵，脂粉香娃割腥啖膻，史湘云带头大嚼烧烤鹿肉，今天的"布波族"不会认为吃烧烤是不雅之举了，但在曹雪芹笔下那个时代，贵族家庭的主子是绝不能吃"自助烧烤"的，来客居的李婶娘就认为那是吃生肉，对之惊诧不已。但是史湘云真如海棠怒放，娇憨潇洒，不仅自己吃得津津有味，还带动宝琴等都围上来尝鲜，林黛玉就打趣说："今日芦雪庵遭劫，生生被云丫头作践了，我为芦雪庵一大哭！"史湘云就还击她说："你知道什么！是真名士自风流，你们都是假清高，最可厌的！我们这会子腥膻大吃大嚼，回来却是锦心绣口！"果然，后来在芦雪庵联诗，独她和宝琴两个吃鹿肉最多的大展奇材，技压群芳。

　　是真名士自风流，这里的"风流"，是"数风流人物，还看今朝"的那种用法，指才能出众，光彩溢人，整句话的意思就是真正的高雅人物用不着装扮做作，其一举一动自然而然地就能显示出超俗洒脱的高品位来。

　　史湘云在《红楼梦》里，是最具天然健康之美的绝品女性。林黛玉是病态美，当然那也是一种独具魅惑力的美，贾宝玉就为之倾倒。薛宝钗是一种自动收敛的含蓄美，吃冷香丸以压抑内在的"热毒"，住进大观园的蘅芜苑以后，居室雪洞一般，连贾母都觉得素净到没有道理的地步，但她"任是无情也动人"，自《红楼梦》流布后，多少读者把她设定为梦中情侣。曹雪芹笔力真是令人惊佩，按说塑造出林、薛两个形象已经难能可贵了，他却又写出了一个史湘云，绝无林黛玉那样的病态，也绝无薛宝钗那样的内敛，天真烂漫，如云舒卷，她的割腥啖膻，以及醉卧芍药裀，我们从旁看去，绝对是曼妙的行为艺术，但是就她自己而言，完全是率性而为，跟她穿上宝玉男装哄得贾母以为就是宝玉，以及在大雪地里扑雪人等等行为，都是她活泼泼生命力的惯常状态，不是像黛玉葬花那么精心预设、理性驾驭，也不像宝钗扑蝶那么只是偶一为之难得再现。

是真名士自风流，天性的底子固然是一个潜在的因素，但更应该说那是一种修养，一种境界。现在小资一族追求所谓品位，一般的段数，是达到使用宜家家具、喝星巴克咖啡、吃必胜客比萨饼、读昆德拉和张爱铃、看法国艺术电影、养吉娃娃狗……有人指责他们"躲进小巢成一统，管他国事与民工"，其实那是不公平的，多数这样的人士是心怀世界的，网上的许多相关的帖子，是他们贴上去的，对于经济状况比自己低下的社会群体，他们中的多数也是在意，而且在力所能及的前提下，有所捐助的。这里要提醒他们的是，学学史湘云，去除矫情做作，崇尚自然洒脱，修炼成风流倜傥的真名士。

忽然想到了陆文夫，他前些日子去世了。这是一位从不张扬的杰出作家，他一生居住苏州，描写苏州，他的作品可以说是姑苏风味十足，小桥流水声潺潺，小巷深处响筝琶，极富特色。在他身上，我就体味到是真名士自风流。一次是1978年，他来北京领全国优秀短篇小说奖，我称他陆大哥，早就仰慕他的大名，亟欲与他交谈，以获教益，于是一天他就牵头，到招待所外面一家餐馆去聚餐，我自然紧随其后，到了餐馆坐他身边，大家随意闲谈，兴味盎然，酒尽之后，他站起来撤出，大家也都纷纷踱出餐馆，到了街上，还边走边聊，我总问他些短篇小说的技巧问题，他的回答听似漫不经心，后来细加咀嚼，却都是点铁成金之言。走出很远了，陆大哥忽然止步，微笑问我："我们付钱了吗？"啊呀，大家才想起来，我们竟忘了付账就离开餐馆了。于是我随陆大哥回餐馆，他补付餐款，我问柜台上的人："你们当时怎么不拦住我们啊？"他笑指陆大哥说："一看就不是俗人，肯定会回来补钱的，我们着什么急啊！"

陆大哥那似乎永不会发脾气，永不会高声急语，永是蔼然可亲，永能将就他人的音容笑貌，此刻宛在眼前。又想起1983年，我们同游洪泽湖，一行人同乘一辆面包车，雨后路滑，车行减速，中途还抛了锚，我坐在车上，望见柏油路外一片泥泞，心中颇为不快，但忽见陆大哥从容下车，姿态优雅地走向村路边的一个粥摊，要了一碗清粥，坐在那粥摊简陋的木桌旁的长条凳上，两只脚小心地踩定于泥泞中，喝起了那碗粥来，哎，他那将喝一碗乡村清粥当做审美活动的意态，真难描摹，我确实就联想到了《红楼梦》里史湘云的割腥啖膻，湘云说那之后才有锦心绣口，而也恰恰在喝那清粥不久，陆大哥就发表了绝妙佳构《美食家》，是真名士自风流，这不是在当代的最好诠释吗？

惟大英雄能本色

因为朝廷里薨了一位老太妃，皇帝敕谕天下，凡有爵之家，一年内不得筵宴音乐，因此贾府为元妃省亲所准备的梨香院十二官，也就应该蠲免遣发，但她们原是拿银子买的，"产权"属于贾府，因此也可以留下她们当使唤丫头，最后有八个官愿意留在贾府，自愿离去的是龄官、宝官和玉官，龄官画蔷和情悟梨香院是《红楼梦》里的重场戏，但龄官和贾蔷后来究竟是终成眷属，还是劳燕分飞，因为曹雪芹的八十回后失传，我们不能得知；还有一个菂官死掉了；留下的八官分别被派往各自主子处，贾母要了文官，宝玉处是芳官，黛玉处是藕官，宝钗、湘云、探春、宝琴、尤氏处分别是蕊官、葵官、艾官、荳官和茄官。

这留下的八个女孩，十分淘气，芳官尤其活泼伶俐，宝玉十分欣赏她，把她装扮成小土番模样，还给取了个诨号"耶律雄奴"，后来因为有人咬不准音，叫成了"野驴子"，于是又改叫"温都里纳"，据说是海西弗朗斯牙金星玻璃石的译音，芳官自己很得意，大观园的众儿女为之雀跃，一时风气大炽，宝琴的荳官也扮成了书童，如此有趣的事，湘云岂有不参与的，她便将原来唱大花面的葵官也扮成个男子，因为葵官本姓韦，就唤作"韦大英"，暗"惟大英雄能本色"的意思。

湘云在书中，是最具本色美而且有豪气的女性。她自己也很喜欢女扮男装，有一回她穿上宝玉的衣服，站在离贾母稍远的地方，哄得贾母把她错认为宝玉，逗得人们都笑起来。黛玉很真情，不虚伪，但黛玉小心眼，疑心大，常对宝玉使小性子，未免矫情；宝钗打小就靠"冷香丸"维持生命，拼命压抑自己青春少女的情怀，用一副中规中矩的面具来取悦他人尤其是长辈，只偶尔露出点真性情，如宝玉挨打后去探望时，总体而言，她很不本色。

第五回贾宝玉神游太虚境，看到金陵十二钗册页，还聆听了红楼梦十二支曲，关于湘云的《乐中悲》曲里明确地唱道："幸生来，英豪阔大宽宏量，从未将儿女私情略萦心上。"最近周汝昌前辈在其新著里指出，贾宝玉对林黛玉是怜多于爱，他所真正钟情的，其实是史湘云，书中第三十一回回目"因麒麟伏白首双星"指的就是宝玉与湘云最后遇合，得以白首偕老。对于周老的前一判断，我目前还难以全部认同，从八十回书里看，就情爱而言，宝玉真爱、挚爱、只爱黛玉，是非常清楚的，而在他与宝钗、湘云相处时，则可以看出，他对她们非常欣赏，有深厚的感情，但只是闺友闺情。从薛宝钗方面来说，她是暗恋宝玉的，但她努力压抑自己那"越轨"的情愫，她并没有像她母亲和姨母王夫人那样，处心积虑地想让贾宝玉娶她，她的本性还是善良的，结局也是悲剧性的；从湘云方面来说，在八十回书里，她并没有情窦初开，爱上宝玉或别的男子，她是自自然然地、坦坦荡荡地跟宝玉及众姊妹相处，天真烂漫，口无遮拦，率性而为，诗意生存，有一定的中性化特色，既是巾帼英豪，也颇有男子汉气派。

湘云给葵官取"韦大英"的名字，并非只是因为葵官正好姓韦，将就而名，实在是因为她把"惟大英雄能本色"作为座右铭，我们都记得，她在芦雪广（这"广"字在繁体字系列里，与现在作为简化字的"广州"的"广"字是两回事，读作掩，意思是依山傍水修建的亭榭），曾带头烧烤，大嚼自烤的鹿肉，在黛玉讥讽时，说过"是真名士自风流"，"惟大英雄能本色"与"是真名士自风流"可以作为一副对联，倘加一横批，则"霁月光风"可矣。

就做人而言，千色万色，本色最难。所谓"大英雄"，并不一定是在政治上经济上学术上取得多么骄人的成绩，一个人能心无恶意，善意待人，对社会有益，对自己负责，就是无名英雄，不枉来世界一趟。

眼下我们都处在社会转型期，有人说，在如此诡谲的世道中，不得不戴上一定的人格面具，以自我保护，"不如意事常八九，可与人言无二三"，因此活得很累，并且常常是在热闹场中，在看似喧嚣嬉笑的场合里，内心依然感到非常孤独，甚至有无助的凄凉感，这样的感受，我以为属于正常。我并不主张大家都像史湘云在大观园里那般本色示人、名士风流，我们处在远比大观园复杂的人际网络里，太直率，过烂漫，确实未必受各方欢迎，也许还会吃哑巴亏，但是，在自己最亲近的家属姻戚朋友同仁同好的那个小社会小环境里，放松自己，以本色示人，还是非常有必要的，说破了，我们之所以那么艰难地应付各方面的人际，为的不就是在从社会人际中得到自己那份正当的报酬报答后，能在亲情、爱情、友情的范畴里，本色一番吗？

小心没有过逾的

　　薛家寄居到贾家，并不是自家在京城没有现成的房子住，从薛姨妈的角度讲，住在姐姐姐夫家，有很多方便之处，何况戴金锁的女儿需许配给戴玉的，成就一段"金玉良缘"，当然是离目标越近成功率越高；薛蟠呢，开头还怕姨父管束他，后来发现那姨父根本不理家事，宁、荣两府的表哥贾珍、贾琏又跟他臭味相投，也就"乐不思蜀"，住在荣国府里舍不得搬出去了。薛宝钗恪守孝道，母兄做主，她便依从，当然，住进贾府，而且后来更住进了仙境般的大观园蘅芜苑，使她的生活变得如诗如歌，她表面上不动声色，内心里一定觉得真是三生有幸。

　　林黛玉刚往荣国府时，也曾提醒自己要"步步留心，时时在意，不肯轻易多说一句话，多行一步路"，但性格支配行为，也决定命运，她后来在那府里，率性而为，多说的话何尝几句，多行的路何尝几步，爱她者固然绝不真正计较，厌她的那就都难以原谅。

　　薛宝钗的为人处世，有的论家，指出是顺应封建礼教规范，当然有的表现可以那样定性，有的呢，则不必都去"上纲上线"，她有其不同于林黛玉的性格，而就性格而言，其实是难以是非而论的。薛宝钗做事谨慎，这是她内敛型性格决定的，但也有超出性格层面，可以叫做修养的成分在里面，这就是她的优点了。

　　薛家刚到荣国府，住在梨香院，后来梨香院圈入大观园，成了戏班子居住排练的场所，薛家就另到府第东北角一处院落居住，这院落与荣国府其他建筑群之间有墙隔断，但有夹道角门可通，薛姨妈薛宝钗，还有薛宝琴、香菱等人，都常使用这个角门。第六十二回，曹雪芹特地写下一笔，就是宝玉去她家做客回来，她跟宝玉同回大观园，一进角门，她就命婆子将门锁上，把钥匙自己拿着。宝玉见了觉得何必多此一举，宝钗就跟他说："小心没有过逾的。你瞧你们那边，这几日七事八事，竟没有我们这边的人，可知是这门关的有效了。若是开着，保不住那起人图顺脚，抄近路从这里走，拦谁的是？不如锁了，连妈和我也禁着些，大家别走。纵有了事，就赖不着这边的人了。"后来大观园里发现了绣春囊，酿成抄检丑剧，宝钗就干脆搬出大观园，去跟母亲住在一处，更体现出她那"小心没有过逾的"处事原则。

"小心没有过逾的"，意思是就做事一定要小心谨慎这一点来说，怎么样地加小心，都不算过头。这实在是一句金玉良言。最近妻子住院，我去守护，护士跟她已经很熟了，但每次给她打点滴和发药，还是要先看病床上的患者牌证，再问一声她的名字，经确认，才挂输液瓶放小药碗，我就笑问过那护士："这些程序非那么机械地过一遍吗？"她说必须如此，不怕一万，就怕万一，他们医院里就曾有一对双胞胎同来住院，住的不是同一科的病房，一位到花园遛弯儿去了，一位来找姐姐看床上没人，就躺上去看杂志，看一会儿睡着了，护士来给安排打点滴，觉得床上就是那姐姐，就把出液口插在那妹妹手上现成的插口里了，过了半个钟头，姐姐回来才发现弄错了，造成了一次医疗事故！

一位比我还大两岁的朋友，三年前考下了驾照，买了辆桑塔纳开来开去的，刚上路的磨合时期，因为小心，跟在一辆货车后头始终不敢超车，竟跟了十几公里，曾被熟人们引为笑谈，但是现在所有认识他的都对他肃然起敬，因为他三年下来车技娴熟来往自如，却一直保持着零违章和零事故的纪录，连小剐小蹭的情况也没有过，搭乘他的车，最安全最舒适。他对我说，他的诀窍是，能精确判断前后左右的司机究竟想怎么开，"光想着自己不出错是不行的，更要提防他人以错误来妨碍甚至伤害自己"，他可谓深得薛宝钗那"小心没有过逾的"高论精髓。

薛宝钗命运的悲惨结局，不是她小心过度所致，也不是靠着凡事小心就能加以避免的，那是时代、社会状况和不可抗拒的灾难所决定的，冷艳的牡丹的凋谢，与风露中芙蓉的陨落，同样令我们扼腕叹息。但是薛宝钗的某些想法和做法，体现出一种具有超时代的、普适性的修养，仍是今天的人们可以认同的。

到底还该归到本来面目上去

　　妙玉在品茶拢翠庵一回中，把那放诞诡僻的性格表露得淋漓尽致，到第七十六回，她第二次正面出场，却将其性格中那温情通达的一面展现了出来。她先在凹晶馆暗处倾听林黛玉、史湘云联诗，听到"寒塘渡鹤影，冷月葬花魂"两句，她转出明处，参与进去，将黛、湘二位引到自己庵中，趁兴将那联诗一口气续完，结果这中秋夜大观园即景联句三十五韵，她一人独占十三韵，黛、湘二位才各有十一韵，她的确是"气质美如兰，才华阜比仙"，黛、湘惊叹："可见我们天天是舍近而求远，现有这样诗仙在此，却每天去纸上谈兵！"并非谀词恭维，而是发自肺腑的赞许，这也可见妙玉是曹雪芹心中格外珍爱的一位女性。

　　妙玉所续的十三韵，依我的推敲，是把八十回后贾府的崩溃和众女子的云散陨落加以了艺术性的概括，特别有意思的两韵，其一是"石奇神鬼搏，木怪虎狼蹲"，字面上是形容大观园夜里那些太湖石和树木阴森可怖，实际上"石奇"也就是"奇石"即贾宝玉，他后来的命运是"神鬼"（主流社会和世俗恶势力）不容，都要来打击他，而"木怪"也就是"怪木"即林黛玉，她后来将被"虎狼"（封建礼教和嗜利者）吞噬，悲惨陨灭。其二是"钟鸣拢翠寺，鸡唱稻香村"，意味着八十回后贾府被抄检治罪后，大观园其他部分一时都空落荒芜了，但妙玉并不是贾府的成员，也不是贾府的奴仆（那个时代主子获罪奴才会被当做"动产"与不动产一起罚没再加分配或变卖），她暂且还可以在拢翠庵里喘息一时，而李纨，我有文章考据出，她的原型，是曹颙的未亡人，曹頫被治罪，她作为寡嫂并不连坐，因此她和她的儿子（曹颙遗腹子）尚可另寻出路，其子后来通过科举当了官，她也就成了诰命夫人，曹雪芹将此人作为原型，加以艺术处理，把她降了一辈来写，但仍留下了不少生活真实的痕迹，这也就是为什么小说里的李纨在贾府倾覆后，犹能凤冠霞帔的原因，妙玉的诗句"鸡唱稻香村"，也正是照应八十回后关于她和贾兰"独好"的情节。

妙玉在续十三韵前，强调"到底还该归到本来面目上去"，这既是美学宣言，也是人生誓言。妙玉是一个在任何情况下，都坚持自己的本来面目，也就是由着自己的性情生活的"畸零之人"，这在任何时代任何地域，都是极难做到的。社会要求个体服从群体，少数服从多数，要求个人将就他人，这是社会运作与发展的必要条件，我觉得我们每个人必须想通，但是我也一贯呼吁社会、群体尊重个体生命，我在 1978 年就发表过一个短篇小说《我爱每一片绿叶》，表达了出自内心的强烈诉求：如果一个人并没有妨碍群体和他人，而且还通过自己的劳动为社会作出了一份贡献，那么群体和他人，乃至社会的各个方面，就不但应该对他或她性格的放诞诡僻或者内敛幽深保持尊重，而且应该懂得，只有各种各样的隐私，各种各样的性格，各种各样的爱好取向，都得到宽容，社会真正实现了多元并存下的公正，才是一种理想的境界。妙玉虽然有缺点，如她嫌刘姥姥脏，不能认识到这位乡下老太婆也有心灵美，就因为贾母把那她献茶的成窑五彩小盖钟递给刘姥姥，刘姥姥喝了杯里剩茶，她就连那么贵重的古瓷也不要了；但妙玉总体而言，在权势不容的情况下，仍能那样绝不害人欺人损人地过自己闲云野鹤般的生活，应该说还是很值得肯定的，也是很不容易的。更何况根据我的考证，她在八十回后还勇于牺牲自己，解救贾宝玉和史湘云，那就更令人钦敬了。

妙玉在说了"到底还该归到本来面目上去"以后，进一步说："若只管丢了真情真事且去搜奇捡怪，一则失了咱们的闺阁面目，二则也与题目无涉了。"这一方面透露出曹雪芹所追求的艺术风格，是以真情真事为根本去生发出艺术的奇葩仙果，另外，这句话也让我们知道妙玉虽然是带发修行的尼姑，她内心里却一直把自己和黛、湘等都视为"咱们闺阁"的成员，她"云空未必空"，心在尼庵，心系闺阁，她也有自己隐秘的情爱生活，不过她所爱恋的并非贾宝玉，对她叹无缘的王孙公子，也绝不是贾宝玉，而有关的交代，可能都在曹雪芹写成又佚失的文稿里，我们再不得见，思之不禁长叹！

看见燕子就和燕子说话

在一套《红楼梦》烟画里，有一幅画的是傅秋芳，这是一个并未在前八十回书里正式出场的人物，估计曹雪芹会在八十回后写到她，也许在他撰成的一些文稿里已经正面写到了她，只是跟茜雪、小红狱神庙慰宝玉等五六稿一样，被"借阅者迷失"了。

傅秋芳是在第三十五回被郑重提及的，说是她哥哥傅试算贾政的门生，总想利用妹妹秋芳高攀豪门，常派人到贾府请安联络，那天就又派了两个嬷嬷来，并且还指名要见贾宝玉，那贾宝玉是最厌见愚男蠢女的，却破例地允许两个婆子进怡红院来请安，曹雪芹交代：只因那宝玉闻得傅秋芳也是个琼闺秀玉，传说才貌双全，虽自未亲睹，然遐思遥爱之心十分敬诚，故而爱屋及乌，容那两个傅家嬷嬷近前问好。书里交代，那傅秋芳已然23岁，比贾宝玉要大很多。脂砚斋指出，曹雪芹的文笔是"一树千枝，一泉万派，无意随手，伏脉千里"，连第十三回只不过是出现了一次名字的卫若兰，也是八十回后有重头戏的角色，何况三十五回里对其身份有详尽交代的傅秋芳，肯定不会是一闪后绝不再现的赘物，晚清时的一些读者评家都估计到了这一点，题咏《红楼梦》人物时多有专为傅秋芳而赋的，几十年前的烟画里为她专设一幅，都不足奇，我在所撰写的探佚小说《妙玉之死》里就安排她正面出场，写她对落难的贾宝玉有所救助，这样写可能尚切合曹雪芹设置这一人物的初衷。

傅家派到贾府请安的两个婆子，本是极次要的过场人物，但曹雪芹却让她们承担了极重要的任务，那就是通过她们二人离开怡红院后，一边走一边议论，将贾宝玉的性格加以再次皴染，给读者留下了非常深刻的印象。书里是这样写的，这一个婆子笑道："怪道有人说他家宝玉是外像好里头糊涂，中看不中吃的，果然有些呆气。他自己烫了手，倒问人疼不疼，这可不是个呆子？"那一个婆子又笑道："我前一回来，听见他家里许多人抱怨，千真万确的有些呆气，大雨淋的水鸡似的，他反告诉别人'下雨了，快避雨去罢'。你说可笑不可笑？时常没人在跟前，就自哭自笑的；看见燕子，就和燕子说话；河里看见了鱼，就和鱼说话；见了星星月亮，不是长吁短叹，就是咕咕哝哝的……"

据脂砚斋透露，曹雪芹实际已经大体完成了约110回的《红楼梦》，最后一回是"情榜"，每个上榜的人物都有一个"考语"，宝玉的"考语"是"情不情"，第一个"情"字是动词，意思是他这人能将自己的感情赋予那些甚至是无情的事物，有着一种博大的泛爱情怀。傅家两个婆子的这段对话不仅是宝玉"情不情"的又一证词，而且也生动地揭示了宝玉那追求无功利的诗意生存的执拗劲头。

贾宝玉这一贵族公子的艺术形象，于我们而言当然主要是具有认识价值与审美价值，并不能作为我们的仿效模范。但他那"情不情"里所蕴涵的人道主义因素，仍不失为我们置身于当下社会中，面对弱势群体中的具体成员时，值得汲取的一种情感资源，可以增进我们的同情心，促使我们伸出援手，去扶危济困。

婆子所描述的，宝玉"看见燕子就和燕子说话"等行为表现，我以为那不仅是"情不情"，更是一种让自己的生活更富诗意的人生追求，《红楼梦》里所刻画的贾宝玉，与其说是一个反封建的叛逆人物，不如说是一个总想逸出功利社会的理想主义者，他的理想其实是在任何时代任何社会体制下都不可能彻底实现的，他要花儿开了不谢，要青春女性容颜永驻，而且永不增岁变老，永是女儿永不嫁人，永远如春花般陪伴在他身边，还要盛宴永不散，欢乐永不歇……我们看不到八十回后的《红楼梦》也许反倒是我们的幸事，说实在的，这样的一个贾宝玉，他面临狂暴的摧花风雨时那撕心裂肺的痛楚，那些文字纵使存在，我们又怎能忍心卒读？

但是，如果不去照搬贾宝玉的那些长吁短叹、咕咕哝哝，而是在时下功利主义甚嚣尘上的情势下，适度撷取他那诗意生存的态度，也能偶尔看见燕子就和燕子说话，看见河里鱼儿跟鱼儿打招呼，把早霞夕阳、月亮星星当做有性灵的朋友，对之凝视沉思，甚或低吟浅唱，肯定是有好处的。我们不能也不必像贾宝玉那样，非把自己的生存完全地诗化不可，然而我们却真的无妨让自己的生活至少是镶嵌进诗意的片段，对不对？

大小都有个天理

一次饭局上，都是些同行，大家嘻嘻哈哈，随意闲聊，其中一位最抢话头，这本也没有什么，各人有各人的性情，话匣子型的性格，比锯嘴葫芦型的性格，原更适合于社交，本不应对之反感，但那回此公的言谈，竟全是糟改同行及相关熟人的笑话，一会儿把某人在某场合不慎说错的话一再地模仿挖苦，一会儿又把某人难看的吃相模拟得活灵活现，他真是欲罢不能，接二连三，牵四挂五，渐渐打趣到同桌的忠厚者头上，形容他当年作检讨时怎么一副"孙子样"，甚至离席站起，学起某人不雅的"蛙跳步"，连大家都认识的一位资深编辑和一位司机也不放过，讲了二位的无从对证的荤笑话……席上有人听了哈哈大笑，有人抿嘴不语，我实在听不下去，只好佯作去洗手间，避席畏听糟改语。

有人专爱从门缝或锁眼看他人，形成了一种心理定势。比如我刚到某单位时，私下向一位比我资深的人士请教，意思是有劳他把其他跟我们分在一个组学习的人士介绍一下，他就眉飞色舞地给我形容起来，一位当年如何走投无路，是他在大街上偶然遇见了，才大发善心帮助其调到我们单位，而此公普通话又如何蹩脚，以至于在文章里写出了别别扭扭的怪句子；另一位如何在家里受老婆辖制，再一位当年在大会上被当众点名时如何面如土色……就连分组学习作记录的那位女士，他也将其一桩隐私添油加醋地描绘了一番，这么听下来，除了他本人，真真是"洪洞县里无好人"了。那以后，我当然也就成了他对别人糟改的靶子，甚至于，有时在正式社交场合，他也要用一些字面上堂皇的语句，把我讽刺性地介绍给在座的客人，令我既难堪，又无奈。

我现在的怕社交，怕某些饭局，实在跟不愿再遇上这样的人，听这类的聒噪有关。经历过太多的人际摩擦，我现在懂得，尽量以善意看待别人，不吝把真诚的赞语说出口，才应该成为我们的心理定势与社交准则。

因为有了这样的感悟，所以再读《红楼梦》第三十九回的一段"过场戏"，就觉得特别有味道了。曹雪芹写到李纨偶然地从平儿身上摸到一串钥匙，引出她一番感慨："我成日家和人说笑，有个唐僧取经，就有个白马来驮他；刘智远打天下，就有个瓜精来送盔甲；有个凤丫头，就有个你。你就是你奶奶的一把总钥匙，还要这钥匙作什么？"宝钗跟着说："这倒是真话。我们没事评论起人来，你们这几个都是百个里头挑不出一个来，妙在各人有各人的好处。"宝钗所说的"我们"，是她们那一群主子小姐，"你们"则是指平儿等上等丫头，接着李纨又赞扬了鸳鸯，说她不仅把贾母伺候得舒舒服服，而且"心也公道"，并不仗恃着贾母的信任依赖"依势欺人"，"倒常替人说好话儿"。惜春也赞鸳鸯，又引得宝玉探春赞彩霞，当然袭人也就被提出来大加肯定。其中李纨还把对这些人的肯定上升到理论："大小都有个天理。"

"大小都有个天理"，意思是人无论高低贵贱，他或她的存在，总有个最基本的道理，那就是"各人有各人的好处"，一个人看待别人，应该把这一点作为前提，对家人亲友要这样自不待言，对待同事、邻居、同行、熟人也要这样。当然，社会确有复杂一面，知人知面难知其心，所共事的也好，所遭逢的陌生人更不消说，确有缺点盖过优点，或竟隐蔽着罪恶意识，对自己可能不利、有害的，对之需加防范，不可轻率置评。但在人际交往中，尊重他人，善待他人，扬其善，赞其美，懂得人与人之间是一种互补互助的依赖关系，还是应该成为我们的主导意识；玩笑可以开，幽默应该有，但无论是背靠背地糟改，还是当面冷嘲热讽，都是不对的，说轻了是低级趣味，说重点就是为人刻薄有违厚道，再说重点，那就是自丑忘形。

李纨那样一群封建贵族家庭的主子们，对其丫头们尚且能多看优点，赞美其好，而且懂得双方的生命历程是在相互依赖中达于和谐的，我们生活在今天人文环境下的人们，互相之间已经没有了主奴关系，难道不是更应该把"大小都有个天理"这句话铭记在心，在为人处事中多些相互肯定、真诚赞语吗？

朴而不俗直而不拙

　　一般读者都记得惜春会画画，天津泥人张曾创作过一座非常生动的泥塑《惜春作画》，那照片经许多报刊登载，风靡一时。电视连续剧里也有表现惜春作画的段落。但一般读者往往忽略了探春的专长，只知道她诗才逊于黛、钗、湘，似乎只有理家方面的管理才干，其实，曹雪芹也是把她作为一个书法家来塑造的，我们万不可眼错不见。

　　《红楼梦》里除了在表现秦可卿卧室时使用极度夸张手法外，对其他居室的描写一律是写实的手法。他那样表现秦的卧室，是别有用意——暗示她真实的皇家血统公主身份，他是不得不用那样的"曲笔"。描写贾府空间别的部分他虽然也有艺术升华，但力求给人以真实感，比如他写林黛玉第一次进入贾政王夫人居住的荣国府正房，就见到炕上"靠东壁面西设着半旧的青缎靠背坐褥""挨炕一溜三张椅子上，也搭着半旧的弹墨椅袱"，"半旧"二字两见，倍增可信度。

　　刘姥姥二进荣国府，贾母带她在大观园里遛了个够，几乎把每位小姐的闺房都逛到。其中描写最细腻的，就是探春住的秋爽斋。探春素喜阔朗，三间屋子不曾隔断，当地放着一张花梨大理石大案，案上磊着各种名人法帖，并数十方宝砚，各色笔筒，笔海内插的笔如树林一般，那一边设着斗大的一个汝窑花囊，插着满满的一囊水晶球儿的白菊；西墙上当中挂着一大幅米襄阳《烟雨图》，左右挂着一副对联，乃是颜鲁公墨迹，其词云："烟霞闲骨格，泉石野生涯"；案上设着大鼎，左边紫檀架上放着一个大观窑的大盘，盘内盛着数十个娇黄玲珑大佛手；右边洋漆架上悬着一个白玉比目磬，旁边挂着小锤……怎么样？古今书法家，几人能够拥有一个如此高雅阔朗的挥洒空间？

　　元春省亲后，"便命将那日所有的题咏，命探春依次抄录妥协"，之所以点名让探春抄录，就是因为元春知道这个妹妹精于书法。

　　光看上面对于探春居所的描写，我们难免会觉得她的审美趣味十分地贵族化，她使用的陈设的那些东西，哪一样不是精妙昂贵的？有的更可以说是无价瑰宝。但曹雪芹把探春的审美品格设定在了更高的段位上。那就是超越了一般的富贵与高雅眼光，更能追求来自乡土民间的淳朴之美。在"饯花节"那一天，她把宝玉哥哥叫到一边，喁喁地说私房话，托付宝玉去外面给她买回些美丽的东西来，宝玉一时也想不出有什么可买的，对她说外面"左不过是那些金玉铜磁没处摆的古董"，她就点明："谁要这些，怎么象你上回买的那柳枝儿编的小篮子，整竹子根抠的香盒儿，胶泥垛的风炉儿，这就好了，我喜欢的什么似的……你拣那朴而不俗、直而不拙者，这些东西，你多多的替我带了来！"难怪她屋里卧榻，那拔步床上，悬的是葱绿双绣花卉草虫的纱帐，从农村来的板儿立即认出上面有蝈蝈和蚂蚱。

　　懂得欣赏朴而不俗直而不拙的乡土工艺品的人士，才算具有高段位的审美品位。眼下中国人真个是富起来了，这里暂且不谈财富分配不公的问题，只就小康与大富的社会阶层而论，追风雅，搞收藏，炫品位，诩内行，一时风气大炽，而各级市场也应运而生，从高级拍卖会，到大众化地摊，吸引了众多的人士，有的一脑门子心思只在低价搜奇以待升值大赚，有的一掷万金气度不凡意在炫富，有的苦心孤诣呕心沥血誓淘传世瑰宝，有的收进售出频繁与炒股炒汇一个目的属单纯的投资行为……而在这些人士眼中，"柳枝儿编的小篮子，整竹根抠的香盒，胶泥垛的风炉儿"等等，都属于不值钱的毫无收藏价值的，甚至如果自己偶然摆弄了被人看见了还会觉得"丢份儿"。正是在这种"一颗富贵心，两只体面眼"（这是《红楼梦》里的话）的作用下，朴而不俗直而不拙的乡土工艺品越来越难觅得，有的已经失传。鸡年庙会上，我见到了大量工业流水线上生产出的塑料鸡、棉绒鸡、铁皮鸡、石膏鸡，就是见不到手工制作的布鸡、泥鸡，好不容易见到了吹糖鸡捏面鸡的，却是围观的不多购买的更少，跟那民间小贩一聊，说是没办法，也就是自己跑来找个乐儿，靠那手艺根本无法维生。

　　我们这社会还需要推广探春式的审美观，懂得鉴赏朴而不俗直而不拙的草根产品，不仅可以保存一大批民间工艺制作的文化遗产，还可以维系富裕阶层与清贫阶层的心灵沟通，有利于在审美共识中，滋润出和谐的社会气象来。

竟是拈阄公道

英国的莎士比亚生活在 16 世纪末 17 世纪初，比曹雪芹约早一个多世纪，他作品里有句名言："弱者，你的名字是女人！"曹雪芹也同情被社会所摧残所毁灭的弱女子，但他的思想境界比莎士比亚更上层楼，他宣称"女儿是水作的骨肉"，创作《红楼梦》的动机，是因为"忽念及当日所有之女子，一一细考较去，觉其行止见识，皆出于我之上，何我堂堂须眉，诚不若彼裙钗哉？……闺阁中历历有人，万不可……使其泯灭也"。他笔下的青春女儿形象，个个性格凸现，如闻其声，如见其形，又各不相同，有的豪爽，有的泼辣，有的姣俏，有的端庄，有的狡黠，有的伶俐……有王熙凤那样的"巾帼英雄"，也有迎春那样的懦弱小姐。

迎春的身份，各古本《石头记》里歧文横生，有贾赦前妻所出、贾赦妾生、贾政前妻所出、贾赦女过继给贾政等不同说法，可见曹雪芹在对这个角色定位时，颇费神思，因为全书稿未定曹雪芹就溘然而逝，所以尽管我们能大体知道迎春出嫁后被孙绍祖这匹"中山狼"蹂躏而死，但具体的情节，还是只能依靠想象。就迎春这个形象而言，以莎士比亚那句名言来对之喟叹，是恰切的。

1874 年英国出版了一本名为《龙之帝国》的书，书里写到英国商人菲力普向接待他的曹頫讲起了莎士比亚戏剧故事，忽然发现屏风后有人偷听，曹頫去从屏风后揪出一个少年，加以责备，这个少年应该就是曹雪芹。这是一段与英、中两国大文豪都相关的趣闻，足充谈资。

迎春的相貌，第三回通过林黛玉进府有所描写：合中身材，腮凝新荔，鼻腻鹅脂，温柔沉静，观之可亲。一次贾政、王夫人召见府中子女辈，宝玉到得最晚，见他进屋，惟有探春、惜春和贾环站了起来，这就点明，迎春比他们四位都大，因为是姐姐，所以见了宝玉不用起立迎接。在这样一个封建礼法森严的环境里生活，迎春因为与世无争，能忍能让，因此不像其他姐妹们那么时生焦虑，和所有的上下人等都从无龃龉冲撞。第三十八回写众女儿吃蟹之余，林黛玉倚栏杆坐着钓鱼，宝钗俯在窗槛掐桂花蕊掷向水面喂鱼，探春惜春李纨立在垂柳阴中看鸥鹭，而迎春呢，曹雪芹为她设计的行为是"独在花阴下拿着花针穿茉莉花"，这是多么娴雅柔媚的女儿形象，谁能将其绘成绝美的仕女图？

迎春在书中很少开口说话。即使有话，也多半是被动式，人问她答。秋爽斋偶结海棠社，迎春积极性不高，随大流而已，李纨封她为副社长之一，负责限韵，迎春难得地发表了一个看法："依我说，也不必随一人出题限韵，竟是拈阄公道。"

后来她果然采取了类似拈阄的方式，随手翻书，翻出七言律，于是让大家作七言律，又让小丫头随便说一个字，那丫头正倚门立着，便说了个"门"字，"门"属于诗韵"十三元"，头一个韵就定了"门"，又从韵牌匣子"十三元"一屉中随机抽出"盆""魂""痕""昏"四块牌子，这样就确立了吟白海棠花的全部规则。

在一个利益分割日趋细化，而游戏规则尚不健全的社会环境里，弱者常会选择或服从抓阄的方式。迎春说出"竟是拈阄公道"的话语绝非偶然，这是曹雪芹针对她的性格特点所延伸出的一个艺术细节。在写灯谜诗时，曹雪芹又特意为迎春设计了一首谜底为算盘的诗："天运人工理不穷，有功无运也难逢；因何镇日乱纷纷？只因阴阳数不同。"这灯谜诗其实表达的是对精确算计的不信任，而宁肯将一切托付给"运气"的那么一种无奈的心情。

在我们当前所置身的社会里，一般老百姓所期盼的，是公平合理的社会分配机制的确立。像北京的经济适用房的发售，对发售对象尽管有相关的规定，但"镇日乱纷纷"，只见有住进去享受三个卫生间安了七台电视，并且楼下停着豪华轿车的；许多符合条件的市民昼夜排队等候放号，却排得死去活来后被告知"此队无效"，望穿秋水，身心憔悴；最新的消息，是采取了迎春那"竟是抓阄公道"的方案，将在电脑上摇号，这对弱势社群来说，也许真是个说不上有多好，但毕竟可以接受的消息。曹雪芹通过他的书弘扬一种"情不情"的人道情怀，第一个"情"字是动词，就是对"不情"即不懂得感情的事物，也要主动赋予满腔的关爱，现在我们面对着那么多懂感情的普通市民，最起码，要把这"抓阄"的公道履行好，别让类似西安"宝马车彩票案"那样的事态重现吧！

状元榜眼难道就没有糊涂的

　　元、迎、探、惜四春，在曹雪芹笔下探春着墨最多，元春次之，迎春和惜春升为主角的"本传"只各有半回，迎春的是"懦小姐不问累金凤"，惜春的则是"矢孤介杜绝宁国府"。迎春的身份在现存古抄本《红楼梦》里异文极多，究竟把她设置为贾赦前妻所出，或妾所出，或贾政前妻所出，曹雪芹似乎犹豫过，最后也没有敲定，但惜春设定为贾珍胞妹，这在各古本和通行本上都是一致的。

　　因为贾氏两府辈分最高的是贾母，她又特别喜欢女孩儿，所以她把两府的小姐都集中到荣国府来抚养，后来又都安顿到大观园里，探春入住秋爽斋写得很明确，迎春和惜春开始说是分别住在缀锦楼和蓼风轩，后来又说分别住在紫菱洲和藕香榭，也许是她们在大观园里搬迁过？

　　在"惑奸谗抄检大观园"后，惜春因为丫头入画箱子里被翻查出男人物品和一大包金银元宝，算是违犯了府规府法，认为此事令自己丢了面子，就让人去叫来嫂子尤氏，执意要撵入画出去，入画跪求，尤氏认为入画固然不该私自传递东西进园，但那些钱财物品确实都是贾珍赏给她哥哥的，入画并不是像迎春丫头司棋那样与外面的男人私通，只不过是把"官盐"弄得成了"私盐"，罪过不算大，训斥警告一番尚可察看留用，但惜春却冷面冷心，说"快带了他去，或打、或杀、或卖，我一概不管"，尤氏进一步劝说，惜春哪里听得进去，还把双方争论的话题从入画可不可赦，引申到风闻很多对宁国府的不堪议论，因此她不仅是要杜绝入画，还要从今后跟宁国府一刀两断，尤氏在一群丫头、嬷嬷面前被小姑子如此排揎，脾气再好也难隐忍，就说"四丫头年轻糊涂"，惜春顶嘴说"你们不看书不识几个字，所以都是些呆子"，话赶话，尤氏急了，就讽刺她"你是状元榜眼探花，古今第一个才子，我们是糊涂人，不如你明白"，惜春这时就说出了一句掷地有金石声的名言："状元榜眼难道就没有糊涂的不成？可见他们也有不能了悟的！"

惜春性格的孤介乖僻，可与妙玉媲美。她的诗才虽然平庸，却比擅诗的黛、钗、湘等多一方面才能——能画。她的悲惨命运，在第五回里透露得很清楚："可怜绣户侯门女，独卧青灯古佛旁。"有清代人在笔记里记载，曾见到八十回后古本，惜春最后是"缁衣乞食"。高鹗续书胡写什么"沐皇恩贾家延世泽"，说惜春后来在妙玉被劫后的拢翠庵中安顿下来，那是不符合曹雪芹原意的，拢翠庵是元春省亲时建的，到贾府败落时才三年多的时间，哪是什么"古庙"（第五回太虚幻境册页里画的是古庙），里面又哪儿来的古佛？

状元榜眼探花相当于现代竞赛中的冠亚季军，对这些"蟾宫折桂""出人头地"者的迷信，不仅过去存在，到如今也还存在于一般俗众之中，但曹雪芹早在二百多年前，就通过笔下惜春这个人物，发出了"状元榜眼难道就没有糊涂的不成？！"这样的呼声。抛开惜春这个人物那不尽人情，过分地冷面冷心，陷入悲观主义的这一点不论，就她对状元榜眼那具有穿透力的觑破揭露而言，确实是振聋发聩的。当然，惜春对他们的评判另有标准，那就是能否"了悟"，也就是《红楼梦》十二支曲里关涉惜春的那首《虚花悟》里点出的，人需要懂得"将那三春看破，桃红柳绿待如何？……说什么，天上夭桃盛，云中杏蕊多，到头来，谁把秋捱过？……生关死劫谁能躲？"这样的标准太虚无，太消极，我们难以认同，但往昔那些状元榜眼探花大都热衷名利，欲望烧心，有几个真能挣脱名缰利锁，而且能拿出真本事造福社会的？把他们当成"纸老虎"觑破，很有必要。

不仅过去封建社会科举制度下的状元榜眼探花不值得崇拜追逐，就是一再地进行了改革的现代考试、评奖机制下的冠军亚军季军及什么前多少名，也不能盲目地推崇效仿。遗憾的是，直到今天，把高学历、高名次、高职称、高位置、高头衔、高座次看得过死过重，而忽视了人的实际素质、实践能力、可开掘潜力与可持续前景的庸俗眼光，仍流行于社会，遮蔽、阻挡、妨碍、毁灭有真才实学、实践能力的"无名次"俊杰的现象，仍非个别存在，在这种情势下，我们跟着惜春喊一句"状元榜眼难道就没有糊涂的不成？"还是有清心醒脑作用的。

太满了就泼出来了

贾母发起，"闲取乐偶攒金庆寿"，为凤姐过生日，派尤氏张罗此事，尤氏只能从命。尤氏领命后，来到凤姐房里，商议如何行事，不禁微嗔："你这阿物儿，也忒行了大运了，我当有什么事叫我们去，原来单为这个。出了钱不算，还要我来操心，你怎么谢我？"凤姐笑道："你别扯臊，我又没叫你来，谢你什么！你怕操心？你这会子就回老太太去，再派一个就是了！"尤氏于是回击："你瞧他兴的这样儿！我劝你收着些儿好，太满了就泼出来了！"

《红楼梦》开篇不久，有秦可卿给凤姐托梦的情节，里面就有"月满则亏，水满则溢"的警告，又一连说出"登高必跌重"、"树倒猢狲散"、"盛筵必散"等含义相通的俗语，不过，那个语境里的"水满则溢"，主要是预示一种物极必反的状态，而尤氏所说的"太满了就泼出来了"，则是抨击一种恶劣的心态，对于读者的启示，侧重面有所不同。

王熙凤那样跟尤氏说话，所仗恃的，就是贾母这座靠山。王熙凤以戏彩斑衣、噱头不断的手法，哄得贾母开怀大笑，于是她的劣迹丑行，就都瞒蔽过了贾母，以及王夫人等。

读《红楼梦》读得细的人，都会发现书里不时出现"官中的钱"这样一个概念，就是说贾府经济上的开支，是由一个总账房来管理的，凤姐的权限，是向总账房领取了月银月钱后，再按分例往各处发放，从贾母、王夫人起，李纨、宝玉、众小姐，当然还有她自己，一直到大小丫头，都从她手里往下发，按说这些银钱是"官中"的，绝非她的私房钱，但她却总是预支来了以后，便让旺儿拿到外头去放贷取利，利银归己，数年如一日地如此敛财，经常是因为本利没有及时收回，而耽搁了月例银钱的发放，这事后来连袭人都知道了，贾母、王夫人却一直被蒙在鼓中。宝玉挨了父亲暴打后，养伤时说想喝莲叶羹，贾母一迭声地让赶快去做，这事当然由凤姐来操办，她就传话给厨房，让做出十来碗，解释说这东西平时难得做，既然给宝玉做，也就顺便多做些，请贾母、王夫人、薛姨妈等都尝尝，贾母就指责她是拿着官中的钱做人情，贾母的指责当然只是口头上的，心里是觉得这个孙儿媳妇着实是办起事来面面俱到；凤姐也就表示多做的汤，不必由官中开支，这个东道她还做得起。

贾府有府规，有总账房，府里人称之为"官中"，从贾母到凤姐，府里的家下人等，嘴里都承认，甚至敬畏这个"官中"，但实际的情况是，从上到下，许多人心里都另有一杆秤，把一己私利奉为准星，损"官中"而肥自身，蔚成风气，曹雪芹写得非常细致，比如关于玫瑰露和茯苓霜的官司，就牵扯面极广，谁真正按规矩行事？凤姐作为内当家，胆子就更大，瞒天过海，贪得无厌，她又不信什么阴司报应，百无顾忌，反正有贾母这位老祖宗的宠信，她的心态岂止是"自我感觉良好"，简直是"自我感觉优秀"，尤氏说她"太满了就泼出来了"，指的就是她那有恃无恐的狂劲。

我认为，"太满了就泼出来了"这句话，作为劝诫一般人要谦虚谨慎，固然也适用，但就其出现的语境，以及其词语的意象而论，应该还是更针对凤姐那样的大狂妄者。

曹雪芹的本意，未必是把凤姐当贪官来写，他笔下的凤姐是个复杂的人物，对于凤姐后来的悲惨命运，他也惋惜悲叹。但是我们今天读《红楼梦》，也无妨把凤姐身上那负面的东西，比如"太满了就泼出来了"的狂妄心态，作为一种借鉴。我们置身的现实里，有的公务员之所以成为毫无顾忌的贪官，也跟凤姐一样，那心态膨胀得太厉害了，觉得自己"朝中有人"，谁能把自己怎么样？"你反映去呀，换个人来呀！"恣行无忌，横行无度，你认为他"太满了就泼出来了"，一时间他却偏泼出些来也还盘踞不移。时下有的贪官连凤姐也不如，凤姐至少还能拿出些银子来请人喝莲叶羹，至少还以公然用"官中的钱"做人情为耻，至少总还能把放出的贷款连本带利收回来，把各处的月银月钱发放下去，拖欠的时间也还有限，现在有的贪官连家里的卫生纸也公费报销，用公费宴私客成为习惯，而违规放出的贷款，根本就无从收回，搞得下面连工资也发不出。

　　但是，从根本上说，"太满了就泼出来了"，这种心态必然导致行为的严重失范，最后君临其身的并非什么阴司报应，而是现世报，凤姐她"机关算尽太聪明，反误了卿卿性命"，"呀！一场欢喜忽悲辛！"就这一点而言，还是足令我们今天的某些人惊悚的吧？

推倒油瓶不扶

王熙凤一张嘴，赛过三千毛瑟枪，她自己巧舌如簧、满嘴滚珠，也喜欢所使唤的人能跟她一样，舌尖生花、口齿脆朗，她宣称最恨那起"必定把一句话拉长了作两三截儿，咬文嚼字，拿着腔儿，哼哼唧唧的"奴仆，"急得我冒火，他们那里知道！先时我们平儿也是这么着，我就问着他，难道必定装蚊子哼哼就是美人了？说了几遍才好些儿。"所以她偶然发现怡红院的杂勤丫头小红，居然说话"口声简断"，立刻召到麾下，加以任用。

大凡读过《红楼梦》的人，都难忘王熙凤的生动言辞，她那"从来不信什么是阴司报应的"、"拼着一身剐，敢把皇帝拉下马"的泼辣话，以及形容宝玉和黛玉口角后握手言和"倒像黄鹰抓住了鹞子的脚，两个都扣了环了！"等等软幽默，许多读者都能随口道出。

王熙凤一向打心眼里看不起宁国府的尤氏，在贾琏偷娶尤二姐事发，她去大闹宁国府撒泼时，就高声呼出了这样的话："你又没才干，又没口齿，锯了嘴子的葫芦，就会一味小心图贤良的名儿，总是他们也不怕你，也不听你！""他们"指贾珍和贾蓉，这二位确实是贾琏偷娶尤二姐的"大媒"。前八十回里，王熙凤在家里对贾琏可是处处要占上风，贾琏在她面前倒仿佛是个"锯了嘴的葫芦"，凡跟她过话总是遭噎，所谓"一从二令三人木"，就是指贾琏在第一阶段总是不得不服从王熙凤，到八十回后，才因她诸恶逐步曝光，进入第二阶段，就是贾琏可以命令她了，最后一个阶段，她被贾琏休掉（"人木"就是"休"，《红楼梦》中经常用"拆字法"暗示人物命运）。

秦可卿丧事过后，贾琏和林黛玉从扬州也料理完了林如海的丧事，回到荣国府，王熙凤设酒宴给贾琏接风，说起协理宁国府，王熙凤一番话亏曹雪芹怎么摹拟得来："我那里照管得这些事！见识又浅，口角又笨，心肠又直率，人家给个棒槌，我就认作针；脸又软，搁不住人家给两句好话，心里就慈悲了……一句也不敢多说，一步也不敢多走。"这是听来令人起鸡皮疙瘩的"谦词"。说到她所面对的那些仆妇，则这样形容："咱们家所有的这些管家奶奶们，那一位是好缠的？错一点儿他们就笑话打趣，偏一点儿他们就指桑说槐的抱怨。坐山观虎斗，借剑杀人，引风吹火，站干岸儿，推倒油瓶不扶，都是全挂子的武艺……"则听来足令人倒抽凉气。

　　且不管那王熙凤如何把自己形容为柔弱善良的憨妇，又如何把别人形容为一群奸狡刁钻的丑类，来达到夸赞自己、堵塞问责的目的，现在我们单把她嘴里所说那些反面的"全挂子武艺"拎出来探讨探讨，也还是挺有意思的。

　　如今的某些公仆，似乎有着贾府里那些"管家奶奶"的"遗风"，对上，"错一点儿就笑话打趣"，"偏一点儿就指桑说槐的抱怨"，在公私宴席上，除了说"荤笑话"，就是此种"打趣"与"抱怨"。对其自己所负的那一摊责任，不仅谈不到对人民负责，就是对上司同僚，也无团结奋进、和衷共济之心，"坐山观虎斗"、"借剑杀人"是把为人民服务的岗位当成了争名夺利的权力网络，"引风吹火"地制造内部矛盾，所管辖的领域内出了问题不去认真解决，对应予协调解决的兄弟部门的事情更是"站干岸儿"，任凭人家在"险浪"中挣扎也不伸出援手，你说恶劣不恶劣，该不该曝光揭露、批判罢免？

　　"推倒油瓶不扶"，我曾听一位胡同杂院的大妈告诉我，又可以说成是"带倒油瓶不去扶"，所形容的，是极端地不负责任的态度。大妈说，"推倒"不一定是故意要做坏事，但因为一贯马虎，所以会"一不留神"连带着把"油瓶"弄倒，这本来并不难挽救，只要及时地扶起来，问题也就解决了，即便漏出一点油，损失也有限，但就有那么一些人，身负某方面责任，却吊儿郎当，在其责任范围内"油瓶"不慎被带倒后，居然不去扶正，任那油咕嘟咕嘟地流到地上，他心里想的只是"反正这油瓶又不是我故意推倒的""反正这油又不是我家的""反正这瓶油流空了，还会再给这块儿补上一瓶来"，这样的家伙，有时就居然以一纸检查混过事故责任，之后依然盘踞其位，会上照瞌睡，宴后照剔牙，你说可气不可气？该不该想个彻底杜绝这类"公仆"的法子？

看着多多的人吃饭最有趣的

贾母是个享乐主义者，在吃上严格履行孔老夫子的"八字方针"，即"食不厌精，脍不厌细"，在艺术欣赏上能"破陈腐旧套"，布置房屋，用今天的话来说也就是搞装潢设计，她的趣味既高贵也高雅，这些，读《红楼梦》的人都会留下很深刻的印象。

但是，有一个细节，往往被许多读者忽略，那就是第七十五回，贾母说了句发自肺腑的话，她表达了她的一个最强烈的人生享受，那就是：看着多多的人吃饭最有趣的。

贾母是宁、荣两府尊崇的老祖宗。她是女性，地位虽尊，族长还是让贾珍去当。荣国府值班守夜的婆子，吃醉了酒，忙着分主子筵席剩下的果品，当尤氏丫头去支派她们的时候，两个婆子很不耐烦，借着酒劲儿，说出了"各家门，另家户"的话，惹出一场风波。其实我们仔细阅读《红楼梦》的文本，就会感觉那两个婆子说的并不错，宁国府跟荣国府尽管都认贾母这个老祖宗，但是经济上是分开核算的，贾珍过年时会跪在贾母榻前敬酒，但是敬完酒退出去就只顾追欢买笑，何尝真对贾母所在的荣国府这边的得失挂在心上。

贾母是荣国府的顶梁柱。她有很雄厚的私房。人们都知道，她也含蓄地表达过，宝玉、黛玉两个人的一娶一嫁，用不着"官中的钱"，她是全包的。贾琏、凤姐作为荣国府的管家，在开支上掰不开镊子时，跟鸳鸯开口，让鸳鸯协助他们，暗中把属于贾母自己的几大箱金银器皿拿去当了，来应付窘局。鸳鸯为什么那么胆大妄为？其实，鸳鸯做这件事，私下里还是跟贾母汇报了的，贾母只当不知道，鸳鸯只当没跟贾母说，贾琏凤姐也就只当没做这件事。曹雪芹写得真妙。他写出了封建大家庭"内囊尽上来了"的景象，也写出了家族内部几种人物之间微妙的心照不宣。

贾母刚见刘姥姥就跟她说："我老了，不中用了，眼也花，耳也聋，亲戚们来了，我怕人笑我，我都不会，不过嚼的动的吃两口，睡一觉，闷了时和这些孙子孙女儿顽笑一回就完了。"这些话，刘姥姥在大观园里那么一逛，心里就明白全是谦词，你看贾母带着刘姥姥和一群人到了林黛玉的潇湘馆，是怎么对凤姐谆谆教诲，让凤姐和大家懂得蝉翼纱和软烟罗的区别的，再后来到了薛宝钗的蘅芜苑，又是怎么教训薛宝钗不可以那么样地简朴到没道理的地步，立即命令鸳鸯"你把那石头盆景儿和那架纱桌屏，还有个墨烟冻石鼎……再把那水墨字画白绫帐子拿来"，贾母处理这些事情，是非常睿智也非常麻利的。

第七十三回，一连串的偶然事件，引发出贾母亲自查赌，老祖宗一怒，谁敢徇私？"虽不免大家赖一回，终不免水落石出"，贾母的威严、杀伐，跃然纸上。

所以，把贾母简单化地定位于封建大家族宝塔尖上"福深还祷福"的"享福人"，是不对的。这是一个既放权享受，又时时处处统领家族全局，必要时甚至亲自干预局部乃至细节的家族领袖。

到第七十五回，跟贾家休戚与共的江南甄家已经被皇帝查抄治罪，而且荣国府已经违反王法替甄家藏匿了转移来的家产，荣国府收取的租米已经不能达到原来的水平，整个儿是个捉襟见肘、风雨飘摇的局面了，但就在这一回，曹雪芹特意写到，贾母自己吃完饭，在地下走来走去"行食"，先叫薛宝琴和探春坐在她吃饭的桌子两边吃，又叫尤氏坐下吃，更叫丫头鸳鸯、琥珀和银蝶都坐在一处吃，这在那样的贵族家庭里，是很出格的，按规矩，不仅奴才没资格坐在那样的地方，当着贾母面吃饭，就是那些媳妇小姐也不能那样，但是贾母不仅又一次"破陈腐旧套"，而且还跟大家笑道："看着多多的人吃饭，最有趣的。"

把"看着多多的人吃饭"当做人生的一大乐趣，这说明贾母有一种"全族富足我快乐"的情怀。贾母是一位封建大家庭的总主子，尚且懂得只有"多多的人"，包括她那个空间里的丫头下人全有充足的饭吃，才能称其为繁荣，才能有家族的稳定与和谐，她自己也才能获得坚实的快感，这对今天的某些辖管一大空间或领域的"父母官"来说，应该仍是有借鉴启发意义的吧？

从小儿世人都打这么过的

王熙凤因为贾琏酒后跟下人鲍二家的老婆乱搞，大泼老醋，最后两口子一直闹到老祖宗贾母面前，谁知贾母虽也呵斥贾琏，却当着众人跟凤姐儿说了这么一番话："什么要紧的事！小孩子们年轻，馋嘴猫儿似的，那里保得住不这么着，从小儿世人都打这么过的……"这话凤姐儿听到耳中，落入心底，居然也就不再撒泼打滚，一场闹剧，最后竟以喜剧收场。

过去的评家和读者，有把贾母定位于封建家族宝塔尖上大罪人的，说她不劳而获，穷奢极欲，维护封建正统，而又以虚伪的开明言行迷惑人们，像她在"变生不测凤姐泼醋"后所说的这些话，就凸显出她的腐朽本质：为了维护贾府的正统秩序，不惜撕下封建道德的虚伪面纱，赤裸裸地为封建贵族的靡烂生活辩护，宣扬建筑在对劳动人民敲骨吸髓基础上的享乐主义。

曹雪芹写贾母，却并没有也不可能从阶级分析的角度出发，他忠于自己的人生体验，忠于客观真实，忠于把生活原型刻画到纸上使其获得艺术生命的追求，我们如果摆脱了"以阶级斗争为纲"的视角，冷静地阅读其笔下的文字，就会觉得贾母确实也是一个无法用简单标签来定位的形象，她对孙辈的慈蔼和对贾政贾赦的冷漠，对刘姥姥的惜怜和对府中设赌局的婆子的严厉，对贵族礼数的因循执著和对曲艺表演的破陈腐旧套，对福寿的一再昏祈与对人生艰辛的清醒认知，对生活享受的精致敏感与能糊涂时且糊涂，种种似乎相悖的特性却都很协调地融汇在她的精神世界与行为语言中，对这一艺术形象我们似乎不必去加以褒贬，而应该将其作为认知那一时代的一种生命存在的宝贵标本。

把贾母那一番话，用今天的语言加以详解，应包括以下丰富的层次：第一层，食色性也，个体生命的性存在，是毋庸大惊小怪的。第二层，在主观上并不真正想改变婚姻状况的前提下，偶尔的性出轨属于"什么要紧的事"！（贾琏和那淫妇虽有些怨嫌凤姐的浪语，但那都不过是趁兴说说罢了。）第三层，在双方都属自愿的前提下，婚外通奸并非什么大罪大恶，"那里保得住不这么着"，夫妻间没必要非闹个鸡飞蛋打。第四层，"小孩子们年轻"，允许年轻人犯错误，人都有一个从荒唐到庄重的成长过程。第五层，不要以为只有自己遇到了这样的窝心事，配偶花心闹出些风流韵事，或者只不过是因为"馋嘴猫儿似的"，不管脏的臭的，都临时拉来泄欲，这类的事情其实可以说是一种普世的规律性存在，"从小儿世人都打这么过的"，只不过很少被人看破说透而已。第六层，看破说透了，配偶双方应该回复到平日基本上是恩爱和谐的生活常态中来。

　　一位常跟我讨论《红楼梦》的年轻朋友说，他以为贾母的言论即使搁在今天，也是振聋发聩的，如今关于婚外性行为方面的讨论，能用寥寥几句把观点亮明而且富于雄辩力，超越贾母之上的论家，似还不多见。我向他指出，贾母的论点，朝男性一方倾斜，庇护丈夫一方有余而要求妻子一方容忍则又过苛，不知当年她对贾代善的性出轨是否真能一笑了之？年轻朋友说，去除掉贾母言论中的这一会令女权主义者不满的因素，对夫妻双方"一碗水端平"地要求他们懂得"从小儿世人都打这么过的"，在今天的社会情势下，应该说至少还是很有启发性的。不知读者诸君是怎样的一种看法？

卖油的娘子水梳头

这句话里的"油"不是指食用油，而是史湘云那句"这鸭头不是那丫头，头上那讨桂花油"趣话里的那种女用梳妆油。

这话是王夫人说的。凤姐因病需配调经养荣丸，要使上等人参二两。王夫人先让丫头在自己屋里找，找出来的只有几枝簪挺般细的，剩下全是些须末。去问邢夫人那边，更没有。只好求救于贾母，贾母那边倒有一大包，都有手指头那么粗，但送去给医生看，医生说这东西不能久放，凭是怎么好的，过一百年全变成灰，贾母那里的人参虽未成灰，也都是朽糟烂木，早无性力，根本不能使用了。王夫人于是叹道："卖油的娘子水梳头，自来家里有好的，不知给了人多少，这会子轮到自己用，反倒各处求人去了。"七十七回的这段情节，清楚地印证了脂砚斋一再告诉我们的，曹雪芹所写的是贵族家庭的"末世"，八十回后，肯定会一步紧逼一步地写到贾府以及整个贾、史、王、薛"四大家族"的"忽喇喇似大厦倾，昏惨惨似灯将尽""好一似食尽鸟投林，落了片白茫茫大地真干净"，绝对不会像高鹗那样，还要去写什么"占旺相四美钓游鱼　奉严词两番入家塾"，以及"沐皇恩贾家延世泽"。

"卖油的娘子水梳头"是一句俗语。按说卖头油的老板娘应该最不缺头油使，但是她却偏用刨花水甚至清水来代替桂花油等化妆品，凑合着把头发勉强梳顺，使其有一点亮光。

现在像《红楼梦》里写到的那种头油，已经近乎绝迹，现在发廊里使用的焗油用料，还有摩丝发胶什么的，大都含有多种化工原料。当年的头油可都是纯植物制品。我童年时代每天上下学要穿过北京隆福寺庙会4次，尽管关注的主要是零食摊和玩具摊，但逛得久了，也难免会偶尔注意一下别的货摊，记得那庙会上就有老远能闻见气息的头油摊，光顾的主要是妇女，那摊上摆放着大大小小的玻璃瓶子，瓶子贴着花花绿绿的标签，标签上还往往有仕女画，或花卉蝴蝶的图案，那些瓶子里装的就是头油，有桂花油、茉莉油、玫瑰油等不同的品种，看摊的有老板也有老板娘，只记得那老板娘镶着银牙，头上老插着艳丽的绢花，描着弯弯的细眉，脸颊上抹着胭脂，只是不知道她头上是否擦有头油，或者竟是"水梳头"？

后来也曾跟同住一个胡同杂院的大妈，聊闲天时扯到《红楼梦》，涉及到"卖油娘子水梳头"这句话，那大妈却说，她老早听到过这句话，但其意思是形容人"抠门儿"（吝啬）、"善敛财"。一句俗话在流传的过程里，意义不断地丰富，而且在不同的语境里分流转化为不同的含义，是很正常的语言现象。

这话搁到今天，其实还可以引申出更丰富的意思。现在有的经营者，不在提升产品质量、加强管理和科学营销等方面下工夫，单以自己"水梳头"的"苦肉计"方式去谋求成本的降低，甚至压低员工工资、不按规定为全体员工投入医疗保险和养老保险，这种克扣式"水梳头"，必将导致"枯发""掉法"形成"秃顶"的后果。起先这"水梳头"还只是主观上的收敛，到后来，想拿些油来"梳头"也力不从心了，"水梳头"成了无奈之计。再往后，则意味着企业连头油也没有了，实际上已经停止正常运转，"水梳头"说明还在强撑着脸面而已。当然，也有那样的情况：开头，猛地享受自己的"桂花油"，即从无节制地"增加福利"，发展到无利也"分红"，最后成了"破馅饺子"，甚至是号称"饺子"而无馅，竟是满锅的浑汤烂皮儿，根本就没了"桂花油"，焉能不"水梳头"？某些国企，不就在上演这样的闹剧，最后使绝大多数职工处在悲剧的境域中吗？

无论是哪种原因导致"卖油的娘子水梳头"，都不是什么好事情。但愿人们在用这话解嘲之后，能将事态调整、纠正到一个正常的、可持续发展的局面。

读书人总以事理为要

《红楼梦》字字玑珠，人物语言尤其精彩，而且十分感性，很少在写人物说话时故意制造哲理警句，真是一个角色有一个角色的独特话语，比如史湘云，这是一个多么具有魅力的艺术形象，但你细检她的语言，都从她活泼的天性自然流出，其中几乎没有什么抽象的理性，"这鸭头不是那丫头，头上那讨桂花油"，谐谑而富有情趣，就是跟丫头翠缕论阴阳，也是一派天真，毫无学问气，像是说绕口令。

但第一回就出场的贾雨村，却是个爱说哲理性语言的角色，第二回他对冷子兴长篇大套地讲述了一番"阴阳二气掀发搏击论"，这里且不去管他，单说第一回得甄士隐资助赴京赶考，他留下的那句话，就值得品味一番。甄士隐头晚才给他银子衣服，他第二天五鼓竟已启程，留下的话是："读书人不在黄道黑道，总以事理为要，不及面辞了。"

贾雨村是书中除了贾宝玉外，有具体外貌描写的男性，他生得腰圆背厚，面阔口方，剑眉星眼，直鼻权腮，非常雄壮。由于此人后来与贾政过从甚密，双方在仕途经济的价值观上一致，被贾宝玉视为国贼禄蠹，深为厌恶，又由平儿嘴里揭露出他陷害石呆子，将石珍藏的古扇掠给贾赦，还招致贾琏被贾赦痛打，平儿因此咬牙骂他是"半路途中那里来的饿不死的野杂种"，根据前八十回的脂砚斋批语透露，八十回后还会写到贾家败落过程里他恩将仇报，狠踹了贾府几脚，当然最后自己也还是没能逃脱"因嫌纱帽小，致使枷锁扛"的命运，许多评家都指出这个人物是典型的"奸雄"。

但我以为曹雪芹刻画他笔下的人物，虽然有爱憎臧否蕴涵其中，但总是还原

于鲜活，写出了性格的复杂与人性的诡谲，正如我们不能对历史中的真正存在以
人废言一样，对于贾雨村这个艺术角色也不能以其劣行而废其睿智之言。

从《红楼梦》中撷拾人物珠玑般的语言，也就可以将贾雨村的"读书人不在
黄道黑道，总以事理为要"作为一例。将这句话从书里剥离出来，搁到今天的社
会环境中，对我们仍具有启发性。

中国的阴阳八卦、黄道黑道，西洋的星座运程、扑克占卜，这类玩意不能说
完全没有它一定的道理，大体而言是一种概率推测，或模糊数学，更多的因素则是
非科学的随心所欲，直到今天，迷信这些而疏远精密科学的人还非常之多，包括不
少的读书人，比如按属相、血型、星座来判断一个人的气质命运，将其奉为谶言，
因吉语少而生焦虑的就大有其例，其实仔细想想，全世界那么多人，若按属相等分
类也不过就那么多种，难道各种属相的人真的就同命运共遭遇？就在你身边，也可
以找出归于一类但境况大相径庭的例子啊，被那么粗糙含糊的说词搞得神魂颠倒、
忧心忡忡，不是太可笑了吗？再比如近期太阳黑子活动频繁，在这种情况下乘坐飞
机是否安全？单就这一个因素而言当然安全性是降低了，"不宜出行"，但现在的科
学技术足以在飞机导航方面使其影响化解到最微小的程度，而在一个"万胜历"上
标明是黄道吉日最宜出行的日子和时辰，却又偏偏发生了空难与车祸，这就说明决
定事物状态的应该是诸多因素的集合，而精密科学就是认知与把握这些合力的"事
理"，读书人实在是应该带头摆脱迷信，"总以事理为要"。

黄柏木作磬槌子

　　这是歇后语的前半句，后半句是"——外头体面里头苦"。这话是宁国府贾珍说的。一些读《红楼梦》的人总没弄清，贾珍虽然比贾母辈分低两辈，比他父亲贾敬和荣国府的贾赦、贾政低一辈，但书里故事开始时，他却已经是贾氏家族的族长，这在那个时代可是个非同小可的身份，贾珍在族务上不仅统管宁、荣两府，他的管理面还包括两府以外的所有贾氏族谱上挂号的人士，建造大观园他是总监工，贾母带领府中女眷和贾宝玉到清虚观打醮，他充当总指挥，大展族长威严，让仆人往躲懒的贾蓉脸上啐口水，把其他族中子弟都震慑住了。书中还有不少细节刻画他作为族长的善于周旋和应对，在家族败象频现的中秋节，开夜宴时大家忽然听到那边墙下有长叹之声，祠堂槅扇有开阖怪响，别人全慌了，他还能厉声叱咤，显示出体现在他身上的阳刚之气。

　　过去的许多《红楼梦》评论都把贾珍当成个简单的反面人物来分析，特别是他与秦可卿的乱伦关系，老仆焦大之骂，似乎把他钉牢在了耻辱柱上。我却认为曹雪芹并没有把他当做"反面教员"的意思，是力图把一个真实的封建贵族家庭的壮年族长的形象血肉鲜活地呈现在我们面前，他有罪愆，也有光彩，有荒唐，也有魄力，种种因素汇聚在他身上，对这一角色我们不应该粗率地贴标签，而应该细致地分析他的存在方式与审美价值。我在自己开创的"秦学"中，考证出秦可卿的原型是康熙朝废太子胤礽的一个女儿，胤礽在小说中则以"义忠亲王老千岁"的符码隐现，按曹雪芹原来的写法，是因为宁国府冒极大风险收养了"坏了事"的"义忠亲王老千岁"的女儿，所以才终于遭致抄家陨灭，"家事消亡首罪宁"正是这个意思，在收养的过程里，秦可卿名义上是贾蓉的媳妇，其实是贾珍的情妇，他们之间的爱情是真挚而深切的。在反复整理书稿的过程中，为了避文字狱，曹雪芹后来听取了脂砚斋的忠告，把已写好的文字删去了很多，又打了补丁，将秦可卿的出身说成是一个从养生堂里抱来的野种。

书里写到贾珍的话语，总是非常贴切于他的身份，性格鲜明，别具韵味。"黄柏木作磬槌子——外头体面里头苦"这个歇后语，是他在接收府里庄田之一的黑山村乌庄头送年租来时，因为乌庄头误以为贾府有宫里娘娘支撑，就一定富贵无忧，说出的带有自嘲意味的一句话。

人最难得的是有自知之明。知己的同时当然还应该知彼。双知的情况下，对自己的劣势一面，应该有自嘲的能力。自嘲能化解焦虑、浮躁、恐惧与慌张。自嘲是软幽默，能在困境中令人软着陆。缺乏自嘲能力的人，即使在优势胜过劣势的情况下，也可能因为心理上的僵硬，而经不起变故，甚至经不起仅仅不过是谣言的冲击。贾珍能当着边远地方来的佃户头子说出这种"露家底"的话，显示出他在家族颓败情势下，还具有相当健康的心理状态，这也是他尚能在颓势中拼力一搏的本钱。

抛开《红楼梦》，撇开贾珍，"黄柏木作磬槌子——外头体面里头苦"这个歇后语，也可以令我们生出许多的联想。世上的人和事，多有与这种磬槌子类似的，但能对此有清醒认知的，不多，能以此自嘲，坦率地面对命运，去努力改变、抗争的，那就更少了。

牛不吃水强按头？

这是一句带强烈反抗情绪的话，所以必须加上一个"？"号，念出时需在句末将声调往上硬挑。

这是鸳鸯说的。作为老祖宗贾母的宠侍，鸳鸯平时出语总是不急不躁，显得温柔敦厚而又诙谐可人，但没想到老色鬼贾赦竟打上了她的主意，意欲向贾母讨去作妾，邢夫人不仅不阻拦，还亲自去动员鸳鸯，鸳鸯性格中桀骜泼辣的一面于是破茧而出，曹雪芹写了她一系列激越铿锵的话语，读来令人不禁拍案叫绝。

贾府的丫头，有的是家生家养的，有的是中途来的，家生家养的属于"世奴"，是最不能自己把握自己命运的，主子可以任意摆弄她们，反抗往往是徒劳。鸳鸯偏就属于这一类的家奴，她父母在南京贾府老宅看守空房，兄嫂在荣府当差，非家养世奴的平儿、袭人很为她担心，因为其兄嫂势必会来帮主子逼婚，鸳鸯就说："家生女儿怎么样？牛不吃水强按头？我不愿意，难道杀我的老子娘不成？"

后来鸳鸯那嫂子果然跑进大观园来，企图说服鸳鸯就范，鸳鸯对其心肠一眼洞穿，对平、袭说："这个娼妇专管是个'九国贩骆驼的'，听了这话，他有个不奉承的去！"那嫂子刚说有"好话"有"天大的喜事"要告诉鸳鸯，鸳鸯就指着她骂道："你快夹着屄嘴离了这里，好多着呢！什么'好话'！宋徽宗的鹰，赵子昂的马，都是好画儿！什么'喜事'！状元豆儿灌的浆儿又满是喜事！怪道成日家羡慕人家女儿作了小老婆，一家子都仗着他横行霸道的，一家子都成了小老婆了！看的眼热了，也把我送在火坑里去！我若得脸呢，你们在外头横行霸道，自己就封自己是舅爷了，我若不得脸了时，你们把忘八脖子一缩，生死由我！"一番痛骂真是酣畅淋漓、血泪交喷。其中"好话（画）""喜事"两句，是以谐音来讥讽其嫂，因为侍奉的是贾府上层，耳濡目染，所以鸳鸯知道宋徽宗画的鹰、赵子昂画的马是好画；清朝时人们最害怕的是出天花，那时往往一蔓延开就会死很多人特别是婴儿，倘若出的"状元豆"能灌满浆，那么尽管可能会留下麻坑，却标志着生命可保无虞了，所以俗称是"喜事"，急切中鸳鸯说出这么两句，十分符合她的身份见识，也显示出她对其嫂是既气愤更蔑视。

　　鸳鸯抗婚，是《红楼梦》中最精彩的篇章之一，也为八十回后埋下了伏笔。高鹗的续书，把鸳鸯之死锁定在"殉主"上，这是违背曹雪芹本意的。鸳鸯作为贾母的忠仆，如用今天的眼光看，类似机要秘书的角色，她与贾母在长期相处的磨合中，除了主觉奴顺奴感主恩外，也确实会派生出超越阶级地位的真实感情，贾母如死在她之前，她大为悲痛是必然的，而且她上述激烈抗婚的言行之所以能一时得逞，也确实是因为有贾母这么一个大庇护伞，贾母一死，那就谁也保护不了她，只能落在贾赦手心里了。按曹雪芹八十回后的构思，鸳鸯之死虽会借"殉主"的形式，但实质应该仍是对贾赦的反抗，而且意义还不仅是对一个恶人的反抗，需知像她那样的"世代家奴"是主子以"口"计算的财产，生死都是不能由自己来支配的，你自己去死了那是破主子家的"活财"，会被视为针对整个主子集团的大罪。可惜我们今天已经无缘得见曹雪芹笔下的鸳鸯之死。

　　时代已经转换，社会已经进步，我们所处的人际间现在已经没有了《红楼梦》里的那种主奴关系，但个人有时还会遭遇不良势力甚至是恶势力的胁迫，在这种情况下，从鸳鸯身上汲取有益的营养，发出"牛不吃水强按头？"的抗争之声，求助于法制、法律和社会道德舆论，包括公序良俗，摆脱胁迫，使公民权益不受侵犯，仍是保持生命尊严的必要手段。

前人撒土迷了后人的眼

　　贾琏偷娶尤二姐，王熙凤设计迫害尤二姐，导致尤二姐把已成形的男婴流掉，在悲伤绝望中吞金自尽，被草草火化埋葬，这段故事在《红楼梦》读者中，对尤二姐的同情是一致的，对王熙凤的评价，却产生出分歧，有的觉得王熙凤实在阴狠歹毒，是她人性中黑暗面的一次大暴露，有的却觉得她在那种一夫一妻多妾制的处境里，所作所为，也不失为一种妇女对夫权的反抗，还是有其可以理解与谅解的一面。

　　清朝入主中原以后，允许满汉通婚，《红楼梦》里出现的女性，实际上是满汉混杂的。曹雪芹所写下的故事，虽然具有明显的自叙性、自传性，但他不愿意把朝代、地域过分坐实，林黛玉进荣国府以后，故事基本上都发生在北京，多次写到炕：上炕，下炕，炕桌，一条腿跪在炕上一条腿立在地下吃饭，等等，这都是江南金陵地区不可能有的情况；写书中人物的服饰装扮，男人避免写到辫子，所有的男性角色只写到贾宝玉梳辫子，但又不是清朝法定的那种剃光前半个脑袋上头发的那种辫子；写女性角色的服装基本上全是汉族式样（清代入关后对男子发型服装有严格规定，对汉族女子的服装却基本上维持明代风格），没有旗袍、两把头、花盆底鞋等典型满族女装的描写，至于女性脚的样式，也绝少涉及，以至有的读者一直在问：林黛玉薛宝钗她们究竟是三寸金莲还是天足啊？

　　要说《红楼梦》里完全没有写到女性的脚，那也不对。写"红楼二尤"的故事时，就直接写到尤三姐是小脚，她在对贾珍、贾琏的调戏实行反抗，嬉笑怒骂时，"底下绿裤红鞋，一对金莲或翘或并，没半刻斯文"，这说明尤氏父亲续弦所娶的尤老娘，是汉族妇女，她带来的两个"拖油瓶"女儿，从小就是裹脚的。尤二姐被王熙凤"赚入大观园",带去见贾母,贾母戴上眼镜看完了她的手,"鸳鸯又揭起裙子来",这是暗写请贾母检查她的脚裹得好不好,贾母看毕摘下眼镜笑赞道"更是个齐全孩子",所谓"齐全"就是从头到脚都中规中矩,尤二姐的"金莲"按当时标准来说,是令府里的老祖宗满意的。

但是根据我们对《红楼梦》里诸多人物的原型研究,大体可以确定,属于"四大家族"的女性,应该都是随满俗,脚是天足,不裹脚的,这是因为"四大家族"祖上应该都是早年在关外就被满族俘虏,编入正白旗,成为包衣奴才,他们后来生下的女性,基本上是在满族文化风俗中长大成人的。林黛玉呢,比较费猜测,她母亲是"四大家族"中的女性,但父亲林如海很可能又是汉族,父母是否能形成统一意见,或让她缠足或任其天足,曹雪芹没有写,读者也就只能各随其想。

《红楼梦》里的丫头,傻大姐是特意写到她"两只大脚",以为鲜明特征,可见府里丫头并非都是大脚,而且丫头们互骂"小蹄子",又讽刺不愿跑腿是"怕把脚走大了",可见属于小脚的不少,贾宝玉在《芙蓉诔》里有"捉迷屏后,莲瓣无声"的句子,可见晴雯是小脚,但像鸳鸯那样的府中家生家养的世仆的后代,我们判断她是天足,应该是八九不离十的。

"齐全孩子"尤二姐,死得很惨,一年以后,王熙凤忽然假惺惺地对贾琏说:"我因为我想着后日是尤二姐的周年,我们好了一场,虽不能别的,到底给他上个坟烧张纸,也是姊妹一场,他虽没留下个男女,也不要'前人撒土迷了后人的眼'才是。"

"前人撒土迷了后人的眼"究竟是什么意思?有解释为"稀里马虎含混了事"的。但古本《石头记》里,写王熙凤说这句话,有的本子在前头是"也要",有的却是"也不要"。如果选择"也要"——红楼梦研究所校注的现在十分流行的本子,选择的就是"也要"——那么,整句话就不通了,王熙凤是故意说这个话来欺骗人,她不可能直接表明她主张对尤二姐的周年祭"含混了事"。

曾请教过北京什刹海边的老大妈,她说那是句早年常听见地上两辈说到的俗话,应该是"前人撒土别迷了后人的眼",意思是做事情要尽量周到,不要前人所做的事情对后人不利。录此以为红学研究者和红迷朋友们参考。

我个人比较倾向于这句俗语的正确说法是"前人撒土别迷了后人眼",抛开王熙凤什么的不论,就是在今天,这话对我们不也仍有一定的警示作用吗?

清水下杂面你吃我看见

"红楼二尤"的故事是令人难忘的，尤二姐善良软弱，尤三姐泼辣刚烈，贾琏在小花枝巷"包二奶"，不仅包了二姐，把尤老娘和三姐也养起来，贾珍本是色迷，趁虚而入，有一回跑到小花枝巷去，正鬼混间，贾琏回来，贾琏采取了同意"共享"的态度，于是居然兄弟二人与尤三姐同桌共饮，谈笑取乐，这时尤三姐站在炕上，指着贾琏嬉笑怒骂道："你不用和我花马吊嘴的，清水下杂面你吃我看见，见提着影戏人子上场，好歹别戳破这层纸儿。你别油蒙了心，打谅我们不知道你府上的事，这会子花了几个臭钱，你们哥儿俩拿着我们姐儿两个权当粉头来取乐儿，你们就打错了算盘了！……"她以拿两个贵族男子开涮的方式进行反抗，自己高谈阔论，任意挥洒一阵，弄得那二人连口中一句响亮话都没了，那局面竟仿佛她嫖了男人，并非男人淫了她。一时她酒足尽兴，也不容那兄弟二人多坐，撵了出去，自己关门睡去了。

"清水下杂面你吃我看见"，在这里的意思是"你的意图瞒得了谁，我可是一清二楚"，有一种揭露对方、不屈服于对方而控诉、斥责的力度在里面，因此声调必是拔高的，与"见提着影戏人子（就是皮影戏的角色造型）上场，好歹别戳破这层纸儿（就是放映皮影纸的那个纸幕）"连说，更具冲击力。

这句话在《红楼梦》的另一段故事里又出现了一次。那是宁、荣两府为贾母贺八十大寿，尤氏作为孙媳，必须要体现孝道，于是一连几日都不回宁府，白日间迎送宾客，晚间就到大观园稻香村李纨那里歇息。且说那日尤氏晚间一径来至园中，只见正门与各处角门仍未关，犹吊着各色彩灯，就命小丫头叫该班的女仆。没找到一个女仆，只好到二门外去找管事的女人，见到两个婆子正在那里分主子席上撤下的菜果，就让她们去唤管事的女人来，那两个婆子听到并不是凤姐的命令而是尤氏的命令，就不放在心上，还只顾分菜果，说了句"管家奶奶们才散了"，以为就对付过去了，谁知那宁府来的小丫头不是好糊弄的，点破她们如果是荣国府的主子下命令，早就"狗颠儿似的传去的"，那两个婆子一则吃了酒，二则被这丫头揭挑着弊病，老羞成怒，回口道："扯你的臊！……什么'清水下杂面你吃我也看'的事，各家门，另家户，你有本事，排场你们那边的人去！"小丫头便赶到大观园里，当着荣国府的人，把两个婆子的话告诉给尤氏。

这段情节虽然不如二尤故事那么吸引人，但曹雪芹写它的用意很值得我们重视。他是以此来表现贵族大家族各支派间的矛盾。从表面上论，宁国府和荣国府如唇齿相依，荣国府里有两府辈分最高的老祖宗贾母，宁国府里则有整个贾氏宗族的族长贾珍，两府肯定是一荣俱荣、一枯俱枯，利益既然相联难分，两府的主子不分彼此，应该都可以随意地支使另一府里的仆役，但实际情况上，却是不同的宗族支派间貌合神离，表面礼让，而各怀异心，曹雪芹把这一段情节还衍生为邢夫人趁机挤对王熙凤，所谓"嫌隙人有心生嫌隙"，从一桩小事，揭破封建大家族人际间"乌眼鸡"般的明争暗斗，为我们提供了丰富的认识价值与审美乐趣。

两个分菜果的老婆子嘴里呐出的"清水下杂面你吃我也看"（用字与尤三姐略有不同），是反讽的口气，意思是"你别把事情分得那么清楚，不存在什么清清楚楚的可能性"，她们借着酒劲儿居然就紧接着喊出了"各家门，另家户"的话来，把宁、荣两府利益分流、彼此敷衍甚至龃龉冲突的隐秘一面公开出来，小丫头自然将这话当做把柄，气急败坏地找到尤氏告状，结果一浪推一浪地掀起了轩然大波。

在今天的社会语境下，"清水下杂面你吃我看见"这句俗语，也仍可在特指的前提下，激活为一种对"公开透明度"的朴素诉求。"别以为能瞎糊弄过去，清水下杂面你吃我看，咱们走着瞧！"还是掷地有声，具有威慑力的。

失了大体统也不像

薛宝钗协助李纨探春理家，先说了一句"天下没有不可用的东西"，可谓至理名言。她们从赖大家那里获得启发，原来一个破荷叶、一根枯草根子，都是值钱的，赖家的花园子比贾府大观园小许多，但就靠着把一切东西皆转化为金钱的经营方式，除了自家戴花、吃笋等不用外买节约出许多开销，还可将多余东西外卖出二百两银子来。天下东西皆可用，宝钗接着说："既可用，便值钱。"探春算起账来，越算越兴奋，于是三人就计议一番，要在大观园实行兴利剔弊的新政，所实施的政策，便是承包责任制。十几年前就有人写文章，说岗位责任的个人承包体制，早在《红楼梦》里，就通过第五十六回"敏探春兴利除宿弊　时宝钗小惠全大体"里很具体很生动地描写出来了，确实如此，我这篇文章不想把立意再局限于这个方面，我想强调的，是薛宝钗的另一思想侧面。

承包的前提，是将个人责任与个人利益紧密联系在一起，说破了，也就是首先承认人皆有私心，人性中皆有恶，因此顺其心性，加以驾驭，"使之以权，动之以利"，因为所承包的事项关系到自身收益，所以会尽心尽力，一定会努力地降低成本、减少浪费、提升技术、珍惜收益，一个一个的承包者皆是如此，则大局一定繁荣，用宝钗的话说，就是光一年下来的生产总值，就"善哉，三年之内无饥馑矣！"

但承包的做法，是挥动了一把双刃剑，一边的剑刃用于提高生产积极性很锋利，一边的剑刃却很可能因为没能辖制住人性恶，而使获利者的私心膨胀，伤及他人，形成不和谐的人际龃龉，甚至滚动为一场危机。曹雪芹的厉害，就在于他不仅写出了敏探春、时宝钗她们的"新政"之合理一面与繁荣的效果，也用了很多笔墨写出了因为没有真正建立起公平分配机制，所形成的大大小小的风波，仅从看角门的留杩子盖头的小幺儿与柳家的口角，就可以知道承包制使大观园底层仆役的人际关系比以往更紧张了，一个个两眼就像那鹦鸡似的，眼里除了金钱利益，哪里还有半点温情礼让？

薛宝钗是个头脑极清醒的人，所谓"时宝钗"，用今天的话来说就是"摩登宝钗"，就是既能游泳于新潮，又能体谅现实的因循力量，总是设法在发展与传统之间寻求良性的平衡。她一方面肯定岗位责任制，一方面又提出了"均富"的构想，这构想又细化为，一、大观园里的项目承包者，既享受税收方面的优惠，不用往府里的账房交钱，但他们也就不能再从账房那里领取相关的银子或用品，比如原来他们服侍园里的主子及大丫头们，要领的头油、胭粉、香、纸，或者是笤帚、撮簸、掸子，还有喂各处禽鸟、鹿、兔的粮食等等，此后都由他们从承包收益里置办；二、承包者置办供应品外的剩余，归他们"粘补自家"；三、除"粘补自家"外，还须拿出若干贯钱来，大家凑齐，散与那些未承包项目的婆子们。薛宝钗在阐释这一构想时，一再强调"虽是兴利节用为纲，然……失了大体统也不像"，"凡有些余利的，一概入了官中，那时外面外怨声载道，岂不失了你们这样人家的大体？"她特别展开说明，为什么要分利与那些并没有参与承包的最下层的仆役："他们虽不料理这些，却日夜也是在园中照看当差之人，关门闭户，起早睡晚，大雨大雪，姑娘们出入，抬轿子，撑船，拉冰床，一应粗糙活计，都是他们的差使，一年在园里辛苦到头，这园内既有出息，也是份内该粘带些的。"

薛宝钗的"大体统"，当然是指贾府的稳定，起码是表面上的繁荣与和谐。过去人们读这回文字，兴趣热点多在"承包"的思路上，对与之配套的"均富"构想重视不够。我们的现实社会，实行"承包"已经颇久了，甚至有人已形成了"改革即承包"的简单思维定势。实际上"承包"不是万能的，有的领域有的项目是不应该承包给私人的，而实行承包也不能只保障直接承包者的利益，而忽略了没能力没兴趣没必要参与承包的一般社会成员，特别是社会弱势族群的利益，薛宝钗的"均富"构想，虽然很不彻底，而且在她所处的那样一种社会里，也不可能真正兑现，但是对我们今人来说，还是很有参考价值的，特别是她能考虑到如何让抬轿、撑船、拉冰床的做"粗糙活计"的苦瓠子们也能"粘带些"体制改革的利益，以保持社会不至于因"失了大体统"而"不像个样子"，这一思路，无论如何还是发人深省的。

提防着怕走了大褶儿

寿怡红群芳开夜宴，从贾宝玉和众女儿来说，是一次畅怀惬意的集体行为艺术，但若从贾府的规矩礼数角度上看，则是一次骇人听闻的集体越轨活动。好在袭人晴雯等很聪明，她们特意把代理王熙凤管理府务的探春、李纨和宝钗都强拉了来，这样，就使这样一次夜聚饮唱的行为，获得了合法性。

贾府里的规矩是很多的，大观园每天早晚，管家娘子林之孝家的都要领着手下几个管事的女人各处检查，这天晚上也不例外，到了掌灯时分，前头一位打着灯笼，林之孝家的她们来了，先把迎出来的上夜人清点了一下，看了不少，又嘱咐她们别耍钱吃酒，醉后闷睡误事，上夜的都忙说"那里有那样大胆子的人"；林之孝家的又问宝玉睡了没有，宝玉忙出去礼貌招呼，还请她进屋，林之孝家的也就进去，以有脸面的老仆的口吻，对贾宝玉进行了虽很柔和却又表述得很清晰的劝诫，宝玉只能乖乖听着，丫头们也都只能帮着贾宝玉唯唯称是。后来林之孝家的一行终于离开怡红院，晴雯等忙关了院门，进来笑说："这位奶奶那里吃了一杯来了，唠三叨四的，又排场了我们一顿去了！"这时麝月就说："他也不是好意的？少不得也要常提着些儿，也提防着怕走了大褶儿的意思。"

曹雪芹写这一笔，是为了把贵族大家庭的生存方式，展示得更加立体，更加精微。在那样的百年簪缨之族的府第里，服侍过两三代主子的老仆，不仅在诸多年轻奴仆面前威严有加，就是年轻的主子，也需谦恭以待。封建礼法的"大褶子"，在那样的时空里，是不许"走样"的。

麝月是贾宝玉身边的大丫头之一，身份比袭人略低而与晴雯、秋纹平肩，她性格沉稳，不像袭人那样心怀"争荣夸耀"的"大志"，也不像晴雯那么风流灵巧具有个性棱角，比起秋纹来，却又颇显大气洒脱。曹雪芹把她设计成诸芳水流云散的最后见证人，那天夜宴她掣中的签上写着"开到荼蘼花事了"的诗句，据脂砚斋批语透露，贾府事败，袭人不得不离开时，曾跟贾宝玉说"好歹留着麝月"，而在曹雪芹已经写成的后数十回文字中，麝月后来也确实成为留在贫困潦倒的宝玉和宝钗夫妇身边惟一的忠仆；而且在古本《石头记》的批语中还有"麝月闲闲无语令余鼻酸，正所谓对景伤情"的句子，仿佛批书人批那段文字时，麝月的生活原型就坐在其身边，足资玩味。据周汝昌先生考证，脂砚斋就是书中史湘云的原型，经过一番颠沛流离，她终于与曹雪芹遇合，联合著书，而麝月的原型，竟也还能找到他们，同度艰难岁月，正所谓"秦淮风月忆繁华""燕市歌哭悲遇合"。

贾府的倾塌，外在因素当然是主要的，但其内在的腐朽，也是一个方面。所谓"大褶儿"，也就是"大格局"、"基本规范"，表面上似乎还具备"驴粪蛋四面光"的假象，颇为堂皇气派，其实内里早已掏空，人人自欺，又各欺人。后来府里乱象迭生，贾母一怒之下亲自过问，严查夜聚赌博，林之孝家的不得不听命盘查，结果一家伙查得大头家三人，小头家八人，通共竟有二十多人卷入，这才知道，夜幕下的荣国府和大观园，表面上是个温柔富贵乡，似乎一派安详甜美，其实早已是鸡鸣狗盗、藏污纳垢，严重地走了"大褶儿"的样，那罩在外面的堂皇衣衫，已经褶乱纽落，露出不雅，而且危机重重，厄运即至。

一种制度，一套规范，一旦确立，就要认真实施，严格考核，"提防着怕走了大褶儿"，按说只能是作为一道底线，哪里能连"大褶儿"也任其走样呢？但是不仅在曹雪芹笔下那个时代，就是到了今天，也仍然存在着连"大褶儿"也不顾，破着脸逾制违规的人与事，真令人气愤扼腕。

维护"大褶儿"，求得表里如一、中规中矩的效果，应该从两个方面入手，一是必须对贪官污吏严惩不贷，提升法律规范的威严，建立健全纯净有效的监察监督机制；二是从群众中来，到群众中去，通过民主程序，剔除"大褶儿"当中的某些华而不实、无从遵循，导致"罪不罚众"或者"卡死善良人，奈何奸邪人"的那些"褶缝"，使我们的制度规范更合理也更具可操作性。

蝎蝎螫螫老婆汉像

我曾写过一篇《话说赵姨娘》，探究过曹雪芹何以会那样地描写她。曹雪芹笔下的绝大多数人物，都塑造得非常立体化，写出了他或她性格的复杂，内心的丰富，人性的诡谲，换句话说，就是有优点写优点，有缺点写缺点，不因其有毛病而舍弃其好处，也不因其有好处而遮蔽其缺失。可是，他写赵姨娘，却用笔刻薄到底，给人平面化的感觉，这个妇人在他笔下只有丑恶粗俗愚蠢颠顶，而无其他表现。曹雪芹的《红楼梦》是一部自叙性的小说，其中的人物都是有生活原型的，赵姨娘也不例外，大概在他以往的生活中，真有这么一位父亲的小老婆，让他想起来就难以抑制自己的厌恶，他将这一生活原型写入小说中时，也就倾注了过多的憎恨与鄙夷，形成了我们现在所看到的一副笔墨。

据周汝昌先生考证，曹雪芹原意原笔，对林黛玉之死的设计，绝非是高鹗所续的那样，是因为凤姐实施"调包计"，贾母变了脸，而"焚稿断痴情"，"魂归离恨天"。造成林黛玉死亡的凶手并非贾母、王熙凤，而是赵姨娘。赵姨娘造谣生事，说林黛玉与贾宝玉之间有"不才之事"，又买通在荣国府内药房负责配药的贾菖、贾菱，在林黛玉平日所吃的药里下了慢性毒素，导致林黛玉身心交瘁，最后"冷月葬花魂"，在大观园的水域里沉湖自尽了。赵姨娘这样做的更主要的目的是搞垮贾宝玉，以便由她生的儿子贾环来继承荣国府的万贯家财。曹雪芹本人正是贾宝玉的原型，他对害死林黛玉原型的那个父亲的小老婆，恨之入骨，写入书中时，下笔难以冷静，也就可以理解了。《红楼梦》七十八回里的《芙蓉诔》，既是悼念晴雯，也兼暗示黛玉的命运，其中"钳诐奴之口，讨岂从宽；剖悍妇之心，忿犹未释"两句，一般论者多以为是痛斥袭人和王夫人的，其实，恐怕理解成是厉骂赵姨娘，更加准确。

我在《话说赵姨娘》一文中，特别提到第六十七回前半回里的一个情节，就是薛蟠从江南带回一批土特产，薛宝钗普遍地分赠给贾府的人，也送给贾环一份，于是赵姨娘就故意拿去给王夫人看，说了些不伦不类的话，本以为夸赞一下王夫人的亲戚薛宝钗能讨个便宜的彩头，没想到王夫人正眼也不看她，让她碰了一鼻子灰，她只好悻悻地走开去。在这段描写里，用了"蝎蝎螫螫"这么个形容词，我以为非常生动，把赵姨娘那副丑态概括得十分准确。但后来仔细研究《红楼梦》的文本，我就接受了一些专家早已提出的见解，那就是认为现存的第六十四回和六十七回，特别是这两回的前半回，很可能并非曹雪芹的原笔，而是另外的人补缀上去的。

蝎蝎螫螫，形容的是一种仿佛被蝎子蜇了似的，失去了正形的一副猥琐做派，第五十一回里已经出现过这个词儿，写的是在怡红院，夜里麝月出屋方便，晴雯也没披厚衣服，就跟了出去，想吓唬麝月一下，"忽然一阵微风，只觉侵肌透骨，不禁毛骨森然"，宝玉在屋里高声告诉麝月："晴雯出去了！"一来为麝月免受惊吓，二来也为了让晴雯赶紧回屋。这个情节又引出了下面晴雯受寒得病，但为了把宝玉不小心给烧出一个洞的雀金裘修理好，"勇晴雯病补雀金裘"的重头戏。这可都是曹雪芹的原笔。就在这个情节里，曹雪芹写到晴雯回屋后埋怨宝玉："那里就唬死了他？偏你惯会这么蝎蝎螫螫老婆汉像！"

蝎蝎螫螫老婆汉像，是针对男子汉的讥讽语，意思是你本应是副男子汉的气派，怎么却仿佛被蝎子蜇了似的，失了正形，变得像娘儿们那样婆婆妈妈的，让人看着别扭！在这个具体的情景里，贾宝玉的表现从客观上说是否一定属于"蝎蝎螫螫老婆汉像"，容当另议，但这句俗语直到今天，应该说仍有一定的警示作用，那就是提醒诸位男子汉，无论在何时何地，都应该有与自己性别身份相配的做派，千万别遇见某些情况，就变得"蝎蝎螫螫老婆汉像"，婆婆妈妈，絮絮叨叨，要么畏畏缩缩，要么惊惊乍乍，惹人厌烦，尤其是令女性嗤鼻齿冷。

摇车里的爷爷

"摇车里的爷爷，拄拐的孙孙"，这是贾芸说的一句话。

《红楼梦》里写了多组爱情故事：贾宝玉和林黛玉的挚爱，薛宝钗对贾宝玉的冷恋，秦钟和智能儿的热恋，龄官对贾蔷的痴情，尤三姐对柳湘莲的单恋，司棋与潘又安的秘恋，贾芸与小红的大胆之恋……其中贾芸与小红的恋爱故事着墨相当浓酽，"痴女儿遗帕惹相思""蜂腰桥设言传心事"，光是单为他们列出的回目就有这么两条，可见这是两个非常重要的、贯穿始终的角色，他们的爱情故事一波几折，而且像滴翠亭小红与坠儿私语被宝钗无意中听见，宝钗为摆脱自身尴尬处境，竟不惜以金蝉脱壳法，将小红的怀疑转嫁到黛玉身上，这样的情节真是极富戏剧性，对刻画人物起到一石数鸟的作用，也为八十回后铺垫下"草蛇灰线，伏脉千里"的伏笔，真是花团锦簇、灵动飘逸的妙文。

可恨高鹗续书时，把小红写丢了，又胡乱地把贾芸写成一个奸邪的坏蛋，使一些读者至今不能好好地欣赏曹雪芹笔下这两个乖巧而善良的活泼形象。

曹雪芹笔下的贾芸和小红，都是有缺点的人物，贾芸用尽心计以冰片麝香巴结凤姐以谋美差，小红以伶牙俐齿博得凤姐青睐达到了"学些眉眼高低，出入上下，大小的事也得见识见识"的攀高枝的目的，但这都是些利己而不损人的行为，是由他们的具体的生存环境所决定的，无可苛责。据脂砚斋批语透露，八十回后将写到，已结为夫妇的贾芸和小红甘冒风险，到狱神庙去看望被系缧绁的宝玉，给予他安慰与救助的情节，他们对凤姐也不因其落难而忘恩负义，在那样的篇章里，这两个很世俗的人物将展现出他们人格中颇光彩的一面。可惜曹雪芹已经写好的这些文字，被"借阅者"所"迷失"，我们今天已无缘得见。

　　贾芸虽是贾氏宗族中的一员，但他家那一支已经非常衰微，他为生存和发展，不得不绞尽脑汁到荣国府里去钻营，一次有幸见到年纪比他小四五岁的宝玉，宝玉随口说了句"你倒比先越发出挑了，倒像我的儿子"，贾芸就趁机而入，笑道："俗语说的，'摇车里的爷爷，拄拐的孙孙'，虽然岁数大，山高高不过太阳，只从我父亲没了，这几年也无人照管教导，如若宝叔不嫌侄儿蠢笨，认作儿子，就是我的造化了。"后来他也真以这样的身份混进怡红院直至宝玉榻前，又送白海棠花给宝玉，成为大观园青春儿女结社吟诗的由头。

　　贾芸所引的俗语，不是汉族的而是满族的，这也是《红楼梦》将满汉文化融为一体的一例。摇车是满族特有的一种育儿工具，男婴与女婴各有入摇车的时间规定，上摇车是很重要的一个日子，家庭会有一系列特殊的安排，只是摇车的形制今已失传，不知尚有复原的可能否。

　　贾芸引此满族俗语，有阿谀之态，但也反映出他为人处世有圆通的一面。抛开书中的人物和情节，单就这俗语而言，不仅道出了年龄与辈分不必相谐的生命存在的现实，也蕴涵着破除论资排辈定规的活泼思维，这种通达宽容的心理状态，在今天的世道中，也不失为我们现代人可以参照的一种健康标准。时下颇有一些年轻生命似乎"越位存在"，小小年纪就成为畅销书作家，版税收入可以名列于富豪榜中，到学校里去搞抽样调查，从初中生到高中生以至大学一、二年级学生，会在他们的答卷里将这样的年轻作家与鲁迅并列在"最熟悉"或"最喜欢"的提问后，有的爷爷辈的人就对此气愤填膺，简直不能容忍，但又无法禁绝其存在，弄得自己损元伤身，我建议他们无妨笑道："摇车里的爷爷，拄拐的孙孙。"不必那么大惊小怪，更不必那么气急败坏，天道、世道往往就会那么"不按次序"，对自己觉得实在是"乱序有害"的事物，可以批评，可以指正，但应该出之理性，心怀开阔，花开花落任由之，由他后浪推前浪。

扬铃打鼓的乱折腾

因为宫里面薨了个老太妃，贾母、王夫人等都必须按皇家制度去参与丧礼，凤姐小产后身体一直难以复原，荣国府里一时颇有权力真空的态势，加上小戏班解散后"十二官"多半都分进了大观园，女孩子们更成了扎堆儿之势，各种矛盾暴露出来，怪事迭出，大哭小叫，官司不断，难解难判，在这纷乱的局势下，连聪明过人处事果断的探春，也往往没了主意，大有"按下葫芦起了瓢"的狼狈感。

诸种矛盾交织纠结，"茉莉粉替去蔷薇硝 玫瑰露引来茯苓霜"，闹到最后，连宝玉都卷了进去，面对如此情势，大观园该怎么治理？平儿经过一番调查，认定了柳五儿确实是蒙冤，通过宝玉包揽责任，可以解脱彩云，并且保住探春的面子，也不必将柳家的那厨头职务撤销，改换秦显家的，多余地进行一次伤筋动骨的权力改组，于是，她就去向凤姐汇报，说服凤姐采纳她的怀柔政策。

谁知凤姐是个地道的"法家"，她的治理方略是："依我的主意，把太太屋里的丫头都拿来，虽不便擅加拷打，只叫他们垫着磁瓦子跪在太阳地下，茶饭也别给吃，一日不说跪一日，便是铁打的，一日也管招了。又道是'苍蝇不抱无缝的蛋'，虽然这柳家的没偷，到底有些影儿，人才说他，虽不加贼刑，也革出不用，朝廷原有挂误的，倒也不算委屈了他。""文革"当中"四人帮"把"法家"捧上天，乍一听，似乎他们是主张"依法治国"，但实质上他们并不是要建立以民为本的法制体系，而是想实行"朕即法"的苛酷压制。王熙凤真可谓"四人帮"的"好前辈"，其"法制观"完全剥夺了被告的辩护权，搞的是"逼、供、信"，主张捕风捉影，拒绝调查研究，一个人说了算，认为冤假错案也没什么了不起，真是种下蒺藜不计后果，更没有什么历史眼光，她在铁槛寺受贿三千两银子害死两条人命，就宣称过"从不信什么阴司地狱报应的，凭是什么事，我说要行就行"，不迷信鬼神本来并不错，但不懂得善必将战胜恶，"不是不报，时候未到"，一意孤行而毫无顾忌，这就大错特错了。

曹雪芹通过平儿，肯定了另一种治国齐家的思路。在怡红院的一场风波过后，她被请去处理，袭人告诉她："已经完了，不必再提。"她就笑道："得饶人处且饶人，得省的将就省些事也罢了。"面对固执己见的凤姐，她知道推行自己的治理方略很难，于是耐心地以迂回的逻辑劝说："何苦来操这心！得放手时须放手，什么大不了的事，乐得不施恩呢……没的结些小人仇恨，使人含怨。好容易怀了一个哥儿，到了六七个月还掉了，焉知不是素日操劳太过，气恼伤着的？如今乘早儿见一半不见一半的，也倒罢了。"没想到平儿一席话，竟把凤姐说服了。平儿意思总起来说就是应该"抓大放小"，在那个时代对于凤姐那样的角色来说，生下一个儿子是泼天大事，平儿就在这一点上做文章，软化了凤姐。

取得了凤姐的首肯，于是"判冤决狱平儿行权"，她出来对管家婆林之孝家的宣谕："大事化为小事，小事化为没事，方是兴旺之家。若得不了一点子小事，便扬铃打鼓的乱折腾起来，不成道理。"

后来邢夫人从傻大姐那里得到绣春囊，将其交到王夫人手中，被激怒的王夫人找到凤姐，轰走平儿，竟听取了王善保家的馊主意，扬铃打鼓的乱折腾起来，抄捡大观园，闹了个沸反盈天，正如探春所说："可知这样的大族人家，若从外头杀来，一时是杀不死的，这是古人曾说的'百足之虫，死而不僵'，必须先从家里自杀自灭起来，才能一败涂地！"果然，经过这么扬铃打鼓一顿乱折腾，且不说死晴雯、逐司棋，芳官等被迫出家，惜春杜绝宁国府……就是贾母、王夫人等主子，也元气大伤，整个家族迅速呈现败象，八十回后，曹雪芹会加快节奏地写到忽喇喇似大厦倾、昏惨惨似灯将尽的陨灭局面。

我们所处的时代跟曹雪芹笔下的时代已有质的区别，何况《红楼梦》是小说而不是治国齐家平天下的论文，不能把上述故事情节和人物话语生搬硬套于今天，但避免"扬铃打鼓的乱折腾"这一提法，对于我们今天构建和谐社会，应该说还是有参考价值的。

管谁筋疼

一位年轻的红迷朋友跟我说，跟许多人相反，他很不喜欢晴雯，尤其是晴雯病中责骂小丫头，看见坠儿冷不防欠身一把将她的手抓住，向枕边取了具有尖锐细头的金属簪子一丈青，朝坠儿手上乱戳，疼得她乱哭乱喊，晴雯还借势自作主张，当即把坠儿撵了出去，这些描写，使他对晴雯产生厌恶，并且非常同情坠儿。

另一位红迷跟我说，曹雪芹何必要在"勇晴雯病补雀金裘"这回里写这么一笔呢？写比如说周瑞家的那样的妇人去处治坠儿不就行了吗？

曹雪芹那个时代，还没有诸如典型性、人民性等文艺理论概念，他就是写活鲜鲜的生命存在，他笔下的晴雯就是那么一个既能让人爱得颤抖又能让人气得牙痒的生命，"撕扇子作千金一笑"那回里，贾宝玉就让她先气黄了脸，后来又被她逗得惬怀大笑。过去有的论家，按晴雯的地位，将她说成是"具有反抗精神的女奴"，她的性格里确实有叛逆的因素，但她何尝想"挣脱奴隶地位"，她和大观园里一大批头、二等丫头一样，非常珍惜自己已经获得的地位，满足自己所过上的"二主子"生活，她们所害怕的，恰恰是被撵出去，失去了"女奴"的地位。晴雯呵斥比她地位低的小丫头，张口就是"撵出去"，对坠儿，她何尝有"同为女奴应相怜"的"阶级感情"，尽管坠儿偷了平儿的虾须镯，其行为确实欠妥，但我们细想想，那戴在"准主子"平儿手腕上的金镯，本是许多底层百姓血汗的结晶，作为身处相对底层的坠儿来说，她把平儿为了跟着湘云、宝琴等吃烧烤而暂时挦下的金镯藏起，不过是以非规范方式，将含有自己血汗的一件物品，从剥削者那里收回而已，怎么晴雯就那么不能容忍，必欲撵之而后快？

　　大观园里的丫头里，也有清醒者，小红就是其中一位先知先觉者，她说出了"千里搭长棚，没有个不散的筵席"的箴言，当然她也绝不希望被作为"罪儿"给撵出去，但她一点没有长久留在府里，去争荣夸耀，谋个副主子、小老婆的想法，她一方面大胆追求府外当时还相当寒酸的西廊下的贾芸，一方面不靠背景关系，而完全靠自己的能力，先在府里拣高枝儿飞——她获得了王熙凤青睐，学得眉眼高低，出入上下，大小的事也就见识多多，这样，她就真正把握了自己的命运，根据脂砚斋批语，我们知道，在八十回后，当王熙凤、贾宝玉被命运捉弄，狼狈不堪时，在社会上获得自立地位的贾芸、小红夫妇，挺身而出，去救助他们。

　　值得注意的是，曹雪芹有意把小红和坠儿设计成一对密友，在滴翠亭里，是坠儿把贾芸拾到的帕子送还给了小红，而且，那交给小红的帕子，很可能是贾芸自己的，小红又把自己的一块帕子，托坠儿带给贾芸。这在那个时代，那种社会环境里，特别是在赫赫森严的贵族府邸里，她们的作为，她们的话语，才是真正具有叛逆性的，是晴雯等望尘莫及的，放射出真正的人性光辉。由此可以推想，坠儿其实也早看破，大观园并非久留之地，被撵固然不好，但自己对出去一定要有所准备，而平儿那虾须镯，取来恰好作为将来出去后的谋生之资，坠儿的这一行为，并非一般的贪小，而是有长远考虑的一次冒险行动。晴雯那样的完全倚赖宝玉宠爱的生命，是非常脆弱的，平日张口要把这个那个撵出去，一旦轮到自己被撵出，那就无法再生存，只能夭亡。不知八十回后还有没有坠儿出现，但我们可以想见，这位早打着出去自己过算盘的女性，被撵出去以后，一定会撑得住，顽强地生存下去。

　　小红和坠儿那高度机密的谈话，不曾想被人偷听去了，从她们的角度，真是不知道究竟被薛宝钗还是林黛玉哪位窃听了去，小红的反应，是怕林甚于怕薛，八十回后是否会有小红戒惕甚至误会、不利林黛玉的情节？很难说。坠儿的反应却是："便是听了，管谁筋疼，各人干各人的就完了。"前面说了坠儿一些好话，现在却必须批判一下她的这一意识。"管谁筋疼"，只为自己个人谋利益谋前程，这是一种狭隘自私的想法。正是在这种意识支配下，坠儿以偷窃为改变自己人生状况的手段，尽管上面我分析了其中的某些可理解可谅解因素，但这种手段毕竟是有违各个时代的普遍被认同的道德准则的。我们当然不能要求坠儿具有现代社会的那种群体意识，但也在曹雪芹笔下，就写到芳官她们那一群小戏子，能够团结起来，同仇敌忾，让来兴师问罪的赵姨娘和辖制她们的婆子们，大受挫折，争了一口群体的气。

坠儿是个值得一再琢磨的艺术形象。她究竟何罪？要摆脱"罪人儿"的命运，她那样的生命，究竟该往一条什么样的路上走？

花儿落了结个大倭瓜

　　一位朋友跟我说，他读《红楼梦》，最耐不下性子就是"金鸳鸯三宣牙牌令"那一段，他不明白曹雪芹为什么要用那么多篇幅来写贾府的女眷们聚在一起玩牙牌。

　　曹雪芹撰《红楼梦》，绝无冗文闲笔。"金鸳鸯三宣牙牌令"这一段描写，首先是通过那样一些文字，进一步刻画各个人物的不同性格，其次是为下面的情节留下伏笔——林黛玉毫无顾忌地把《牡丹亭》《西厢记》里的词句当众吟出，这在那个时代那样的家庭里，是"出轨"的行为，因为《牡丹亭》《西厢记》被认为是大家闺秀绝不可接触的有害"闲书"，即使背着封建家长偷偷读了，焉能如此放肆暴露？亏得当时贾母等没注意，可是这"小辫子"却被薛宝钗牢牢抓住，她当时倒也不露声色，但后来就把林黛玉单独找去，好一顿"审问"，把林黛玉狠狠教训了一番。不过曹雪芹写这一段文字还有更深的用意，他总是"一声也而两歌，一手也而二牍"，善于"一石三鸟"，"一树千枝，一泉万脉"地铺陈花团锦簇的文字。这一段，他更深的用意，是用牌令词暗示贾家的政治处境已经十分地尴尬，烘托出"山雨欲来风满楼"的情势，为后面贾府的殒灭预设大伏笔。

　　据考证，《红楼梦》是具有自叙性的小说，曹雪芹是把自己家族在康、雍、乾三朝的兴衰荣辱，投射到这部作品中，以血泪升华为艺术真实的。这一节写众人说牌令，贾母说"头上有青天""一轮红日出云霄"，暗指雍正暴死乾隆登基后，实行大赦天下的怀柔政策，书中贾府的原型曹家也因此从被雍正惩治的危局中摆脱出来，恢复到一个小康的状态，但她摸的三张牌凑成的却是个"蓬头鬼"，并不吉利，难道贾府仍有危难？所以她最后说"这鬼抱住钟馗腿"，内心里在希冀能有"钟馗"那样的打鬼神来保佑自家。史湘云的牌令则明言"双悬日月照乾坤"，这是暗指乾隆朝初年，其政治对立面，康熙朝废太子的儿子弘皙已经私立地下小朝廷，出现了"双悬日月"即"两个司令部"的凶险态势，弘皙打算跟乾隆进行夺权大较量，而书中"四大家族"的原型在现实生活里，由于历史渊源，都不得不在政治上站到弘皙一边，因此乾隆将"弘皙逆案"扑灭后，曹家等"百年望族"必受株连，最后都"家亡人散各奔腾"。如果把这些意蕴都弄明白了，那么，读"三宣牙牌令"这一回就不会觉得枯燥难解，细细检索推敲去，必会兴味盎然的。

当然，这牙牌令里，最有趣的还是刘姥姥所说的。她那句"大火烧了毛毛虫"也是贾家的不祥之兆，但结尾那句"花儿落了结个大倭瓜"，却是句带有戏剧色彩的"谐语"，不但引得书中的人大笑，也足令读者莞尔。

曹雪芹的文笔，特点之一，就是会使用反衬的手法，书里不知写了多少种花，而且屡屡以花喻人，但绝大多数花，都是悲剧的归宿，"花落水流红"，"冷月葬花魂"，"开到荼蘼花事了"，那些如同青春女性的花朵，或者反过来说，那些如花美眷，到头来最好的结局也不过是"一抔净土掩风流"，但在一派衰败的景象里，他却用刘姥姥这样的庄稼人，来形成"跳色"，在"三宣牙牌令"的情节里，他有意用"花儿落了结个大倭瓜"的"村妇"之言，来调剂那"处处风波处处愁"的悲剧氛围。

即使在今天，以花喻人，将其作为青春年华的代码，"祖国的花朵"，"花样年华"，也还十分流行，几乎所有的家长、老师、长辈，都把孩子视为娇美的花蕾，恨不得天天蹲在旁边，瞪眼盼着其开放。但过分的关爱往往变成了溺爱，揠苗助长，强掰花蕾，花未开而株萎，这类现象时有发生。更有一心让自己孩子成为牡丹君子兰之类的富贵花发财花的，看看北京几所艺术类院校招生现场的"超级盛况"，真是惊心动魄。面对今天的现实，琢磨琢磨刘姥姥那朴实的话语，还是很有教益的——干什么都去争当"观赏花"呢？我们让自己的后代扎扎实实地根植于沃土，"花儿落了结个大倭瓜"，岂不是最可喜的收获，最大的福气吗？

可着头做帽子

那已经是荣国府抄检大观园之后了，没等外面的杀进来，自己先自杀自灭起来，整个府第已然是一派衰败景象。但荣国府老祖宗贾母仍固执地跟以往一样过一个热闹喜兴的中秋节，尤氏从宁国府那边过来，给她请安，贾母图热闹，留她一起吃饭，当天贾母吃的是一种红稻米粥，那是产量很少的，很特别的一种"胭脂米"熬的粥，贾母自己已经吃完，在地下走动"行食"，负手看着尤氏等吃饭取乐，因见伺候添饭的人手内捧着一碗下人的米饭，尤氏吃的仍是白粳米饭，就责问道："你怎么昏了，盛这个饭来给你的奶奶？"那人道："老太太的饭吃完了，今日添了一位姑娘，所以短了些。"鸳鸯忙解释："如今都是可着头做帽子了，要一点富余不能的。"王夫人跟上去说："这一二年旱涝不定，田上的米都不能按数交的，这几样细米更艰难了，所以都可着吃的多少关去，生恐一时短了，买的不顺口。"贾母这才明白原来是"巧媳妇做不出没米的粥"。

贾府的衰败，外因是一个方面，内因则是更主要的方面。第六回写刘姥姥一进荣国府，特意写到她目睹众仆妇伺候王熙凤进午膳的情况，那些川流不息送进去的美味佳肴，再端出来搁到另一房间炕桌上，都只不过是略动了几筷子罢了。后来写刘姥姥二进荣国府，贾母带她两宴大观园，也是一派只讲排场毫无节约暴殄天珍的情景。虽然十三回秦可卿上吊前给王熙凤托梦，已经提出"若目今以为荣华不绝，不思后日，终非常策"的警告，但贾府哪里真能勤俭节约，从贾母起，就只知一味高乐。

大观园原来不设厨房，住在里面的贾宝玉和众小姐，每顿饭都要到园子外面，跟贾母等长辈一起进餐，后来王熙凤大发善心，说宁愿多费些事，也别让小姑娘们冷风朔气的，顿顿从园子里跑到贾母那边吃饭，于是在大观园里设立了专门的厨房，由柳家的主管，一次迎春房里大丫头司棋支使小丫头莲花儿跑到厨房，命令柳家的炖碗嫩嫩的鸡蛋羹，以为那不过是很平常的东西，没有炖不成的道理，但柳家的当即大发牢骚："就是这样尊贵，不知怎的，今年这鸡蛋短的很，十个钱一个还找不出来，昨儿上头给亲戚家送粥米去，四五个买办出去，好容易才凑了两千个来，我那里找去？你说给他，改日吃罢。"结果酿成一场大风波，司棋亲自上阵，带领其麾下的小丫头们跑进厨房，把里面的东西砸了个稀巴烂，还往外一顿乱扔。

柳家的不情愿给司棋炖鸡蛋羹，有人际方面的原因，在大观园里，她们属于利益冲突的两个派别，但她所说的那种情况，也应该是真实的，就是纵使荣国府当时还有大把的银子，但社会的资源已经开始匮乏，出现了有钱也买不到东西的情况。

曹雪芹笔下的贾府，开始虽然内囊尽上来了，外边看上去似乎还架子魁伟，但到后来，内外交困，风雨冲刷，终于露出了下世的光景，忽喇喇大厦倾，昏惨惨灯尽，当然，那主要是社会政治因素使然，但书里通过种种细节所表现出来的，由于人们不知珍惜环境资源，浪费成性，而形成的生存窘境，也是足令我们今人戒惕的。

贾府的"可着头做帽子"，是被迫性的，非自觉节约，是封建贵族穷奢极欲的生活流程中无余的"将就"。其实，"可着头做帽子"应该成为人们自觉性的生活原则。自然资源是有限的，无节制地采取享用，会导致严重的环境危机。脑袋多大，就把帽子做多大，这有什么不好呢？脑袋如此，胃袋也是如此。为什么非要把胃袋撑鼓撑胀呢？大帽子扣在头上能舒服么？胃袋撑得要破裂的感觉能美好么？看看我们各地餐馆里的景象吧，暴食暴饮，满桌剩菜，不以为耻，反以为荣，这类的恶习陋俗，竟总不能消除。当然，现在在饭馆餐后打包的人多起来了，略可告慰，但国人的节约意识，确实仍需努力加强，饮食方面的浪费只是一个方面，在水资源、树资源、草资源、石油资源等等方面，浪费现象都是触目惊心的，实在到了不能不猛敲警钟的地步。

我们现在应该把"可着头做帽子"当做一个正面语汇，加以弘扬。最近有朋友让我写一句提倡节约的话，我就是这样写的："可着脑袋做帽子，头也舒服，帽子也舒服——何必图那个虚'富余'呢！"

仓老鼠和老鸹去借粮

柳家的，和周瑞家的、王善保家的等一样，都是贾府里的女仆，曹雪芹所描写的那个时代，女仆的地位很低，嫁了人的女仆地位更低，她们自己的名字等于消失，上下人等称呼她们，就用她们丈夫的姓氏或名字再缀个"家的"。当然地位低是相对而言，她们里面也还分三六九等，像荣国府的赖大家的、林之孝家的，宁国府的赖升家的，都是大主管的老婆，本身也执掌一定的权力，年轻的主子见到她们也得礼让三分。周瑞和周瑞家的是王夫人的陪房（王夫人嫁到贾府时，他们这对夫妻作为"动产"，和其他妆奁一样，陪随而来），王善保和王善保家的则是邢夫人的陪房。柳家的则比管家婆子和太太陪房又低了几级，她只是派到大观园内厨房的一个厨房头目而已。

虽说柳家的不过是个厨头，但这是许多人眼红争夺的一个肥差。曹雪芹写《红楼梦》，绝不是只写贵族家庭老爷太太公子小姐，也不是只写丫头，他把笔触延伸到府内外的各个角落，刻画出三教九流各色人物。从第五十八回到六十一回，他把关于大观园的故事，从茜纱窗放射到厨房灶台，从大丫头、小丫头一直写到想进园里当丫头而不得的厨头闺女，甚至还写到单管开关角门的，头上留着"柜子盖"的小幺儿，而且把各色人等的欲望，之间的冲突，涟漪般展开，每个人物都活跳如见，其话语都生动如闻，真是一支妙笔，写尽人间哀乐。

第六十一回开头写到柳家的和留柜子盖（就是四周剃去，使发型圆得像马桶盖一样）的小幺儿拌嘴，真是声声如炒豆，句句爆口彩，令人忍俊不住，掩卷难忘。

小幺儿想让柳家的从园子里给他摘些杏子吃，那时候大观园里的花果树连同菱藕香草等，都按探春、宝钗的规划实现了"责任承包制"，杏子等果品都有专人分管，哪儿能随便去偷来带出？而且那小幺儿的舅母姨娘两三个亲戚都是分管果木的，因此柳家的听了那小厮的请求气不打一处来，就说了句"这可是仓老鼠和老鸹去借粮——守着的没有，飞着的有？"

我研究《红楼梦》，有时也到书房外的村野里，跟村友讨教。他们不一定读过《红楼梦》，多半只对电视连续剧有些印象，但问到书里刘姥姥等角色的村语村言，却会积极响应。村友三儿说，"仓老鼠和老鸹去借粮——守着的没有，飞着的有？"这话他听去世的老人说起过。他告诉我，仓老鼠不同于家鼠，我以为仓老鼠是"仓库里的老鼠"的意思，他说不是，仓老鼠一般在大田里安窝，这种老鼠比家鼠体大，尾短，最大的特点是两个腮帮子能鼓起老高，成为两个储物袋，能把玉米粒、豆子什么的先含在腮帮子里，然后再运回洞穴里去储藏建仓（这也是其得名的原由），他当过农机手，看到过被掘开的鼠洞，那里面储藏的粮食最多能达到二三十公斤！而鸟类一般都是现找食物现吃进肚，"鸽子不吃带气的，小燕不吃落地的"，老鸹（就是乌鸦）虽然吃得杂，荤素不论，但是只会飞着觅食，觅见了落下啄进嘴，并没有储藏粮食的能力。仓老鼠竟然和老鸹去借粮，这违背逻辑，而且说明其虚伪、奸诈、贪婪、丑恶。这句歇后语的后半句必须把声调挑上去，形成质问、抗议的气势，意思是你守着财的装穷相告诉没吃的，难道飞着艰苦觅食的倒会有多余的吃的东西？

仓老鼠和老鸹去借粮，是典型的"以有余损不足"的行为。沧海桑田，日新月异，但人性相贯通，到如今，也还有将其人性中的恶劣面泛滥出来的例子，隐瞒自己的"仓储"，而向穷"老鸹"伸手言"借"，这所谓的"借"，其实就是"骗"，一旦到手，是决计不会归还的。贪官污吏、奸商劣绅，多有此种伎俩，或巧立名目征收款项，或摇唇鼓舌诱人投资，在让艰辛一族"无私奉献"的同时，他们却化公为私，甚至将自己的鼠仓偷移到境外去了。善良的人们，必须警惕啊！

黑母鸡一窝儿

邢夫人跟王熙凤之间的矛盾，不是一般的婆媳矛盾。一般的婆媳，是生活在同一空间中，互相合不来，或者婆婆专挑媳妇毛病，形成一组矛盾，酿成纠纷，甚至造成悲剧。邢夫人和王熙凤的婆媳矛盾，是非常个案的，在封建社会里，也是很特殊的。

读《红楼梦》，一定要注意到，虽然书里设定荣国府老祖宗贾母的大儿子是贾赦，贾母丈夫贾代善死后，由贾赦接续着袭爵，爵位递降，不再是公侯级，是一等将军，但这爵位也很不错，按道理，这个袭了爵位的大儿子，应该住在荣国府里，跟贾母生活在一起，恪守孝道，以尽人子之责，但是，书里写得很奇怪，就是这个接替父亲袭了爵位的长子贾赦，他却并不住在荣国府里，不是跟贾母生活在一个院子里，他另住在一个跟荣国府隔开的黑油大门的院落里，双方来往，要先出各自院门，坐车走一段路，再进另一院门，实在出人意料。更出人意料的是，贾母的二儿子贾政，他并无爵位，只不过由皇帝恩赐了一个不算很高的官职，夫妻二人却住进了荣国府大宅门中轴线上的正房里，俨然成了荣国府的一号主人。

更有意思的是，按那个时代的伦常秩序，贾赦的儿子贾琏和他的媳妇王熙凤，应该是跟父母住在那个黑油门宅院里，尽孝道照顾父母的，但是，书里写的，却是一种很特殊的情况：贾赦、邢夫人住的那个黑油门大院里，并没有成年的儿子及其儿媳妇跟他们一起生活，书里称贾琏是二爷，但书里并没有一个比贾琏大的儿子守在贾赦夫妇身边，倒是出现过贾赦另一儿子贾琮，但那贾琮被描写成黑眉乌嘴，年纪和荣国府的贾环差不多大，显然还不足以在那黑油门宅院里当家理事、服侍父母。

书里写到，王熙凤是荣国府一号夫人王夫人的内侄女儿，名义上，是贾政请贾琏到荣国府来理事，实质上，是王夫人把王熙凤叫来到荣国府拿权。贾琏和王熙凤两口子，平时就住在荣国府的一所"院中院"里。曹雪芹为什么要这样写？如果他是完全虚构，为什么要作这样的虚构？我的看法是：他写这部小说，当然有虚构成分，但跟那种完全虚构的作品不同，他是有生活原型的，他的这部作品是有自传性、自叙性和家族史特点的。

在真实的生活里，贾母的原型是江宁织造曹寅的夫人、苏州织造李煦的妹妹，她的丈夫曹寅和儿子曹颙相继病死后，康熙皇帝做主，由李煦挑选出曹寅的侄子曹頫，过继到曹寅名下，成为他的儿子，贾政的原型，就是曹頫，而贾赦的原型呢，应该是曹頫的一个哥哥，他并没有一起过继给贾母，这生活里的特殊情况折射到小说里，就形成了我们现在看到的文本现象。

把这些情况弄清楚了，就不难理解书里所写到的，邢夫人跟王熙凤之间的婆媳矛盾了。按书里设定的人物关系，王熙凤应该把贾赦邢夫人的利益放在第一位，但是，情节中的具体表现，却是王熙凤和王夫人、薛姨妈组成了一个利益集团，完全把黑油大门里的贾赦邢夫人等人视为可有可无的存在，这当然就首先引出了邢夫人的强烈不满。

邢夫人虽说是贾赦的填房夫人，贾琏、贾迎春、贾琮都非她所生，但既然贾赦娶她为正妻了，子女们就该把她当母亲孝顺，可是，王熙凤对她怎么样呢，表面敷衍，实际上根本不放在眼里。书里几次写邢夫人对王熙凤的不满，还写到她们的正面冲突。其中有一次是通过贾琏的仆人兴儿，跟尤二姐、尤三姐说出来的："如今连他正经婆婆太太都嫌了他，说他'雀儿拣着旺处飞，黑母鸡一窝儿，自家的事不管，倒替人家去瞎张罗'。""雀儿拣着旺处飞"好懂，因为贾氏家族的老祖宗贾母在荣国府里，人虽老了，威严还在，家底儿十分雄厚，王熙凤笼络住了贾母，自然会得到好处。"黑母鸡一窝儿"是什么意思呢？现代人理解起来，就费思量了。

"黑母鸡一窝儿"，是与"雀儿拣着旺处飞"相对应的一句话。雀儿忘本求旺，被认为是一种恶习。黑母鸡呢，比之于白母鸡、芦花鸡，形象不雅，遭人歧视，但是，黑母鸡却抱团儿，互相不离不弃，这被认为是一种美德。邢夫人的意思，就是你王熙凤不该去讨老祖宗的好，以谋取你娘家那个利益集团的利益，你本是我们黑油大门这个宅院里的媳妇，即使如今我们这一房的局面比不了荣国府那一房的局面，没那么红火，你也应该跟自己婆家这边抱团儿，为这边谋利益啊，现在倒去为你娘家算计去了，你这不是瞎张罗、胡乱闹吗？

现代人说话，即使农村里的老年妇女们，也很少有使用"黑母鸡一窝儿"的语汇了。现在更讲究吃乌鸡，乌鸡从里到外全黑，市场价格比一般鸡贵，而且现在养鸡的方式也改进了，"黑母鸡一窝儿"的景象越来越少，社会风貌、价值观念都变了，人们说话的语境今非昔比了，"雀儿拣着旺处飞"的俚语还时常出之人口，但往往已经不是一句贬语，而是可以"励志"的"座右铭"了，"黑母鸡一窝儿"则几乎绝迹于人口，渐成一句莫名其妙的话语了。

不过，当我们今天从《红楼梦》里读到"雀儿拣着旺处飞"和"黑母鸡一窝儿"两句"对比式"俚语时，还是无妨在默默的体味中，微微一笑。

抓着理扎个筏子

有红学家认为，曹雪芹笔下的大观园，是个清净美丽的理想世界，是写来跟园外污浊的俗世社会作对比的，这话有一定的道理，相对而言，大观园里生活着诸多花朵般的姑娘，氤氲出玉精神、兰气息，她们又有"绛洞花王"贾宝玉欣赏呵护，的确比那须眉浊物和"死鱼眼睛"般的太太们横行的园外社会清爽多了，但如果把大观园生硬地判断为无污染的理想世界，则我不敢苟同。

《红楼梦》从第五十五回到第六十一回，整整用了七回来写大观园里的"乱象"，把笔触从主子层延伸到奴婢的最下层，从公子小姐的院落闺房延伸到厨房角门，是全书中情节最紧凑、节奏最急促、波澜最交错、声音最喧哗的一大段落。最难能可贵的是，曹雪芹在这一大段落里，挖掘了贾府上中下几种人物的人性，而且非常地深入，可以说是力透纸背，令人读来既眼花缭乱，又心多憬悟。

大观园里何尝是一味地清净爽洁，首先，像赵姨娘那样的蝎蝎螫螫的猥琐角色会跑进来滋事聒噪，其次，住在园里和每日要进园来做事的丫头婆子，哪一位真是"省油的灯"？尤其是那一群小戏子分配到园里各房后，更是把园里平日就未必平静的生活，搅和得更加喧嚣繁杂。曹雪芹把各种人物，各个大大小小的利益集团，他们之间的利益冲撞，写得细致鲜活，如闻其声，如见其形，而且七穿八达，一石数鸟，看得我们一会儿忍俊不住，一会儿拍案叫绝，虽只是文字的铺排，读来竟有如今影视那样的声光色电，实实过瘾！

芳官、藕官等分配到园里的戏子，她们多是率性而为，都想摆脱所谓干娘的辖制，而夏婆子等所谓干娘，则力图保持住她们克扣其例银的既得利益；管理园里花木的婆子们要防止丫头们掐花摘果，以保证承包项目的收益不受损失，而看园子角门的小幺儿则有吃些园里熟李子的诉求；从门房到各处的仆人，总是要从经手的客人馈赠品中，贪污一些以供自己享用，还取出一些作为礼物分赠亲友；管园里厨房的柳家的，总想把女儿柳五儿送进怡红院，谋一份肥差，因此对晴雯、芳官等百般奉承，而司棋却想将厨房的运作掌握到自己手中，先让莲花儿打头阵，再自己御驾亲征，以打、砸、抢的手段来争夺"唤菜权"，后来更借柳五儿犯事被拘，设法让与自己一头的秦显家的夺了柳家的权，但到头来柳五儿却被无罪释放，柳家的官复原职，秦显家的只当了半天政，就偃旗息鼓而去，还白赔了许多……

在这犬牙交错的利益之争里，赵姨娘表现得最为颠顸，她因"茉莉粉替去蔷薇硝"欲去找芳官问罪，自己本已焦虑失态，又让夏婆子这样的人撺掇着当枪使，夏婆子煽动她进一步把事情闹大："你老想一想，这屋里除了太太，谁还大似你？你老自己撑不起来，但凡撑起来的，谁还不怕你老人家？如今我想，乘着这几个小粉头儿恰不是正头货，得罪了他们也有限的，快把这两件事抓着理扎个筏子，我在旁作证据，你老把威风抖一抖，以后也好争别的扎……"

夏婆子所说的"抓着理扎个筏子"，不但意味着"得理就不必让人"，而且也意味着除了占住理以外，还应该"扎个筏子"，"筏子"是用来渡河的，渡什么河呢？当然是渡"法律"之河，希图能找到公正的执法者，据"道理"和"证据"作出有利于控方的裁决。

平心而论，去除掉"借刀伤人"的恶劣动机，夏婆子那"抓着理扎个筏子"的理论，并没有什么不对。当然，在曹雪芹笔下，赵姨娘跑进怡红院见到芳官，理也讲不顺，筏子也没扎成，当闹得沸反盈天以后，把尤氏、李纨、探春三位管家的也惊动得亲来现场了，她也并不会理智诉讼，"气的瞪着眼粗了筋，一五一十说个不清"，这样子怎么能求得一个公正裁决呢？到头来她是怒冲冲而来，悻悻然而去，连探春也跟着丢了脸面，哪里有半点收获？

曹雪芹写夏婆子撺掇赵姨娘，他当然是否定的态度，描写中透着讥讽不屑。但我以为，单拎出"抓着理扎个筏子"这句话，搁到今天，还是有参考价值的。在今天的现实生活里，当自己与他人的利益发生冲撞时，一是可以采取法律外的私下了结的方式处理（如机动车行驶中与他车的小剐蹭小追尾一类纠纷），一是可以"抓着理扎个筏子"，将过硬的证据搁在"筏子"上，执拗地去寻求法律的公正裁决。

丈八的灯台

嬷嬷，又可写成嬷嬷，读音同妈妈，《红楼梦》里写到若干嬷嬷，其中给人印象深的有宝玉的奶母李嬷嬷和贾琏的奶母赵嬷嬷。《红楼梦》开篇后所写到的贾府虽然已经处于"末世"，是在走下坡路了，但排场还是非同小可，林黛玉从扬州到京城投奔荣国府，贾母见她只带来两个仆人——奶母王嬷嬷和小丫头雪雁，嫌少，立刻把身边一个二等丫头鹦哥（后改名紫鹃）派给了她，另外又按迎春等小姐的惯例，派四个教养嬷嬷、贴身掌管钗钏盥沐的两个丫鬟，再安排五六个洒扫房屋来往使役的小丫鬟，你算算一个小主子就要多少个下人伺候！

李嬷嬷这个角色，在书里戏份不少。宝玉到梨香院薛姨妈住处找薛宝钗玩耍，后来林黛玉也去了，薛姨妈留下他们喝酒吃饭，李嬷嬷絮絮叨叨地阻拦宝玉吃酒，令宝玉十分不快，这倒还罢了，宝玉喝得醉醺醺地回到绛芸轩，也就是他自己的住处，问丫头要枫露茶喝，谁知丫头茜雪告诉他早起沏的那碗枫露茶被李嬷嬷喝了，宝玉一听大怒，摔了不是盛枫露茶的茶盅，溅了茜雪一裙子的茶水，宝玉本是为李嬷嬷发怒，没曾想事后李嬷嬷倒没事，茜雪竟无辜地被撵了出去。前八十回里，茜雪就此消失，高鹗续书，也再不见此人踪影，其实，根据脂砚斋批语透露，曹雪芹在八十回后写出了关于茜雪的大段文字，这个人物是故意埋伏那么久的，贾府被抄家后，贾宝玉银铛入狱，茜雪不念当年的冤屈，到狱神庙去安慰救助宝玉，这是非常重要的篇章，但这部分已经写成的书稿，竟被"借阅者"迷失！李嬷嬷后来又在宝玉住处出现，她不仅继续擅自吃宝玉特意留下来的食物，还对袭人等宝玉房里的丫头吆三喝四，说些不伦不类的话语，其中一句，就是"那宝玉是个丈八的灯台——照见人家，照不见自家的"。再后来宝玉搬进大观园怡红院住，她还在"蜂腰桥设言传心事"的情节里出现，估计八十回后，也还会有关于这个嬷嬷的一个最后交代。

李嬷嬷说的这句歇后语，相当生动，别书未见，很是独特。在李嬷嬷嘴里，这是一句抱怨贾宝玉的牢骚话。李嬷嬷的意思是说，你宝玉总嫌我们老太婆脏，可是你自己住的绛芸轩里，丫头们嬉闹，嗑了一地瓜子皮，你却一点也不嫌厌她们！可见你是丈八高的灯台，只照出远处的毛病，却照不见自己脚下地面的问题。曹雪芹笔下的贾宝玉确实是个"行为偏僻性乖张"的人物，他珍爱青春女性，对妇女的看法有个古怪的"三段论"："女孩儿未出嫁，是颗无价之宝珠；出了嫁，不知怎么就变出许多不好的毛病来，虽是颗珠子，却没有光彩宝色，是颗死珠了；再老了，更变的不是珠子，竟是鱼眼睛了。"过去有的论家认为贾宝玉的这一观点具有反封建的意义，表达的是对封建社会压抑妇女，通过包办婚姻埋葬了青春女性的美好一面这种现象的揭露与批判，这样的分析有一定道理，却未必准确，贾宝玉对青春女性的珍惜，达到恨不能让她们永远停止增岁、无限期驻颜、始终跟他厮混在一起赏花吟诗的地步，这是一种在任何时代也不可能实现的理想，是一种超现实的诗意追求，但这里面有着非常值得挖掘探讨的人类生存的终极性问题。

"丈八的灯台——照见人家，照不见自家"这句古代俗语，抛开书中李嬷嬷的具体针对性，拿到今天来琢磨，能获得什么样的启发呢？跟一位朋友闲聊，他说可以当做一种提醒：不要只能看到别人的缺点，看不到自己的错失。我却觉得也可以这样来理解：宁愿自己这里留下阴影有些损失，也要将光明的火把高高举起，去给别人照亮一片天地。据脂砚斋透露，曹雪芹在《红楼梦》最后一回里会排出"情榜"，"绛洞花王"贾宝玉作为护花者排在众芳之前，他的考语是"情不情"，第一个"情"字是动词，意思是他能把感情贡献给甚至是"不情"的事物，这是一种博大的人文情怀，非常高尚而且难得，值得我们反复推敲体味。

自古嫦娥爱少年

鸳鸯抗婚，令邢夫人吃惊。邢夫人本是贾赦的填房，她有回到大观园里迎春住处，数落了迎春一番，其中"况且你又不是我养的……倒是我一生无儿无女的，一生干净"这样的话，可证她没有生育过，她觉得自己够三从四德的，贤惠得可以，贾赦想纳鸳鸯为小老婆，她非但不阻拦，还亲自去游说，依她想来，这对鸳鸯而言是一次社会地位的提升，如果答应了，到贾赦身边再生下一男半女，那就更有福享了，她作正房的又如此能容人，天上掉馅饼，鸳鸯焉有不接不吃的道理？万没想到鸳鸯发出了"牛不吃水强按头？！"的呼声，此事竟难进行。

贾赦听到鸳鸯抗婚的消息，不仅吃惊，而且气愤。他有他的思路，他断定鸳鸯拒绝的原因，是遵从一条规律，那就是"自古嫦娥爱少年"，他声色俱厉地接着说："他（刘按：指鸳鸯，曹雪芹时代还没有"她"字，"她"字是上世纪初刘半农发明后流行开的）必定是嫌我老了，大约他恋着少爷们，多半是看上宝玉，只怕也有贾琏。若有此心，叫他早早歇了。我要他不来，以后谁还敢收他？此是第一件。第二件，想着老太太疼他，将来自然往外聘，想正头夫妻去。叫他细想，凭他嫁到谁家，也难出我的手中，除非他死了，或是终身不嫁男人，我就伏了他了！"

贾赦这一番恶言，听来真是冷森森，杀气腾腾。鸳鸯知道了，却不但毫无畏惧，反而更顽强地进行了抵抗，当着众人，她袖了一把剪子，冲到贾母面前，跪下发誓，说到最后打开头发就铰，她的誓言相当地决绝："我是横了心的，当着众人在这里，我这一辈子别说是宝玉，便是宝金、宝银、宝天王、宝皇帝，横竖不嫁人就完了！"她在奋起反抗中急不择词，连"宝皇帝"这样的话也喊了出来，这在那个时代是犯大忌的，但彼时鸳鸯死都不怕，还忌什么口避什么讳？她宣布："就是老太太逼着我，我一刀子抹死了，也不能从命！"她说这话时，还并不知道贾母最后会是怎样的一个态度，她说倘若贾母归了西，她要么寻死，要么去当尼姑，"若说不是真心，暂且拿话支吾，日后再图别的，天地鬼神，日头月亮照着嗓子，从嗓子里头长疔，烂了出来，烂化成酱！"值得注意的是，她设誓时将"日头月亮"并列，按说一般情况下，人们会只说"日头照着"如何如何，不会同时去说"月亮照着"，这让我们想起她三宣牙牌令那一回，牌令词中出现了"双悬日月照乾坤"的句子，这就说明，曹雪芹在写这一年（据考证是乾隆元年）的故事时，当时的政治态势，就是废太子的嫡长子，也是康熙的嫡长孙弘晳，已经成为悬在天上的"明月"，"精华欲掩料应难"，企图达到"天上一轮才捧出，人间万姓仰头看"的胜境，分明是要跟"日头"即皇帝（实际上就是指乾隆）决一雌雄了。

鸳鸯在八十回后，究竟是怎样的结局？高鹗续书，写她在贾母殡天后上吊殉主，强调她的"忠心"，这当然也是一种说得过去的情节安排，但实际上曹雪芹笔下的鸳鸯不但是一个极有主见，富于反抗性，自我意识高扬的人物，而且，她绝非封建礼教的遵循者，她发现了司棋和潘又安在大观园里私通，虽然觉得有些惊讶害臊，却并不根据封建道德去评判司棋是越轨犯罪，得知司棋抱愧病倒以后，她及时去看望，支走别的人，立身发誓："我告诉一个人，立刻现死现报！你只管放心养病，别白糟蹋了小命儿！"在那样的时代，那样的环境中，又是大宅门里老祖宗身边有脸面有权威的宠婢身份，她却能视司棋的大胆妄为是司棋的个人隐私，她尊重这一隐私，保护这一隐私，你说这个鸳鸯的观念有多么超前！当然，这实际上是曹雪芹的观念超前。

"自古嫦娥爱少年"，虽然贾赦承认这是一个客观的情爱规律，但他却力图依仗自己的权势金钱将其颠覆。其实贾赦那时候无非是60岁上下，按今天的划分应该还在壮年阶段，并非什么耄耋老翁。时代在进步，但进步有时也会付出始料不及的代价，比如经济腾飞了，俗世的价值观在一些方面却失范了，"自古嫦娥爱少年"似乎并不是一个情爱定律了，贾赦如果生活在今天，他只要通过传媒征婚，说明他爵袭一等将军，拥有豪宅名车，家财丰厚，那么，一定会有数不清的美赛鸳鸯的嫦娥争先恐后地奔向他的身边，您说是不是？

浮萍尚有相逢日

我在《刘心武揭秘〈红楼梦〉》第二部里，探讨了书中林之孝的名字问题，在有的古本《石头记》里，林之孝分明写成了秦之孝。秦可卿、秦之孝、秦显这些角色的名字，是随便命名的吗？分析曹雪芹对全书角色取名的规律，我可以发觉，他给角色取名字，是很费心思的。我认为，曹雪芹本来的构思，是不仅设置出秦可卿，通过她的命运暗示书中"月"派政治力量的存在，还把"月"派转移到贾家的仆人，从比较拿事的大管家，到只分配在府里一角上夜的底层杂役，都设计出几个姓秦的，以加重小说潜台词里"虎兕相争"的政治斗争气氛。但是，在写作的过程里，曹雪芹不断调整自己的思路，也不断修订写出的部分，或删或改，在这个过程中，他后来就决定减弱情节里的"双悬日月照乾坤"的成分，不让原来设定为"月"派成员的秦之孝，再承担那么沉重的任务，就只把秦之孝两口子，写成贾府里的身份单纯的大管家，于是就把秦之孝的名字改成了林之孝。

秦之孝虽然改称了林之孝，但是，这个角色以及他老婆的生活原型，因为是来自以废太子以及废太子弘晳为原型的"月"派那边的，属于从"坏了事"的政治力量里分流出来的人物（尽管可能是太子还没"坏事"就被赠与贾家的原型曹家的），因此，对他们的描写里，就还带出了一些蛛丝马迹。比如写到林之孝两口子低调为人，虽然在府里拿事，却一个天聋，一个地哑，林之孝家的应该已经是人过中年，却还要认刚二十出头的王熙凤为干妈，以遮人耳目；但是回到他们自己家中，在私密空间里，他们却可能又常喁喁交谈，怀旧感叹，他们的女儿林红玉听多了，耳濡目染，也就懂得"千里搭长棚，没有个不散的筵席，谁守谁一辈子呢？不过三年五载，各人干各人的去了，那时谁还管谁呢？"

其实,仔细读《红楼梦》,就会发现书中还有另一个角色,也说过"千里搭长棚,没有不散的筵席"的话。说这话的不姓秦,跟林之孝家的和林红玉关系也很淡,但是,她却跟府里另一个姓秦的关系密切、利益相连,那个姓秦的,是秦显家的,长相很有特点,颧骨突出,大大的眼睛。

也说出"千里搭长棚,没有不散的筵席"这话的角色,就是迎春房里的首席大丫头司棋。司棋大胆与青梅竹马的表哥潘又安相爱,还买通看园门的婆子,让潘又安偷跑到大观园里来和自己幽会,这是人们都很熟悉的情节。

司棋自由恋爱的行为,值得肯定。但是司棋又是一个复杂的人物。大观园设置了厨房以后,园子里的宝玉和众小姐还有李纨贾兰等,就不用顿顿出园子到荣国府上房吃饭去了,方便了许多,而大丫头小丫头们,也因此可以得到诸多好处,当然,谁跟管厨房的关系好,那么就能得到更多的好处,在这种情况下,有的大丫头,就开始争夺厨房的支配权。府里派来大观园管厨房的,是柳嫂子,这柳嫂子偏跟司棋合不来,柳嫂子满心满意去巴结的,是怡红院里的人,她一直想把自己女儿柳五儿送到怡红院里去当差,晴雯要她为自己专门炒个芦蒿,她亲自洗了手炒,生怕晴雯不满意;当然,她最相好的是芳官,为芳官准备的饭菜,书里有细致描写,连宝玉看见闻见都馋,撤下生日筵席上的东西不吃,来吃芳官的;芳官在帮助柳五儿进怡红院这件事情上,也确实非常卖力,在宝玉面前多次推荐,不遗余力。

司棋对柳嫂子善待别人亏待自己非常不满,她让小丫头莲花儿去下命令,让柳嫂子炖一碗嫩嫩的鸡蛋,柳嫂子就叨唠了一大篇,很不情愿,莲花儿回去一学舌,司棋大怒,伺候完迎春吃饭,就"御驾亲征",带领小丫头们冲进厨房,实施了一次名副其实的"打、砸、抢"。光是出气,还不能解决问题,后来柳嫂子和柳五儿出了事,林之孝家的就做主,换了内厨房的负责人,就是秦显家的,这当然大合司棋心意,从此以后,她就可以操纵这厨房了!

谁知世事白云苍狗,由于代王熙凤行权的平儿实行了"大事化小,小事化了"的政策,柳家母女的冤情竟得平反,柳嫂子依然回到厨房主事,秦显家的只兴头了半天,就下台走人,还去看园子犄角,司棋闻讯,气了个倒仰。

司棋在园子里跟潘又安幽会,被鸳鸯无意中撞见,尽管鸳鸯当时就表示她不会告发,司棋那夜以后一直畏惧,病倒在床。鸳鸯真是个好人,她不仅不去告发司棋，还偷偷地来看望她，立身发誓，再次表示绝不会坏司棋的事，这时候司棋就感激涕零，说了一大篇话，其中就有这样的语句："……再俗语说，'千里搭长棚，没有不散的筵席。'再过三二年，咱门都是要离这里的。俗语又说，'浮萍尚有相逢日，人岂全无见面时。'倘或日后咱们遇见了，那时我又怎么报你的德行。"

如果说，林红玉能说出"千里搭长棚"的俗语，是因为听见过父母关于"坏了事的义忠亲王老千岁"的议论，那么，司棋也脱口而出这句话，会不会是从秦显家的那里听来的呢？这是很值得玩味的啊。

当然，司棋在那种情况下跟鸳鸯说那样的话，她主要想表达的，是知恩必报的誓愿。"浮萍尚有相逢日，人岂全无见面时"，人世间的事情，个人的命运，实在有很难预测的一面。水中的浮萍，按说一旦长成，各在水之一隅，互不相干，但如果一阵狂风骤雨，那之后呢，很可能本来在水域中离得很远的浮萍，却会紧紧地贴靠在一起；生活中人们分离后，更难说从此不再邂逅，今天你帮助了落魄的我，明天也许我反会援手落难的你，司棋说出这样的人生感悟，鸳鸯听了感动得心酸落泪。

司棋在抄检大观园后东窗事发，被撵了出去。鸳鸯尽管在八十回书里没交代她的结局，但从种种伏笔我们可以知道，八十回后，会写到贾母丧事过后，贾赦对她的残酷报复，而她也就以死抗争。

司棋和鸳鸯都是那个时代和社会的牺牲品，她们两个浮萍，估计后来并没有相逢，无法互相救助，但司棋关于"浮萍尚有相逢日"的人生期盼，却是值得我们反复吟味的。

老健春寒秋后热

"慧紫鹃情辞试忙玉",这回目中"慧"字下得好。曹雪芹在《红楼梦》一书的回目里,常用一个字来作为人物的考语,贤袭人、俏平儿、勇晴雯、敏探春、时宝钗、憨湘云、呆香菱……无不生动恰切。紫鹃比起《西厢记》里的红娘,也确实更有智慧,在竭力促成林黛玉与贾宝玉的婚事上,她"守若处子",在不该使劲的时候,绝不妄来,但如果看准机会,她会"动若脱兔","情辞试忙玉"就是一次极为大胆的进取性行为,掀起轩然大波,当年红娘因为"大胆妄为",遭到老夫人的拷打,紫鹃付出的代价小得多,事发后贾母虽然见了她"眼内出火",但弄清是她一句"林姑娘要回苏州"引出了宝玉的痴病,也只是流泪道:"我当有什么要紧大事,原来是这句顽话。"对紫鹃也不过是责备道:"你这孩子素日是个伶俐聪敏的,你又知道他有个呆根子,平白的哄他作什么?"究竟也没有对她怎么样,先让她照顾宝玉,宝玉好了后,依然回潇湘馆服侍黛玉。

紫鹃这一次"火力侦察",损失不大,却收获不小,一是试出了贾宝玉对林黛玉爱情的矢志不渝,二是也探测出了贾母的基本态度——贾母当年对元春端午节将宝玉、宝钗的节礼对等颁赐所含有的指婚意向,佯装不解,根本不接那个"球",紧接着又对清虚观张道士的提亲,以年纪小不着急等词语敷衍过去,这都说明贾母在贾宝玉婚事上,并没有朝薛宝钗那边倾斜,但贾母是否一定中意林黛玉呢?也难揣定,因为当薛宝琴来贾府暂住时,贾母一度对她非常欣赏,甚至向薛姨妈问起了宝琴的年庚八字和家中景况,只是因为弄清宝琴已许配了梅翰林家,才没有把那心思延续下去——但通过紫鹃的这回探测,贾母对"不是冤家不聚头"的二玉的终身大事,显然并不是断然否定的,争取成功的几率还是很高。

这一回的下半回是"慈姨妈爱语慰痴颦"，老早有书评家指出，薛姨妈对黛玉无慈可言，表面上是去照顾黛玉，实际是去监视黛玉，"慈姨妈"改"奸姨妈"更为恰切。也许这样判断太武断了些，人是复杂的，人性太诡谲，薛姨妈应该是以复杂的动机与心情进驻潇湘馆的。薛姨妈还当着宝钗与黛玉说出这样的话来："你宝兄弟老太太那样疼他，他又生的那样，若要外头说去，断不中意，不如把你林妹妹定与他，岂不四角周全？"这时候紫鹃"忙也跑来笑道"："姨太太既有这主意，为什么不和太太说去？"紫鹃之慧，就慧在她深知其实宝玉与黛玉的婚事的障碍并不在老太太那里，而恰在太太即王夫人那里，她跑出来将薛姨妈一军，虽然遭到薛姨妈打趣，却也试出了薛姨妈的真伪，战略战术上都是正确的。

书中令人动容的细节之一，是紫鹃在薛姨妈还没有住进潇湘馆前，逮紧机会向林黛玉进肺腑之言："宝玉的心倒实，听见咱们去就那样起来。"又说："一动不如一静。我们这里就算好人家，别的都容易，最难得的从小儿一处长大，脾气性情都彼此知道的了。""趁早儿老太太还明白硬朗的时节，作了大事要紧。俗语说，'老健春寒秋后热'，倘或老太太一时有个好歹……所以说，拿主意要紧！"这些话句句说到林黛玉心坎上，黛玉只能以假意责备她、要将她退回老太太处来作为表面上的回应，紫鹃也知道黛玉内心里在想什么，她尽完仆人兼挚友的责任，便心安理得地睡觉了。

"老健春寒秋后热"这句俗语，意思是"老年人的健康状况是不稳定的，好比春天的寒冷，那是短暂的；又好比秋天以后忽然热起，但毕竟到头来还是会冷下去"。对于老年人来说，不能不注意到生理机能的渐次衰退，要注意保养，不能逞强。紫鹃引用的这句俗语的意蕴，也可以从形容老年人健康状况进一步推广开，其实世界上许多事物都有一个从兴旺发达到衰减低落的曲线运动过程，凡事到了旺势已过，就应该"拿主意要紧"，再别耽搁，以争取落实计划里要到手的东西。人的生命只有一次，但人生的事业却并不一定只有一次，在转型的关口上，记住"老健春寒秋后热"这句话，看破衰落中的事物那"春寒秋热"的短暂假象，不失时机地拿定主意，弃旧图新，"而今迈步从头越"，那么，新的成功，也就会像来春的花朵那般怒放开来。

隔锅饭儿香

因为宫里薨了个老太妃，贾母、王夫人等都得去参加有关丧葬活动，而王熙凤又因流产后体虚不能理事，荣国府里的公子小姐们得以能更加率性地欢乐度日。春天芍药花盛开的时候，正逢贾宝玉、薛宝琴、邢岫烟、平儿等扎堆儿过生日，他们就聚在红香圃里大吃大喝大说大笑，甚是惬意。这样的场合，一等大丫头们是可以参与的，二等以下的丫头如果没有派到相关活计，那就只能望洋兴叹。

芳官本是荣国府里养的小戏子之一，宫里有丧事，元妃不能再省亲，府里一年内也不许再演戏，因此荣国府就把戏班子遣散了，芳官不愿离去，就分派到怡红院当丫头，她自然不可能成为一等丫头，勉勉强强，忝列二等吧，红香圃大开寿宴那天，她没份儿参与，一个人闷闷地留守在怡红院，好不寂寞，虽说也可以出去到园子里跟别的丫头斗草玩耍，终究还是不能到红香圃里一醉方休。

但是芳官有两个优势。一是她性格直率活泼，很得宝玉喜欢；二是她跟管内厨房的柳嫂子关系特别好。宝玉在红香圃那边热闹够了，想起芳官，就回怡红院找她，一找一个准儿，芳官正面向里睡在床上，宝玉就推她起来，芳官就发牢骚说"你们吃酒不理我"，宝玉就拿好多话安抚她。就在这个当口，柳嫂子派人把单给芳官准备的饭端来了。

柳嫂子原来跟芳官她们戏班子的人，都在梨香院里混事由，在那段岁月里，芳官和柳嫂子建立起密切的关系，柳嫂子后来被派到大观园的厨房管事儿，戏班子遣散后芳官恰又分到怡红院，二者的互助互利关系得以顺利延续，芳官答应帮助柳嫂子的女儿柳五儿到宝玉身边来当丫头，柳嫂子呢，不消说，报答芳官的第一方式，就是给她提供精致可口的专享饭菜。

那么，柳嫂子派人给芳官送来的，是怎样的一套配餐呢？书里写得很细：揭开饭盒，"里面是一碗虾丸鸡皮汤，又是一碗酒酿清蒸鸭子，一碟腌的胭脂鹅脯，还有一碟四个奶油松瓤卷酥，并一大碗热腾腾碧荧荧蒸的绿畦香稻粳米饭"。真是色、香、味俱全。芳官一直享受这种特殊待遇，见了只说"油腻腻的，谁吃这些东西！"宝玉闻了却觉得比往常吃的饭菜还香，先吃了个卷酥，又以汤泡饭，吃了半碗，十分香甜可口。

没想到宝玉吃芳官那"二等丫头饭"的情况，被大丫头袭人、晴雯等知道了，晴雯吃醋，用手指戳在芳官额上，说她是"狐媚子"，怀疑她故意约了宝玉来共餐；袭人则平和通达，说不过是误打误撞，宝玉跟猫儿一样，闻见香就要吃一口，"隔锅饭儿香"。

隔锅饭儿香，道出了一个普遍规律。再好的饮食，接连着吃也会倒胃口。平常在家里烧饭吃，也总得不断地换换花样。下饭馆，也不能总去同一家。偶尔到朋友家做客，吃人家一餐饭，其实菜肴烹制的水平一般，但仍然会觉得口味一新，赞谢之辞出自肺腑。

饮食上如此，人生途程上，适度地尝尝"隔锅饭"，也很必要。"隔锅"的概念可以外延很远，隔行隔界隔专业，都可视为"隔锅"，"隔锅饭"不能当日常饭吃，真那样吃起来，吃不顺当一定倒胃，吃顺了也就无所谓"隔锅"，成了"换锅"了。但在守着自己的锅吃本分饭的前提下，偶尔地尝尝"隔锅饭"，那就不仅是胃口大开，觉得"香甜异常"，而且，所汲取的营养，也一定格外珍贵，特别是某些微量元素的摄入，有着至关重要的养生作用。

在《红楼梦》里所描写的那种社会环境里，青年男女的精神食粮，首先是强制性规定的四书五经，像林黛玉那样的才女，她对孔孟之道、仕途经济是厌恶鄙视的，她那文化修养的"家常饭"是唐诗宋词，如她教香菱学诗时，就特别提到王维、李白、杜甫以及更早的陶渊明等人的诗作，这些"饭"在那个时代是允许随便"吃"的，但是像《西厢记》《牡丹亭》，戏台上的演出可以看，那书却不许读，被指认为"淫书艳词"，但是，一旦她从宝玉手里接过了《西厢记》，一口气读下来，又隔墙听到梨香院排戏的小姑娘们唱出《牡丹亭》里的句子，立刻产生出"隔锅饭儿香"的效应，心动神摇，如醉如痴。

对于我们现代人来说，不必像贾宝玉那样，只是"误打误撞"地吃几口"隔锅饭"，而应该自觉地拓宽自己物质与精神食粮的食谱，多从"隔锅饭"里获得快感、补充营养。

自为花上几个臭钱没有不了的

写下这个题目，心里很不是滋味。

这是《红楼梦》第四回，写薛蟠的一句内心独白。作为金陵四大家族传人的薛蟠，与小乡绅冯渊争买被拐子拐去养大的甄英莲，喝令手下人，将冯公子打了个稀烂，然后若无其事地带着母亲妹妹家人等往京城而去，贾雨村正在金陵应天府任上，受理此案，乍一听，本能地大怒："岂有这等放屁的事！打死人命就白白的走了，再拿不来的！"但经充任门子的"葫芦僧"指点，他才知道那薛家是名列金陵"护官符"上第四位的豪门贵族，并与他所攀附的名列第一位的贾家连络有亲，是万万得罪不得，也根本无法靠民间或他个人的努力就能将其"绳之以法"的，那"葫芦僧"特别地告诉他，薛蟠根本无所谓"畏罪潜逃"，"既打了冯公子，夺了丫头，他便没事人一般，只管带了家眷走他的路，他这里自有弟兄奴仆在此料理，也并非为此些些小事值得他一逃走的。"曹雪芹写薛蟠的心理："人命官司，他竟视为儿戏，自为花上几个臭钱没有不了的。"贾雨村在弄清了"护官符"后，也就"乱判葫芦案"，并且将此"巧妙"的判决，作为进一步攀附四大家族的献礼。

曹雪芹并没有把薛蟠写成一个简单化的恶棍。他后面有不少篇幅写他的荒唐无知，但也同时写出他对母亲和妹妹的真挚的亲情，他与贾宝玉、冯紫英这些同阶级的朋友交往时，也常常表露出天真恳切，有一回他把贾宝玉诓出大观园，这样说："要不是我也不敢惊动，只因明儿五月初三是我的生日，谁知古董行的程日兴，他不知那里寻来了这么粗这么长粉脆的鲜藕，这么大的大西瓜，这么长一尾新鲜的鲟鱼，这么大的一个暹逻国进贡的灵柏香熏的暹猪……我连忙孝敬了母亲，赶着给你们老太太、姨父、姨母送了进去，如今留了些，我要自己吃，恐怕折福，左思右想，除我之外，惟有你还配吃，所以特请你来……"你看曹雪芹把薛蟠的肢体语言也连带写出来了，在这个片段里，这个生命呈现出其可爱的憨态，但这也就是喝令手下人在光天化日下将冯渊打个稀烂的同一生命啊。

马克思主义者认为，人的本质是社会关系的总和，人是被制度打造成的，个人属于一定的阶级或阶层，人的思想意识的主体是阶级意识，曹雪芹写书的时候马克思和马克思主义在世界上还不存在，但是，读《红楼梦》里关于薛蟠的文字，我们却可以用上述马克思主义的理论来理解，而且，曹雪芹还写出了复杂的人性，他使读者憬悟，像薛蟠这样的生命，人性里也还是有善的，后面写到他在母亲妹妹前忏悔落泪，就展示出他人性中与残暴相对立的柔软一面，这样一个生命，如果不是在那样的阶级地位和那样一种制度下生存，那么，他人性中的善良面有可能压抑住邪恶面。曹雪芹笔下的贾雨村也是如此，他乍听薛蟠打死人后大摇大摆管自进京，那"岂有这等放屁的事"的愤懑是真实的，是其人性中良知的喷发，但当他在现实的"社会关系总和"面前"冷静"下来以后，他就把良知抛到爪哇国去了，他的表现，让我们懂得，贪官污吏的出现，其实也是一种难以逃避的"官场游戏规则"所决定的。曹雪芹后面写到"四大家族"的败落，薛蟠当然不会有什么好下场，贾雨村也"因嫌纱帽小，致使枷锁扛"，但那并不是民众的胜利，正义的伸张，而只不过是皇权下统治集团利益再分割的现象。

《红楼梦》第几回是全书的总纲？一般多认为第五回是总纲，因为里面通过金陵十二钗的册页以及十二支曲，全面透露了书中主要人物的命运轨迹，但毛泽东却指出，应该把第四回，即呈现"护官符"和写到薛蟠"自为花上几个臭钱没有不了的"这一回，当做全书的总纲。革命家从《红楼梦》里看到的，是"斧头砍出新世界，镰刀割断旧乾坤"的必然性。

脂砚斋在薛蟠"自为花上几个臭钱没有不了的"句下，这样批道："人谓薛蟠为呆，余则谓是大彻悟。"这是非常沉痛的话。

离曹雪芹写下《红楼梦》的文字，已经二百五十年以往了，我们现在读这部巨著，应有的收获之一，就是要为彻底消除"自为花上几个臭钱没有不了的"的旧时代、旧制度的残余，而努力，而奋斗。

千里搭长棚

　　有朋友问我：你的"红楼拾珠"写了不少了，为什么连一些一般读者觉得挺生僻的"珠语"都拾起来议论一番，却迟迟不见你写到"千里搭长棚，没有个不散的筵席"这颗人们耳熟能详的"珠子"呢？其实，我也一直在构思对这颗"珠子"赏析的写法，只是觉得说浅了没啥意思，往深里说呢，则牵扯的方面颇多，怕一篇短文容不下。不过，现在我还是试一试，看能否长话短说，各层意思都点到为止。

　　首先要牵扯到的，就是《金瓶梅》。《红楼梦》是一部与《金瓶梅》区别很大的书。《金瓶梅》文学性很强，在刻画人物，写人物对话方面，非常出色，但《金瓶梅》不仅色情描写过度，而且作者在暴露政治腐败、社会堕落、人性黑暗的时候，只有冷静，没有任何理想色彩，升华不出精神上的东西，而《红楼梦》不同，曹雪芹透过描写，通过人物塑造，有时候更直接在叙述语言里面，融注批判的锋芒，提出了尊重以未被污染的青春女性为象征的社会人生理想，升华出含有哲理内涵的诗意。但是，毋庸讳言，《红楼梦》与《金瓶梅》又有着明显的文学上的传承与突破的关系，像"拼着一身剐，敢把皇帝拉下马""千里搭长棚，没有个不散的筵席"这两句被一些读者认为是曹雪芹笔下最精彩的谚语，其实是早在《金瓶梅》里就有的。

　　当然，曹雪芹使用"千里搭长棚，没有个不散的筵席"，无论在总体构思，还是表达意蕴上，都比《金瓶梅》的作者高明、深刻。曹雪芹是在第二十六回里，让小红来说这句话的。书里交代，荣国府的大管家林之孝两口子，权柄很大，却一个天聋，一个地哑，更古怪的是林之孝家的年龄比王熙凤大，却认她作干妈，而他们的女儿林红玉也就是小红，虽然相貌也还不错，又伶牙俐齿，他们却并没有依仗自己的权势，将她安排为头二等丫头，只悄悄地安排到怡红院里，当了个浇花喂雀升茶炉子的杂使丫头，后来还是小红自己凭借真本事，才攀上了高枝，成为凤姐麾下的一员强将。这两位大管家为何如此低调？这就又牵扯到《石头记》版本问题，在有的古本里，林之孝原来写作秦之孝，据我分析，很可能其生活原型，就是秦可卿原型真实家族的仆人，后来被赠给了曹家为仆——这在那个时代是常有的事，不足为奇——曹雪芹原来打算在书里，也点明他们与秦可卿来自同一背景，后来他改了主意，想隐去这一点，才决心把角色的姓氏，由秦改为了林。姓氏虽然改了，但其原型所具有的某些特点，却没有改，依然如实地写出来。

我的"秦学"研究，揭示出秦可卿的生活原型，是康熙朝两立两废的太子胤礽的一个女儿，胤礽在书里化为了"义忠亲王老千岁"，他"坏了事"，因此他的女儿秦可卿属于藏匿性质，他"坏事"前赠与贾家的仆人，虽然不至于被穷追深究，但毕竟属于"来历不洁"，因此，林之孝家的要认王熙凤为干妈，以增加一些安全感，而他们在家里窃窃私语，也就能使早熟的小红比其他同龄人更知道世道的白云苍狗。

小红是在与一个只出场那么一次的小丫头佳蕙对话时，说出这句话来的，还接着说："谁守谁一辈子呢？不过三年五载，各人干各人的去了，那时谁还管谁呢？"这话与第十三回秦可卿念出的偈语"三春过后诸芳尽，各自须寻各自门"是完全相通的。据佳蕙透露，故事发展到那个阶段的时候，贾宝玉等人还根本没有"盛筵必散"的憬悟，"昨儿宝玉还说，明儿怎么样收拾屋子，怎么样做衣裳，倒像有几百年的熬煎。"

"千里搭长棚"的歇后语，在《红楼梦》里与"树倒猢狲散"，《好了歌》及其甄士隐的解注等，是一以贯通的，里面有对世事绝不会凝固而一定会有所变化的规律性总结，也含有悲观主义世界观人生观的消极情绪。

2000年7月14日法国国庆那天，我恰好在巴黎，目睹了法国民众自发组织的"千里长桌筵"，人们沿着法国中部穿过巴黎市中心的经线，摆出筵席，大体真的相连，使用同一种图案的纸桌布，各家拿出自己准备的酒菜与邻居同仁们共享，在巴黎卢浮宫庭院和塞纳河艺术桥上，据说是那条经线通过的地方，我看见男女老少或倚桌或席地，边吃喝边欢唱，十分热闹，又从电视里，看到那条经线通过的地方，现场转播的种种情况，真是非常有趣。到太阳落山时，这个贯穿整个法国的"千里长桌筵"在欢歌笑语中散场。我觉得法兰西人的这份浪漫情怀，真的很值得我们学习。其实《红楼梦》里就已经写到不少西洋事物，如金星玻璃鼻烟盒，治头痛的膏子药"依弗那"等等，"洋为中用"，咱们从"千里搭长棚，没有不散的筵席"这句话里剔除悲观的情绪，注入法兰西式的浪漫旷达，那不也就成为一句好话了吗？

柳藏鹦鹉语方知

脂砚斋是曹雪芹的合作者。当然，她主要是通过批语来揭橥《石头记》的生活依据和艺术特色，直接执笔补缀文本的地方不多。她——这里用这个女性的第三人称，是因为我基本上信服周汝昌先生的考据：脂砚斋是书中史湘云的原型，是曹雪芹的一位李姓表妹，他们在家族败落后，历尽坎坷，戏剧性地遇合，隐居乡间，呕心沥血，共同从事《石头记》的写作——在第一回的批语中，就一方面指出书中的朝代年纪、地舆邦国"大有考证"，使我们知道曹雪芹的这部书尽管将真事隐去，以假语村言来进行叙述，但确实是一部带有自叙性、自传性的作品，另一方面又指出，曹雪芹在将生活的真实化为艺术情境时，使用了许多高妙的手法。

第一回的批语里，脂砚斋就这样总括曹雪芹的写作技巧："事则实事，然亦叙得有间架，有曲折，有顺逆，有映照，有隐有见，有正有闰，以至草蛇灰线、空谷传声、一击两鸣、明修栈道、暗度陈仓、云龙雾雨、两山对峙、烘云托月、背面傅粉、千皴万染诸奇……"她的评论语汇非常丰富，能让读者产生出联翩的意象，既增进了对曹雪芹文笔的审美力度，对她那批语本身，也往往能获得阅读的快感。

在第七回，曹雪芹以相当含蓄的手法写贾琏和王熙凤中午在家里行房事，点睛的句子其实只一两句："只听那边一阵笑声，却有贾琏的声音。接着房门响处，平儿拿着大铜盆出来，叫丰儿舀水进去。"有年轻读者问我：什么叫"通房大丫头"？我就让他自己去琢磨这两句描写。脂砚斋对曹雪芹的这一写法大加赞扬，她说："妙文奇想！阿凤之为人岂有不着意于风月二字之理哉？若直以明笔写之，不但唐突阿凤身价，亦且无妙文可赏；若不写之，又万万不可，故只用'柳藏鹦鹉语方知'之法，略一皴染，不独文字有隐微，亦且不至污渎阿凤之英风俊骨。"

"柳藏鹦鹉语方知"用在这里，向读者点化曹雪芹的高妙的艺术技巧，真是恰切极了。脂砚斋很显然极有文化修养，她多次随口吟出、随手拈出诗词妙句来评点曹雪芹的文本。

第三回写到林黛玉初次"还泪"，脂砚斋批道："月上纱窗人到阶，窗上影儿先进来，笔未到而意先到矣！"第十五回有批语引昔安南国使题一丈红的诗句："五尺墙头遮不得，留将一半与人看。"第十六回写贾母心神不定，在大堂廊下伫立，她批道："与'日暮倚庐仍怅望'对景，余掩卷而泣。"第二十五回写早晨宝玉想观察头天偶然给他倒茶的小红，"却恨面前有一株海棠花遮着，看不真切"，她批道："余所谓此书之妙皆从诗词句中泛出者，皆系此等笔墨也。试问观者，此非'隔花人远天涯近乎'？"第三十七回批语里道："好极！高情巨眼能几人哉？正'一鸟不鸣山更幽'也。"诸如此类，都是善用诗句点评小说文笔妙处的例子。

脂砚斋也很会活用俗谚俚语，来作为评点的利器。她先后运用到批语中的这类语句很多，比如："一日卖了三千假，三日卖不出一个真！""人若改常，非病即亡。""不如意事常八九，可与人言无二三。""人在气中忘气，鱼在水中忘水。"等等。

在第二十七回的回后批中，脂砚斋总结说：《石头记》用截法、岔法、突然法、伏线法、由近渐远法、将繁改简法、重作轻抹法、虚稿实应法，种种诸法，总在人意料之外，总不见一丝牵强，所谓'信手拈来无不是'是也。"曹雪芹固然技巧非凡，如千手观音无所不能，脂砚斋的批评技巧亦妙笔生花，灵动自如，比如她在鸳鸯抗婚一回，感慨鸳鸯在急难中提到一起度过许多岁月的姊妹们，让人读来浮想联翩，就挥笔写道："余按此一算，亦是十二钗，真镜中花，水中月，云中豹，林中之鸟，穴中之鼠，无数可考，无人可指，有迹可寻，有形可据，九曲八折，远响近影，迷离烟灼，纵横隐现，千奇百怪，眩目移神，现千手千眼大游戏法也！"

不仅曹雪芹的小说是我们中华民族的经典，脂砚斋的批评也是我们中华文化的瑰宝。当代作家可以向曹雪芹"偷艺"，当代批评家也可以从脂砚斋那里"窃宝"啊！

贾母论窗

通过《红楼梦》不但可以了解中国古代的历史、哲学、宗教、伦理秩序、神话传说、诗词歌赋、烹调艺术、养生方式、用具服饰、自然风光、民间风俗……还可以了解中国民族的园林艺术和建筑审美心理，而这些因素并不是生硬地杂陈出来，完全融汇进了小说的人物塑造、情节流动与文字运用中。

例如，第四十回，书中贾母带着刘姥姥逛大观园，到了林黛玉住的潇湘馆，发现窗户上的窗纱不对头。

"这个纱新糊上好看，过了后来就不翠了。这个院子里头又没有个桃李树，这竹子已是绿的，再拿这绿纱糊上反而不配。我记得咱们先有四五样颜色的纱呢。明儿给他把这些窗上的换了。"

凤姐听了，说家里还有银红的蝉翼纱，有各种折枝花样、流云卍福、百蝶穿花的。

贾母就指出，那不是蝉翼纱，而是更高级的软烟罗，有雨过天晴、秋香色、松绿、银红四种。这种织品又叫霞影纱，软厚轻密。

这个细节就让人知道，中国人对窗的认识，与西方人有所不同。西方人认为窗就是采光与透气的，尽管在窗的外部形态上也变化出许多花样。古代中国人却认为窗首先应该是一个画框，窗应该使外部的景物构成一幅优美的图画，因此在窗纱的选择上，也应该符合这一审美需求，外面既然是"凤尾森森"的竹丛，窗纱就该是银红的，与之成为一种对比，从而营造出如画如诗的效果。

后来贾母又带着刘姥姥到了探春住的秋爽斋，她再一次注意到窗户，"隔着纱窗往后院看了一回，说道：'后廊檐下的梧桐也好了，就只细些。'正说话，忽一阵风过，隐隐听得鼓乐之声，贾母问：'是谁家娶亲呢？这里临街倒近。'王夫人等都笑回道:'街上的那里听得见,这是咱们的那十几个女孩子们演习吹打呢。'贾母便笑道:'既是他们演,何不叫他们进来演习……就铺排在藕香榭的水亭子上,借着水音更好听!'"贾母嫌窗外的梧桐细,就是因为她把那窗户框当做画框来看,窗户比较大,外面的"画面"上的梧桐树也要比较粗才看上去和谐悦目。中国古典窗不大隔音,并不完全是因为工艺技术上在隔音方面还比较欠缺,而是有意让窗户起到一种"筛音"的作用,即使关闭了窗扇,也能让外面的自然音响和人为乐音渗透进来,以形成窗内和窗外的心理共鸣,所以她主张到水上亭榭里面,开窗欣赏贴着水面传过来的鼓乐之声。

林黛玉受家庭熏陶,也受贾母审美趣味的影响,非常懂得窗的妙处。潇湘馆有个月洞窗,第三十五回,林黛玉从外面回来,她就让丫头把那只能吟她《葬花词》的鹦鹉连架子摘下来,另挂到月洞窗外的钩子上,自己则坐在屋子里,隔着纱窗调逗鹦鹉作戏,再教它一些自己写的诗词。那时候窗外竹影映入银红窗纱,满屋内阴阴翠润,几簟生凉,窗外彩鸟窗内玉人,相映生辉,如痴如醉。

鹦鹉毕竟还是一种人为培育的宠物。第二十七回写到,林黛玉一边往外走一边跟丫头交代:"把屋子收拾了,撂下一扇纱屉,看那大燕子回来,把帘子放下来,拿狮子倚住;烧了香,就把炉罩上。"可见那些糊上软烟罗的窗户,是可以把窗屉子取下来,让窗外的自然和室内的人物完全畅通为一体的,而大燕子就是自然与人亲和的媒介,潇湘馆的屋子里,是有燕子窠的!燕子归来后,放下的窗帘并不完全闭合,说拿"狮子"倚住,那"狮子"其实是一种金属或玉石的工艺美术制品,压住窗帘一角,使窗帘构成优美的曲线,使窗内与窗外形成一种既通透又遮蔽的暧昧关系,这里面实在是蕴涵着丰富的文化元素!

林黛玉写有一首《桃花行》,几乎从头至尾是在吟唱窗户内外的人花的交相怜惜:"……帘外桃花帘内人,人与桃花隔不远。东风有意揭帘栊,花欲窥人帘不卷。桃花帘外开依旧,帘中人比黄花瘦。花解怜人花也愁,隔帘消息风吹透……一声杜宇春归尽,寂寞帘栊空月痕!"贾母也曾年轻过,曾在史家枕霞亭淘气,落进湖中险些淹死,虽然被及时救了上来,毕竟还是被竹钉碰坏了额角,留下一点疤痕,她年轻时可能没有林黛玉那么伤感,但林黛玉对外祖母的审美情趣,可以说是继承了其衣钵,并有所发扬光大,她的一系列行为和她的诗句,都是对贾母论窗的艺术化诠释。

刘心武文存

22

红楼细处

《红楼梦》里的宠物

我们首先想到的会是潇湘馆的鹦哥（有的古本写作莺哥），林黛玉和这个宠物的亲密关系，在第三十五回开头有一段非常细腻的描写，见黛玉回来，它会扑过去欢迎，并且招呼小丫头："雪雁，快掀帘子，姑娘来了。"黛玉虽然被它嘎的一声扑来吓了一跳，有所嗔怪，但仍以手扣架道："添了食水不曾？"那鹦哥竟长叹一声，大似黛玉素日吁嗟音韵，念起《葬花词》来。迎出的大丫头紫鹃和黛玉都笑了。黛玉又嘱咐紫鹃，把原来挂在廊子上的鹦哥架，另挂在月洞窗外的钩上，于是进了屋子，吃毕药，"只见窗外竹影映入纱来，满屋内阴阴翠润，几簟生凉……无可释闷，便隔着纱窗调逗鹦哥作戏，又将素日所喜的诗词也教与他念"。从这段描写里可以看出，黛玉的宠物鹦哥不是笼养而是架养，这一方面可能是它体型比较大，另一方面应该是黛玉希望给它以相对自由的活动空间。

第二十三回写黛玉隔墙听曲，是《牡丹亭》《惊梦》一折里的词句，虽然没有引出"可知我常一生儿爱好是天然"这句，但黛玉的心，与杜丽娘的心是完全相通的，这从黛玉与宠物的关系上充分体现了出来。鹦哥毕竟是经人工驯化的商品性宠物，黛玉不仅养鹦哥，她还容纳大自然里的大燕子，第二十七回，写到黛玉边往潇湘馆外走边嘱咐紫鹃："把屋子收拾了，下一扇纱屉子，看那大燕子回来，把帘子卷起来，拿狮子倚住，烧了香，就把炉罩上。"显然，在黛玉的居住空间里，有一个燕子窝，大燕子每天会出去觅食，衔回来喂小燕子，黛玉对燕子一家不仅不嫌不烦，还呵护备至。估计那燕子窝是在窗屉内正屋外的一个灰空间里面，正屋与那灰空间以软帘隔开。

《红楼梦》里出现得最多的宠物，是禽鸟。第三回黛玉初进贾府，先到西边贾母的院落,进入垂花门,只见"两边穿山游廊,厢房挂着各色鹦鹉、画眉等鸟雀"。后来盖起大观园,怡红院里禽鸟更多。怡红院里的特色植物是蕉棠两植,特色宠物,第二十六回通过到访的贾芸眼中看到"那边有两只仙鹤在松树下剔翎"。当然也写到"一溜回廊上吊着各色笼子,各色仙禽异鸟",但仙鹤显然是宝玉的最爱,他迁入怡红院后便写出《四季即事诗》,里面有两句都提到爱鹤:"苔锁石纹容睡鹤"、"松影一庭惟见鹤"。后来第七十六回黛玉、湘云月下联诗,湘云咏出"寒塘渡鹤影"的谶语。周汝昌先生认为,鹤在书里是湘云的象征,曹雪芹《红楼梦》真本的最后情节里,有宝、湘终于遇合的情节,湘云到头来是宝玉的最爱。此说可供参考。当然,从前八十回书里,读者会感觉到,宝玉对所有的青春女性都崇拜、体贴。因此,对于怡红院里象征女性的禽鸟,书里设计得也最丰富,不仅有"仙禽(或可对应于黛玉)异鸟(或可对应于宝钗)",更有可与一般大小丫头对应的普通品种,第三十回就写到下雨时,梨香院的小戏子宝官、玉官和袭人等玩笑,"大家把沟堵了,水积在院内,把些绿头鸭、丹顶鹤、花鹨鹠、彩鸳鸯,捉的捉,赶的赶,缝了翅膀,放在院内玩耍……"

宝玉在"会芳园试才题对额"一回(通行本回目为"大观园试才题对额")中,当贾政要他为后来被称作稻香村的景区题名时,他大发议论,强调"天然"。第三十六回,曹雪芹有意写下这样一幕:贾府戏班班主贾蔷为了讨好所喜欢的龄官,用一两八钱银子为她献上会串戏的雀儿"亮翅梧桐",龄官不但不领情,还痛斥贾家花了银子买她们女孩"关在这牢坑里学这牢什子",认为买这雀儿来在鸟笼里的戏台上乱串,衔鬼脸弄旗帜,"分明是弄他来打趣形容我们",令贾蔷十分难堪,只好拆了笼子放了雀儿。这固然是为了写宝玉"识分定情悟梨香院",也令我们了解到曹雪芹的宠物观,那就是要尊重任何生命,崇尚自然,呵护弱小。贾府特别是大观园里也有些较大型的动物,第五十六回宝钗与探春计议在大观园里实施"承包制"时,就提到,园子里养着"大小禽鸟鹿兔"。第二十六回的一个细节也值得注意:宝玉顺着沁芳溪看了一会儿金鱼,只见那边山坡上箭似的跑来两只小鹿,正纳闷,忽见贾兰在后面拿着一张小弓追了过来,宝玉毕竟是叔辈,贾兰只好站住,解释说是在"演习骑射",这一笔当然是暗伏后来贾兰考取了武举,但宝玉不以为然地说:"把牙栽了,那时候才不演习呢。"在宝玉眼里,小鹿是不可伤害的,动物都是人类的朋友,他的这种"呆气"甚至声播于外,第三十五回曹雪芹有意通过傅家来问安的两个婆子的对话，点明宝玉是个"看见燕子，就和燕子说话，河里看见鱼，就和鱼说话"的"情痴"、"情种"。

有红迷朋友和我讨论：贾府里养不养宠物猫和宠物狗呢？答案是肯定的。第五回写宝玉到宁国府里，在秦可卿卧室午睡，安顿好了一切后，"秦氏便吩咐小丫鬟们，好生在廊檐下看着猫儿狗儿打架"。可见宁国府宠物猫狗很多，荣国府应该也是如此。虽然《红楼梦》文本里没有对荣国府宠物猫的具体描写，但在"芦雪广争联即景诗"时，湘云"就地取材"，吟出"石楼闲睡鹤"的句子后，黛玉不甘落后，"笑的握着胸口，也高声嚷道"："锦罽暖亲猫。"可见影视剧《红楼梦》里安排王熙凤抱波斯猫，是合理的想象。

可惜曹雪芹大体写完《红楼梦》后，却因"借阅者迷失"及更神秘的原因，我们现在只能看到前八十回（其实还不足）的原本。但跟他大体同时代的一些人士，是看到过原本全稿的。有一位满洲贵族明义（字我斋），比曹雪芹约小十几岁，他和曹雪芹的生命时空有所重叠，在他的《绿烟琐窗集》稿本里，有二十首《题红楼梦》诗，从组诗前小序里"曹子雪芹出所撰《红楼梦》一部……余见其钞本焉"的话推敲，他看到的应是从曹雪芹处辗转借到的一个全本。其中一首他回忆书中的情节是："晚归薄醉帽颜欹，错认猧儿为玉狸；忽向房内闻语笑，强来灯下一回嬉。"他看到了宝玉醉归错把宠物叭儿狗当成宠物大白猫的有趣描写。可是现在无论哪种版本的《红楼梦》里都绝无这样的细节。要是能找到一本明义读过的手抄本，那该是多么惬意的事啊！

大观园里的承包与均富

　　十几年前，那样的文章颇多，就是从《红楼梦》里探春理家的情节里，揭示出经济承包的做法，早在大观园里就存在了。探春理家，李纨、薛宝钗襄助，她们首先强化管理，比王熙凤的做派更细密，惹得里外仆众抱怨："刚刚的倒了一个'巡海夜叉'，又添了三个'镇山太岁'。"曹雪芹的高明，就在于不是一味站在探春一边看问题，他提示读者，管理者固然有他们的道理，但被管理者的感受，也是决定事态发展的一个重要方面。

　　薛宝钗协助李纨探春理家，先说了一句"天下没有不可用的东西"，可谓至理名言。她们从赖大家那里获得启发，原来一个破荷叶、一根枯草根子，都是值钱的，赖家的花园子比贾府大观园小许多，但就靠着把一切东西皆转化为金钱的经营方式，除了自家戴花、吃笋等不用外买节约出许多开销，还可将多余东西外卖出二百两银子来。天下东西皆可用，宝钗接着说："既可用，便值钱。"探春算起账来，越算越兴奋，于是三人就计议了一番，在大观园实行兴利剔弊的新政，实施承包责任制，以提升大观园的 GDP 值。

　　承包的前提，是将个人责任与个人利益紧密联系在一起，说破了，也就是首先承认人皆有私心，人性中皆有恶，因此顺其心性，加以驾驭，"使之以权，动之以利"，因为所承包的事项关系到自身收益，所以会尽心尽力，一定会努力地降低成本、减少浪费、提升技术、珍惜收益，一个一个的承包者皆是如此，则大局一定繁荣，用宝钗的话说，就是光一年下来的生产总值，就"善哉，三年之内无饥谨矣！"

　　但承包的做法，是挥动了一把双刃剑，一边的剑刃用于提高生产积极性很锋利，一边的剑刃却很可能因为没能辖制住人性恶，而使获利者的私心膨胀，伤及他人，形成不和谐的人际龃龉，甚至滚动为一场危机。曹雪芹的厉害，就在于他不仅写出了敏探春、时宝钗她们的"新政"之合理一面与繁荣的效果，也用了很多笔墨写出了因为没有真正建立起公平分配机制，所形成的大大小小的风波，仅从看角门的留柸子盖头的小幺儿与柳家的口角，就可以知道承包制使大观园底层仆役的人际关系比以往更紧张了，一个个两眼就象那斗鸡似的，眼里除了金钱利益，哪里还有半点温情礼让？

薛宝钗是个头脑极清醒的人，所谓"时宝钗"，用今天的话来说就是"摩登宝钗"，就是既能游泳于新潮，又能体谅现实的因循力量，总是设法在发展与传统之间寻求良性的平衡。她一方面肯定岗位责任制，一方面又提出了"均富"的构想，这构想又细化为，一：大观园里的项目承包者，既享受税收方面的优惠，不用往府里的帐房交钱，但他们也就不能再从帐房那里领取相关的银子或用品，比如原来他们服待园里的主子及大丫头们，要领的头油、胭粉、香、纸，或者是笤帚、撮簸、掸子，还有喂各处禽鸟、鹿、兔的粮食等等，此后都由他们从承包收益里置办；二，承包者置办供应品外的剩余，归他们"粘补自家"；三：除"粘补自家"外，还须拿出若干贯钱来，大家凑齐，散与那些未承包项目的婆子们。薛宝钗在阐释这一构想时，一再强调"虽是兴利节用为纲，然……失了大体统也不像"，"凡有些余利的，一概入了官中，那时里外怨声载道，岂不失了你们这样人家的大体？"她特别展开说明，为什么要分利与那些并没有参与承包的最下层的仆役："他们虽不料理这些，却日夜也是在园中照看当差之人，关门闭户，起早睡晚，大雨大雪，姑娘门出入，抬轿子，撑船，拉冰床，一应粗糙活计，都是他们的差使，一年在园里辛苦到头，这园内既有出息，也是份内该粘带些的。"

薛宝钗的"大体统"，当然是指贾府的稳定，起码是表面上的繁荣与和谐。过去人们读这回文字，兴趣热点多在"承包"的思路上，对与之配套的"均富"构想重视不够。我们的现实社会，实行"承包"已经颇久了，甚至有人已形成了"改革即承包"的简单思维定势。实际上"承包"不是万能的，有的领域有的项目是不应该承包给私人的，而实行承包也不能只保障直接承包者的利益，而忽略了没能力没兴趣没必要参与承包的一般社会成员，特别是社会弱势族群的利益，薛宝钗的"均富"构想，虽然很不彻底，而且在她所处的那样一种社会里，也不可能真正兑现，但是对我们今人来说，还是很有参考价值的，特别是她能考虑到如何让大观园里抬轿、撑船、拉冰床的做"粗糙活计"的苦瓠子们，也能"粘带些"体制改革的利益，以保持社会不至于因"失了大体统"而"不像个样子"，这一思路，无论如何还是发人深省的。

和硕淑慎公主

2009 年北京故宫博物院运去不少珍贵文物到台北，在那里的故宫博物院开雍正文物大展，其中有康熙传位于雍正的诏书，以满汉两种文字写成，似为雍正继统有据的铁证，但早有清史专家指出，此诏书系雍正继位后制作，疑点颇多。不过历史由胜利者书写展示，即使那书写展示并不完全符合事实，但基本事实——谁赢谁输——总还是颠扑不破的。

雍正甫继位，就大施隆恩。其中包括封八阿哥允禩和十三阿哥允祥为亲王，废太子二阿哥允礽嫡子弘皙为郡王。允禩在康熙朝就是个争皇位的野心家，康熙当众斥责过，雍正却将他的地位从多罗贝勒提升为廉亲王。雍正此举是为了封堵允禩的篡位野心。但允禩岂是省油的灯，他与九阿哥允禟勾结，继续觊觎大位，于是雍正果断地在两三年后将他们恶治，先革爵，再逐出宗室，这还不算，更进一步取消"人籍"，将允禩改名阿其那，允禟改名塞思黑，民间有谓分别是"狗""猪"之意，不过有专家根据满语满文细加考证，认为分别是"俎上冻鱼""讨厌"之谓；再后就让这两个兄弟相继猝死于禁所。不管怎么说，对允禩这样的政敌，雍正欲擒故纵先封亲王是着好棋。

至于将十三阿哥允祥封为亲王，则是雍正真的看重他。康熙曾在康熙三十八年和四十八年两次对年长之子封爵。第一次分封时允祥十三岁，未受分封不奇怪。但第二次分封时他已经二十三岁了，连比他小两岁的十四阿哥（当时叫胤祯后被雍正改为允禵）也被封为了贝子，允祥却仍然未得分封，这就很奇怪了。但史家对这一情况分析阐释甚少。雍正一登基，却立即将这位十三弟封为和硕怡亲王，并对他极其信任倚仗。其实允禵是雍正唯一的既同父也同母的亲胞弟，康熙晚期朝野都看好他，认为是康熙没有公开宣布而实际上内定的皇储，康熙任命他为征西大将军，立下赫赫战功。他在任上忽然得到父王驾崩的消息，马不停蹄赶回京城，四阿哥竟已登上宝座，要他下跪臣服，开始他无论如何不肯承认这个事实，他的母亲向着他，坚决不肯让雍正把她"移宫"到紫禁城去享皇太后之尊，搞得雍正非常尴尬。那当口十四阿哥是雍正最难对付的政治劲敌，血气方刚（比他小十岁），羽翼丰满，皇太后护着又不好动粗。雍正且将十三阿哥奉为臂膀，来维系政局。

十三阿哥怡亲王允祥与曹雪芹他们家有种特殊的关系。雍正二年，雍正将江宁织造曹𫖯（若非曹雪芹父亲则是他叔叔）交与怡亲王"看管"，现在我们仍可看到雍正在曹𫖯请安折上长达近三百字的朱批，其中有许多"怪话"值得推敲，如说"诸事听王子教导而行……不要乱跑门路，瞎费心思力量买祸受……因你们向来混帐风俗贯[惯]了，恐人指称朕意撞你……若有人恐吓诈你，不妨你就求问怡亲王……主意要拿定，少乱一点，坏朕声名，朕就要重重处分……"雍正的名声，怎么至于被曹𫖯那么个小角色"坏掉"？那令雍正不安的具备"恐吓""讹诈"威力的"人"究竟是谁？又为什么非得把曹𫖯交给怡亲王看管？怡亲王看管的效果又究竟如何呢？那以后又足足过了四年，曹𫖯才终于被治罪，公开的罪状是"骚扰驿站"，那不能公开的罪是什么呢？我们后人当然要重视官方正式档案，但尽信"官档"，可能就永远无法接近曾经有过的事实。

我们现在所看到的古本《红楼梦》（多称《石头记》），其中己卯本、庚辰本，据专家考证，母本就出自乾隆朝的怡王府，那时承袭这个王位的是乾隆的堂兄弟弘晓。曹雪芹晚年在北京西郊的固定居所，有专家认为是在白家疃，而白家疃正是怡亲王建造别墅的地方。

总之，雍正登基后所做的种种人事安排，无一不具有强烈的政治内涵。

有人注意到，雍正对康熙朝两立两废的太子允礽以及其嫡子弘皙非常优待。废太子虽然仍按照康熙的意志将其软禁，没有行动自由，但丰其衣食，保障供给。弘皙则封为郡王，这倒并非雍正的创造性恩典，乃是康熙逝前已定下的。

更有人特别指出，雍正继位不久，就将废太子第六个女儿过继到自己家，这是否昭显着雍正对侄女的慈爱？

大家都知道，自来有"满蒙一家亲"之说。早在关外征战、定鼎中原之前，满族上层与蒙古族上层就不断以通婚来巩固双方的政治联盟。入主中原、定都北京以后，康熙的二十个公主中，就有七个下嫁蒙古王公。这虽然不好跟"和番"画等号，但从繁盛的京城嫁到相对艰苦的草原，更何况遇上什么丈夫自己完全不能把握，无论如何难称幸运幸福。

父皇的这项将公主下嫁蒙古王公的传统政策，雍正当然乐于继承。但雍正登基时已经四十四岁，却只养大了一个女儿，他的下嫁蒙古王公的公主储备，是大大地欠缺。于是，他立即补充了三位公主，也就是从兄弟那里过继来三位侄女。其中两位是他重用信赖的怡亲王的第四女（后称和硕和惠公主），以及庄亲王允禄的长女（后称和硕端柔公主），还有一位，就是废太子的第六女，也就是弘皙的六妹。

雍正登基前，废太子已经是政治上的"死老虎"了，况且到雍正二年，他也就死在禁所，乐得追谥他"理密亲王"。

那么，废太子第六女被雍正收来作为公主，是否能证明废太子的女儿们都沐新皇之恩，属幸福之辈呢？

揆诸史料，可知这位和硕淑慎公主生于康熙四十七年正月初二，就在这一年九月，她父亲的太子身份被废掉，全家处于被圈禁的状态，虽然过了半年，她父亲又戏剧性地被复立为太子了，但她只是个婴儿，应该全无记忆。到康熙五十一年，她父亲再次被废，那时她有四岁的样子，也许会多少留下一些记忆。那应该是很恐怖的记忆。太子被废黜被圈禁，他那一大家子人，他的正妻和许多侧室，以及这些女子所生下的孩子，包括所有的男女仆役，一律也随之失去自由，虽然康熙命令丰其衣食、保障供给，谁会甘愿过那种禁锢的生活呢？能设法逃离的，一定不会放过任何机会。设若废太子身边一位女子恰好在那时生下了一个女儿，尚未及到宗人府注册登记，于是其母设法将其运出禁所托付给平日相与亲密的官宦人家藏匿起来，就是可能的。如果说太子一废时家中诸人万没想到手足无措，那么二废前家中个别人应变有方，也是不奇怪的。现在我们虽然未能找到废太子家族成员设法逃出藏匿的例证，但分明可以从《清圣主实录》第二百八十六卷里查到这样的记载：就在太子被二废时，太子宫中有个叫得麟的人，通过"诈死"的方式，让人把自己当死尸运了出来，当时一位大学士嵩祝，就冒犯王法藏匿了他。当然后来败露了，得麟处死，嵩祝被惩治。

雍正真的很同情他那被两立两废的哥哥吗？真的对这位倒霉的二哥的女儿充

满慈爱吗？那他登基前为什么不把那位二哥的六女接来当做继女？那位姑娘，一直活到她十四岁的时候,仍饱受着被禁锢之苦。她被雍正从禁所接出去,没过几年,也就是她十七八岁的时候,在雍正四年,就下嫁科尔沁博尔济吉特氏观音保,封为和硕淑慎公主。那位额驸观音保到雍正十三年二月就"嘎儿屁潮凉大海棠"（北京俗语谓死亡）了。那一年和硕淑慎公主才二十六七岁,从此守寡,一直守到乾隆四十九年九月初十日去世,终年七十七岁。她一生的七十七年,有十四年随父被幽禁,有五十余年守寡。

那天偶然见到一档电视节目,作为嘉宾的一位学者谈及和硕淑慎公主,以谐谑的口气问道："不知刘心武是否知道她？"言外之意是康熙朝废太子的女儿均可以此为例,可知本无生命危机可言,毫无藏匿之必要。

我知道和硕淑慎公主。抛开我从秦可卿入手研究《红楼梦》的特殊角度,单就这位公主的命运而言,我已感觉到宫廷政治的冷酷诡谲。如何评价雍正的统治非我力所能及,但若把雍正收养废太子之女视为慈行善举,恐怕是太小觑了他的政治权术吧？

见识狱神庙

　　研究《红楼梦》，一个不可或缺的方法，就是进行"田野考察"。比如书里讲到明角灯，什么是明角灯？就是用羊犄角为原料的一种外壳透明的灯具。它是怎么制作的呢？有人说是用羊犄角熬成胶，再冷却为薄片，嵌装在框架上。其实，北京厂桥地区，至今还有一条羊角灯胡同，那里在清朝曾集中着若干羊角灯作坊，四十几年前我在那附近一所中学任教，曾访问过当时已是耋耄老翁的制灯师傅，蒙他详告制作方法：用萝卜丝汤将精选的羊犄角煮软，然后用一组楦子撑大撑薄那羊犄角，最初用的楦子如同纺锤，最后的楦子则有如西瓜，制成的球形明角灯上下有口但周遭无需框架。此外，像书里提到的腊油冻石、西府海棠、枫露茶究竟是怎样的事物，以及角色对话里出现的"黑母鸡一窝儿"、"前人撒土迷了后人眼"的含义，还有为什么不说"死去活来"而非说"七死八活"……，都是可以通过踏勘、寻访、采风、询老有所收获的。

　　曹雪芹绝对不曾与高鹗合作过。曹、高二人不认识、无来往，人生轨迹毫无重叠与交叉。高鹗续后四十回《红楼梦》，是在曹雪芹去世二十多年以后。书商程伟元把大体是曹雪芹的八十回和高鹗的四十回合印成一百二十回的本子在社会上流布，那时曹雪芹则谢世已近三十年。许多人以为曹雪芹没有把《红楼梦》写完，写到八十回就去世了，其实完全不是那么回事。曹雪芹是把《红楼梦》写完了的，从古本《红楼梦》署名脂砚斋、畸笏叟的大量批语可知，脂砚斋甚至把八十回后的一个完整的回目都引出来了："薛宝钗借词含讽谏　王熙凤知命强英雄"。曹雪芹同时代的富察明义所写的二十首《读红楼梦》绝句，也显示出他看到的是一个有"石归山下"最后大结局的本子。根据曹雪芹前面大约八十回里的伏笔、脂砚斋的批语，以及其他一些资料，我们是可以对曹雪芹八十回后的整体构思、情节发展、人物命运乃至某些细节、文句，作出探佚的。曹雪芹完成的书稿应该是一百零八回，第一回前有五条《凡例》，《凡例》最后有一首重要的诗；最后一回有《情榜》，榜中除贾宝玉外，分九组每组十二钗共开列出一百零八位女性。曹雪芹去世前，他的一百零八回书稿只差某些"部件"（诗词）尚待写好嵌入，全书还需统稿剔除某些前后矛盾的"毛刺"。他的《红楼梦》本是无需别人来从八十一回续写的。他写成的后二十八回书稿的迷失无踪，以及高鹗续书的出现，恐怕不是一件简单的事情，亟待深入探究。

古本《红楼梦》（正式书名多称《石头记》）第二十回有署名畸笏叟的批语："茜雪至狱神庙方呈正文。"并说明是在狱神庙中"慰宝玉"。第二十六回又有署名畸笏叟的批语："狱神庙回有茜雪、红玉一大回文字，惜迷失无稿，叹叹！"这都是在透露曹雪芹的《红楼梦》后二十八回的内容。茜雪作为宝玉的丫头，在第七回里出现，宝玉支使她去问候宝钗，到第八回，就发生了"枫露茶事件"，宝玉醉后拿她煞气，导致她无辜被撵。从那以后一直到前八十回结束，茜雪不再出现。但曹雪芹是使用"草蛇灰线，伏延千里"的手法，这个角色到了八十回以后，贾家败落，宝玉被逮入狱，却又出现，而且在狱神庙那一回，茜雪还"呈正文"，就是说那一回里，她会成为主角，这是曹雪芹全书布局的一大特点，比如迎春、惜春在前七十回一路当配角，但是到了第七十三回"懦小姐不问累金凤"，迎春"方呈正文"，而第七十四回"矢孤介杜绝宁国府"，惜春"方呈正文"，那么，在八十回后的某一回，茜雪"方呈正文"，而这一回故事发生的空间，则是在狱神庙，"狱神庙"三个字也一定是入了回目。

狱神庙是什么地方？监狱里会有神庙吗？所供奉的又是什么神祇呢？

我一直想在北京找到清代狱神庙的遗迹，始终不能如愿。2006年10月，到了河南南阳市内乡县，那里有一座保存得相当完整的清代县衙，这我是早就听说，也极想参观的，进入以后，发现那县衙果然"五脏俱全"，与北京紫禁城并称"北有龙头，南有龙尾"，也确实有其道理——是与清代最高权力运作中心配套的基层的权力运作中心的完整标本。它的仪门西侧有一偏院，院门两侧有狴犴的浮雕，狴犴是露着锋利獠牙的怪兽，古代把它作为监狱的图腾，让人见之悚然生畏。这就是所谓的"南监"。于是我马上想到：既有监狱，里面会不会有狱神庙呢？走进去细看，呀，果然有狱神庙！这可是清代的原物啊！曹雪芹笔下的狱神庙，应该大体上就是这个样子。

南监外院坐北朝南，是小小的庙堂。东西厢房都不大，是狱卒室。这一组建筑构成了监狱的前院，院南两个鬼门之间的墙根下有口水井，井口出奇的小，就是最瘦弱的囚犯想投井，也难把脑袋身子塞进去。鬼门里头分别是男监和女监以及阴森恐怖的刑讯室。

我细考察狱神庙。虽然经过翻修，塑像、壁画全是近二十年来新补的，但大体上还是反映出当年的格局氛围。所供奉的狱神右手捋须，神态慈祥，原来是传说中的舜时良臣皋陶（"陶"要读作"摇"），皋陶应该是我们中华民族的司法之祖，那时民风淳朴，侵犯他人的罪人很少，皋陶对判决为有罪的人，实行人身限制，方法很简单：在地上用树枝画一个圆圈，把罪人画入其中，在规定的时间内，不许其越出圆圈。这就是"画地为牢"。但是，随着社会财富的增加，以及人性深处的各种复杂因素的上旋，损害他人和群体的罪人增多了，手法也越来越狡猾歹毒，对他们画地为牢不管用，于是产生了高墙严守的监狱。监狱的产生及其流变是一门很深的学问，这里不去探讨。我感兴趣的是，在吏治那么腐败，司法那么黑暗的封建社会里，监狱里毕竟还存在着这样一个小小的空间，无论是初入狱的还是待判决、已判决乃至即将被转移和处决的犯人，都还允许他们到这个小小的空间里（一般是在朔日和望日，也就是阴历初一和十五），暂时超越人间的司法权力，去向一位蔼然可亲的狱神进行心灵交流，祈求他能保佑自己，逢凶化吉，或者能沉冤昭雪、无罪开释，或者虽然罪有应得，祈盼能够少受酷刑折磨、得到宽恕轻判，纵使被判死刑，也还总能在狱神前求个来生的保障。

狱神庙是个具有特殊心灵感应的神秘空间。曹雪芹在《红楼梦》的后二十八回里，会写到这个空间。贾宝玉曾经那样粗暴地对待茜雪，致使她被无辜撵出。贵族府第的丫头最怕的就是被撵，那一是等于被钉在了耻辱柱上（金钏就因此跳井"烈死"），二是会被转卖或"拉出去配小子"，完全不能掌握自己的命运，面临经济上、生活品质上的全面沦落，金钏、坠儿、司棋乃至晴雯的被撵，终究还是因为她们自身有"茬儿"，茜雪没有任何"茬儿"，仅仅是因为宝玉当时喝醉了耍贵公子脾气，当然，宝玉连嚷"撵出去"所针对的本是他的奶妈李嬷嬷，但那时他和贾母住在一个大空间里，惊动了贾母，最后迁怒茜雪，茜雪含冤被撵，按主子的"游戏规则",也是"顺理成章"的。宝玉从那以后,显然已经把茜雪完全忘怀。但是,"盛席华筵终散场",贾府忽喇喇大厦倾,树倒猢狲散,家亡人散各奔腾,以前有意无意得罪过的,有的就会"冤冤相报实非轻",比如第九回闹学堂吃了亏的金荣,就会对入狱的宝玉羞辱称快,而就在宝玉陷于人生最低谷时,忽然茜雪在狱神庙中出现,不是来报复,而是不计前嫌,来对他安慰救助,这样的描写,该具有多么大的震撼力!曹雪芹他无论是写人性深处的黑暗,还是写人性深处所能放射出的善美之光,都能力透纸背,不能不令我们叹服。

　　见识了内乡县衙的狱神庙,对于进一步探佚曹雪芹真本《红楼梦》的后二十八回意义非凡。我还打算就《红楼梦》里的内容进行更多的"田野考察"。

2006 年 11 月 21 日绿叶居

留杩子盖头的小厮

决定写一组"红楼细处"的文章，把自己细读《红楼梦》的心得与红迷朋友们分享。这些"细处"，常被囫囵吞枣地翻阅《红楼梦》诸君忽略。比如第六十回末尾到第六十一回，写到大观园内厨房厨头柳嫂子从她哥哥家回来，到角门那里遇到了一个留杩子盖头的小厮，两个人有一番十分切合人物身份的戏谑口角，虽是回末章头似乎漫不经心的过渡性文字，这细处却大有意趣，值得玩味。

近些年多有论家热衷于分析第五十六回，认为所写的敏探春兴利除宿弊、时宝钗小惠全大体，在大观园中推行承包责任制，对今天的经济改革也颇有借鉴意义。更有论家认为这一回所写的，甚符合十九世纪末二十世纪初意大利经济学家帕累托所标榜的"新福利主义"。帕累托认为，如果一个高收益的社会利益集团自动让出部分利益，以补贴另一低收益集团构成一种社会福利，双方可能达到利益双保，社会状态也就趋向和谐，这种效果就叫做"帕累托最优"。曹雪芹生活在帕累托之前一百多年的封闭状态的中国，竟能在《红楼梦》第五十六回里形象地描绘出荣国府"临时内阁"推行"新福利主义"，令若干论家一唱三叹，赞颂不已。

的确，那回书里所写的，是贾府在险些面临权力真空的状况下，临时凑成的"三驾马车"竟能锐意革新的故事。荣国府府主贾政那时被皇帝派了外差，王夫人一贯依仗的"内阁总理"王熙凤又因病休假，更加上朝廷里薨了老太妃，贾母、邢夫人、王夫人连同宁国府的女主子尤氏乃至贾蓉续娶的媳妇许氏，因为全属"诰命夫人"，按规定全得参与旷日持久的祭奠活动，先是每日早出晚归，后来更离京到远处陵寝，虽然贾氏宗族向皇家撒谎，说尤氏产育去不了，让她照管自家宁国府外，每天过来协理荣国府，但荣国府毕竟也还需要组成一个"临时内阁"，于是由王夫人指派了李纨、探春、宝钗三位出任，一个寡妇，一个庶出闺女，一个外姓亲戚，真有点"将不够，兵来凑"的架势。其实曹雪芹用笔尽量客观、周到。他固然在字里行间确实有赞扬探春之敏、宝钗之智的味道，但也写出荣国府的仆役们对这"三驾马车"和对王熙凤一样怀有无法释怀的阶级敌意："刚刚的倒了一个'巡海夜叉'，又添了三个'镇山太岁'，越性连夜里吃酒玩的工夫都没了！"

大观园的管理，真是"一包就灵"吗？各个利益集团之间真是因"帕累托最优"的润滑就相安无事，趋于和谐了吗？曹雪芹在第五十八回到六十一回里，恰恰写出了探春、宝钗她们设计推行的承包责任制所形成的人际关系紧张，与不时因小由头而发酵成的群体事件，"三驾马车"压力很大，王熙凤病休中指派平儿辅政，平儿也忙得不亦乐乎。

留杩子盖头的小厮在角门与柳家的一番斗嘴，就是在这种大背景下出现的。"杩子盖"就是"马桶盖"，这样的发型在那个时代，是未成年的男孩子常有的。这个小厮先是抓住柳家的不像是从自家回来，有可能找"野老儿"去了的把柄为要挟，让柳家的偷些园子里的杏子给他吃。柳家的就抱怨自从实行了果木责任包制，"一个个不像抓破了脸的"，管理上是严格了，心里头可全是钱了。柳家的点出小厮的舅母姨娘都是揽到承包任务的，"这可是'仓老鼠和老鸹去借粮——守着的没有，飞着的有'。"小厮就揭其隐私——正活动着要让柳五儿分到怡红院去。柳家的奇怪他怎么"门儿清"，小厮就笑道："单是你们有内牵，难道我们就没有内牵不成？我虽在这里听哈，里头却也有两个姊妹成个体统的，什么事瞒了我们？"

留杩子盖头的小厮最后的话特别令人深思。中国直到如今还是一个血统裙带老关系熟面孔为人际重点的社会。人与人在社会游戏规则面前不能一律"陌生化"，执法办事对亲者宽疏者严，因此，再好的规则再妙的设计，推行起来总是大打折扣。这问题怎么解决？恐怕是，经济改革政治进步，必须与心灵教化相辅相成，对此应作持久不懈的努力。

门礼茯苓霜

茯苓是跟灵芝在植物学分类上同纲同属的菌类植物，多寄生在赤松或马尾松的根部。将茯苓采下焙干，把里面的粉状物磨细，制成白霜般的补品，称茯苓霜。据说寄生于千年老松根上的茯苓最补人，用其制成的茯苓霜也最昂贵。

《红楼梦》第六十回里写到粤东官员到京城荣国府想谒见贾政，带了三篓茯苓霜，一篓明言是送给门房的门礼，以便由他们把自己的名刺和另两篓献给贾政的茯苓霜递进去。这位粤东官员来拜见时，贾政并不在京，皇帝派他外差，一直在外忙碌，并没有返京。对此这位粤东官员应该是知道的，但他既到京，荣国府府主即使不在，他也还是要来礼貌一番，可见贾政虽然并没有他哥哥贾赦那样封到爵位，但皇帝恩赐的工部员外郎的官职，还应算作肥缺，尤其是招揽工程的地方官员，孝敬京都的工部员外郎的确属于必修的功课。

粤东官员带三篓茯苓霜到贾府，为把自己来谒见的信息传递到里面，留待贾政知悉，居然将三分之一即一整篓茯苓霜作为门礼，可见荣国府的大门二门是多么森严，人轻易不能进去，就是给你传个信儿留点痕迹，也必须"水过地皮湿"。

第六回写刘姥姥从乡下来到京城荣国府门外，所见到的还不是大门的门房，不过只是看守角门的，"只见几个挺胸叠肚指手画脚的人，坐在大板凳上，说东谈西呢"，好不神气！他们对蹭上去说话的刘姥姥眼皮也不夹，视若尘土。角门的门房尚且如此，大门门房的气概又该如何？更深一层的二门门房岂不更加如狼似虎？

《红楼梦》第五十八回到六十二回开头，用细腻的笔触描绘了大观园里底层人物的生存状态。当然这"底层"只是相对而言。他们在荣国府属于底层，就整个社会而言，他们还远不是底层。在大观园里管内厨房的厨头柳嫂子，为把自己女儿柳五儿送进怡红院当差，跟晴雯、芳官等交好。有一种名贵的贡品玫瑰露，在进贡皇家的过程里，有部分被荣国府获得。其实荣国府也是皇家的一个大门房，那玫瑰露也是一种门礼。玫瑰露原放在王夫人屋里，她当然会拿一些给宝玉享用，宝玉则又让丫头们分享，连芳官也可以问宝玉讨要，去赠给柳嫂子柳五儿服用，而柳嫂子得到小半瓶后，除了留给柳五儿吃，又倒出半盏给她正患热病的侄儿，于是，本应是皇家专享的物品，也就来到了寻常百姓家里。柳五儿劝她妈省些事不要扩散，柳嫂子宣布了自己的信条："那里怕起这些来，还了得了。我们辛辛苦苦的，里头赚些东西，也是应当的……"

到了哥哥家，侄儿用现汲的井水沏了一碗喝，顿时心头一畅，头目清凉。妹妹投桃，哥嫂报李，曹雪芹写得很有意思，原来柳嫂子哥哥恰是荣国府门上该班的，那粤东官员的门礼茯苓霜，他分到一大包，于是他媳妇匀出一小包，给了柳家的。那茯苓霜第一种吃法是用人奶合了吃，第二种吃法是用牛奶送，第三种则是用滚水冲饮，据说大补，正合素有弱症的柳五儿享用。

《红楼梦》第六十回回目是《茉莉粉替去蔷薇硝 玫瑰露引来茯苓霜》，用四种物品生发出矛盾冲突，造成人物命运的跌宕歌哭，真是巧妙之极。茉莉粉和蔷薇硝都是具有药用价值的化妆品，玫瑰露和茯苓霜则是号称有医疗养生效用的高级休闲食品。柳五儿因芳官赠来玫瑰露，于是决定感恩报答，遂把从舅舅家得来的茯苓霜又匀出一小包，趁黄昏人稀，花遮柳隐地摸进大观园，来到怡红院外，遇到小丫头春燕，就托她将茯苓霜转交芳官。当时柳五儿还属于"待分配"状态，是没资格进入大观园深处的，结果，她返回厨房时恰遇上管家婆林之孝家的带人巡查，一盘问，她心慌语乱，于是被当做嫌犯监禁起来，更连累到她母亲，厨房遭到搜检，一小瓶玫瑰露一包茯苓霜俱被发现，林之孝家的自己手里早有"人力资源"储备，就是秦显家的，于是做主罢免了柳嫂子，任命了新厨头秦显家的。

这段关于大观园厨房控制权的争夺战，写得十分精彩。在情节的流动中，涉及到柳嫂子的门房哥哥，揭示出收取门礼的风俗，细细一笔，将世道人心戳破穿透，十分发人深省。如今已是《红楼梦》所描绘的时代的二百多年之后，我们扪心自问：门礼恶俗，究竟是否已经绝迹？

小吉祥儿问雪雁借衣

　　赵姨娘跟前大丫头之外，至少还有两个小丫头。一个叫小鹊，她在第七十三回开头正式出场，大老晚的忽然来到怡红院径直走到宝玉跟前，告诉他赵姨娘刚在贾政耳边下了蛆，"仔细明儿老爷问你话"，说完就匆匆离去。按说小喜鹊不是乌鸦，应该报喜不报忧，但"吉凶不在鸟音中"，如打比方，这位小鹊好比是蝴蝶扇了扇翅膀，却不曾想就此一环环引出风波、风潮直至大风暴——贾母亲自查赌、抄检大观园、死晴雯、逐芳官……

　　赵姨娘跟前的另一个小丫头叫小吉祥儿。她只暗出。第五十五回写探春理家，遇到一个情况，就是赵姨娘的兄弟赵国基死掉了。探春在伦常秩序上，认贾政为父，王夫人为母，赵姨娘只是一个供她父亲使用的泄欲生孩子的工具，是贾氏宗族的世奴之一。赵姨娘说赵国基是探春舅舅，探春不认，宣称自己的舅舅是王夫人兄弟王子腾，"年下才升了九省检点"，而赵国基只是跟随贾环上学的男仆。探春坚持按家生奴才的待遇只赏了赵国基二十两银子。这是《红楼梦》里令读者读了心里发冷的一段情节。

　　曹雪芹的文字真是细针密绣，得空便入，玲珑剔透。到第五十七回，他写了前八十回里宝、黛爱情的最后一个高潮：慧紫鹃情辞试忙玉。按说集中去写紫鹃以江南林家即将来接走林黛玉，试探宝玉有何反应，以此来绾系宝、黛二人的婚姻前景，这回书也就非常好看了，但他偏插进一笔，就是写比紫鹃矮一级的丫头雪雁，从王夫人那边取人参回到潇湘馆，说在王夫人那边下房歇息时，赵姨娘招手叫她，原来是赵姨娘兄弟赵国基死了明日发丧，赵姨娘要带小丫头小吉祥儿去伴宿坐夜，小吉祥儿要跟雪雁借月白缎子袄儿穿。

雪雁是很早就出场的人物。第二回写贾雨村到林如海家作西宾，"妙在只一个女学生，并两个伴读丫鬟"，女学生不消说就是黛玉，雪雁呢，应是两个伴读丫鬟之一。第三回写黛玉进贾府，"只带了两个人来：一个是自幼奶娘王嬷嬷，一个是十岁的小丫头，亦是自幼随身的，名唤作雪雁。贾母见雪雁甚小，一团孩气……便将自己身边的一个二等丫头，名唤鹦哥者与了黛玉。"鹦哥跟随黛玉后易名紫鹃，由二等丫头升为一等丫头。第六十回写到管内厨房的柳嫂子有个闺女柳五儿，"虽是厨役之女，却生的人物与平、袭、紫、鸳皆类。"可见到后来紫鹃是与平儿、袭人、鸳鸯三位大丫头并列的高素质人物。平、袭、紫、鸳在书里都有许多重头戏，雪雁虽然后来时不时地提到，却一直只是个影子似的存在。

但是到第五十七回，雪雁自己说起小吉祥儿跟她借衣的情形，这个人物形象忽然鲜明了起来，仿佛一瞬间聚光灯圈住了她，那几百字，无妨视为"雪雁正传"。

雪雁是这样向紫鹃汇报的："……小吉祥儿没衣裳，要借我的月白缎子袄儿。我想他们一般也有两件子的，往脏地儿去恐怕弄脏了，自己的舍不得穿，故此借别人的。借我的弄脏了也是小事，只是我想，他素日有什么好处到咱们跟前，所以我说了：'我的衣裳簪环都是姑娘叫紫鹃姐姐收着呢。如今先得去告诉他，还得回姑娘呢。姑娘身上又病着，更费了大事，误了你老出门，不如再转借罢。'"

故事发展到这一段的时候，雪雁跟随黛玉进府已经好几年了，她已经不再"一团孩气"，历练得相当世故了。替她想想，黛玉本是寄人篱下，她更处在篱下的篱下，她不但身份比紫鹃低，前途也比紫鹃堪忧，如果出现最坏的情况，比如黛玉竟不幸病亡，那么，紫鹃的退路是现成的——她本是贾母的丫头，再回到贾母身边就是了，但雪雁她怎么算呢？她并非贾家世奴，也非袭人那样是贾家花银子买来的，从理论上说，黛玉若亡，她应退回林家，可林家已经流散，她何去何从？因此，她再憨厚淳朴，也不得不时时关注他人"有什么好处到咱们跟前"，实施严格的自我保护，而且把紫鹃、林姑娘当做了两道保护墙。雪雁拒借月白缎子袄儿给小吉祥儿，不是小气，而是一个在生命之旅中漂泊的小生命，在努力维系自己的基本利益，求得安全感。

宝官和玉官

金陵十二钗究竟有几组？第五回宝玉在太虚幻境偷看册页，明写出至少有三组，分别载入正册、副册、又副册。周汝昌先生考证出，在八十回后曹雪芹轶稿最后一回，即一百零八回，有一个《情榜》，宝玉作为绛洞花王单列，然后是九组十二金钗，也就是说，正册、副册、又副册后还应有三副、四副……直至八副。那么，除了曹雪芹明写出的正册十二钗外，另外各册里都是哪些女性呢？历来读者众说纷纭。但我以为其中一册是"金陵十二官"，当无疑义。

金陵十二官，就是贾家为了元妃省亲，除了大兴土木建造大观园这个"硬件"外，还配备了小戏子、小尼姑、小道姑等"软件"。十二官就是派贾蔷到姑苏去采购回来的一群小姑娘，带回荣国府后安置在梨香院，派教习培训，结果到元妃省亲时，她们一个个歌欺裂石之音，舞有天魔之态，虽是妆演的形容，却作尽悲欢情状，大得元妃表扬赏赐。后来她们留在府里随时应召表演。

故事发展到第五十五回后，书里交代说宫里有位太妃先是病重后来薨逝，朝廷不许官宦人家演戏了，而元妃的下次省亲又杳无盼头，于是贾府就遣散了梨香院戏班，戏子们可由其家长领走，也可自愿留下。结果留下了八官，都分配到各处去当丫头，文官归了贾母；尤氏当时协理荣国府，要了茄官；芳官去了怡红院，藕官去了潇湘馆，蕊官去了蘅芜苑，艾官去了秋爽斋；此外湘云得了葵官，宝琴得了豆官。那么，不愿留下走掉的是哪几官呢？没有明确交代，却不难推敲。首先，有个药官，她死掉了，留去都不必算她。前面书里有戏份很重的一官——龄官，她是上过回目的，而且她与戏班班主贾蔷的爱情曾使宝玉顿悟"人生情缘，各有分定"。龄官没有留下当丫头，势在必然，贾蔷一定设法把她接出妥善安排，并且，

　　她与贾蔷在曹雪芹的八十回后书里，一定还会有戏。

　　书里前面出现过，却在遣散戏班后不见踪影的，还有宝官和玉官。

　　宝官和玉官曾出现在怡红院里。第三十回，宝玉偶遇龄官画蔷后，忽然一阵雨来，慌忙跑回怡红院，却发现大门闩住，连敲不开，不禁怒火中烧，袭人后来听见跑去开门，宝玉也不管来的是谁，踢去一记窝心脚。事态是怎样酿成的呢？书里交代："原来明日是端阳节，那文官等十二个女子都放了学，进园来各处玩耍。可巧小生宝官、正旦玉官两个女孩子，正在怡红院和袭人玩笑，被大雨阻住。大家把沟堵了，水积在院内，把些绿头鸭、花鸂鶒、彩鸳鸯，捉的捉，赶的赶，缝了翅膀，放在院内玩耍，将院门关了。袭人等都在游廊上嬉笑……"

　　宝官和玉官玩耍起来很有创意。她们似乎跟宝玉和怡红院的人走得最近。那时候芳官跟宝玉和怡红院的人似乎还不大相熟。第三十六回宝玉跑到梨香院，想让龄官给他唱《牡丹亭》里的曲子，进门首先遇到的就是宝官和玉官，她们笑嘻嘻地给宝玉让座。宝玉进屋求龄官唱曲，被龄官冷峻拒绝，宝玉从未如此这般被女孩子弃厌，讪讪地红了脸退出，又是宝官玉官迎上他，问其所以，给他解释龄官为何如此，直到贾蔷出现，宝玉目睹了龄官与贾蔷的互爱情深，才恍然大悟那回龄官为何在蔷薇花架下痴迷地一再画出蔷字……

　　金陵十二官在书里都不是影子人物，有的戏份很重，如芳官、龄官，其余的如藕官为药官亡灵烧纸，芳官遭赵姨娘茶毒时藕、蕊、葵、豆四官冲进怡红院一个顶住赵姨娘前胸一个抵住她后腰，另两个拉住她左右手，声援芳官，大喊大闹；艾官则在探春前告发夏婆子对赵姨娘的挑唆……这十二官，官官都不是省油的灯！

　　据书里交代，十二官以文官为首。第五十四回荣国府大闹元宵，贾母让十二官为亲戚薛姨妈李婶娘献唱，说她们"都是有戏的人家"，意思是什么好的全都看过听过，于是"少不得弄个新鲜样儿的，叫芳官唱一出《寻梦》，只提琴至箫管合，笙笛一概不用"。这时候文官有句很经典的话："这也是的，我们的戏自然不能入姨太太亲家太太姑娘们的眼，不过听我们一个发脱口齿，再听一个喉咙罢了。"

　　宝官和玉官当然也都是具有发脱口齿、脆甜喉咙的戏子。她们没有留在贾府，想是被其父母或兄长接走了。她们后来的命运如何呢？令人挂念。另外，总在一起活动的宝官玉官的命名，为什么恰与宝玉犯重？这和第二十八回里的妓女偏叫云儿，与史湘云犯重一样引人思索，是否有什么影射蕴涵其中？

莲花儿眼尖

　　迎春房里的丫头，司棋排头位，其次是绣橘，她们在书里戏份都不少，一般《红楼梦》的读者都记得她们，尤其是司棋，她大胆与表弟潘又安恋爱，私通音信，交换信物，更干脆买通看门婆子张妈把情人引入大观园，月夜里在大桂树下山石旁同享云雨之乐，事发后当着凤姐等的面，她居然并无畏惧惭愧之意。高鹗续书把她的结局设计成殉情触柱而亡，应与曹雪芹原来构思相近。但是，迎春房里的小丫头莲花儿，也有戏份，却往往被一些读者忽略。

　　细读《红楼梦》，乐趣无穷。我少年时期就对《红楼梦》读得很细，那倒并不是受到红学家影响，那时也无"文本细读"的理论出现，我的细读，引导者是我的母亲。比如，母亲会说：哦，王善保家的跟秦显家的，是亲戚啊！我曾把这一点告诉宗璞大姐，她吃惊：这两个人能是亲戚吗？一般人都会记得，王善保家的是邢夫人的陪房，而秦显家的，是大观园南角子上夜的，她一度被荣国府的管家婆林之孝家的封为内厨房厨头，取代了柳嫂子，没想到才高兴了不到半天，就又被"判冤决狱"的平儿"原封退还"，得到平反的柳嫂子重回内厨房主政。平儿的"人力资源库"里没有秦显家的，林之孝家的告诉她已经先斩后奏委派了秦显家的，平儿表示："秦显的女人是谁？我不大相熟。"王夫人房里的大丫头玉钏提醒她：秦显家的是司棋的婶娘，司棋父母虽然是大老爷贾赦那边的，其叔婶却在二老爷贾政这边当差——这说明秦显和他哥哥两家全是荣国府的世奴。后来抄检大观园的时候，书里又交代，王善保家的是司棋的外祖母。我们细想一下，王善保家一个女儿嫁给了一位姓秦的男仆，生下了司棋；这位男仆的弟弟叫秦显，那么，秦显的女人难道不是王善保家的一位亲戚吗？当然，她们互相怎么称呼，是个难题，按北方延续至今的习俗，或者秦显家的就随司棋唤王善保家的姥娘，王善保家的或者就称其为显子媳妇。

司棋一直想除掉柳家的，夺到内厨房的控制权。为此她一再给柳家的出难题。而柳家的仗恃跟怡红院的人交好，也并不把迎春处的人看在眼里。司棋派莲花儿去跟柳家的说，要一碗炖得嫩嫩的鸡蛋。"嫩嫩的"这标准很难把握，无论你怎么细心，炖出的鸡蛋还是会被埋怨"炖老了"。柳家的知道来者不善，就长篇大套地叨唠鸡蛋匮缺恕不伺候，莲花儿不仅动嘴更动手，从菜柜里发现了十来个鸡蛋，发出极难听的指责："又不是你下的蛋，怕人吃了。"对吵中，莲花儿更揭发柳家的讨好怡红院晴雯的丑态，柳家的越发恼羞成怒。莲花儿回到迎春房里，把在厨房的遭遇告诉司棋，司棋怒从心头起，恶向胆边生，伺候完迎春晚饭，率领莲花儿等小丫头冲进厨房，发布了打、砸、抢命令："凡箱柜所有的菜蔬，只管丢出来喂狗，大家赚不成！"在曹雪芹笔下，司棋在情欲上的大胆与婚姻追求上的自主执著，与她在争夺内厨房控制权上的跋扈嚣张，融为一个可信的艺术形象。

脂砚斋说曹雪芹的文笔"细如牛毛"，例证太多。柳五儿被当做窃贼嫌疑犯被监禁后，林之孝家的说起王夫人屋里丢了一罐玫瑰露，围观的婆子丫头里恰有莲花儿，她听见了忙说"今儿我倒看见一个露瓶子"——她先是在厨房里翻查有无鸡蛋，后来想必更跟随司棋成为冲进厨房打、砸、抢的急先锋，她眼尖，看见了橱柜里柳家的从芳官那里得来的小半瓶玫瑰露，当时因为兴奋点不在玫瑰露上，也没特别在意，晚上听见林之孝家的提起，便带领巡查一行到厨房里，立马取出露瓶作为贼赃，而且又进一步发现了一包茯苓霜，使柳家的和柳五儿更加有口难辩，面临各被打四十大板，母亲撵出去永不许再进二门，女儿则交到庄子上或卖或配人，那样恐怖的命运。

后来由于宝玉出面"顶缸"，掩饰了真正的窃贼，平儿判冤决狱，为柳氏母女平反，大事化小，小事化了，已经夺到手的厨房，竟又权归柳家的，司棋气了个倒仰，莲花儿想必也悻悻然。在曹雪芹笔下，迎春是最懦弱的，但偏她房里的大丫头司棋也好，小丫头莲花儿也好，强悍，甚至凶悍，这种主奴性格大反差的设计，实在有趣，也意味无穷。

北院大太太

北院大太太指邢夫人。《红楼梦》第七十五回，写到尤氏从荣国府回到宁国府，隔窗偷看偷听贾珍和其狐朋狗友聚赌寻欢的情景，其中邢德全的丑态最为不堪，尤氏悄向身边大丫头银蝶说："这是北院里大太太的兄弟抱怨他呢！"现存古本《红楼梦》（多称《石头记》）里，"北院里"又有写作"北远里"的，总之都明明白白地写出"北"这个方位来。

细读《红楼梦》（从古本到现今通行本），读者都会在头脑里，大体形成对荣宁二府及贾赦住处的方位概念：宁府居东，荣府居西，贾赦呢，他住在与荣府一墙之隔的另一黑油门的宅第中；荣宁二府前面是荣宁街，二府之间原有夹道，属于贾氏私地；为元妃省亲，把夹道取消，将荣府和贾赦宅以及宁府中原有的花园合并扩大，建造了大观园。书里多次写到荣宁二府以及贾赦宅里院落屋宇的具体情况，前后基本上合榫，可见曹雪芹在写这部小说时，他是"胸有成屋"的。

书里西边荣国府的人提起宁国府，称"东府"。宁东荣西赦中间，这应是书里贾氏两府的空间布局。但第七十五回尤氏偏称邢夫人为"北院里的大太太"，这该怎么解释？

现为台湾东海大学教授的关华山先生，早在三十年前就以《〈红楼梦〉中的建筑与园林》为题撰写了硕士论文，后在台湾正式出版，2008 年天津百花文艺出版社将这部资料甚丰、论述甚细的著作提供给了我们，相信红迷朋友们读来都会兴味盎然。关华山梳理出了《红楼梦》中荣宁二府的建筑布局的现实性以及大观园这个"文笔园林"的虚拟性，指出前者体现出儒家的重秩序、后者体现出道家的循自然，且以几何形态来赋予不同的象征意义，即宅方而园圆。其中也对贾赦宅进行了研究，认为书中关于其"黑油大门"的交代，符合《明会典》中三品官阶宅第的营造规定（清朝大体承袭明制）。我对关先生的研究非常佩服。但尤氏何以称邢夫人为"北院大太太"，他的解释却不能苟同："以'北院'称贾赦院，似无方位的实质理由，只是习惯的称谓，以别东、西院及下人的南院吧！"

《红楼梦》是一部"真事隐"后"假语存"的奇书。将其视为全盘虚构或报告文学都是不对的。作者的写作从"真事"入手，也就是说不仅绝大部分人物有生活原型，就是荣宁二府和贾赦宅第也都有空间原型，但升华为小说文本以后，却又在不同程度上掺进了"假语"，现代文学创作有"典型论"一说，就是作者将生活中的实际素材加以艺术想象进入虚构以后，所形成的"典型环境"与"典型人物"就成为独立的审美对象了，一般读者欣赏"典型"就可以了，不必往原型去探究，可是曹雪芹的写作却并非如此（他生活的时代全人类也还无"典型论"的美学理论的提出），他恰恰是希望审美者能既从"假语"里获得"离真"的意趣，却也能从"假语"里窥见作者"存真"的苦心，所以他才感叹："满纸荒唐言，一把辛酸泪；都云作者痴，谁解其中味？"我们读《红楼梦》，也需"痴"，也就是孜孜不倦地去探究那些隐藏在"假语"中的"真事"，才能品出这部奇书的厚味。

荣宁二府的原型，我比较服膺周汝昌先生的考据，简而言之，其原型应是雍正朝败落的某阿哥的宅第，乾隆朝初期曹頫恢复内务府职务后带领包括曹雪芹在内的全家从蒜市口"十八间半"小宅移入借住过（当时府主为谁待考），后来和珅在那基础上营造出某些部分的豪华度甚至超过皇宫的府第，到清末则由恭亲王奕訢改建享用。大观园的夸张想象，应是以那个宅第的花园为"原点"展开的。从人物原型的关系上说，贾赦与贾政的原型确是亲兄弟，但贾赦的原型并没有一起过继给贾母的原型，所以书里尽管把赦、政写成同为贾母所生，赦作为袭爵的长子却离母另住。书里尤氏也是有原型的，她那句称邢夫人为"北院里的大太太"的话，应该是生活中的原话，为什么赦宅是"北院"？一种解释是，贾赦原型的居所本不在荣国府东侧隔壁，而是在北边街区；另一种解释是：宁国府原型的空间位置，并不与荣国府齐平，也就是说荣宁街是由西北朝东南斜置的（现在恭王府所在的三座桥街就如此歪斜），因此真实生活中东府的人，就把偏西北的宅第里的福晋称作"北院大太太"，这是《红楼梦》"假语"中"存真"的一例。

阿其那之妻

雍正登上帝位以后，把政敌一个一个地铲除。他的八弟允禩，在康熙朝两废太子之后，曾经露骨地觊觎太子之位，康熙驾崩雍正登基之初，故意提升允禩地位，但很快就抓住把柄加以惩治，先削爵，再革出皇族降为庶人，这样觉得还不解恨，就让人叫允禩阿其那，民间传说，阿其那是狗的意思，但据清史专家根据满语考证，含义应是"案板上的冻鱼"。已经贬得连人都不是了，严加圈禁，雍正还是觉得留着终究是个祸患，于是把他毒死。九弟允禟，雍正斥他为"痴肥臃肿矫诬妄作狂悖下贱无耻之人"，也是先削爵，再逐出皇族废为庶人，再让人叫他塞思黑，民间传说，塞思黑是猪的意思，也是专家考证出，准确的含义是"讨人嫌"。允禟被安置到大同管制，最后也被毒死。雍正对三哥允祉和与他同母的十四弟允禵也进行了无情打击。其实当年康熙给儿子们取名全用一个胤字，雍正名胤禛，十四阿哥名胤禵，两个人的名字从字形和字音都非常接近，康熙那样给他们取名，大概是觉得二人既为一母所生，这样命名可以显得更亲密一点，没想到他驾崩以后，这嫡亲的哥儿俩在权力斗争中撕破了脸，雍正当然占据上风，不仅让胤禵和别的兄弟一样，不许再使用他专享的胤字，先改名为允禵，再改为允禵。

八阿哥允禩大概从容貌到才能都确实比较突出，而且很会笼络人心，早年也颇受康熙青睐。二阿哥允礽因为是皇后所生，不满三岁就被康熙立为太子，康熙对他精心培养，甚至在自己出征时一度让他代理朝政，但是康熙长寿，权力总不能移交给太子，太子接班心切，皇帝与皇储之间终于爆发冲突，经过两立两废，康熙心力交瘁，但他还是请权贵朝臣提出立谁为新太子的建议，其实康熙并不可能在建储的问题上听取除了他自己以外的任何人的建议，他不过是故作姿态和进行测试，没想到最后权贵朝臣几乎是一致地推举了胤禩，这还了得！这样的结果，第一说明那些臣属互相串联自以为是，第二说明允禩心思不正暗中活动，康熙大怒，不但直到临终也没有再立储君，而且对八阿哥深为厌恶。

康熙一生生育过三十五个儿子二十个女儿，儿子里有二十四个养到八岁以上并给予排序，大阿哥和第二十四阿哥相差四十一岁。康熙在世时前面十几个儿子几乎都已经娶妻生子，当然这些阿哥几乎都不止一个老婆，但正妻只有一位，称嫡福晋（或写作福金，是满语音译），尽管康熙日理万机，国务繁冗，但是他仍有精力关注每位阿哥的各方面情况，他后来对允禩的恶感，也波及到允禩的嫡福晋郭络罗氏。在《清圣祖实录》第 235 卷中，记载着康熙对允禩家庭状况的评议，说允禩"素受制于妻"。

在清代官方档案里，皇阿哥之妻鲜有被记述者，但允禩这位妻子却几次被记载甚至被描述。康熙朝，康熙让大儒何焯教导允禩，师生正在对谈时，允禩嫡福晋从屋门外走过，她不仅朝里面窥视，而且，可能是觉得何焯的酸腐神态腔调很滑稽，就纵声大笑，其洪亮的笑声甚至传到了院子以外，当时和事后允禩都没有对她的出轨行为有所指责。虽说满洲八旗妇女在生活习俗上一贯较汉族妇女少些约束，比如保持天足，在家族事务里发言权略大，但如此放肆的做派，还是绝对不允许的。雍正登基后，先故作姿态，让允禩入阁襄理政务，嫡福晋娘家人来表示祝贺，她居然把对雍正的疑惑大声说出："道什么喜？还不知道以后什么时候掉脑袋哩！"果然很快允禩就遭到一连串打击，夫妇均被废为庶人后，她竟对监视的太监说："原来我每餐只吃一碗饭，今天你再给我加上两碗，我死了不是全尸也没关系，吃到那天再说！"雍正知道后即勒令她自尽，死后"散骨以伏其辜"，她死了以后允禩才被叫做阿其那，但我们也无妨称她为阿其那之妻。

曹雪芹祖父、伯父、父亲，生时都与允禩、允禟交好。雍正下令查抄曹頫，负责查抄的官员后来专门报奏，从曹家家庙里抄出了一对高大的金狮子，那本是皇帝才能享用的，曹頫供认是代允禟藏匿的。曹頫大难不死，到乾隆朝初年又回到内务府当差，那时候曹雪芹已具备写作能力，在家族的私密交谈里，曹雪芹应该从父母那里听到过关于阿其那之妻的事情，这也许对他创作《红楼梦》、塑造王熙凤那样的艺术形象有所帮助。想想王熙凤的言谈做派，"普天下的人，我不笑话就罢……他是哪吒，我也要见一见，别放你娘的屁了，再不带去，看给你一顿好嘴巴子！"这个角色应该以曹氏家族的某一女性为原型，但作为一个艺术典型，里头是否也多少含有阿其那之妻的元素呢？

净 饿

我现在很少参与饭局，那天偶然应约而去，上菜之前，忽见一位仁兄掏出一套注射器，当着大家面，若无其事地搂开上衣，给自己往肚子上扎针，不禁叹为观止，旁边一位熟人遂附耳说，你莫少见多怪，现在此类做法颇为流行，是注射胰岛素呢，得了糖尿病，不愿放弃口福……进餐时，那位肚子上扎过针的人士果然百无禁忌，吃得稀里呼噜。生命属于各自，我没有干预他人生活方式的权力，但回到家里想到饭局上的镜头，还是不免暗中訾议。

竖向，跟三十年前相比，如今人们不仅普遍得到温饱，城镇居民的饮食质量也普遍有所提高；横向，跟世界上其他地方包括发达国家相比，我们中国普通市民进餐馆——还不算快餐类餐馆，指进去坐下来点菜的餐馆——的频率，应该属于领先地位。这里暂不涉及公费消费问题。总之，"打牙祭"这个旧语汇现在已经很不流行，因为普通百姓下趟馆子已经不是一件难得的事情。吃香喝辣，本是好事，但正如古本《红楼梦》里所说："好事多魔。"注意不是"多磨"而是"多魔"，也就是乐极会生悲，福兮祸所伏，现在有相当多的人患病，不是饥饿导致的营养不良，而是贪吃造成的营养过剩、营养失衡，糖尿病已不新鲜，更有痛风的流行——那更是一种"富贵病"，有的人士就因为鲍翅宴吃得过频，导致体内嘌呤积存，一般先从脚拇指缝痛起，严重后会窜至身体其他部位。

病了怎么办？当然需要检测，需要吃药。如今又很流行"食疗"，而且似乎什么食物皆有疗效，以吃代治，似乎可以百病包除。我倒觉得《红楼梦》里所写的一种治病方式更值得参考。书里写贾母带着刘姥姥逛大观园，兴致过高劳累过度身体欠安，请来王太医诊治，这位王太医号过脉后对族长贾珍说："太夫人并无别症，偶感了一点风寒，究竟不用吃药，不过略清淡些，常暖着一点儿就好了，如今写个方子在这里，若老人家爱吃呢，便按方煎一剂吃，若懒待吃，也就罢了。"写了方子刚要告辞，奶子抱过大姐儿（凤姐之女，后来刘姥姥给取名巧姐）来让给看病，王太医号脉、摸头、观舌后笑道："我说了，姐儿又要骂我了，只是要清清净净饿两顿就好了……"书里后来又写到晴雯淘气受了风寒，"此症虽重，幸亏他素昔是个使力不使心的，再者素昔饮食清淡饥饱无伤。这贾宅中的秘法，无论上下，只一略有些伤风咳嗽，总以净饿为主，次则服药。"显然，曹雪芹对王太医主张的贾府奉行的"净饿疗法"并无反讽，而是一种充分肯定的态度。这倒恐怕并非曹氏家族的"祖传秘法"，因为不少资料显示，曹雪芹祖父曹寅是个"食不厌精，脍不厌细"的享乐主义者，精刻过《糖霜谱》等很偏僻的"美食指南"，后来不慎染上了疟疾，康熙皇帝虽然对他破格关照，派驿马飞送金鸡纳霜给他，却也在李煦（曹寅同僚、内兄、《红楼梦》中贾母原型的哥哥）的相关奏折上批评曹寅喜欢吃人参的陋习。皇帝恩赐的特效药抵达时曹寅已经咽气，家族这惨痛的遭遇可能促使了曹雪芹父兄辈特别是他自己的反省，懂得迷信药物补品的害处，从民间总结出"净饿疗法"的秘诀。

人难免有欲望，欲望有激发创造力、竞争力以及审美热情等正面效应，但欲望过烈，摄取无度，不仅会派生自己生理、心理方面疾患，还可能导致社会悲剧。适当地压抑欲望，采取"净饿"的方式来休养生理系统与心理系统，以使自己恢复正常并以健康状态接触他人介入社会，是十分必要的。

如今电脑十分普及，从小学生到离退休老人，天天开电脑的人越来越多，上网，查阅资料，开博，网聊，网上购物……不少人已经患有"电脑依赖症"，电脑出了故障，跟手机出了故障一样，几可达到"如丧考妣"的程度，这其实也是一种"嗜食症"，属于接收信息方面的"营养过剩"。一位朋友跟我说，他虽然喜欢利用电脑，但每周一定安排一至二天"净饿日"，不开机，不上网——当然，如有重大事件发生例外——他说这种"净饿"带给他的身心收益十分显著，而且使他形成电脑开机后"不贪吃"、"不偏食"、"不迷信"的良好"吃相"。好，联想至此，也就打住，否则"联想过度"也会导致"思维痛风"。

两代荣国公

宁国府的世系，《红楼梦》里交代得非常清楚：第一代贾演封为宁国公；第二代贾代化任京营节度使，世袭一等神威将军；第三代贾敬考中进士却不袭爵；第四代贾珍世袭三品爵威烈将军；第五代贾蓉为秦可卿丧事风光，花一千二百两银子捐了个五品龙禁尉。

但是，荣国府的世系，就显得比较模糊。第一代荣国公的名字，第三回林黛玉进府看到的荣禧堂御笔金匾，后有一行小字："某年月日书赐荣国公贾源"，但第五十三回贾蓉从光禄寺领回的封条上有"皇恩永锡"字样的黄布口袋，礼部的印记前却写着"宁国公贾演、荣国公贾法，恩赐永远春祭赏"等一行小字。各古本上都存在着贾源、贾法前后矛盾的写法。第二回冷子兴演说荣国府，告诉贾雨村"自荣公死后，长子贾代善袭了官"，袭的什么官？按贾代化之例推测，似乎应该也是一等将军，但接下去第三回林如海却告诉贾雨村"大内兄现袭一等将军之职"，荣国府的第三代贾赦所袭爵位竟与宁国府第二代贾代化一样。那么，贾代善所袭的，究竟是什么爵位呢？

第五回贾宝玉神游太虚幻境，警幻仙姑向众仙女说，她原欲往荣府去接绛珠，适从宁府所过，偶遇宁、荣二公之魂，这两个阴魂对她说，"吾家……近之子孙虽多，竟无一可以继业者，其中惟嫡孙宝玉一人……略可望成"，希望她能设法引导宝玉走上正路。这段叙述里的宁公是个陪衬，荣公说宝玉是其嫡孙，则这个荣公应该是宝玉的祖父贾代善而不是曾祖父贾源（或贾法），这就让人觉得，贾代善所袭的爵位，并没有像贾代化那样递减，他还是一个国公。

最值得注意的是第二十九回。贾母带荣国府众女眷浩荡往清虚观打醮，曹雪芹交代，清虚观观主张道士，当日是荣国公的替身。所谓替身，就是替代其出家以求神佛保佑的职业宗教人员。那么，张道士究竟是贾源（或贾法）的替身，还是贾母丈夫贾代善的替身呢？这段故事里贾珍、凤姐、宝玉都管他叫张爷爷。如果他是贾源（或贾法）的替身，那么一定是跟第一代荣国公同辈的人，贾珍、凤姐、宝玉不能称他为爷爷，应该称太爷或祖爷爷才是。张道士称贾母为"老太太"，贾母则称他为"老神仙"，如果他当日是贾母公公的替身，似乎不能如此互相称呼。更应该推敲的是，张道士针对宝玉说："我见哥儿的这个形容身段，言语举动，怎么就同当日国公爷一个稿子！"说着，两眼流下泪来。张道士如果是贾源（或贾法）的替身，那么，他这句话里说的国公爷就应该是宝玉的太爷，可是，贾母是怎么回应张道士的呀？她也不由得满脸泪痕："正是呢，我养了这些儿子孙子，也没个像他爷爷的，就只是玉儿还有个影儿。"可见张道士提到的国公爷，应该是宝玉的爷爷，即贾母的亡夫贾代善，一个寡妇忽然听到提及其亡夫的话不由泪流满脸，是完全可以理解的一种情景。

也许有人会说，贾母嘴里不过随便那么一说，本来应该说"我养了这些儿子孙子重孙子，也没个像他太爷（或祖爷爷）的"，她把"重孙子"和"太爷"压缩成"孙子"和"爷爷"了。但书里贾母提及家族事务时，从不信口乱辈，在那个时代那种社会那样家庭里，任何人说起这些事都是绝对不能出口成错的。第四十七回贾母说"我进了这门子，作重孙子媳妇起，到如今我也有了重孙子媳妇了，连头带尾五十四年"，我在《揭秘〈红楼梦〉》一书里分析出来，她不说五十年或五十五年，是因为人物原型李氏从乾隆元年往前推，确实是在五十四年前从李家嫁给曹寅的，曹寅及上一辈虽然在真实的生活里并没有封为国公，但康熙皇帝六次南巡四次驻跸在曹寅所任的江宁织造府，折射到小说里，夸张为国公爷，也是可以理解的。贾母所说的她的"重孙子媳妇"，则指的是秦可卿死后贾蓉续娶的许氏（以古本为准，通行本则印成胡氏）。

总而言之，通过文本细读，我倾向于贾代善袭爵时没有像贾代化那样递降为一等将军，他是第二代荣国公，张道士正是他的替身，他死后，长子贾赦才和贾代化一样，递降袭了一等将军。

玉带林中挂

早在 1984 年，周汝昌先生就发表了《冷月寒塘赋宓妃——黛玉夭逝于何时何地何因》一文，提出了曹雪芹对黛玉的结局设计是自沉于湖的观点。我在《揭秘〈红楼梦〉》的系列讲座和书里，承袭、发展了周先生的这一论断，主要是从古本《石头记》前八十回的诸多伏笔里，探佚出曹雪芹在已经写成而又不幸迷失的后二十八回里，安排黛玉在中秋夜沉湖而逝，整个过程构成一次凄美的行为艺术，体现出黛玉生既如诗、逝亦如诗的仙姝特质。

周先生二十多年前提出的黛玉沉湖说，似乎关注者不多，经我在《百家讲坛》弘扬后，反响开始强烈。质疑者提出的问题，主要是两个。一是黛玉葬花时，她否定了宝玉提出将落英撂到水里的建议："撂在水里不好，你看这里的水干净，只一流出去，有人家的地方，脏的臭的浑倒，仍旧把花糟蹋了……"她主张土葬，令花瓣在香冢里日久随土化掉。黛玉对落花尚且主张土葬而拒绝沉水，她怎么会到头来自己去沉湖呢？第二个问题是第五回金陵十二钗正册的册页里，画着写着"玉带林中挂，金簪雪里埋"，如果说后一句意味着宝钗最后孤独地死在雪天，那么前一句是不是意味着黛玉最后是用玉带挂到树上，上吊自尽呢？

正如蔡元培先贤所说，"多歧为贵，不取苟同"，每一位红迷朋友，都有参与讨论、独立思考的权利。针对以上两个问题，提供我个人的看法如下，仅供参考。

黛玉是仙界的绛珠仙草，追随神瑛侍者下凡，她将其一生的眼泪，用以还报后者以甘露灌溉的恩德，眼泪流完以后，她当然就要回归仙界。黛玉沉湖，最后不会留下尸体，不存在像落花一样流出大观园去的可能。当然黛玉在回归仙界前，她又是个凡人，她被赵姨娘通过贾菖、贾菱配制的慢性毒药所害，她在《葬花词》

里唱道:"质本洁来还洁去,强于污淖陷渠沟。"也向往能够入土为安,但是,"天尽头,何处有香丘?"凡间的险恶令她无法获得"香丘",因此,在贾母去世、病入膏肓、泪尽恩报的临界点,她选择在中秋夜自沉于"这里的水干净"之区域,是可以理解的。曹雪芹用了许多伏笔(我在《揭秘》第三部中讲到六处重要伏笔)来暗示她最终自沉于大观园净水之中,葬花时的那一笔,其实并不与那些伏笔矛盾。

至于"玉带林中挂",我的理解是,或许曹雪芹会写到一个细节,就是黛玉沉湖前,解下了自己腰上的玉带,挂在湖边林木上,这样就给寻找她的人们,留下一个记号,因为她实际是仙遁,最后没有尸体的。

《红楼梦》里多次写到汗巾,汗巾是系在外衣里面的腰带,它比较长,系法一般就是用收拢的两端交叉打个活结。那个时代常有人用汗巾上吊自尽,秦可卿"画梁春尽落香尘",大概用的就是汗巾。但玉带与汗巾并不相同,它往往是系在外衣上的,长度有限,类似于现在我们使用的皮带,收紧后不是用富余的两端打结约束,而是使用钩扣来合拢。从考古发现的最早的玉带,是五代后周时期的,当然它并不完全是玉石制作的,基础材料还是丝织品,简单的,只是两端有玉制的钩扣,复杂的,则整条带子上缀饰着大小、形态不尽相同的玉块,如北京明定陵出土的一条玉带,全长一米四六,由两层黄色素缎夹一层皮革制成,带上用细铜丝缀连白玉饰件二十块,分别为长方形、圭桌形、桃形。《红楼梦》第四十九回写黛玉雪中的装束:罩了一件大红羽纱面白狐狸皮里鹤氅,束一条青金闪绿双环四合如意绦。绦就是丝制的带子,黛玉束的应该就是一条玉带,"双环四合如意"应该就是对那玉带上玉块和钩扣的形容。显然,玉带是不适用于来上吊自尽的。但黛玉沉湖前将那条青金闪绿双环四合如意绦挂到湖边树木的枝桠上,则是可能的。

第五回册页上的图画,具体的交代是:"画着两株枯木,木上悬着一围玉带;又有一堆雪,雪下一股金簪。"这里面影射着林黛玉、薛宝钗两人的姓名自不消说,但按曹雪芹那"一声也而两歌、一手也而二牍"的惯用手法,必定还有另外的意蕴。究竟"木上悬着一围玉带"的画面和"玉带林中挂"的判词,会在曹雪芹的后二十八回里如何应验,值得我们深入地探佚、讨论。

邂逅大行宫

　　康熙三十八年,康熙皇帝第三次下江南,巡视到南京时,以江宁织造署为行宫,江宁织造曹寅的母亲孙氏,以六十八岁高龄趋前觐见,康熙见之"色喜",当着许多臣下慰劳孙氏说:"此吾家老人也。"厚赏之外,还挥毫写下了"萱瑞堂"的大匾。以上只是一个粗线条的概括,细究起来,则需弄清以下问题:康熙接见孙氏的地方,究竟是江宁织造署还是江宁织造府?或者署府是合一的建筑群?康熙题写"萱瑞堂"那天是四月初十,现存记叙此事最详的两篇当时的文章,冯景的《御书萱瑞堂记》说是"会庭中萱花盛开",毛际可的《萱瑞堂记》更说是"岁方初夏,庭下之萱,皆先时丰茂,若预知翠华之将临且为寿母之兆,岂偶然之数欤!"根据当时的气候条件,萱花那时究竟是否可能已经开放并呈丰茂之状?

　　我研究《红楼梦》,采取的两个方法,一是文本细读,一是原型研究。通过文本细读,我们就会发现在曹雪芹的八十回文本里,特意在第七十六回凹晶馆黛、湘联诗时,由黛玉吟出一句"色健茂金萱",而且安排湘云作出这样的评论:"'金萱'二字,便宜你了,省了多少力……只是不犯着替他们颂圣去。"由此可知康熙皇帝为曹雪芹祖上题写"萱瑞堂"大匾事,被曹雪芹"真事隐"后又"假语存",第三回黛玉进府所见的荣国府正房所悬的御笔"荣禧堂"匾,其原型正是康熙三十八年四月初十题写的那个"萱瑞堂"匾。但曹雪芹使用这些原型材料,目的已绝非"颂圣",他是要背离当时的主流意识形态,去抒发其独特的人生哲学。

　　2007年5月下旬到南京,我应"市民课堂"邀请,去进行他们系列讲座的第63讲,题目是《我眼中的红学世界》,地点呢,是在大行宫会堂。何谓大行宫?这个名称虽然是乾隆时期才有的,但乾隆皇帝一生有个值得人们深思的做法,就是他行事处处以祖父康熙为榜样，而很少标榜是以他父亲雍正为楷模，他的南巡之举，就是步祖父康熙后尘，到了南京，连驻跸的地点都尽量不逾祖制，仍在当年曹寅接驾的那个空间，当然，已经进行了一番改造，并且不再作别的使用。现在的大行宫会堂，实际上就是曹雪芹祖父接驾康熙的地方，也就是曹雪芹的故家。在这样的一处地方来讲自己阅读《红楼梦》的心得，真是别有一番滋味在心头。

研究《红楼梦》，先把曹雪芹所经历所表达的康、雍、乾三朝的政治风云、家族浮沉搞清楚，是十分必要的。正如《红楼梦》中写贾政验收竣工的大观园，他第一步是命令"把园门都关上，我们瞧了外面再进去"，把门面外墙欣赏完了，把握住了园子的大环境、总风格，再开门入院，曲径通幽，穿花度柳，一处处地细品细赏，最后全局入心，达到审美的大愉悦。正如总在园门外转悠无法评价大观园一样，如果只是考察清史和拘泥曹学，那对《红楼梦》的研究当然难脱片面，但如果是从外围逐渐深入内部，最后是对《红楼梦》文本的细读深思、考辨感悟，那么，你怎么能对之冠以"红外学"的恶谥呢?

我在演讲过程里，不时在想：严中先生在不在座啊？严中先生是南京的红学家之一，他对曹雪芹与《红楼梦》和南京的关系，研究近三十年，用功极深、收获甚丰，我的《揭秘〈红楼梦〉》讲座和书，参考过他的《红楼丛话》，对他可谓神交已久、十分佩服。他通过实地考察与查阅资料，告诉我们：曹寅时代的江宁织造署和江宁织造府是两处不相连通的空间，前者是曹寅接驾康熙皇帝的地方，也是"萱瑞堂"之所在，后者则是曹寅和夫人家属的一个居住空间，另有江宁织造局，则是进行纺织品生产的机房。江宁地区的萱花在阴历四月初不可能开放，因此当时文人关于康熙皇帝题写"萱瑞堂"大匾时"庭中萱花盛开"的说法，特别是强调萱草预知皇恩将沐特意提前开放，全是"颂圣"的谀词。真实的情况应该是康熙见到孙氏，这位当年他最亲近的保母（不是保姆，是"教养嬷嬷"），他人性深处的感激之情涌出来，也就未必注意庭中的萱花是否已经绽放，萱花既然象征母亲，便大书"萱瑞堂"以释情怀。

弄清曹雪芹祖上与康、雍、乾三朝皇帝的关系，对于我们理解《红楼梦》文本至关重要。曹寅在南京四次接驾康熙，风光已极，怎么才过了二三十年，这家人的家谱就找不到后续了，连曹寅后人究竟有谁，曹雪芹究竟是他的亲孙子还是过继孙子，都弄不清了，这种家族史的大断裂，实在令人震惊。如果不是卷进了政治大案，而遭致无法抗拒的档案销毁，这种现象是绝对不会出现的。中国人是靠祖宗崇拜维系族群延续与发展的，远的不论，就从清初说起，许多家族遭遇了无数次社会震荡，他们还是能拿出历经劫难而保留下来的家谱，一代一代记录得清清楚楚。怎么曹寅的后人到第三代就模糊得如烟如雾呢？这是我亟想当面向严中先生聆教的。

演讲过后南京报馆的人士告诉我，严先生来听了。后来又促成了我们在饭局上的晤面。我事先并不知道演讲和那晚的饭局都在大行宫范围之内，也并不敢奢望严中先生会听我演讲并乐于见我。因此，邂逅一词，确实表达出了我的惊喜意外。我知道我和严中先生在对《红楼梦》的理解上是有着重大分歧的。他认为曹雪芹笔下的荣、宁二府及相关空间如水月庵等都在南京，林黛玉从苏州入都的那个都城也就是南京（石头城）；元春的原型是嫁给平郡王作了福晋（正妻）的曹寅女儿……简言之，他认为《红楼梦》的"本事"在南京，而我认为《红楼梦》的"本事"在北京（只是糅合进了曹家在南京的一些故实），元春的原型另有别人而非曹雪芹姑妈平郡王福晋，其他分驰处也不少，因这两年所经历的党同伐异、排斥歧见如仇寇的事情颇多，所以对严中先生能否容我，还真有些诚惶诚恐。没想到，席间一见，竟如久别重逢，言谈甚欢。我们抓紧时间交换在一些问题上的看法，对于我的一些求教，如废太子当年随康熙南巡在江宁的行为表现，特别是与曹家的关系，他或即席回应，或表示今后可从容告知。严中先生长我八岁，晤面才发现他仍有浓重的湖南口音，他非南京土生，而已成为一位南京历史、文化方面的专家，对曹雪芹和《红楼梦》与南京的关系，探幽发隐，最近又与周汝昌先生合作推出了《江宁织造与曹家》一书，听他一席谈，感受到兄长般的呵护、朋友般的坦诚，真是相见恨晚。

我一直神往上世纪初那些先贤们的君子高风，蔡元培先生提出来"多歧为贵，不取苟同"，他真是言行如一、有容乃大；胡适通过考证，使得原来对索隐派感兴趣的人们，把兴奋点转移到他那关于《红楼梦》是一部写实小说的思路上来，可以说是开启了红学新风，但他从未减少对索隐派主帅蔡元培的尊重，也从未将继续搞索隐的人士视为寇仇。"五四"新文化运动的内容且不去评价，那种百家争鸣的局面，和大多数参与者绝不将观点分歧转化为政治判决和人格攻击的总体风度，实在是今天我们仍须继承与发扬的。

南行归来，我将和严中先生保持联系，交流研红心得。写此文时已是炎夏，大行宫一带的萱花，该是真的盛开了吧？

附：周汝昌先生赠诗

心武贤友：

聆读兄文，殊以为佳。今之文家多不知"文笔"为何至矣，八股气永难解脱——非文之八股，人之八股也。

代我谢谢《乱弹集》，我也很高兴。附上小诗两首。

汝拜丁亥五月廿五

听读心武文

刘严相会大行宫，艳说江城府署红。
主北主南各自异，何妨谈笑两心同。

笔健文舒意味长，有情有理各相当。
行云流水如闲叙，谁识朱弦富抑扬。

傅恒何时归故里？

两位年轻的红迷朋友提出一个问题跟我讨论：《百家讲坛》节目里常穿插一些清朝皇帝的画像，那真实度究竟如何？我的看法是：大体真实。明、清两朝，都有西洋传教士供奉宫廷，有的兼画师，这种人参与的皇室画像，大概具有一定的写生性质吧。一位年轻朋友说，传统中国画多是大写意，工笔人物尽管笔触细腻，却又往往因为不懂人体解剖，因此人物画不发达，也很难具有类似照相的功能。另一位年轻的朋友说，明朝不大好判断，但清康熙以后的皇室画像，起码达到了形似，到晚清，实际掌权的慈禧太后，她请美国女画家卡尔为她画油画造像，是按照西方规矩行事，她要真坐在那里当"模特"的——当然更多的时候是别的贵族妇女替她摆姿势——历时9个月，才大功告成，现在到颐和园去，还能看到卡尔留下的一个副本，卡尔本人还写了一本《慈禧太后画像记》，早有中文译本，读来很有趣。

我说，给皇帝画像，恐怕压力比较大，也许多少会尽量去美化一下，但如果是给功臣画像，那就可能不必为其相貌掩饰什么了，是什么样子就给尽量画来吧。我拿出一册2008年1月出版的《紫禁城》杂志，和他们共赏。那上面有故宫专家聂崇正先生谈紫光阁功臣像的文章，聂先生告诉我们，乾隆时期，皇帝命令宫廷画家为战功赫赫的臣属画像，在紫光阁里悬挂表彰，历年积累，起码达到280幅以上。奉命造像的画工多不可考，但至少有两位传下了姓名，一位是来自波希米亚（今属捷克）的洋人，汉名艾启蒙，另一位是本土的金廷标，他们很可能是合作制画。可惜经过1900年"八国联军"的抢掠，现在北京故宫博物院里仅存有两幅，还是摹本。但在海外的某些博物馆里，还存有若干真本，在海外的某些文物拍卖会上，还出现过一些拿出参拍的紫光阁功臣画像，有的被个人收购珍藏。聂先生在 2001 年 9 月，在美国纽约一位私人收藏家 Dora Wong 家里，看到一幅保存得非常完整的《大学士一等忠勇公傅恒像》，纵 155 厘米，横 95 厘米，上方有乾隆以满、汉两种文字书写的御笔加章赞语，所画傅恒正当中年，全副官服站立，冠服采取的是传统的中国工笔画技巧，但面容的画法虽然边缘使用了线条勾勒，在用色上却完全尊重人体解剖的客观性，以深浅明暗来达到立体感，显然是使用了西洋油画的技巧。仅从纯粹的肖像画角度来观赏，这也堪称是一幅中西合璧的佳作。

这幅流落在异国他乡的傅恒画像，当然引起了我们的浓厚的兴趣。我们都知道在古本《红楼梦》第十六回，当贾琏的乳母赵嬷嬷出现时，忽然有一条简洁的脂砚斋批语："文忠公之嬷。"何解？历来红学界聚讼纷纭。据周汝昌先生考证，清代雍、乾时期死后被皇帝谥以"文忠"的公爵，只有乾隆朝傅恒一人，他一个姐姐是乾隆的皇后，一生为皇帝征战，西讨南伐，最后在缅甸战役中染病而亡。我向两位年轻的红迷朋友说出我的见解：第一，脂砚斋这个批语，是在指认角色原型；第二，《红楼梦》里艺术形象与真实生活里的人物的对应关系是：贾代善相当于曹寅，与康熙同辈；贾政相当于曹頫，与雍正同辈；宝玉相当于曹雪芹，贾琏是宝玉堂兄，与乾隆同辈；第三，估计乾隆朝初年，傅恒家的一位乳母，成为了曹雪芹某堂兄的乳母，这位堂兄就是贾琏的原型，而赵嬷嬷也绝非纯虚构的角色，她的原型就是来自傅恒家的那位乳母。

一位年轻朋友对我的见解存疑：傅恒家一直大富大贵，而曹家在雍正初年就遭到严重打击，虽说那个时代权贵家庭交往中有将自家仆人当做礼品赠与别家的风俗，但到乾隆朝初期，傅、曹两家已经完全不对等，这傅家的乳母怎么可能流动到曹家呢？另一位红迷朋友说，时代、社会、家族、个人的命运走向，在粗线条、大轮廓内外，还有许多诡谲因素和出人意料的个案存在，脂砚斋既然写下了"文忠公之嬷"字样，必有原因，绝非信笔涂鸦。我们决心进一步探索下去。

近来又有紫光阁功臣画像出现在国外拍卖行，这些当年忠于皇帝的臣属究竟怎么评价且不论，他们的精致画像应该回到故里。与《红楼梦》有着某种神秘联系的傅恒画像，何时能回归故里让我们一睹风采呢？

科头抱膝轩中人

　　整理旧书，翻出一册小说，扉页上有作者题赠字样，落款为"壬戌仲春"。这个壬戌应该是 1982 年。那一年仲春，我路过花市大街一家理发馆，正好一位瘦高的先生理完发走出来，他本来就衣冠整洁，加上新理过发，越发显得斯文儒雅，他主动招呼我，面容体态礼数周全，我定睛一看，啊，是金寄水先生。

　　1975 年至 1980 年，我在北京出版社当过几年文学编辑，那时候我参与创办的《十月》积极丰富创作题材，除了反映改革开放时代步伐的作品，反思性的，革命历史题材的，家务事儿女情的 …… 也约到一些历史小说，像吴恩裕先生的《曹雪芹的故事》，配上范曾先生精美的绣像画刊出，极得好评。我听说金寄水先生手头正写着《红楼梦外编》系列，第一部是写司棋的，就跑去向他约稿。

　　那时候我们编辑部在花市附近的东兴隆街，他家则在花市附近巾帽胡同，走过去十分方便。他住在一个大杂院里。那院子当年应该是一个富人的住宅。他住的那间屋子，进身非常之窄，大概还不足两米，长度呢，大概也只有五米，度其结构，应该是由当年的一截游廊改造而成。屋子虽然十分狭窄，但拾掇得非常清爽，屋如其人，人如其屋，不起眼，特平淡，谦和，礼貌，绝无非分之想，随时准备让步。但屋墙上挂着一个长方镜框，算是块素匾吧，寄水先生自己题写的，是"科头抱膝轩"五个大字，"抱膝"是形容空间小只能将就，"科头"呢，后来知道是引《史记》中"虎贲之士，跿跔科头"的典故，"跿跔"是跳跃，"科头"是不戴帽子，唐王维有"科头箕踞长松下，白眼看他世上人"的诗句，可见寄水先生的软外表下，也有硬骨存焉。

　　1979 年那天我向他约稿，他说是在写司棋，但还没改定。我就跟他闲聊了一阵《红楼梦》，具体聊了些什么，到 1982 年理发馆外见面时，我就已经不复记忆。但他还记得，他是这样表述的："您跟我聊了那么多，却一个字不涉及我过去。"看他的表情，他似乎对此很是感念。他就邀我再到科头抱膝轩里小坐，我高兴地随他去了。那时候我已经不再当编辑。他拿出一册山西人民出版社 1981 年 8 月出版的《司棋》，题字、钤章，双手捧给我。我好高兴！

我跟寄水先生交往，可谓淡而又淡。我没在他面前提及他的过去，主要是觉得彼此不熟，那样不礼貌。其实我对他的过去是非常感兴趣的。他是清朝开国元勋多尔衮的十三世孙。多尔衮死后虽然被顺治皇帝褫爵掘坟，但到乾隆朝时获得平反，其后人恢复了睿亲王爵位并且世袭罔替。最后一代睿亲王，府第在东单外交部街，可惜后来面目全非。寄水先生抗日战争期间坚拒伪满洲国重封睿亲王的诱惑，写有言志诗："午夜扪心问，行藏只自知；此心如皎日，大地定无私。"解放后他投身新中国的文化建设，与老舍、赵树理他们一起编《说说唱唱》杂志。但他为自己的出身饱受屈辱，包括被某些有优越感的人当成"典型的八旗子弟"揶揄，他畏惧别人哪怕仅仅出于好奇，当面提出一些难堪的问题，事后他只能躲在科头抱膝轩里，默默舐尽受伤的自尊心的缕缕血丝。

他写的《司棋》，全书只有五万五千字，薄薄的一册。但那时一开印就是十五万五千册，可见大受欢迎。《司棋》严格来说，不算《红楼梦》的续书，它不是从曹雪芹的八十回往后续写，而是单把司棋这个角色拎出来，用十二回的曹体文字，来讲述一段故事、塑造一组艺术形象。他设定司棋本姓秦，这很有意思，他没有把司棋跟秦可卿勾连起来，却很好地解释了为什么司棋会为秦显家的争夺柳家的内厨房主管权而去冲锋陷阵。在他写的故事里，司棋通过角门张妈私递给潘又安的荷包，并不是傻大姐捡到的绣春囊，上面刺绣的是一对香瓜、一双蝴蝶，"那瓜蔓儿弯弯缠缠地和蝴蝶连在一起"。显然，他动用了往昔王府的生活经验。这是别的作者难以企及的。他与周沙尘合作的《王府生活实录》1988 年由中国青年出版社推出。我写《揭秘古本〈红楼梦〉》时，引用了其中王府诰命夫人"按品大粧"的记录，以证明《红楼梦》文本的写实成分。可惜寄水先生迁往昌运宫宽敞住宅后，没来得及写更多的东西就溘然仙去。否则，他续写曹雪芹八十回后的《红楼梦》，定会令我们大饱眼福。

让世界知道曹雪芹和《红楼梦》

（1）用其母语创作的优秀文学作品，可以成为一个民族、一个国家的"名片"。曹雪芹和《红楼梦》，可以作为中华民族和中国的"名片"。

世界各民族、各国文学"名片"举例：

☆希腊：约公元前 6—5 世纪三大悲剧家埃斯库勒斯

索福克勒斯

欧里庇德斯

喜剧家阿里斯托芬

☆印度：约 4—5 世纪　迦梨陀娑　《沙恭达罗》（戏剧）

☆日本：约 10 世纪　紫式部　《源氏物语》（长篇小说）

☆伊朗：约 13 世纪　萨迪　《蔷薇园》（散文集）

☆意大利：13—14 世纪　但丁　《神曲》（长诗）

☆英国：16 世纪　莎士比亚　37 部戏剧

☆西班牙：16 世纪　塞万提斯　《堂·吉诃德》（长篇小说）

☆中国：18 世纪　曹雪芹《红楼梦》（长篇小说）

☆朝鲜：18 世纪《春香传》（小说、戏剧）

☆德国：18—19 世纪　歌德《浮士德》（诗剧）

☆法国：19 世纪　雨果《悲惨世界》（长篇小说）

☆丹麦：19 世纪　安徒生童话

☆俄罗斯：19 世纪　列夫·托尔斯泰　《战争与和平》（长篇小说）

☆美国：19世纪　马克·吐温幽默小说

☆古巴：19世纪　何塞·马蒂诗歌

☆奥地利：19—20世纪　卡夫卡《变形记》（小说）

……

中国古代的哲学家著作，以及古代诗人的诗歌，在国外知道的人比较多。但是，有一种说法，就是认为中国的长篇叙事文学，似乎跟别的民族别的作品相比，就比较弱，这种说法是不对的。我认为，曹雪芹的《红楼梦》，完全可以与世界上任何一个民族、一个国家的文学"名片"相提并论。

曹雪芹和《红楼梦》，可以并且应该，作为中华民族和中国的一张文化"名片"。

（2）《红楼梦》集中华文化精粹之大成，是中国古典文化的一座高峰。

通过《红楼梦》可以了解中国古代的历史、哲学、宗教、伦理秩序、审美习惯、神话传说、诗词歌赋、园林艺术、烹调艺术、养生方式、用具服饰、自然风光、民间风俗……而这些因素并不是生硬地杂陈出来，完全融汇进了小说的人物塑造、情节流动与文字运用中。

仅举一例。第四十回，书中贾母带着刘姥姥逛大观园，到了林黛玉住的潇湘馆，发现窗户上的窗纱不对头。

"这个纱新糊上好看，过了后来就不翠了。这个院子里头又没有个桃李树，这竹子已是绿的，再拿这绿纱糊上反而不配。我记得咱们先有四五样颜色的纱呢。明儿给他把这些窗上的换了。"

凤姐听了，说家里还有银红的蝉翼纱，有各种折枝花样、流云卍福、百蝶穿花的。

贾母就指出，那不是蝉翼纱，而是更高级的软烟罗，有雨过天晴、秋香色、松绿、银红四种。这种织品又叫霞影纱，软厚轻密。

这个细节就让人知道，中国人对窗的认识，与西方人有所不同。西方人认为窗就是采光与透气的，尽管在窗的外部形态上也变化出许多花样。古代中国人却认为窗首先应该是一个画框，窗应该使外部的景物构成一幅优美的图画，因此在窗纱的选择上，也应该符合这一审美需求，外面既然是"凤尾森森"的竹丛，窗纱就该是银红的，与之成为一种对比，从而营造出如画如诗的效果。

（3）《红楼梦》有很高的精神境界，与世界上其他民族和优秀文化传统相通，共同铸造出人类的普适价值。

不能把《红楼梦》简单地归结为一部爱情小说，也不能把它简单地归结为写一个封建贵族家庭的兴衰史。

曹雪芹有政治倾向，《红楼梦》里有政治因素，但曹雪芹不是用它来表达不同政见。曹雪芹超越了政治，通过贾宝玉这一艺术形象，表达了更高层次的思考，那就是人类应该平等相处，大地上应该有诗意的生活。

曹雪芹通过贾宝玉之口，宣布："女儿是水作的骨肉，男人是泥作的骨肉，我见了女儿，我便清爽；见了男子，便觉浊臭逼人。"（第二回）

又通过小丫头春燕转述贾宝玉的观点："女孩儿未出嫁，是颗无价的宝珠；出了嫁，不知怎么的就变出许多的毛病来，虽是颗珠子，却没有光彩宝色，是颗死珠子了；再老了，更变的不是珠子，竟是鱼眼睛了。分明一个人，怎么变出三样来？"（第五十九回）

在世界上还没有"妇女解放运动"和"女权主义"的时候，曹雪芹却在皇权、神权与夫权结合得最坚实的中国清朝乾隆时期，把关注点集中到了青春女性身上，旗帜鲜明地为社会中的弱势族群——青春女性——鸣不平，争人权。而且，他那"女性三阶段论"，不仅是对封建社会男尊女卑伦理秩序的挑战，更避免了"唯性别"的空泛之论，指出封建社会主流价值观，通过包办婚姻和家庭宗法制度，使青春女性随着嫁人和岁月流逝，从纯洁堕落为污浊。

曹雪芹通过"金陵十二钗"正册、副册、又副册……的艺术构思，塑造了一系列青春女性的形象，构筑了长长的文学人物画廊。他不避讳每一个人物人性的复杂诡谲，但从总体上，他为这些女子唱出了哀惋的悼怀之歌。

曹雪芹还通过两个老婆子的话，描绘了贾宝玉的生存状态与人格情愫：

"时常没人在眼前，就自哭自笑的；看见燕子，就和燕子说话；河里见了鱼，

就和鱼说话；见了星星月亮，不是长吁短叹，就是咕咕哝哝的。"（第三十五回）

"人生着甚苦奔忙？"这是被称作"甲戌本"的古本《石头记》（现存古本《红楼梦》基本上书名都是《石头记》）开篇的一句诗。这就是终极追问，是人类最高层次的思考。通过贾宝玉这个艺术形象，曹雪芹表达了"天人合一"、"世法平等"的思想。据曹雪芹合作者脂砚斋的透露，书的最后一回有个《情榜》，除贾宝玉外，是每十二个一组的女性榜单，每个角色还附"考语"，贾宝玉的考语是"情不情"，第一个"情"字是动词，就是对没有感情的事物，也付出自己的感情去关爱，这是非常博大的人文情怀。

（4）《红楼梦》具有超常的艺术魅力。

残缺之美。有如现在陈列在法国巴黎卢浮宫的米罗的维纳斯。

现在人们看到的通行本《红楼梦》梦一百二十回，经考证，后四十回是高鹗续的。

我个人研究《红楼梦》，采取了两个手段，一是原型研究，一是文本细读。

我从秦可卿这个角色入手，研究曹雪芹对文本的修改过程，从中了解他所处在的历史阶段的具体情况，他家族和他个人的遭遇，他的创作心理，他如何从生活的真实出发，经过艺术想象，去塑造艺术形象。我本人是写小说的，我研究《红楼梦》，目的之一，就是向曹雪芹学习，特别是学习他从生活真实升华为艺术形象的能耐。

我的"秦学"研究只是一家之言。清代袁枚有两句诗："苔花如米小，也学牡丹开。"民国初期蔡元培有两句话："多歧为贵，不取苟同。"这两句诗和这两句话，是我研究《红楼梦》时的座右铭。

我的研究成果已经以《刘心武揭秘〈红楼梦〉》第一集、第二集（共36讲）的形式，由东方出版社在今年推出。

曹雪芹的写作技巧非常高妙。他使用了"草蛇灰线，伏延千里"的手法。在似乎是无意随手之间，就埋下了伏笔，形成了悬念。

比如第八回结尾。关于茜雪的故事，"枫露茶事件"，尚未展开，戛然而止，却又有关于秦可卿出身的古怪交代。其合作者批书人（有时署名脂砚斋，有时署名畸笏叟，有时不署名）在批语里透露："茜雪至狱神庙方见正文。……余只见有一次誊清时，与狱神庙慰宝玉等五、六稿被借阅者迷失。叹叹！"

《红楼梦》的叙述策略非常高明，兼有第一、第三人称的韵味。叙事语言与人物对话都非常流畅生动，而且有作者个人的风格。

（5）应该对内普及，对外弘扬，使曹雪芹和《红楼梦》进入人类普适的常识结构中。

我注意到，我们外交部新闻发言人在发言中，引用了根据《红楼梦》改编的戏曲里面的唱词，来比喻克服困难、历经艰险，去达到目的。其实，在《红楼梦》梦里，作者的叙述语言当中，就能找到可资引用的语言，比如第十七十八回，写贾政带着贾宝玉等在大观园里游览，有这样一些句子："穿花度柳，抚石依泉，过了荼蘼架，再入木香棚，越牡丹亭，度芍药圃，入蔷薇院，出芭蕉坞，盘旋曲折……""忽见大山阻路……直由山脚边一转，便是平坦宽阔大路，豁然大门前见。"这些语言似乎就可以用来比喻谈判需要以耐心和相互让步去取得成果。当然，书中许多人物的语言，简洁明快，更可以古为今用，略举出数例：

"世法平等。"（第四十一回，贾宝玉说的）

"大小都有个天理。"（第三十九回，李纨说的）

"牛不吃水强按头？"（第四十六回，鸳鸯说的）

"可着头做帽子"（第七十五回，鸳鸯说的）

"大有大的艰难"（第六回，王熙凤说的）

"事若求全何所乐？"（第七十五回，林黛玉说的）

"是真名士自风流"（第四十九回，史湘云说的）

"惟大英雄能本色"（第六十三回，史湘云说的）

"天下逃不过一个理字去。"（第六十五回，兴儿说的）

"小心没有过逾的。"（第六十二回，薛宝钗说的）

《红楼梦》里提到了若干外国，如女儿国、茜香国、真真国；提到了波斯国玩具、汪恰洋烟、"衣弗那"膏子药、弗朗思牙的名为"温都里纳"的金星玻璃宝石……

希望外交部人士能发挥自己的优势，对外弘扬曹雪芹和《红楼梦》。

有的古本（手抄本）《红楼梦》可能流落在国外，应该发现线索，进行寻找，争取宝物回家。

曹雪芹祖上几代人陆续担任江宁织造。特别是他祖父曹寅、父辈曹颙、曹頫，实际上都兼有皇帝派给的，与外国来华商人等接待交往的特殊任务，有关这方面的资料也应该注意搜集。

据传有一本 1874 年英国伦敦 DOUGLAS 出版社出版的书，著者为 WILLAM WINSTON，书的名字是《DRAGON'S IMPERIAL KINGDOM》，黄色封面上有黄龙图案，大于 32 开小于 16 开，厚约 3 厘米。

该书第 53 页上，有关于曹雪芹偷听英国商人腓立普给他父亲讲莎士比亚戏剧故事，而被发现受到责罚的内容。此书"文革"前北京有两个单位的图书馆里都藏有，"文革"中丢失。像这样的资料，应该设法再从国外搜集。

现在国内有一些糊涂的、错误的看法，如认为《红楼梦》是一部"堕落的作品"，认为现实中有腐败、矿难、失学、欠薪、就医难……诸多迫切需要解决的问题，研究普及曹雪芹的《红楼梦》则是"吃饱了撑的"甚至是"精神堕落"。这种文化上的民族虚无主义的观点，轻视甚至抹杀传承民族文化传统的态度，以及把关注解决现实问题和长远地铸造民族魂魄的细致工程对立起来的想法和做法，我认为都是必须加以批评、劝导、纠正的。

在国内，应该做好曹雪芹和《红楼梦》的普及工作。

对国外，应该把曹雪芹和《红楼梦》作为一张光辉耀眼的民族和国家的文化"名片"，加以弘扬。

2005 年 11 月 21 日

[本文为刘心武应外交部邀请为约 200 位外交官演讲研红心得的内容提要]

推荐《红楼梦》周汝昌汇校本

人民出版社 2006 年 12 月第一版的周汝昌《红楼梦》汇校本，是一个非常珍贵的古典文学读本。

由于曹雪芹的《红楼梦》在流传的过程里，出现了多种不同的版本，十八至十九世纪有手抄本，有木活字摆印本，到上世纪初有石印本，再后又有铅排本，为了便利读者阅读、研究，新中国成立以后，多次整理、出版《红楼梦》，有供一般读者阅读的"通行本"（即封面署曹雪芹、高鹗著的一百二十回本），也有各种古本单本的排印本（有的加注释）或影印本，也出版过如俞平伯先生用几个古本互校的特色本，但一直缺少一部把现存诸多古本尽可能全部找齐，逐字逐句比较、研究、斟酌、取舍的汇校、精校的本子，人民出版社 2006 年 12 月第一版的这个经周汝昌先生在出版前再加精心厘定的汇校、精校本，补上了这个历史空缺，使全球的《红楼梦》阅读者和研究者，获得了一个弥足珍贵的《红楼梦》新版本。

周汝昌先生开拓这项工程，是在 1948 年，从胡适先生那里借到古本《脂砚斋重评石头记》（甲戌本）后，立即录副，与其兄周祜昌一起，迈出第一步的。其后历经半个世纪的岁月风云、人生沧桑，坎坷备至，摧毁重来，周祜昌先生去世后，周汝昌女儿周伦苓又参加进来，一家两代三人，私家修书，克尽困难，终于大功告成，因最后由周汝昌先生定稿，此书汇校者只署周汝昌一人之名。

这个汇校本，是把他们在工作期间所能搜集到的十一个古本，逐字逐句进行对比、研究，再经讨论、斟酌，选出认为是最符合或最接近曹雪芹原笔原意的一句，加以连缀，最后形成的一个善本。汇校中还加以必要的注释，向读者交代，为什么选这样的字、这样的词、这样的句子，以及为什么要保留某些篇章、段落。

比如我们一般人所读到的"红学所"的校注本（人民文学出版社1982年第一版），这个本子不是把现存古本逐一对照汇校，而是以一种古本"庚辰本"为底本加以修订的一个本子，它有优点，却也存在明显的缺憾——比如曹雪芹在全书第一回之前写的《凡例》，它只把其中很少的一点取用在第一回正文前面，用低两格的格式作一特殊处理，这样，就使得读这个本子的广大读者，不能读到完整的《凡例》，而周汇本《红楼梦》却完整地呈现出了曹雪芹写在第一回前面的《凡例》。类似的优点，周汇本比比皆是，不胜枚举。

初读周汇本，因为对已往印行的通行本印象已深，往往会有惊奇甚至不解的反应：这回目、句子怎么"眼生"呀？这字怎么会是"别字"、"错字"呀？但细读细思，特别是看了周先生加的注释，就能理解，那"眼生"的回目或句子，更接近曹雪芹的原笔，而有些字那么样地"不规范"，正说明曹雪芹当时创作这部白话小说时，往往不得不"借音用字"、"生造新字"，使我们懂得1919年以后的"白话文"，有一个逐步演化、规范的过程，通过读这个周汇本，也能使我们对母语文本的流变，有所憬悟，这也恰是这个周汇本的一个特色。

周汝昌先生的学术观点，是认为曹雪芹大体写完了《红楼梦》，全书不是一百二十回，八十回后还有二十八回，全书的规模是一百零八回；认为高鹗的续书违背了曹雪芹的原笔原意，应在出版上与曹雪芹的《红楼梦》切割开。因此他汇校的《红楼梦》只收八十回。但为了一般读者能了解曹雪芹《红楼梦》的全貌，他将自己对曹雪芹《红楼梦》八十回后的内容，多年来进行探佚的成果，浓缩成文，附在书后，这样，就使得这个本子不仅具有最接近曹雪芹原笔原意的特色，也满足了一般读者希望了解到曹雪芹的《红楼梦》全貌的愿望。

人民出版社所出的这个周汇本《红楼梦》，编辑精心，印装雅致，为广大的《红楼梦》爱好者、研究者提供了一个难得的汇总精校本。

2007年8月6日

鲞耄老翁来捧场
——赴美讲红杂记

我在哥伦比亚大学弘红次日，几乎美国所有的华文报纸都立即予以报导，《星岛日报》的标题用了初号字《刘心武哥大妙语讲红楼》，提要中说："刘心武在哥大的'红楼揭秘'，可谓千呼万唤始出来。他的风趣幽默，妙语连珠，连中国当代文学泰斗人物夏志清也特来捧场，更一边听一边连连点头，讲堂内座无虚席，听众们都随着刘心武的'红楼梦'在荣国府、宁国府中流连忘返。"

我第一次见夏志清先生，是在 1987 年，那次赴美到十数所著名大学演讲（讲题是中国文学现状及个人创作历程），首站正是哥大，那回夏先生没去听我演讲，也没参加纽约众多文化界人士欢迎我的聚会，但是他通过其研究生，邀我到唐人街一家餐馆单独晤面，体现出他那特立独行的性格。那次我赠他一件民俗工艺品，是江浙一带小镇居民挂在大门旁的避邪镜，用锡制作，雕有很细腻精巧的花纹图样，他一见就说："我最讨厌这些个迷信的东西。"我有点窘，他就又说："你既然拿来了，我也就收下吧。"他的率真给我留下了深刻的印象。

这回赴美在哥大演讲的前一天，纽约一些文化名流在中央公园绿色酒苑小聚，为我洗尘，夏先生携夫人一起来了，他腰直身健，双眼放光，完全不像是个 85 岁的鲞耄老翁。席上他称老妻为"妈妈"，两个人各点了一样西餐主菜，菜到后互换一半，孩童般满足，其乐融融。

我演讲那天上午，夏先生来听，坐在头排，正对着讲台。讲完后我趋前感谢他的支持，他说下午还要来听，我劝他不必来了，两场全听，是很累的。但下午夏先生还是来了，还坐头排，一直是全神贯注。

报导说"夏志清捧场"（用二号字在大标题上方作为导语），我以为并非夸张。这是实际情况。他不但专注地听我这样一个没有教授、研究员、专家、学者身份头衔的行外晚辈演讲，还几次大声地发表感想。一次是我讲到"双悬日月照乾坤"所影射的乾隆和弘晳两派政治力量的对峙，以及"乘槎待帝孙"所表达出的著书人的政治倾向时，他发出"啊，是这样！"的感叹。一次是我讲到太虚幻境四仙姑的命名，隐含着贾宝玉一生中对他影响最大的四位女性，特别是"度恨菩提"是暗指妙玉时，针对我的层层推理，他高声赞扬："精彩！"我最后强调，曹雪芹超越了政治情怀，没有把《红楼梦》写成一部政治小说，而是通过贾宝玉形象的塑造和对"情榜"的设计，把《红楼梦》的文本提升到了人文情怀的高度，这时夏老更高声地呼出了两个字："伟大！"我觉得他是认可了我的论点，在赞扬曹雪芹从政治层面升华到人类终极关怀层面的写作高度。

后来不止一位在场的人士跟我说，夏志清先生是从来不乱捧人的，甚至于可以说是一贯吝于赞词，他当众如此高声表态，是罕见的。夏先生并对采访的记者表示，听了我的两讲后，他要"重温旧梦，恶补《红楼梦》"。

到哥大演讲，我本来的目的，只不过是唤起一般美国人对曹雪芹和《红楼梦》的初步兴趣，没想到来听的专家，尤其是夏老这样的硕儒，竟给予我如此坚定的支持，真是喜出望外。

当然，我只是一家之言，夏老的赞扬支持，也仅是他个人的一种反应。国内一般人大体都知道夏老曾用英文写成《中国现代小说史》，被译成中文传到我们这边后，产生出巨大的影响，沈从文和张爱玲这两位被我们这边一度从文学史中剔除的小说家，他们作品的价值，终于得到了普遍的承认；钱锺书一度只被认为是个外文优秀的学者，其写成于上世纪四十年代的长篇小说《围城》从五十年代到七十年代根本不被重印，在文学史中也只字不提，到九十年代后则成为了畅销小说。我知道国内现在仍有一些人对夏先生的《中国现代小说史》不以为然，他们可以继续对夏先生，包括沈从文、张爱玲以及《围城》不以为然或采取批判的态度，但有一点那是绝大多数人都承认的，就是谁也不能自以为真理独在自己手中，以霸主心态学阀作风对付别人。

周老赠诗有人和
——赴美讲红杂记

　　和 L 君同往夏威夷一游，老友梅兄送我们到机场，领登机牌前，他把一个纸袋递给我，脸上现出顽皮的微笑，嘱咐我："到了那边再看，在海滩上慢慢看。"

　　夏威夷跟我想象的很不一样。我以为那里很热，只带去恤衫，谁知平均气温多在二十五度上下，时有小阵雨，外套还是少不了的。我以为可以用"天然金沙滩，翻飞银海鸥"来形容那里的海滨风光，却原来那是火山岛，海滩本来全是被岩浆烧焦过的黑石头黑沙子，现在所看到的金色白色沙滩，全是从澳大利亚进口的沙子铺敷的。因为全境长期禁止捕鱼，近海生态特殊，并无海鸥飞翔，所看到的鸟类，大多是鸽子。我以为它已接近南太平洋，热带植被中必然多蛇，我最怕的就是蛇，自备了蛇药，但导游告诉我们："这些火山岛全无蛇，如果说有，那只有两条，一条在动物园里，一条就在你们眼前——我，地头蛇啊！"我原以为夏威夷州花必是一种很特殊的热带花卉，没想到却是北京常见到的朱锦牡丹……

　　但夏威夷确有一种令人心醉神迷的风韵。那里的土著以黑为贵，以胖为美，人们见面互道"阿罗哈"，无论是柔曼的吉他旋律，还是豪放的草裙舞，都传递给你充沛的善意与天真。

　　我们下榻的宾馆离著名的维基基海滩很近，散步过去，租两把躺椅一把遮阳伞，在免费的冰桶里放两瓶饮料，一身泳装，日光浴、海水浴交替进行，真是神仙般快活。我带去了梅兄给我的纸袋，靠在躺椅上，抽出了里面的东西，原来是一册纽约出版的中文《今周刊》，于是发现，有一整页刊登着与我有关的古体诗。

我赴美前，《北京晚报》已经刊载了周汝昌先生的《诗赠心武兄赴美宣演红学》："前度英伦盛讲红，又从美土畅芹风。太平洋展朱楼晓，纽约城敷绛帐崇。十四经书华夏重，三千世界性灵通。芳园本是秦人舍，真事难瞒警梦中。"《今周刊》将其刊出，重读仍很感动。但让我惊讶和更加感动的，是在周老的诗后面，《今周刊》一连刊登了四首步周韵的和诗。第一首就是梅兄振才的："百载探研似火红，喜看秦学掀旋风。轻摇扇轴千疑释，绽放百花四海崇。冷对群攻犹磊落，难为自说总圆通。问君可有三春梦，幻入金陵情榜中。"还有刘邦禄先生的："锲而不舍探芹红，当代宗师德可风。十杰文坛登榜首，一番秦论踞高崇。揭穿幻像真容貌，点破玄关障路通。三十六篇纾梦惑，薪传精髓出其中。"陈奕然先生的和诗则是："劫后文坛一炮红，长街轻拂鼓楼风。坚冰打破神碑倒，传统回归儒学崇。真事隐身凭揭秘，太虚幻境费穷通。阿瞒梦话能瞒众，还赖高人点醒中。"罗子觉先生和诗："忽闻美协艺花红，纽约重吹讲学风。芹老锦心千载耀，刘郎绣口万侨崇。红楼梦觉云烟散，碧血书成警幻通。嗟我息迟无耳福，不惭敬和佩胸中。"

除了步周老韵的和诗外，还有七首诗也是鼓励我的，其中赵振新先生《无题》："早有才名动九州，伤痕文学创潮流。红楼今又开生面，攀向层楼最上头。"

当然，我深知，这些人士，有的是老友，有的是新识，有的尚未谋面，都属于我的"粉丝"，有的更取一特称叫"柳丝"；人做事需要扶持，出成果需要鼓励，一个篱笆三个桩，一个人至少需要三个人帮，国内海外皆有我揭秘《红楼梦》的"柳丝"，是我的福分。但我也知道，恨不得把我"撕成两半"的人士，也大有人在，国内见识过，海外未遇到，却未必没有，对于他们，我要说，难为他们花那么多的时间和精力，投入那么强烈的情感来对付我，凡他们抨击里的含有学术价值的那些成分，我都会认真考虑，但凡那些属于造谣污蔑人身攻击的话语，我就只能是付之一笑，我祝他们健康快乐，不要因为对我生气而伤身废事。

赏完那些诗，朝海上望去，只见翻卷的海涛里，冲浪健儿正在灵活而刚强地上下旋跃，就觉得，要向他们学习，做一个永不退缩的弄潮儿！

[附]

诗赠心武兄赴美宣演红学
周汝昌

近悉作家刘心武先生应华美协进社之邀，将赴美在哥伦比亚大学宣讲《红楼》之《梦》，喜而赋诗送行，并以小文记此一事，或有愿闻者，故披露于报端，方家大雅，当有解味知音，亦可存也。诗云——

前度英伦盛讲红，又从美土畅芹风。
太平洋展朱楼晓，纽约城敷绛帐崇。
十四经书华夏重，三千世界性灵通。
芳园本是秦人舍，真事难瞒警梦中。

如今为了让年青一代读者易于理解，于此文末附以简释，逐句而粗为解说——

首句是说，刘先生 2000 年曾受英中文化协会和伦敦大学之邀，专赴伦敦讲了一次"红学"，深受欢迎，影响远播。故第二句即言，今番又受邀专赴纽约去讲雪芹之书，《红楼》之学。"前度"者，暗用唐贤刘禹锡"前度刘郎今又来"之句，巧为关合。"畅芹风"，仿古人"大畅玄风"之语法（"玄"，指老庄哲理）。

第三句写飞渡大洋时，目睹云海朝霞，如红楼乍曙之气象。第四句之"绛帐"是借古代名师讲学时设绛帐，正可借为今之"讲座"语义。绛帐与朱楼对仗，自谓异常工巧。

以上为首联、颈联四句。以下腹联为第五、六两句了：上句何谓耶？——是说中华本有十三经是国粹，我则提出，应将《红楼梦》列为十三经之后一部重要经典，称之为十四经——有了这一经，华夏民族文化精髓又增添了重要的分量！下句则指明"红学"的宣演推广，将为世界各民族国家的交流融会带来新的美好前景。

尾联是点睛结穴之处：讲的是大观园"试才"时，清客相公题一匾曰"秦人旧舍"四字，宝玉听了，在他的评语中首次点破了全书中的一大秘密：此园此境，乃是

"避秦人"的曾居之所——建园省亲而道出此等"逆语",可骇可愕！而宝玉也忍不住说：这越发过露了，此是"避乱"之语，如何使得？！雪芹在此，用了书中唯一的一处特笔，揭破"过露"的背后深层，正是政治局势双方较量而招致的巨变和大祸！

末句总结之意：由此可悟，雪芹原著，开头即"自云"历过"梦幻"，故将"真事"隐去，假借灵石下凡而"敷衍"成一段"悲欢离合"的传奇故事——这隐去的"真事"，就是我们致力探佚的重要目标，亦即理解作者作品动机大旨、一切价值意义的唯一一把钥匙。

丙戌仲春之月

公众共享的红学

——马凯《孔方中观〈红楼梦〉》序

英国有莎学,研究莎士比亚及其剧作诗作,当然也会研究到莎士比亚身世。莎学有权威,有终生以莎学为业的研究人士,当然也形成了主流观点,但鲜有不许草根人物"插嘴"说"外行话"的学霸,更没有自以为具有裁判权的研究机构,任何人只要能自圆其说,都可以发表文章乃至推出专著,参与对莎士比亚这个英国国宝的研究。2000年我曾到英伦一游,在泰晤士河畔的环球剧场里,观看莎剧的演出。那剧场据说就是当年莎士比亚他们使用的剧场,当然早经多次翻修,但每次翻修都并不使其"现代化",环形看台上仍是粗夯的原木长凳,舞台仍是那么简陋,剧场当中的观看区域依然不设座椅,甚至不铺地板,不敷水泥,不镶地砖,就是有着一层薄沙的泥土地,观众就站在那上面观看演出。我那回看的是由一个葡萄牙剧团以葡语演出的《罗密欧与朱丽叶》。没有开幕闭幕,进到剧场台子上已经装好布景,是一辆敞开车门的轿车,轿车旁有很高的桅杆,桅杆高处套着个小平台。开演由一群戏装人物排着队跟着最前面的敲鼓人踏步进场,由台下步上舞台,然后演绎我们都十分熟悉的那个故事。开头我很惊诧,现代小轿车的布景,怎能适宜那样一个古典故事?戏里的角色分明都穿着古装嘛!但往下看,渐渐被那新奇的手法吸引住,虽然听不懂葡萄牙语,但整个演出看来还是严格按照莎翁原本在往前推进,演员从轿车这边门进那边门出,表达空间转换,桅杆高处的小平台一会儿被当做小阳台,一会儿被当做瞭望塔,看去都觉得自然优美……戏演完了,全体演员又跟着最前的敲鼓人走下台来,在场子里转悠,观众则可跟随他们手舞足蹈,我也不禁参与其中,一直随鼓声出了剧场来到剧场外的河边……那一回,我深深地体味到,莎士比亚不仅是全体英国人，从皇室到贫民，从专家到菜贩，所共享的，也是全人类，从操葡萄牙语，到操中文的，所共享的。

英国有莎士比亚，我们有曹雪芹的《红楼梦》，与之媲美，绝不逊色。《红楼梦》真是一部奇书，说它是中华传统文化的百科全书，绝非夸张。而且，它还有超时代的一面，其中有些内容，其实是反传统、超传统，而与我们今天的新意识接轨的。百多年来，对《红楼梦》的研究已经形成了一种专门的学问——红学。但红学的公众共享，则是近年来才逐渐彰显的。

公众共享的红学，近年来推出了不少妙论佳构。有的权威专家或嗤之以鼻，或竟恼羞成怒，大有"红学属我不得染指"的架势。但"百花齐放，百家争鸣"是必须遵循的文化政策，而且蔡先贤元培那"多歧为贵，不取苟同"的学术箴言越来越深入人心，又正如清代诗人袁枚所吟："苔花如米小，也学牡丹开。"就算权威专家是"牡丹"吧，其他的花蕾，包括如米粒般小的苔花，也有将自己绽放的研究权、表达权。

在这样的大背景下，我读到了马凯先生的书稿《孔方中观〈红楼梦〉》，这恐怕是一朵比苔花大得多也艳得多的红学新花了。从经济学、管理学角度研究《红楼梦》，早已有人开风气之先，但一直没有很深入，很细致。马凯先生的这部论著，有的内容是别人也表述过的，有的，则至少是我头一回看到，很有新鲜感。比如他通过文本细读，发现《红楼梦》中屡屡以"二十两银子"为论财的"口头禅"，这究竟是怎么回事？他给予了相当有见地的解释。他那"职场小红"的分析角度也是富于新意的。当然这部书稿也还有再加打磨的必要，比如他把贾府里老太太、太太、小姐、丫头等从"官中"领取的"月例银"一律称为"员工的工资"，就比喻不当。再比如他对柳五儿母亲柳家的判断，认为并非贾家世奴的后代，属于"自由民"，这是不对的。书里明明写出柳家的哥哥是荣国府门房当值的，这是家奴才会有的现象。而且之所以要谋求柳五儿到怡红院当差，也恰是因为柳五儿属于世代家奴的后代，到了年龄就必须"分房"（分到某主子居所当差），只是由于柳五儿素昔有弱症，才没及时"分房"。这些"毛刺"都不难打磨，相信经过打磨的书稿一定会更加精彩。

愿马凯先生的这部论著，能推动一般民众阅读《红楼梦》原著的兴趣，更能使红学进一步成为公众共享的一个学术领域。

2009 年 8 月 13 日绿叶居中

揭秘刘心武

[CCTV-10 特别节目实录]

导视：

著名作家刘心武

在揭秘《红楼梦》之后

首次亮相电视媒体

素以犀利直言快语著称的

主持人张越面对刘心武

最直接最真实的独家揭秘

《百家讲坛》独家奉献特别节目

《揭秘刘心武》

张越：好，感谢各位现场的和电视机前的观众朋友，你们现在收看的是《百家讲坛》的特别节目，说它特别，今天有两点特别：第一是节目的形式特别，因为平时我们看到《百家讲坛》都是有一个很有学问的老师站在这儿讲课，今天变成了一个很"没有学问"的主持人坐在这儿访谈，这是形式；第二，内容也很特别，就是我们今天的嘉宾，他在我们的《百家讲坛》做了一个系列的节目之后呢，在2005年引发了很大的反响，几乎成为文化圈的一个事件。而这位事件的焦点人物，他在"惹了事儿"之后就"销声匿迹"了，很久没有出来，今天，是他很长时间以后的首次面对电视媒体的观众。下面我们欢迎为我们揭秘《红楼梦》的著名作家刘心武先生。有请。

张越：刘老师您好！

张越：今天我们这期节目呀，剧组给定的这个名字非常"恶毒"，名字叫《揭秘刘心武》。

刘心武：别介啊。

张越：我觉得也是，咱们要不要揭秘他？

观众：要！

刘心武：你这叫怎么回事啊？

张越：放心吧！那我们就来揭秘一下刘老师的红学人生。

串片一：2005 年，《百家讲坛》栏目推出了大型系列节目《刘心武揭秘〈红楼梦〉》，著名作家刘心武先生从秦可卿原型入手，全新解读隐藏在《红楼梦》背后的故事。节目播出之后，在社会上产生了广泛影响，身为作家的刘心武为什么会走上红学研究之路？《红楼梦》对他的人生经历有着怎样的影响？而在《红楼梦》中最钟爱的人物形象又会是谁？敬请关注《百家讲坛》特别节目《揭秘刘心武》。

张越：我想问问您最早读《红楼梦》是在多大岁数看的？

刘心武：我想应该是在上小学的时候，因为我发现我父亲睡觉的床的枕头特别高，我就掀开枕头发现里面就有这个，还不是线装的，但是印刷年代非常古老，《红楼梦》，里面还有绣像，那我就觉得挺有意思，他怎么看这个，我看看行不行啊？我的父母他们觉得我小，是不提倡我看，但是真发现我从枕头底下薅出来看吧，他们也没有谴责我，没有谴责我。所以我最早看应该就是在上小学，大概那个时候应该是十二岁这个段上。

张越：我觉得我也差不多，也是上小学开始看《红楼梦》的。但是我看的时候我什么都看不懂，我也分不清这里边的人是男的是女的。关于贾宝玉到底是男是女可让我费了几年的心思，又管他叫宝哥哥，想必是男的；又老说他梳着一根大辫子，穿着一个红衣服，我想这肯定是女的呀，所以一直就没弄明白。一开始看《红楼梦》的时候看什么呀？翻那个特别漂亮的衣服，特别好吃的东西，以及再大点，看谈恋爱。我不知道您最早看《红楼梦》的时候，您爱挑着什么看？

刘心武：爱打架的那段。

张越：打架？

刘心武：闹学堂，闹学堂一般人现在都忽略不计。

张越：就几个小学童砍东西。

刘心武：对对对，因为我在学校里面是一个比较内向的，就是肢体语言比较少的人，我读这个时候我就觉得书里面人替我发泄了。还有那个醉金刚倪二那段我喜欢看，他是贾芸的邻居，是配角，跟贾芸他们家都住西廊下。别人会觉得很奇怪，但是因为我当时住在北京隆福寺附近，就有东廊下、西廊下胡同，《红楼梦》里面出现这个地名——西廊下，所以特感兴趣。这些地方，男孩子、女孩子区别还是太大了。

张越：不过您那个我觉得您找错书了，您那么爱看打架，您应该看《水浒》。

刘心武：是，后来当然也看别的了。

张越：后来到多大的时候，您觉得您开始能懂一点《红楼梦》这本书的味道了？

刘心武：我觉得那还是在青年时期了，应该说是在"文化大革命"的后期。那个时候看《红楼梦》就很安全了，因为毛主席对《红楼梦》发表了他的一些意见，后来评红是一件非常安全的事情，而且《红楼梦》又重印了，所以这个时候读《红楼梦》。读《红楼梦》我有自己的心得，就是那种人生的沧桑感。过去读，比如说里面有一个角色叫林红玉，小红，她说"千里搭长棚，天下没有个不散的筵席"，原来哪能被这种话打动啊？其实那个时候自己还很年轻，不是很老，不老，可是觉得好像经历了很多事情以后，人与人之间，人情淡薄，就开始琢磨这些东西，我觉得那个时候就开始读出味了。

张越：那您到什么时候开始觉得自己真的是懂得《红楼梦》了？我可以出来说说《红楼梦》了？

刘心武：坦率地说，直到今天，我也不敢说我就已经读通《红楼梦》了，敢出来说了，我再强调一下，是《百家讲坛》……

张越：都是我们逼的。

刘心武：对。一而再、再而三地非把我拉到这儿来讲，我一再跟他说我不讲。因为我没有自信，录的时候我很认真，我这个人是这样，要不我就不答应，答应以后我就挺认真，比如说今天这个节目，我既然答应了我就在这儿老老实实，你问我什么我能说我就都说，这么个人，所以我就挺卖力的，在这儿讲。效果怎么样，我既没有预期，也没有预料到，它完全是一个无心插柳柳成行。有人说你想出名，其实说句难听的话，我早就出过名了，我不需要再出名了。（掌声）所以应该说是这么一个状态，到现在我觉得仍然还保持着一份敬畏之心，不敢说我把《红楼梦》就读懂读通了。我觉得越这样倒越好，因为我如果都觉得自己就完全都读懂读通了，我就正确了，在这儿讲《红楼梦》，我就是告诉你什么是正确的了，那就不是现在这个状态了。我就不会再去读了，因为我就觉得我全懂了还读它干吗？我还要读，我还是仍然充满了新鲜感，我觉得我可能还会有新的收获。

张越：那《红楼梦》这本小说中，您最喜欢的人物是谁呀？

刘心武：这个在我的录的节目里面我已经说了，我说我最喜欢妙玉，这使很多人大吃一惊。王蒙，是我的一个同行，也是我的一个朋友，跟我私人通电话，他就曾经说，你怎么会选妙玉啊，妙玉最讨人嫌了，他最不喜欢就是妙玉。

张越：清高、孤僻。

刘心武：是啊，很多人就这么理解，特别是被后四十回高鹗的续书给糟蹋了，连起来形成那样一个形象，其实我就觉得妙玉她是很不容易的，她很不容易。因为每个人喜欢什么的话，就是说他都有自己的个人原因，因为我的性格就是比较孤僻，不合群，我为自己的个性问题在人生当中遭受到好多挫折。其实说到底的话，外包装可能是觉得政治性或者是社会性的，其实就是性格悲剧，就是我的这个性格吧？其实我觉得我自己没有恶意，也挺好的，但是人家就觉得你，德行，是吧？所以现在我就觉得从妙玉这面镜子我看到自己，我喜欢她并不等于说我就觉得她是一个属于正面形象或者是一个应该去学习的楷模，不是那个意思，就是我觉得曹雪芹他对这个生命的解释，让我觉得最能接受。她的全部的优点、缺点、弱点，就像那个邢岫烟批评她，"男不男，女不女，僧不僧，尼不尼"，这是很尖刻的批评。但是妙玉身上有很多闪光的东西，因此我对自己也有一份自尊，一份自信，一份自爱。

张越：那我想问的就是，妙玉身上的什么东西让您如此喜欢和敬重？

刘心武：我觉得妙玉，因为从书里描写她具体的出身，她后来的生存状态来说的话，她保持一种个人尊严是很困难的，可是她保持下来了。比如说她已经到京城了，师父圆寂了，师父又不让她回南方，贾府要请她，她要求你下帖子，你可以说她拿架子，她就要贾府下帖子，你不下帖子，你这个权贵之门以势压人，我不去。再比如说她接待贾母，贾母第一句就说，"我不吃六安茶"，她是老祖宗嘛，她说话就可以爱怎么说怎么说，最慈祥的话和最专制的话，她想说她就说，妙玉就敢软顶她。而且妙玉早就防着她这点，这是妙玉聪明之处，我觉得很厉害。另外像林黛玉，谁敢说林黛玉俗呢？你说林黛玉小心眼、体弱多病，你敢说林黛玉俗？她还俗？那妙玉就不客气，点一句，"你是个大俗人"，不是一般的俗。在这种场合直来直去，在社会交往中敢使用这样的一种语言直抒心臆很不容易，等等。所以我觉得妙玉的为人处事，她有一个前提，她在维护自己的自尊和自爱的前提下，她并不去妨碍别人，她对别人没有进攻性，没有侵略性，甚至于根据我的探佚，她后来还能够去救助别人。所以我觉得这样的生命存在应该容纳。我呼吁我们社会要容纳怪人，要容纳社会边缘人，要容纳性格冷僻的人，要容纳内向的人，要容纳说话难听的人。（掌声）

串片二：1977年，刘心武先生发表短篇小说《班主任》，成为"伤痕文学"的发轫之作，其后又陆续发表了《钟鼓楼》《四牌楼》《栖凤楼》等多部享誉文坛的作品。1993年，刘心武开始涉足红学研究，并以切入角度、研究方法和学术成果的与众不同而引起社会的广泛关注。

刘心武先生认为，《红楼梦》是一部具有自传性、家族史特点的作品，其中的许多人物在生活中都有原型，而秦可卿则是解读《红楼梦》的一把总钥匙，破解了秦可卿的生活原型，有利于了解曹雪芹真正的创作意图。他认为，秦可卿原型的真实出身是清朝康熙时期废太子胤礽藏匿在曹府的女儿，也就是一位尊贵的公主级人物。有关她的所有疑团都与她的这个真实身份有着密切的关系。刘心武先生为什么会得出这些观点？身为小说家的他会不会讲学术研究与文学创作混为一谈了？而社会上的各种不同反响，他又会如何面对呢？

揭秘刘心武的红学人生，请继续关注《百家讲坛》特别节目《揭秘刘心武》。

张越：我先代表您的反对者问您一个问题。就是因为您进行的这种原型研究，在历史中去找寻人物来跟小说中的人物做对比，这样就使得您整个的研究带有了一种侦探小说的色彩，所以有些人质疑您，说您是不是在编故事？您是不是把您当作家的、写小说的才能给用在了学术研究上？对此您怎么看？

刘心武：我觉得他产生这样的想法，做出这样的评论是他的事，我不一定非要面对这样的问题再去寻找一个答案，因为我这个事已经做成了，我就是这么做的。我觉得现在实际上所有《红楼梦》研究者都遇到一个很大的困难，就是真实可靠的历史记载的欠缺。这是我们大家面对的一个共同问题，包括曹雪芹究竟是不是《红楼梦》的作者，起码最近出了两本书，一本就是有一个人他就认为是曹頫，可能是曹雪芹的父亲，但是曹頫是不是曹雪芹的父亲，也仍然没有过硬的史料能够鉴定这一点；还有一个人士，他主动把书寄给了我，他认为《红楼梦》的作者是洪昇，就是写《长生殿》的那个作者，都能够举出不少的旁证。所以我觉得就都应该尊重，虽然我是站在《红楼梦》的作者是曹雪芹这样一个立场上，从这点来出发研究的，但是我很尊重人家的不同的看法。所以我觉得有人认为就是说我这个跟他不一样，我属于编故事，怎么怎么样，那我觉得他可以有这种看法，就好像我觉得，那个人说是洪昇，他也找些根据，我觉得他可以有他的看法。在一个社会上，对一个事物有多种多样的看法，供大家去选择，这个社会不才是一个和谐社会吗？（掌声）

张越：其实您说的是一个比较开放和比较多元的学术心态，就是大家都可以来说自己想说的话。

刘心武：对。

张越：至于您相信哪一种，您可以去选择。

刘心武：对对对。

张越：我不知道为什么您会把《红楼梦》中的秦可卿这个人物，当成一个解读《红楼梦》的钥匙？

刘心武：这个有两个原因，有一个是非常私密的原因，我呢，你看我坐在这儿，基本上我自己的定位就是我是个北京人，因为我八岁到北京的，然后我就没离开过这个城市，短期出去访问不算，我就定居在这儿了。但是我的诞生地是四川成都，四川成都什么街呢？育婴堂街，什么叫育婴堂？育婴堂就是养生堂。我不是养生堂的弃婴啊，我不是。（笑声）但是在抗战时期，我们当时经济条件比较差，那条街房子租起来比较便宜，我母亲就当时很艰苦地在那儿，都不是到医院把我生下来的，是在家里面，这样把我，请一个人把我接生出来的，所以我生在育婴堂街。因此我阅读《红楼梦》文本的时候，发现秦可卿是养生堂抱来的，我就跟别的读者不太一样，我就比较敏感，这当然是一个太私密的原因了，所以从小我对这个，读到这儿我就有一个心理反应，哎哟，养生堂，因为我母亲多次跟我说，育婴堂就是养生堂，这是一个原因。

还有一个原因，就是说我觉得她引起我的疑问最多。其他的角色当然都会有疑问，因为我是认为前八十回基本上是曹雪芹写的，后四十回高鹗是另外一回事。因此拿十二钗来说，除了秦可卿以外，那些人的结局怎么样也都是一些疑问，但是那些疑问不那么尖锐，秦可卿是一个在前八十回里面就已经死掉的一个人，而且在十三回就死了，可是她却留下那么多的疑问，所以引起我探秘的一个兴趣。

张越：把秦可卿跟历史上的真实人物找寻原型做研究，这种原型研究的方式是您发明的方式还是自古就有的一种研究方法？

刘心武：这个自古就有，古到什么程度我不敢说，其实我研究方法是两个，一个方法是原型研究。原型研究起码是从上世纪以来，中外文学界很常见的一种研究模式，比如说英国，一般认为《简·爱》这个作品就是作者自己带有自传性的作品；再比如说《大卫·科波菲尔》，一般就认为是狄更斯的自传性作品；比如像俄罗斯的列夫·托尔斯泰，认为他的《复活》里面那个聂赫留朵夫就是他自己作为原型，马斯洛娃，里面那个妓女也有一个原型；像巴金的《家》，巴金去世有一段了，这个前后有很多关于巴金的文章，都指出来，他的《家》群体原型就是他自己成都的那个家族，其中大哥觉新就是他的亲哥哥，所以这个原型研究不是我的什么发明，实际上是一种比较古典的研究方式。

我另外一个研究方法，就是文本细读。文本细读是上个世纪在西方出现的一个文学研究的流派，就是主张文本细读，你作为一般的读者，你可以粗读，而现在有一种叫做对角线的读法，更可怕，就是很大的一版文章，溜一下，就是画一个叉子，他就算知道是怎么回事了，因为现在社会信息量很大，这也是一种读法，但是你要研究《红楼梦》的话就得文本细读，我使用文本细读，我是用这两种方法的结合，结合起来以后我觉得有成果，我很愉快，我就继续往下走。

张越：既然原型研究是早已有之的一种研究方式，为什么这次在这儿，咱们遇到了这么大的风波呢？

刘心武：我觉得这是因为一些现在的被有人称为是主流红学家，他们思想僵化了，我当然这样批评人家，我挺不好意思的，可是没办法，因为他先批评我。（笑声）你看我的那个讲座，我从头到尾我有一句批评别人的地方吗？没有。是吧？而且我一再说我的不一定对，我说你的看法跟我不一样，我也很尊重。我记得还有一次我里面还有一个细节，我说我给你作揖了什么的，好像都保留在剪辑出来的节目里面了。

张越：我们在节目里看见了，您一直在承认错误，说我说得不一定对，仅供参考。

刘心武：可是他们那么生气，我觉得他们就比较僵化，他们僵化就是他们把《红楼梦》的研究模式化了，他们制定了一种规范，而且把它凝固住了，不能流动了，比如他认为《红楼梦》就是一部阶级斗争教科书，你就在这个前提下研究就行了，研究的办法就是说，比如说以第四回为总纲，四大家族怎么压迫奴隶。

张越：护官符。

刘心武：研究护官符，这是很值得尊重的一种研究角度，而且观点它也自成其说，也非常有参考价值，但是你得容许别的人他有别的办法。因为他们经营那么多年，是吧？他是一个很强大的存在，觉得你怎么一下子闹腾这么欢，影响这么大，可能他是不能接受。

张越：我想听听您的看法。就是整个揭秘《红楼梦》又引起巨大反响之后，您的感觉是在这个事件中，您觉得会让您感觉比较欣慰的事情是什么？让您觉得比较遗憾的一个状态是什么呢？

刘心武：比较欣慰的就是我觉得好像确实引起了一些原来对《红楼梦》不感兴趣的、特别是年轻人他们对《红楼梦》产生兴趣，这是我要达到的目的之一，我觉得这个意义很大。因为有一种说法就是说你原来是写《班主任》，你关注社会现实，现在你为什么不关注社会现实，你去关注《红楼梦》了？我就觉得在改革开放以后，随着西方文化的大量涌入，这种涌入是必要的，也是必然的，也是不可阻挡的，也是有好处的。但是在这种情况下，我们有的年轻一代，他的时间完全用来看美国大片，看韩剧，或者看翻译小说，他们对中国的传统文化、古典就比较轻视，或者他没有轻视的前提，他就没工夫，没有兴趣。所以我通过我这样一个讲座和两本书，我起到了我作为一个退休金领取者——这是我给自己定位——所能发挥的余热。我这么大岁数了，《班主任》时候我三十多岁，现在我六十多岁了，我还能够引起一个轰动。这个轰动的效应之一使我欣慰，就是说有些年轻人原来不知道中国还有《红楼梦》这么有趣的书，先不说它多伟大，你可以先说它不伟大，就是它一样的有趣，我需要引起他的兴趣，你光说伟大没有用，因为我不懂伟大的东西，我也没罪，可是这么有趣的东西你不读，你不就，是不是？对不对？少了个乐子了吗？

张越：其实刘老师也已经间接地回答了另外一个问题，就是有很多人说他有点儿"不务正业"，他其实现在告诉我们了，他是一个退了休的老大爷，他的正业是颐养天年。在这种情况下，他干什么都可以算正业，是吧？您继续。

刘心武：我不是专业作家，我也不是有工作任务的人，我现在完全就可以过自己的退休生活。可是你看我还介入社会，而且介入到这种程度，引起大争议，所以我自己感到挺欣慰。（掌声）

不欣慰的、不开心的，就是我就觉得我不太愿意再抛头露面，不太愿意再成为社会的一个热点。说良心话，咱们说真格的，我也不太愿意在招人喜欢的同时，又那么招一些人恨。可是这次就是说出现那个情况，喜欢的，确实喜欢得要命；不喜欢的，恨不得把我撕成两半，这不是我所希望得到的。实际上《百家讲坛》开头请我来讲的时候，我是很勉强的，我勉强在哪儿？就是对着摄像机讲，底下一些人，结果还播出来，我现在很怕。因为我当然跟像你这样的大明星还两回事，可是，你先别摇头，我也沾了点上电视的光，我到百货商场，说，哎呀，你是不是就是讲《红楼梦》那个老头啊？是吧，我也能被人认出来，所以别光以为能认出你来，他们现在也能认出我来。可是我就特别难为情。还有我有一次表现特别，我现在挺后悔的，因为我到一家餐馆去吃饭，马上大堂经理就过来，刘老师，欢迎您，您是刘老师吗？我当时因为跟几个朋友，我就特不愿意让人知道，我说对不起我不姓刘。当时她脸上的笑容瞬间的消失和她的尴尬，让我很意外，可是我也没纠正。

张越：您当明星当得不习惯。

刘心武：我该怎么呢？

张越：不能这样否认啊，千万不能啊。

刘心武：你教给我应该怎么办啊？你教我一招。

张越：一定要特别由衷地承认，我就是，再见，赶快跑。

刘心武：哦，还再见，赶紧跑。

张越：那您在面对其他的听众、观众的时候，您期待的那种态度，不管对方是同意您的看法，还是不同意您的看法，您愿意他的态度是什么样的？您愿意跟他们做什么样的交流?

刘心武:我没有办法控制别人的态度,我也觉得我没有资格去预设一个前提,你必须得对我什么态度,你既然做了这个事,什么态度你都得承受,比如说我到王府井新华书店去签名售书,有人背上贴着一个大红心,"刘心武骨灰级粉丝",我看了吓我一跳,什么意思? 是不是咒我呢? (笑声)人说不是,现在流行,年轻人,这是最铁杆的,叫"骨灰级"……这个挺可怕的,我岁数大一点,不习惯。(笑声)

张越:您没跟人家翻脸吧? 人家可是好意。

刘心武:我差点没圆活脸变长活脸。后来听了解释以后才明白。

刘心武:还有一个,我看了以后不说吓一跳,我也很吃惊,就是"我爱李宇春,更爱刘心武"。(大笑)

张越:显然我们都吓了一跳。这是一个多大岁数的什么样的读者?

刘心武:我没问她,但是我看样子大概有个十七八岁,高中生什么之类的。

张越:男孩还是女孩啊?

刘心武:是个女孩。

张越:您满意吗? 对这个说法。

刘心武:我当时一愣,我谈不到满意不满意,因为首先李宇春我就不熟悉,我知道这个名字,但是她一首歌我也没听过,怎么会并列呢? 这种我也得接受,承受,因为人家支持你。还有就包括比如说网上有,就是一种谩骂或者是一种,我觉得有点"文革"的大字报那个气息,人格侮辱或者是人身攻击什么的,那你也得承受,因为人家他就有这个想法,是不是? 你没道理禁止人家,所以我现在的态度就是说我都承受,因为这个事是我做的,我讲了,播了,书出了,就好像一个色谱似的,从这一级到那一级当中的所有的各种各样的,好像那个钢琴的键,从高音到低音,那你就都得承受。我现在就是一个都承受的态度。

串片三:在《刘心武揭秘〈红楼梦〉》系列节目中,刘心武先生以其出众的语言能力征服了观众,赢得了红迷们的一致好评。有人甚至认为,《刘心武揭秘〈红楼梦〉》系列节目引发的热潮不断,与通俗、生动、悬念不断的刘氏语言风格有很大的关系,对此,刘心武先生是如何看待的? 生活中的刘心武又是一种怎样的生活状态? 揭秘刘心武的红学人生,请继续关注《百家讲坛》特别节目《揭秘刘心武》。

张越：其实来我们的节目讲《红楼梦》的学者不仅您一个，但是引起反响最大的是您一个，所以我就想除了您的研究的内容之外，其实它还跟一件事情有关，是您的表达方式。您的表达方式比较利于观众接受，所以大家听懂了，有兴趣了，那我就想跟您聊聊您的表达方式，比如您专门学过吗？演讲啊？训练过自己吗？

刘心武：我在接受这个节目的录制之前，跟编导接触，跟制片人接触，我很同意他们的一个定位，就是咱们电视，不是一个电视大学，《百家讲坛》，也不是电视大学，它就是一个跟普通老百姓，跟中等文化水平的人服务的，具有中等文化水平，甚至低一点都没事，当然你高文化水平的，你偶尔看电视也欢迎，但是咱们这个弦定的是普通人，芸芸众生。上了班挺累的，上着学作业好不容易弄完的，是给这些人，某种意义上来说看着玩儿的，就是讲学问，也是一种消遣、消闲的一种形式，去激发他一些对学问的兴趣。所以我接受他们这个前提以后，跟他们合作就很愉快，就是说那我这个讲法，我就是让它有悬念，听了第一集我就留下一扣子，你就得第二集接着听，第二集结果我还有一扣子，当然有人就烦了，你这扣子太多了，成什么了？

张越：你说评书呢？

刘心武：就是有这个说法，我觉得《百家讲坛》不能搞成一个完全说书的形式，但是要吸收说评书的一些办法，所以现在《百家讲坛》我听说成为台里面一个收视率比较有保证的节目，一个板块，我也挺高兴的，我在当中如果能够起到一点作用的话，我也挺欣慰的。所以我是觉得我之所以能够使这个节目变成生动起来，其实跟你们台里面的总体节目定位，跟制片人和编导，跟他们的努力起了很大作用，我是在他们引导下做成的。其实说句老实话，我也曾经登上过很高级的讲坛，眼观鼻，鼻观心，煞有介事，我拿出个论文，三十五个脚注，是不是？言必及经典，言必及来源，但是那个对着谁呢？那是一个专业场所，那不是一个这样面对芸芸众生的一个演讲，所以我也是看人下菜碟。

张越：也就是说在做节目的时候，其实您是有意识地把这些学术研究用一个比较通俗的、有趣的方式表达出来。

刘心武：对，其实我所讲的，有人说你编故事，其实我都有依据。有人说你为什么不把你的依据讲出来呢？这是很麻烦的，你比如说我讲到秦可卿，她的原型，跟胤礽家族有关，胤礽他开头呢，为什么叫胤礽？后来为什么叫允礽？以及就是当时比如清朝有关的史料，我一一说明出处，是哪部书的第几页，或者我参考了哪些人的有关的著作，那你想这个节目能播出来吗？播出来以后能有人看吗？是吧？毕竟这是《百家讲坛》，我不是要完成一个我的学术成果，也不是说听了我的人以后就纷纷做《红楼梦》的学问，他能够对《红楼梦》感兴趣，目的就达到了。

张越：我想可能学者们是担心怕观众如果听说过很多其他版本的东西之后，他把各种各样的版本混为一谈，把文学作品，把戏曲，把电影、电视剧跟真实的历史混为一谈，比方说你问一个小孩说，你讲讲清朝历史，乾隆皇帝是什么样的人，小孩会跟你说，他是韦小宝的哥们儿，韦小宝有七个老婆，其中有一个是他妹妹，这就毁了，大概学者是担心这个。但是如果我们观众有足够的识别的能力，我们知道是怎么回事，应该也不至于发生这种问题。

张越：好，现在我们要给一点时间，给现场的观众，有愿意提问的，关于刘老师的红学研究，有愿意提问的，现在可以提问。

观众一：刘老师到《百家讲坛》来，揭秘《红楼梦》，揭秘秦可卿，他在《红楼梦》红学当中又创了一个分支，秦学，对他这种钻研精神和研究态度，我也是很佩服。但是我就是根据我的水平，比较差一点，有个问题我不理解，我想问一个问题，就是刘老师怎么创意或者是当时动机是什么，要研究《红楼梦》人物的原型？作为我这么一个普通的观众或者是读者来讲，我一下子搞不清这个关系，知道了《红楼梦》人物的原型，对我们理解《红楼梦》、阅读《红楼梦》这本书，或者是研究《红楼梦》，它的关系在哪个地方？我想过很久，还没想出结果来，想请教一下。

刘心武：他问得非常好。他这个问题是两个部分，一个就是我的研究动机，是否有不良动机。现在我就跟大家说，我没有不良动机，我觉得我的动机是良好的。因为我自己写小说，在写作当中就碰到一个问题，特别是八十年代以后，上个世纪八十年代以后，外国文学的翻译就越来越旺盛了，外国文学新潮传到中国来了，那个时候作家之间言必及比如马奎斯、福克纳什么的，就是你见面不谈的话你就落伍了，很多作家也是进行揣摩，他们怎么写的，怎么魔幻的，怎么变形，或者怎么意识流等等，我自己也很热心，也参与这样一个过程，而且我从中也获得很多营养。但是我一想，我还是用母语写作的一个人，也不打算比如像有的作家到了国外就归化当地，用当地的语言写作，成为那个社会里面的一个少数民族作家，我也没走那条路，在中国我也还是坚持用自己的母语来写比较传统的写实性的作品。这样我就觉得，我首先还是要向咱们中国自己的古典文学里面的经典作品来借鉴，首选就是《红楼梦》。特别是那个时候我正在构思我的第三部长篇小说叫做《四牌楼》，这个小说构思的总体来说，它是具有那个自传性、自叙性、家族史的性质，而《红楼梦》正好是这样一部书，怎么把自己掌握的生活素材，这些生活当中真实的人、活生生的人，把他转化为艺术形象，就从原型升华为艺术形象，这是我要完成的一个事，这是我的动机了。当然研究《红楼梦》就要反过来了，因为它是一个成品，它呈现在我面前的是一个曹雪芹写完的东西，我就要看看它这个人物形象从哪里来的，这样对我的创作有好处，所以这是我的动机。

第二个问题刚才问得特别好。您要写小说，你这么去探索，你去搞秦可卿原型研究，以秦可卿入手，把所有那些你感兴趣的人物你都研究了，对我们来说，我们听你这个有什么好处呢？我觉得呢，我在这儿还要再次声明，就是我的研究是很个性化的，是一个个案，绝对不要觉得我的研究就是一个标准，就是一个正确的东西，就是一个你必须接受的东西。我到电视台录这个节目的时候，我就一再声明这一点，没有这个意思。那你没这个意思，你又不保证正确，你讲给我们听干吗呢？我引起你对《红楼梦》的兴趣。

我就讲到我在英国的一个遭遇，我曾经 2000 年，还应英国邀请到英国讲过《红楼梦》，而且也是比较高级的邀请，是英中文化协会邀请的，我在那个伦敦大学也讲了。我当时就有几天很苦闷，因为我在伦敦大学校园里面，我做了一个调查，碰见一个大学生或者是我觉得他是大学生，其实有时候他不一定是。我就问他，你知道曹雪芹吗？你知道《红楼梦》吗？我大概是问了有二十个人，回答都是不知道，为零。我碰到二十个人，我获得的结果是一个零。回来以后我就赌气，我就到北大去，未名湖畔，我也找二十人，我说你知道莎士比亚吗？知道《哈姆雷特》吗？我遭到的是什么样的表情啊？你这人半疯吧？我能不知道莎士比亚吗？还有一个女生后来就急了，我连《哈姆雷特》我都不知道啊？我还用得着在这儿上学，你哪儿的？你谁啊？但当时我就觉得，中国大学生应该知道莎士比亚，应该知道《哈姆雷特》，这点大家别误会，这么二十个学生都知道英国的文豪和英国文豪的代表作，我为此首先感到高兴，应该知道，我们知道越多越好，但是这两个一对比，不是滋味，很不是滋味。

张越：感觉到强势文化和弱势文化的区别。

刘心武：而且我们的《红楼梦》本来是很强势的啊！写得那么好啊！二百多年前搁在世界文学，当时平行来看的话，它是一个高峰了，就长篇小说来说。可是我们的大学生对外国的作品那么熟悉，外国的那些大学生对《红楼梦》和曹雪芹就不知道，而且他们就不知道，他们非常有礼貌，SORRY，知道你是中国人，你的问题我很乐意倾听，您问的什么？噢，问的这两个，非常遗憾，我真不知道，他很难为情，他觉得他应该知道，给我一个满足，但是他就真不知道，他就可以不知道，你明白吗？就是它没有进入英国人的常识的范畴，而之所以北大学生跟我急，就是她认为这个莎士比亚、《哈姆雷特》，她觉得这是常识，不是知识。所以我觉得作为一个中国人，一个中国作家，我又喜欢《红楼梦》，我有责任，甚至于是，跟我见到的每一个人，来告诉他，曹雪芹伟大，《红楼梦》很好，你不没兴趣吗？因为我碰到一些人说《红楼梦》不就是本小说嘛！《红楼梦》有什么啊？不就是宝黛恋爱、调包计、黛玉焚稿、宝玉哭灵，他们都是戏曲改编的那个印象。《红楼梦》里面还有秦可卿呢，还有好多别的人物呢，你得知道，我是这么一个心思。所以我的目的就是引起大家去读《红楼梦》，您读了《红楼梦》以后，你的看法可以完全跟我不一样，但是呢，你应该读，你是中国人，《红楼梦》是我们自己母语写作的一个文学作品，咱们什么时候不能忘记母语啊！是不是？（掌声）

张越：还有哪位？

观众二：我觉得通过在《百家讲坛》听您揭秘《红楼梦》，我有这样的想法，我觉得您的阅读能力是超凡的。我以往看书的时候，小的时候是一页一页地读；长大了，有点思想内容了，就一句一句地读；可是我觉得您读《红楼梦》是一个字一个字地读，您把每一个字都推敲得很精细。现在社会比较浮，那么您能够这么静下心来，一个字一个字地、认真地在学术领域里不断地研究、开发、推敲，好像给这个浮躁的年代起了点静音的作用，我是这样想的。而对我自己来说，也给我一个很好的示范作用，我认为读书、做学问就是应该这样一丝不苟的。就说这么多。

张越：好，谢谢。

观众三：刘老师您好，就是说我看过你的不少的作品，但是我觉得可能这个秦可卿在里面是一个非常重要的人物，但是你对她的原型考证，同意你这种做法，但是你很多的人物进行原型考证，我觉得是不是都要进行原型考证？如果说都要进行原型考证的话，我们现在的作家，把自己的原型都写在那个地方，然后封起来，若干年以后我们拆开来看，看后代的人对他的考证，是不是和原来是一样的。就是作者可以未必然，读者未必可以不然，所以说我觉得原型考证有的时候是不是说不能占为主体？

刘心武：意思就是说原型是不是一个普遍推及的，对任何作品都要做这样的研究？当然不是！不但原型研究就不可以推广到任何作品，而且对《红楼梦》这样一部具体作品，或者任何一个具体作品都可以有不同研究方法，一定要有一个多元前提。《红楼梦》我是从原型研究和文本细读入手来进行解读，这只是我个人选择一种方法，其他的人可以用完全不同的方法来研究《红楼梦》，而且我个人也没有说《红楼梦》里面所有的角色都要进行原型探索，比如它里面的空空道人、癞头和尚、跛足道人，是不是有原型的？我就没有进行原型研究，我认为这个可能就是作者想象的一种人物，所以没有那个意思。

张越：刘老师的意思是说找原型研究也得看那个作品的性质是什么。

刘心武：对。

张越：完全虚构的小说不能进行原型研究。《红楼梦》是一个有自传性元素的小说。

刘心武：对。

张越：若干年后，您如果研究《四牌楼》，您可以用原型研究的方式。

刘心武：她说得没错。

观众四：刘老师您好，主持人您好，我第一次读《红楼梦》是在中学的时候，那时候可能年纪小，也没有太多的像刘老师这样的高人指点，基本上可以算没有读懂，因为我当时的印象就是说里面的诗好多，词好华丽。在大学之后，因为图书馆书很多，所以读了好多像周汝昌周老先生的书，然后也读了一些刘老师的文章，对《红楼梦》有进一步的兴趣。但是那时候再读《红楼梦》的时候，又根据书里面一些说法然后再去找，看你们说的是不是那么回事的那么一种心态。然后现在又看了《百家讲坛》这一系列您的讲座之后，对《红楼梦》又想再次读它一遍。我就想请问刘老师，您对我们这样，对《红楼梦》的认识不是特别深的这些年轻朋友，再读《红楼梦》的话，您有什么建议？谢谢。

刘心武：我的建议很简单，就是说，要尊重《红楼梦》，要读《红楼梦》，要能够从《红楼梦》发现乐趣，能够在阅读当中得到快乐，至于说你读了以后你产生什么样一些想法，你的审美最后产生什么样的效果，那是你个人的事情，那有很多因素所决定，那个我就不管了。我的目的就是引起你去重读。这次在美国，夏志清先生因为他坐头排听我演讲，上午听了下午还要来，我说您是不是下午就别来了，大热天的，纽约已经开始热了，他还来，来了以后坐头排，他还几次叫好，然后他接受记者采访，他说听刘心武的这个以后，我要恶补《红楼梦》，重温《红楼梦》，我听了很激动，因为我觉得他是专家，还不是一般的读者。如果我的演讲真的能够唤起大家兴趣的话，我的目的确实就达到了，真是不一定非得接受我这些具体的观点。

张越：千言万语，其实还是那句话，就是您同意不同意他的研究都没关系，他的目的无非是想让您觉得这个《红楼梦》挺有意思的，我回去看看，如此而已。

刘心武：对对。

张越：那您目前的工作，您称之为很边缘的工作，您的工作是由哪几部分组成的？

刘心武：我的工作是四部分组成：

第一，就是说我当年是以写小说引起大家注意的，所以我继续在写小说。就在这个月，我还在《羊城晚报》，它有一整版的《花地》发表六千字的小说，六千字小说是很典型的短篇小说了，是我从美国访问回来以后写的，所以我不断发表新的小说作品。

第二项工作，我写大量随笔。我这些随笔多数都是排解我自己心中的郁闷，因为现在社会压力太大，得忧郁症的人很多，心理问题很多，我经常对自己清理，自己进行心理卫生，所以我首先是写给自己和自己的亲人，以及那些跟我境遇相同的人，然后大家共同地做心灵体操。我记得我在十几年前写过一篇叫做《五十自戒》，这篇文章当时在一定范围之内有一定影响，我觉得我五十岁了，我会不会变成这样一个人，突然坐在客厅沙发上，想到自己已经不那么有名了，现在出名的作品都是别人写的了，特别是年轻的，开始叨唠年轻人如何不对，我说我要警告自己，不要这样生活，我觉得十几年来我现在可以很欣慰地给自己一个评价，我没有那样生活，我不嫉妒年轻人，我不嫉妒那些现在销量比我大的小说作家，不嫉妒那些排行榜上的作家，不嫉妒那些新获奖的作家，我继续做自己的事，这个当中我也通过随笔不断调解自己的心理，还有怎么看待社会上这些情况。这是第二个工作。

第三个，我写建筑评论，这个很多人不知道，这算文学吗？这个东西就是跨领域的一种书写，我已经出过两本书。

第四，《红楼梦》研究。我研究的大的方向是其实我主要是私淑一个红学大家，就是周汝昌先生，我是在周汝昌先生的指导下完成我的秦学研究的，我们这个研究是有两个最根本的出发点，说起来非常简单，一个就是说我们坚持让大家注意，就是《红楼梦》是曹雪芹的前八十回是一回事，高鹗是一个续书者，他的后四十回是另外一回事，这两个人不认识，生活的年龄段也不一样，没有过交往，因此就是说高鹗你说他续得好那也是他一个续书好，所以我们研究就是研究前八十回；第二个，我们前提就是认为前八十回、现在流行的版本也不好，所以你看我在我的讲座里面一再提到古本《红楼梦》。现在我就要告诉你，我现在正在做一件什么事？我就打算把周先生，他和他的哥哥，已经去世了，叫周祜昌，还有他们的女儿，用了半个多世纪所完成的，把十三种古本《红楼梦》，一句一句地加以比较，然后选出认为是最接近曹雪芹或者符合曹雪芹的原笔原意的那一句，构成了一个新的版本，这个版本现在很寂寞，虽然已经正式出版了，但是很寂寞。我打算向特别是年轻的读者推荐这个版本，我作为一个评点或者导读，或者不叫评点也不叫导读，叫比如说推介或者怎么样，这个符码还没有想好，现在也有出版社跟我在联络中，我要做这件事。这样的话，并不是说我们最后这个版本一定是最好的，但是我们努力地把我们这一个共同观点的这些研究者或者爱好者，把我们的成果奉献给这个社会，奉献给读者，特别是年轻读者。我们认为是一个比较好的版本，向读者推广。

张越：这是您的边缘工作的四项，您的边缘人生主要包括些什么内容？

刘心武：我边缘人生其中一个非常重要的内容就是到田野里面画水彩写生画，这构成我生活当中一个非常大的乐趣。我为什么在农村，我农村有一些村友，有的村友跟我特别好，他们腾出工夫以后，因为他们知道哪儿还有些野景、野地，现在这个地方是越来越少，真是一年比一年少，开发商不断地去获得那些土地的使用权。但是，我要双手合十，就是在我选择的书房附近还有残余的湿地，还有一些具有野趣的田园。我去到那儿画水彩画，是我生活当中非常大的一个乐趣。

张越：就是说也许某一天，我们也会看到您的画册。

刘心武：这个不敢说，这个主要是自娱。

张越：充分证明了大家的一个观点，就是"不务正业"，同时也说明，其实每一项"不务正业"都是正业。

刘心武：对。

张越：谁规定一个人只能干什么和必须干什么？

刘心武：对。（掌声）

张越：那我们想简单地跟您讨论一下今后，因为我们都听了您讲秦可卿，讲妙玉，讲元春，那我们不知道您还会不会再到《百家讲坛》来讲《红楼梦》？如果再讲，您更愿意讲谁？

刘心武：可以考虑，但是我也不知道是不是听众感兴趣？

张越：那就现场征求一下意见吧，大家感兴趣吗？

观众：感兴趣。

张越：那看来只好这样了。

刘心武：要尊重，因为你一旦在社会上做一件事，使你这个行为社会化了，要老老实实听从社会的多数人的他们的，尊重他们的愿望，听取他们的意见。

张越：好，那我们就期待着刘心武老师的进一步的更加有趣的揭秘《红楼梦》的讲座。好，今天感谢各位的参加，也谢谢刘老师！

刘心武：谢谢你，谢谢大家！

[此节目于 2006 年在 CCTV-10 播出]

　　附：2010 年 CCTV-10《百家讲坛》开播刘心武《红楼梦八十回后真故事》前夕周汝昌先生赠诗：

喜闻名作家刘心武先生再登央视讲红台

周汝昌

（一）

新红鲜绿倩谁栽，一望荒原事可哀。
可喜春风吹又到，种桃培杏满园开。

（二）

为有源头活水生，顺流千里百花荣。
新枝独秀添新意，开辟鸿濛最有情。

（三）

不贵雷同贵不同，百川归海日朝宗。
也曾一掌思遮日，无奈晴空有九重。

（四）

探佚缘何用力勤，草蛇灰线重千斤。
当仁不让真侠义，首尾全龙慰雪芹。

庚寅新正廿五日定稿

1942 年

6 月 4 日生于四川省成都市育婴堂街。

后在重庆度过童年。

父母兄姊均热爱文学艺术，深受家庭熏陶。

1950 年

随父母迁居北京，从此定居北京。

在隆福寺小学上小学，在北京 21 中上初中。

1958 年

在北京 65 中上高中。

给若干报刊投稿，屡被退稿。

8 月，在《读书》杂志发表《谈〈第四十一〉》一文，是投稿第一次成功。

1959 年

在《北京晚报》"五色土"副刊陆续发表一些儿童诗、小小说。

为中央人民广播电台少儿部《小喇叭》（对学龄前儿童广播）编写若干节目；其中快板剧《咕咚》经编辑加工、录制后大受欢迎；"文革"中录音带被销毁；1991 年重新录制播出。

1961 年

毕业于北京师范专科学校，分配到北京 13 中任教。

至"文革"前，在《北京晚报》《中国青年报》《人民日报》《光明日报》《大公报》

《北京日报》《体育报》《儿童时代》《大众电影》等报刊上发表了约 70 篇小小说、散文、杂文、评论等文章。

1966—1976 年

"文革"中,因 1964 年曾发表过一篇关于京剧的文章,以"反江青"罪名被冲击。

1974 年后再试写作,曾写一关于"教育革命"的长篇小说,由出版社联系获准脱产修改,但终未达到当时出版要求。

1976 年

写出一个大院里孩子们同坏蛋斗争的中篇小说《睁大你的眼睛》并得以出版(北京人民出版社)。

又按照当时政治要求写出一些短篇小说、散文,有的到次年才收入多人合集中出版。

调到北京人民出版社(后恢复"文革"前社名:北京出版社)文艺编辑室当编辑。

1977 年

11 月,在《人民文学》杂志发表短篇小说《班主任》,产生重大影响——被认为是"伤痕文学"的开山作,也是"新时期文学"的发端;从此成名。

从《班主任》后,写作冲破懵懂,沿着认定的方向跋涉,穿越风云,锲而不舍。

1978 年

参加《十月》杂志(开始以丛书名义出版)创刊工作,在创刊号上发表短篇小说《爱情的位置》,经转载和广播,影响巨大。

在《中国青年》杂志上发表短篇小说《醒来吧,弟弟》,反应亦极强烈。

《班主任》《爱情的位置》《醒来吧,弟弟》均被改编为广播剧,由中央人民广播电台多次广播,《醒来吧,弟弟》被搬上话剧舞台;此年发表的短篇小说《穿米黄色大衣的青年》亦由电台播出。

1979 年

在首届全国优秀短篇小说评奖中《班主任》获第一名。颁奖会上,从茅盾先生手中接过奖状。

参加中国作家协会第三次全国代表大会，被选为中国作家协会理事。

成为中华全国青年联合会常务委员，至 1993 年卸任。

9 月，参加中国作家代表团访问罗马尼亚，此系"文革"后第一个作家出访团。

在《人民文学》杂志发表短篇小说《我爱每一片绿叶》，写作技巧有长足进步。

1980 年

调至北京市文联当专业作家。

《我爱每一片绿叶》获 1979 年全国优秀短篇小说奖。

《看不见的朋友》获 1954—1979 年第二届全国少年儿童文学创作奖。

在《十月》杂志发表中篇小说《如意》，其弘扬人道主义的追求引起争议。

出版《刘心武短篇小说选》（北京出版社）。

1981 年

在《十月》杂志发表中篇小说《立体交叉桥》，引出更大争议，一些评论家认为"调子低沉"是步入了写作上的歧途，另有评论家则认为此作标志着刘心武的小说创作在反映现实、探索人性及艺术工力上均达到了新的水平。

5 月，应日本文艺春秋社邀请访问日本。

1982 年

应导演黄健中之请，改编《如意》；北京电影制片厂拍成彩色艺术片《如意》。

1983 年

11 月，参加中国电影代表团赴法国，在南特"三大洲电影节"上，《如意》在开幕式上放映，获好评；后陆续在法国、西德电视台播出。

1984 年

冬，应邀访问西德，参加"中德大学生会见活动"，并在波恩大学、波鸿大学与威尔兹堡大学介绍中国当代文学。

年底，参加中国作家协会第四次全国代表大会，再次当选为理事。

在《当代》文学双月刊第 5、6 期连载长篇小说《钟鼓楼》。

1985 年

出版长篇小说《钟鼓楼》(人民文学出版社),并获第二届茅盾文学奖。

因《钟鼓楼》获北京市政府嘉奖。

7 月,在《人民文学》杂志发表纪实小说《5·19 长镜头》,反响强烈。

11 月,又在《人民文学》杂志发表纪实小说《公共汽车咏叹调》,引起轰动。

1986 年

年初,应当代文艺出版社邀请访问香港。

6 月,调中国作家协会人民文学杂志社,任常务副主编。

在《收获》杂志设《私人照相簿》专栏,进行图文交融的文本尝试。

散文集《垂柳集》出版,冰心为之作序。

1987 年

1 月,被任命为《人民文学》杂志主编。

2 月,《人民文学》杂志 1、2 期合刊发表马建写的小说《亮出你的舌苔或空空荡荡》违反民族政策,承担责任,停职检查。

9 月,复职。

冬,应邀赴美国访问。参观美洲华侨日报;在哥伦比亚大学、三一学院、哈佛大学、麻省理工学院、康奈尔大学、芝加哥大学、旧金山大学、斯坦福大学、伯克利加州大学、洛杉矶加州大学、圣迭戈加州大学等处演讲,介绍中国当代文学,并参观耶鲁大学;参加爱荷华大学"作家写作中心"的纪念活动;游览华盛顿等地。

1988 年

3 月,应香港《大公报》邀请,赴香港参加五十周年报庆活动;在《大公报》安排的大型报告会上作关于改革开放与文学创作的报告。

5 月,应法国文化部邀请,参加中国作家代表团访问法国,除在巴黎活动外,还访问了西部港口城市圣·拉扎尔。

《私人照相簿》在香港出版(南粤出版社)。

《我可不怕十三岁》获 1980—1985 年全国优秀儿童文学奖。

以上数年中，若干小说、散文还分别获得过《当代》《十月》《小说月报》《小说选刊》《中篇小说选刊》《儿童文学》《北方文学》等杂志，《人民日报》《文汇报》等报纸副刊的奖；拍成电视剧播出的有《没工夫叹息》《熄灭》（电视剧名《火苗》）《今夏流行明黄色》《到远处去发信》《非重点》《公共汽车咏叹调》和八集连续剧《钟鼓楼》；若干作品被英国、美国、西德、苏联、日本、瑞士、瑞典、法国、意大利等国翻译为英、德、俄、日、法、意、瑞典等文字出版；自1987年起被世界上有威望的英国欧罗巴出版社《世界名人录》收入词条。

1989 年

春，应香港中文大学翻译中心邀请，与妻子吕晓歌赴香港访问。

1990 年

3月，以任届期满，免去《人民文学》杂志主编职务。

香港中文大学翻译中心编译的英文小说集《黑墙与其他故事》出版。

秋，以"鱼山"笔名在《钟山》杂志发表中篇小说《曹叔》。

1991 年

出版小说集《一窗灯火》。

除小说外，开始发表大量散文、随笔。

1992 年

长篇小说《风过耳》在内地（中国青年出版社）、香港（勤 + 缘出版社）分别出版，反响颇为强烈。

长篇小说《四牌楼》完稿，交上海文艺出版社出版。

《献给命运的紫罗兰——刘心武谈生存智慧》由上海人民出版社出版，受到读者欢迎。

在《收获》杂志发表中篇小说《小墩子》，后由中国电视剧制作中心改编拍摄为电视连续剧。

至该年，在海内外出版的个人专著按不同版本计已达43种。

在《红楼梦学刊》1992年第二辑上发表论文《秦可卿出身未必寒微》，在"红学"界和读者中均引起注意；另有若干《红楼梦》人物论和《红楼边角》专栏文章发表。

冬，应瑞典学院邀请（斯堪的纳维亚航空公司赞助）赴北欧访问；在挪威奥斯陆大学、瑞典斯德哥尔摩大学和隆德大学、丹麦哥本哈根大学和奥胡斯大学的东亚系汉学专业以《九十年代初的中国小说》为题作学术报告；12月7日，参加诺贝尔文学奖有关活动，听1992年得主德里克·沃尔科特发表受奖演说。

1993 年

华艺出版社出版《刘心武文集》（1—8 卷）。

出版长篇小说《四牌楼》。

1994 年

1月，应台湾《中国时报》邀请赴台参加"两岸三地文学研讨会"。

《四牌楼》获上海优秀长篇小说大奖，到沪领奖。

1995 年

出版随笔集《人生非梦总难醒》（上海人民出版社）。

出版小说集《仙人承露盘》（华艺出版社）。

1996 年

出版长篇小说《栖凤楼》（人民文学出版社）。至此，由《钟鼓楼》《四牌楼》《栖凤楼》构成的"三楼"长篇小说系列竣工。

应《南洋商报》邀请赴马来西亚访问并顺访新加坡。

1997 年

应日本文化交流基金会邀请，与妻子吕晓歌访问日本。其长篇小说《钟鼓楼》、儿童文学作品《我是你的朋友》、短篇小说《王府井万花筒》等此前已相继译为日文在日本出版。

1998 年

建筑评论集《我眼中的建筑与环境》由中国建筑工业出版社出版，在建筑界产生影响。

应美国科罗拉多大学邀请，赴美参加金庸作品国际研讨会，在会上提交关于《鹿鼎记》的论文《失父：一种生存困境》。

1999 年

出版纪实性长篇小说《树与林同在》（山东画报出版社）。

出版《红楼三钗之谜》（华艺出版社）。

赴新加坡出席国际环境文学研讨会。

2000 年

应邀访问法国，并应英中协会和伦敦大学邀请，从巴黎赴伦敦讲《红楼梦》。

至此年底在海内外出版的个人专著（不含文集）按不同版本计达 101 种。

2001 年

出版包含建筑评论的随笔集《在忧郁中升华》（文汇出版社）。

在北京电视台录制播出《刘心武谈建筑》系列节目。

2002 年

出版小说集《京漂女》（中国文联出版社），自绘插图。

应澳大利亚雪梨华文写作协会邀请赴澳大利亚访问。

2003 年

以马来西亚《星洲日报》世界华人文学"花踪奖"评委身份赴吉隆坡参加相关活动。

台湾联经出版社出版小说集《人面鱼》。此前台湾已出版过刘心武多种作品，如皇冠出版社出版了《钟鼓楼》，幼狮文化事业公司出版了《四牌楼》《为他人默默许愿》（散文集）。

2004 年

赴法参加巴黎书展活动。书展上展出了译为法文的著作有小说《树与林同在》《护城河边的灰姑娘》《尘与汗》《人面鱼》《如意》与歌剧剧本《老舍之死》。

建筑评论集《材质之美》由中国建材工业出版社出版。

小说集《站冰》出版（人民文学出版社），自绘封面插图。

2005 年

出版集历年研红成果的《红楼望月》(书海出版社)。

应 CCTV-10 (中央电视台科学教育频道)《百家讲坛》邀请,录制播出《刘心武揭秘〈红楼梦〉》系列节目 23 集,反响强烈,引出争议。

《刘心武揭秘〈红楼梦〉》第一、二部相继出版(东方出版社),畅销。

2006 年

应美国华美协会邀请,赴纽约在哥伦比亚大学讲《红楼梦》。

应邀参加香港书展。

出版《刘心武揭秘古本〈红楼梦〉》(人民出版社)。

2007 年

继续应邀到 CCTV-10《百家讲坛》录制节目,并出版《刘心武揭秘〈红楼梦〉》第三部、第四部(东方出版社)。

访问俄罗斯。

2008 年

出版随笔集《健康携梦人》(中国海关出版社)。

自 1986 年出版《垂柳集》,至此所出版的散文随笔集已逾 30 种。

2009 年

在《上海文学》杂志开《十二幅画》专栏,每期发表一篇写人物命运的大散文,并配发自己的画作。

4 月,妻子吕晓歌病逝,著长文《那边多美呀!》悼念。

2010 年

再应 CCTV-10《百家讲坛》邀请,录制播出《〈红楼梦〉的真故事》系列节目。至此在《百家讲坛》录制播出关于《红楼梦》的个人系列讲座累计达 61 集。

出版《〈红楼梦〉的真故事》(凤凰联动·江苏人民出版社),在争议声中畅销。

4 月,应台湾新地文学社邀请赴台参加"21 世纪世界华文文学高峰会议"。

出版《命中相遇——刘心武话里有画》(上海文艺出版社)。

加快《刘心武续〈红楼梦〉》的写作，次年完成推出。

至本年底，在海内外出版的个人专著，文集不算在内，重印亦不算，按不同版本计达 182 种（按不同书名计则为 141 种）。

年底，筹备编辑《刘心武文存》。

附录二 刘心武著作书目

　　只包括在中国大陆、台湾、香港和海外出版的书（同一著作每种版本单列）；不包括散发于报刊尚未出书的篇目，亦不包括多人合集中的篇目。第一个数字表示不同版本的排序；［ ］中的数字表示剔除同一书名的版本后的排序；注意：文集8卷不参加排序。

1976 年

1.[1]《睁大你的眼睛》[儿童文学·中篇小说]

北京人民出版社 1976 年 1 月第一版

1978 年

2.[2]《母校留念》[儿童文学·小说集]

中国少年儿童出版社 1978 年 7 月第一版

1979 年

3.[3]《小猴吃瓜果》[低幼读物·画册]

少年儿童出版社 1979 年 4 月第一版

1980 年 6 月第二次印刷

4.[4]《班主任》[短篇小说集]

中国青年出版社 1979 年 6 月第一版

1980 年

5.[5]《我是你的朋友》[儿童文学·中篇小说]

北京出版社 1980 年 7 月第一版

6.[6]《绿叶与黄金》[中短篇小说集]

广东人民出版社 1980 年 8 月第一版

7.[7]《刘心武短篇小说集》

北京出版社 1980 年 9 月第一版

1981 年

8.《这里有黄金》[中短篇小说集]

广东人民出版社 1981 年 4 月第二次印刷

有平装、软精装两种

9.[8]《大眼猫》[中短篇小说集]

浙江人民出版社 1981 年 8 月第一版

1982 年

10.[9]《如意》[中篇小说集]

北京出版社 1982 年 5 月第一版

1983 年

11.[10]《中国现代作家选（Ⅲ）刘心武〈我爱每一片绿叶〉〈深谷小溪默默流〉》

[日本] 东方书店 1983 年第一版

12.[11]《同文学青年对话》

文化艺术出版社 1983 年 10 月第一版

1984 年

13.[12]《到远处去发信》[中短篇小说集]

四川人民出版社 1984 年 4 月第一版

有平装、软精装两种

14.[13]《如意》[电影文学剧本]（与戴宗安联合署名）

中国电影出版社 1984 年 6 月第一版

1985 年

15.[14]《嘉陵江流进血管》[中篇小说集]

陕西人民出版社 1985 年 2 月第一版

16.[15]《日程紧迫》[中短篇小说集]

群众出版社 1985 年 5 月第一版

17.[16]《我可不怕十三岁》[儿童文学集]

新世纪出版社 1985 年 8 月第一版

18.[17]《钟鼓楼》[长篇小说]

人民文学出版社 1985 年 11 月第一版

有平装、软精装两种

1986 年 5 月第二次印刷

1986 年

19.[18]《公共汽车咏叹调》[纪实小说]

湖南文艺出版社 1986 年 1 月第一版

20.[19]《都会咏叹调》[小说集]

作家出版社 1986 年 3 月第一版

21.[20]《垂柳集》[散文集]

陕西人民出版社 1986 年 4 月第一版

22.[21]《立体交叉桥》[中短篇小说集]

人民文学出版社 1986 年 6 月第一版

有平装、软精装两种

23.[22]《巴黎郁金香》[访法散文集]

群众出版社 1986 年 11 月第一版

24.[23]《木变石戒指》[中短篇小说集]

青海人民出版社 1986 年 12 月第一版

1987 年

25. *Little Monkey Triesto Eat Fruit* [科学童话·英文]

海豚出版社 1987 年第一版

有平装、精装两种

26.[24]《斜坡文谈》[文学理论]

上海文艺出版社 1987 年 4 月第一版

27.[25]《王府井万花筒》[中篇小说集]

湖南文艺出版社 1987 年 9 月第一版

有平装、精装两种

28.[26]《5·19 长镜头》[小说自选集]

四川文艺出版社 1987 年 11 月第一版

29.げくけきの友たちだ [《我是你的朋友》日译本]

[日本] 福武书店 1987 年 12 月第一版

1989 年 3 月第二版

1991 年 2 月第三版

1988 年
30.[27]《她有一头披肩发》[中短篇小说集]

台湾林白出版社 1988 年 4 月第一版

31.《钟鼓楼》[长篇小说]

香港天地图书有限公司 1988 年第一版

1993 年第二版

32.[28]《私人照相簿》[纪实文学]

香港南粤出版社 1988 年 11 月第一版

33.[29]《刘心武代表作》

黄河文艺出版社 1988 年 12 月第一版

1989 年
34.《小猴吃瓜果》[科学童话]

开明出版社、海豚出版社 1989 年 3 月第一版

35.《钟鼓楼》[长篇小说]

台湾皇冠出版社 1989 年 4 月第一版

36.[30]《一片绿叶对你说》[文艺随笔集]

河北教育出版社 1989 年 12 月第一版

1990 年

37.[31]*BLACK WALLS AND OTHER STORIES*［小说集・英译本］

香港中文大学翻译中心出版社 1990 年第一版

38.[32]《王府井万花镜》［小说集・日译本］

［日本］德间书店 1990 年 9 月第一版

1991 年

39.《母校留念》［小说］

［日本］骏河台出版社 1991 年 4 月第一版

40.[33]《一窗灯火》［中短篇小说集］

华艺出版社 1991 年 10 月第一版

1993 年第二次印刷

1992 年

41.[34]《列奥纳多・达・芬奇》［传记］

江苏教育出版社 1992 年 5 月第一版

42.[35]《有家可归》［散文随笔集］

广东旅游出版社 1992 年 5 月第一版

43.[36]《风过耳》［长篇小说］

中国青年出版社 1992 年 6 月第一版

1992 年 12 月第二次印刷

1993 年 3 月第三次印刷

1995 年 8 月第五次印刷

1996 年 3 月第六次印刷

44.《风过耳》［长篇小说］

香港勤＋缘出版社 1992 年 6 月第一版

45.[37]《献给命运的紫罗兰——刘心武谈生存智慧》

上海人民出版社 1992 年 6 月第一版

1992 年 11 月第二次印刷

1995 年第三次印刷

1996 年 12 月第五次印刷

46.《刘心武代表作》

河南人民出版社 1992 年 6 月第二次印刷 · 精装本

47.[38]《蓝夜叉》[中篇小说集]

香港勤 + 缘出版社 1992 年 9 月第一版

1993 年

48.《北京下町物语》[长篇小说 · 《钟鼓楼》日译本]

[日本] 东京恒文社 1993 年 2 月第一版

1994 年第二版

49.[39]《为你自己高兴》[随笔集]

内蒙古人民出版社 1993 年 3 月第一版

50.[40]《杀星》[小说集]

香港勤 + 缘出版社 1993 年 6 月第一版

51.《我是你的朋友》[儿童文学 · 中篇小说 · 增订本]

希望出版社 1993 年 6 月第一版

52.[41]《四牌楼》[长篇小说]

上海文艺出版社 1993 年 6 月第一版

1994 年 4 月第二次印刷

1996 年 11 月第三次印刷

53.[42]《我是怎样的一个瓶子》[随笔集]

成都出版社 1993 年 9 月第一版

54.[43]《沉默交流》[随笔集]

中国华侨出版社 1993 年 11 月第一版

55.[44]《富心有术》[随笔集]

群众出版社 1993 年 12 月第一版

1995 年第二次印刷

56.[45]《中国当代名人随笔·刘心武卷》

陕西人民出版社 1993 年 12 月第一版

☆《刘心武文集》[1—8 卷]

华艺出版社 1993 年 12 月第一版

☆《刘心武文集·〈钟鼓楼〉〈风过耳〉》(简装本)

☆《刘心武文集·〈四牌楼〉〈无尽的长廊〉》(简装本)

华艺出版社 1997 年 5 月第一版

1994 年

57.[46]《仰望苍天》[随笔集]

知识出版社 1994 年 1 月第一版

1995 年第二次印刷

东方出版中心 1996 年 7 月第三次印刷

58.[47]《男扮女妆与女扮男妆》[随笔集]

中原农民出版社 1994 年 2 月第一版

59.[48]《相对一笑》[小小说集]

中共中央党校出版社 1994 年 2 月第一版

60.[49]《秦可卿之死》[专著]

华艺出版社 1994 年 5 月第一版

61.《四牌楼》[长篇小说]

台湾幼狮文化事业公司 1994 年 8 月第一版

62.[50]《为他人默默许愿》[散文集]

台湾幼狮文化事业公司 1994 年 10 月第一版

63.[51]《中国小说名家新作丛书·刘心武卷》

海峡文艺出版社 1994 年 11 月第一版

64.[52]《红楼梦(缩写本)》

接力出版社 1994 年 12 月第一版

1995 年第二次印刷

1997 年 9 月第三次印刷

1995 年

65.[53]《人生非梦总难醒》[名人日记·随笔集]

上海人民出版社 1995 年 1 月第一版

1995 年 3 月第二次印刷

66.[54]《仙人承露盘》[中短篇小说集]

华艺出版社 1995 年 3 月第一版

67.[55]《女性与城市》[杂文集]

中国城市出版社 1995 年 6 月第一版

68.《我是你的朋友》[增订版·"小学生成才书架"系列之一]

希望出版社 1995 年 10 月第一版

69.《在胡同里转悠》[随笔集]

陕西人民出版社 1995 年 11 月第二次印刷

70.[56]《刘心武海外游记》

华文出版社 1995 年 12 月第一版

1996 年

71.[57]《刘心武小说精选》

太白文艺出版社 1996 年 2 月第一版

72.[58]《开发心大陆》[随笔集]

吉林人民出版社 1996 年 3 月第一版

1997 年 3 月第二次印刷

73.[59]《你哼的什么歌》[散文集]

湖南文艺出版社 1996 年 6 月第一版

74.[60]《刘心武张颐武对话录——"后世纪"的文化了望》

漓江出版社 1996 年 7 月第一版

75.[61]《边缘有光》[随笔集]

汉语大辞典出版社 1996 年 8 月第一版

76.[62]《刘心武怪诞小说自选集》

漓江出版社 1996 年 8 月第一版

有平装、精装两种

77.[63]《我是刘心武》

团结出版社 1996 年 9 月第一版

78.[64]《刘心武》[中国当代作家选集丛书]

人民文学出版社 1996 年 10 月第一版

79.[65]《刘心武杂文自选集》

百花文艺出版社 1996 年 11 月第一版

80.《秦可卿之死》[修订本]

华艺出版社 1996 年 11 月第二版

81.[66]《栖凤楼》[长篇小说]

人民文学出版社 1996 年 12 月第一版

1998 年 3 月第二次印刷

1997 年

82.[67]《封神演义（缩写本）》

接力出版社 1997 年 1 月第一版

1997 年 9 月第二次印刷

83.[68]《胡同串子》[中短篇小说集]

北京燕山出版社 1997 年 8 月第一版

84.《私人照相簿》

上海远东出版社 1997 年 9 月第一版

1998 年 2 月第二次印刷

2000 年换封面版权页称 2000 年 6 月第二次印刷

85.[69]《中国儿童文学名家作品精选丛书·刘心武作品精选》

河北少年儿童出版社 1997 年 8 月第一版

86.[70]《把嘴张圆》[随笔集]

上海远东出版社 1997 年 12 月第一版

1998 年

87.[71]《我眼中的建筑与环境》[建筑评论随笔集]

中国建筑工业出版 1998 年 5 月第一版

1999 年 5 月第二次印刷

2000 年 6 月第三次印刷

2001 年 6 月第四次印刷

88.《钟鼓楼》[茅盾文学奖获奖书系]

人民文学出版社 1998 年 3 月第一次印刷

1998 年 7 月第二次印刷

1998 年 8 月第三次印刷

1999 年 3 月第四次印刷

2000 年 1 月第五次印刷

2001 年 1 月第六次印刷

2001 年 8 月第七次印刷

2002 年 8 月第八次印刷

2003 年 1 月第九次印刷

1999 年

89.[72]《树与林同在》[非虚构长篇小说]

山东画报出版社 1999 年 3 月第一版

2006 年 7 月第二次印刷

90.[73]《八十六颗星星》(*The Eighty-Six Stars*)[儿童文学小说·汉英对照]

希望出版社 1999 年 6 月第一版

91.[74]《红楼三钗之谜》[刘心武红学探佚精品]

华艺出版社 1999 年 9 月第一版

92.[75]《蓝玫瑰》[中短篇小说集]

中国华侨出版社 1999 年 10 月第一版

93.[76]《过隧道的心情》[随笔集]

华东师范大学出版社 1999 年 12 月第一版

2000 年

94.[77]《一切都还来得及》[随笔集]

中国青年出版社 2000 年 1 月第一版

95.[78]《善的教育》[儿童文学]

辽宁少年儿童出版社 2000 年 2 月第一版

96.[79] Le Talisman (version bilingue)[《如意》中、法文对照版]

Librarie You Feng 2000 年 4 月第一版

97.[80]《作家刘心武〈班主任〉手迹》

线装书局 2000 年 5 月第一版

98.[81]《楼前白玉兰》[小小说集]

中国广播电视出版社 2000 年 7 月第一版

99.[82]《刘心武侃北京》

上海文艺出版社 2000 年 10 月第一版

100.[83]《我爱吃苦瓜》[茅盾文学奖获奖作家散文精品]

广州出版社 2000 年 10 月第一版

2002 年 10 月第二次印刷

101.[84]《了解高行健》

香港开益出版社 2000 年 12 月第一版

2001 年

102.[85]《亲近苍莽》

中国旅游出版社 2001 年 1 月第一版

103.[86]《在忧郁中升华》

文汇出版社 2001 年 2 月第一版

《刘心武谈建筑——在忧郁中升华》2007 年 8 月第二次印刷

104.[87]《人在风中》

作家出版社 2001 年 8 月第一版

105.《风过耳》

时代文艺出版社 2001 年 10 月第一版

有平装、精装两种

2002 年

106.[88]《京漂女》(自绘插图)

中国文联出版社 2002 年 1 月第一版

107.[89]《深夜月当花》

中国工人出版社 2002 年 1 月第一版

108.[90]《春梦随云散》

人民文学出版社 2002 年 4 月第一版

109.[91]《藤萝花饼》

台湾二鱼文化事业有限公司 2002 年 4 月第一版

110.[92]《刘心武自述》

大象出版社 2002 年 10 月第一版

2003 年

111.[93] L'arbre et la forêt [《树与林同在》法译本]

Bleu de Chine 2003 年 1 月第一版

112.[94]《人面鱼》

台湾联经出版事业股份有限公司 2003 年 2 月初版

113.[94] La Cendrillon Du Canal [《护城河边的灰姑娘》法译本]

Bleu de Chine 2003 年 4 月第一版

114.[95]《画梁春尽落香尘》["红学" 专著]

中国广播电视出版社 2003 年 6 月第一版

2003 年 9 月第二次印刷

2004 年 1 月第三次印刷

2005 年 6 月第四次印刷

115.[96]《眼角眉梢》

新华出版社 2003 年 8 月第一版

116.[97]《钟鼓楼》[初中生语文新课标必读]

人民日报出版社 2003 年 9 月第一版

117.[98]《天梯之声》

中国青年出版社 2003 年 10 月第一版

2004 年

118.[99] Poussiêre et sueur [《尘与汗》法译本]

Bleu de Chine 2004 年 1 月第一版

119.[100] La mort de Lao SHe [《老舍之死》歌剧剧本法译本]

Bleu de Chine 2004 年 3 月第一版

120.[101] Poisson à face humaine [《人面鱼》法译本]

Bleu de Chine 2004 年 3 月第一版

121.《如意》[电影伴读中国文学文库·附电影光盘]

中国青年出版社 2004 年 1 月第一版

122.[102]《泼妇鸡丁》

台湾二鱼文化事业有限公司 2004 年 4 月第一版

123.[103]《在柳树臂弯里——刘心武随笔》

光明日报出版社 2004 年 5 月第一版

124.[104]《材质之美——刘心武城市文化酷评》

中国建材工业出版社 2004 年 5 月第一版

125.[105]《站冰——刘心武小说新作集》(自绘插图)

人民文学出版社 2004 年 6 月第一版

126.《四牌楼》

上海文艺出版社 2004 年 8 月第二版

127.[106]《大家文丛：刘心武》

古吴轩出版社 2004 年 8 月第一版

2005 年

128.《钟鼓楼》(中国文库·文学类)

人民文学出版社 2005 年 1 月第一版第一次印刷（平装）

2005 年 1 月第一版第一次印刷（精装）

129.《钟鼓楼》(茅盾文学奖获奖作品全集之一)

人民文学出版社 1985 年 11 月第一版、2005 年 1 月第一次印刷

2005 年 5 月第二次印刷

2005 年 7 月第三次印刷

2006 年 3 月第四次印刷

2008 年 4 月第七次印刷

2009 年 8 月第八次印刷

2010 年 1 月第九次印刷

2011 年 7 月第 15 次印刷

2011 年 9 月第 16 次印刷

2011 年 11 月第 17 次印刷

130.[107]《心灵体操》

时代文艺出版社 2005 年 1 月第一版

131.[108]《刘心武作文示范》

少年儿童出版社 2005 年 1 月第一版

132.[109] La Démone bleue (《蓝夜叉》法译本)

Bleu de Chine 2005 年第一版

133.[110]《红楼望月》

书海出版社 2005 年 4 月第一版

2005 年 6 月第二次印刷

2005 年 7 月第三次印刷

2005 年 8 月第四次印刷

2005 年 9 月第五次印刷

2005 年 9 月第六次印刷

134.[111]《刘心武揭秘〈红楼梦〉》

东方出版社 2005 年 8 月第一版

至 2005 年 19 月共十三次印刷

2005 年 11 月第二版

至 2005 年 12 月已第十八次印刷

至 2007 年 7 月已第二十八次印刷

2007 年 12 月第三十次印刷

2008 年 4 月第三十二次印刷

135.《红楼解梦——画梁春尽落香尘》

中国广播电视出版社 2005 年 9 月第二版第五次印刷

136.《楼前白玉兰——刘心武最新小小说集》

中国广播电视出版社 2005 年 9 月第二版第二次印刷

137.[112]《刘心武揭秘〈红楼梦〉》[第二部]

东方出版社 2005 年 12 月第一版

至 2007 年 7 月已第十五次印刷

2007 年 12 月第十七次印刷

2008 年 4 月第十九次印刷

138.[113]《刘心武解读人世情》

时代文艺出版社 2005 年 12 月第一版

139.[114]《刘心武感悟平常心》

时代文艺出版社 2005 年 12 月第一版

2006 年

140.[115]《刘心武自选集》

云南人民出版社 2006 年 1 月第一版

141.[116]《刘心武点评〈红楼梦〉》

团结出版社 2006 年 1 月第一版

142,《刘心武精品集·第一卷·钟鼓楼》

东方出版社 2006 年 1 月第一版

143.《刘心武精品集·第二卷·四牌楼》

东方出版社 2006 年 1 月第一版

144.《刘心武精品集·第三卷·栖凤楼》

东方出版社 2006 年 1 月第一版

145.《刘心武精品集·第四卷·献给命运的紫罗兰》

东方出版社 2006 年 1 月第一版

146.[117]《戴敦邦绘刘心武评〈金瓶梅〉人物谱》

作家出版社 2006 年 4 月第一版

147.[118]《红楼拾珠》

云南人民出版社 2006 年 5 月第一版

148.[119]《藤萝花饼》

云南人民出版社 2006 年 5 月第一版

149.《刘心武揭秘〈红楼梦〉》[第一部]

台湾好读出版有限公司 2006 年 6 月初版

150.《刘心武揭秘〈红楼梦〉》[第二部]

台湾好读出版有限公司 2006 年 6 月初版

151.《我是刘心武》

天津人民出版社 2006 年 8 月第一版

152.[120]《刘心武揭秘古本〈红楼梦〉》

人民出版社 2006 年 12 月第一版
同月第二次印刷

2007 年

153.[121]《四棵树》

二十一世纪出版社 2007 年第一版

154.[122]《用心去游》

上海三联书店 2006 年 12 月第一版
2007 年 1 月第一次印刷

155.[123] Dés de poulet façon mégère [《泼妇鸡丁》法译本]

Bleu de Chine 2007 年 4 月第一版

156.《一切都还来得及》

中国青年出版社 2005 年 5 月第一版

157.[124]《刘心武揭秘〈红楼梦〉》[第三部·黛玉之谜及古本之秘]

东方出版社 2007 年 7 月第一版

至 2007 年 8 月已第四次印刷

2007 年 12 月第六次印刷

2008 年 3 月第七次印刷

158.[125]《刘心武说世道人心》

中国青年出版社 2007 年 7 月第一版

159.[126]《刘心武说寻美感悟》

中国青年出版社 2007 年 7 月第一版

160.[127]《刘心武说草根情怀》

中国青年出版社 2007 年 7 月第一版

161.[128]《长吻蜂》

上海人民出版社 2007 年 8 月第一版

162.《私人照相簿》

华龄出版社 2007 年 10 月第一版

163.《善的教育》

华龄出版社 2007 年 10 月第一版

164.[129]《刘心武揭秘〈红楼梦〉》[第四部·宝钗湘云之谜暨红楼心语]

东方出版社 2007 年 11 月第一版

2008 年 3 月第三次印刷

2008 年

165.[130]《健康携梦人》

中国海关出版社 2008 年 4 月第一版

166.[131]《刘心武小说》

                              吉林文史出版社 2008 年 5 月第一版

167.[132]《刘心武散文》

                              吉林文史出版社 2008 年 5 月第一版

2009 年

168.《钟鼓楼》（共和国作家文库）

                                作家出版社 2009 年 4 月第一版

169.《四牌楼》（共和国作家文库）

                                作家出版社 2009 年 4 月第一版

170.[133]《人在胡同第几槐》

                              中国文联出版社 2009 年 6 月第一版

171.《钟鼓楼》（新中国 60 年长篇小说典藏）

                              人民文学出版社 2009 年 7 月第一版

172.[134]《刘心武短篇小说》

                              现代教育出版社 2009 年 8 月第一版

173.[135]《刘心武中篇小说》

                              现代教育出版社 2009 年 8 月第一版

174.[136]《刘心武散文随笔》

                              现代教育出版社 2009 年 8 月第一版

175.《刘心武揭秘〈红楼梦〉》上卷（共和国作家文库）

                                作家出版社 2009 年 8 月第一版

176.《刘心武揭秘〈红楼梦〉》下卷（共和国作家文库）

                                作家出版社 2009 年 8 月第一版

2010 年

177.[137]《人情似纸》

                              江苏文艺出版社 2010 年 1 月第一版

178.[138]《红楼梦八十回后真故事》

江苏人民出版社 2010 年 3 月第一版

179.[139]《刘心武小说精选集》

[台湾] 新地文化艺术有限公司 2010 年 4 月第一版

180.《红楼望月》

江苏人民出版社 2010 年 6 月第一版

2010 年 9 月第二次印刷

181.[140]《命中相遇——刘心武话里有画》

上海文艺出版社 2010 年 7 月第一版

182.[141]《红楼眼神》

重庆出版社 2010 年 9 月第一版

2011 年

183.[142]《刘心武续红楼梦》

江苏人民出版社 2011 年 3 月第一版

江苏人民出版社 2011 年 4 月第 4 次印刷

184.[143]《红楼梦》(曹雪芹著刘心武续)

江苏人民出版社 2011 年 3 月第一版

185.《刘心武续红楼梦》[繁体字竖排本]

香港明报出版社有限公司 2011 年 3 月初版

186.《刘心武揭秘〈红楼梦〉》精华本（一）

江苏人民出版社 2011 年 4 月第一版

187.《刘心武揭秘〈红楼梦〉》精华本（二）

江苏人民出版社 2011 年 4 月第一版

188.《刘心武揭秘〈红楼梦〉》精华本（三）

江苏人民出版社 2011 年 4 月第一版

189.《刘心武揭秘〈红楼梦〉》精华本（四）

江苏人民出版社 2011 年 4 月第一版